CW00377063

DANS QUELLE FRANCE ON VIT

DU MÊME AUTEUR

Les Médias russes, La Documentation française, 1996.

Quand les médias russes ont pris la parole, L'Harmattan, 1997.

Chienne de guerre, Fayard, 2000, prix Albert-Londres, Le Livre de Poche, 2001.

Algérienne, de Louisette Ighilahriz, récit recueilli par Anne Nivat, Fayard-Calmann-Lévy, 2001.

La Maison haute, Fayard, 2002, Le Livre de Poche, 2004.

La guerre qui n'aura pas eu lieu, Fayard, 2004.

Lendemains de guerre en Afghanistan et en Irak, Fayard, 2004.

Islamistes : comment ils nous voient, Fayard, 2006.

Par les monts et les plaines d'Asie centrale, Fayard, 2006.

Bagdad Zone rouge, Fayard, 2008.

Correspondante de guerre (avec Daphné Collignon), publié par Reporters sans frontières, Soleil, 2009.

Les Brouillards de la guerre, Fayard, 2011.

La République juive de Staline, Fayard, 2013.

Anne Nivat

Dans quelle France on vit

Pluriel

Couverture : Delphine Delastre
Illustration © Hannah Assouline
ISBN : 978-2-818-50547-2
Dépôt légal : octobre 2017
Librairie Arthème Fayard / Pluriel, 2017

Memento, homo, quia pulvis es, et in pulverem reverteris
« Souviens-toi que tu es poussière
et que tu redeviendras poussière. »

Genèse 3, 19

« Pour qu'une chose soit intéressante, il suffit
de la regarder longtemps. »

Gustave Flaubert à Alfred Le Poittevin,
16 septembre 1845, *Correspondance*

En mémoire de Claude Durand

À l'homme de ma vie,
pour qui je suis revenue en France,
qui, le premier, m'a convaincue
de la nécessité de ce travail et l'a passionnément suivi.

À Louis, mon fils

À Clémence et Fanny, mes belles-filles

Il y eut ces mots du chef de l'État français, prononcés le 16 novembre 2015 devant les parlementaires réunis en Congrès à Versailles : « La France est en guerre. »

Sur le moment, cette affirmation belliqueuse m'avait heurtée. Puis j'ai compris qu'elle exprimait l'indicible, une manière de communier face aux attaques. Nombreux furent ceux qui allaient répéter ensuite cette antienne, faute de trouver autre chose à dire.

La démocratie a le privilège de la liberté d'expression, et c'est en son nom que, depuis des années, je sillonne des terrains dangereux. Toutes les horreurs de la guerre me sont familières. D'habitude, elles ont l'élégance de se produire dans un « ailleurs » lointain où des forces armées régulières combattent djihadistes ou autres extrémistes. Or, quand des individus munis de kalachnikovs tuent, en plein Paris, un groupe d'hommes ayant ri de l'islam, il y a de quoi être désarçonné.

Longtemps ignorées par l'opinion publique française, les « guerres contre la terreur » nous avaient rattrapés.

Nous, reporters de guerre, avions eu tant de difficultés à convaincre la population de l'importance des guerres que nous couvrions – et voilà que, désormais, le pire se déroulait aussi chez nous.

L'idée simpliste que, grâce à la réponse guerrière, tout peut être réglé d'un coup de baguette magique est un leurre. Jamais nous ne devrions céder à la simplification. Depuis ma confrontation avec mon premier terrain de guerre, la Tchétchénie, en 1999, je sais que la violence en un territoire donné ne se cantonne jamais à celui-ci : elle se diffuse comme l'eau sous la terre, se ramifie et s'approfondit, autant qu'elle divise les hommes en une myriade de camps retranchés se faisant face.

J'ai longtemps été stupéfaite, voire blessée, d'entendre des voix amies affirmer ne pas comprendre pourquoi je continuais à donner la parole à l'autre, celui qui fait peur, le « djihadiste », le « taliban » ou le « combattant de l'islam », bref, celui que nos forces alliées avaient pour mission d'aller dénicher et combattre. Je déplore que la volonté de connaître son « ennemi », celui qui ne pense pas comme nous, soit non seulement si peu partagée, mais entraîne un tel déferlement de haine sur les réseaux sociaux. La haine est *aussi* la première motivation des terroristes français, fascinés par ces guerres lointaines d'Afghanistan, de Syrie et d'Irak, autant de conflits qui resurgissent chez nous, tels d'impitoyables boomerangs.

Bien avant les attentats qui ont endeuillé notre pays en 2015, j'avais ressenti le besoin de réaliser en France ce que je pratique d'habitude sur des terrains de guerre : un long reportage en immersion. Si l'idée d'écrire *Les Passagers du*

Roissy-Express[1], un récit s'arrêtant sur toutes les stations d'une ligne de RER pour savoir « comment on vit à une demi-heure des tours de Notre-Dame », était venue à feu l'écrivain François Maspero, *Dans quelle France on vit* s'est peu à peu imposé à moi au fil de mes retours de zones de guerre. La banalité de la violence subie sur le terrain m'avait conduite à porter un certain regard sur les actes de terreur commis ici.

Le Nouvel Observateur de février 2006 redoutait une « montée de l'intégrisme » – à l'époque, personne ne parlait encore de « radicalisation ». À partir de début 2014, à la suite du naufrage qui avait provoqué plus de trois cent soixante morts au large de l'île de Lampedusa, les sujets sur les migrants se multiplièrent. Dès lors, les articles sur « les routes de l'immigration » ne cesseraient plus. Dans les opinions publiques occidentales, le rejet des migrants évoluait en fonction de l'intensité de la couverture médiatique à leur propos, au point que *Le Monde* et d'autres médias s'étaient mis à souligner la « libération de la parole xénophobe[2] ».

Pendant mon enquête en France, colère et rancune vis-à-vis de « ceux qui décident là-bas, à Paris », de « ceux qui s'en

---

1. Cf. François Maspero et Anaïk Frantz, *Les Passagers du Roissy-Express*, Le Seuil, 1990.

2. Cf. « Voyage à l'intérieur du peuple FN », par Perrine Mouterde, in *Le Monde*, 12 décembre 2015, « aller à la rencontre des nouveaux électeurs du Front national, c'est entreprendre un voyage au pays de l'intranquillité. Dans une France où le sentiment étouffant de relégation a pris le pas sur une certaine douceur de vivre. Où l'avenir est synonyme d'anxiété. Où la colère débouche sur le rejet de l'autre et surtout des personnes qui se succèdent au pouvoir depuis des années. Parmi les 6 millions de Français qui ont placé l'extrême droite en tête au premier tour des régionales, le 6 décembre, beaucoup n'avaient jamais mis un bulletin FN dans l'urne avant 2012 ».
En savoir plus sur http://www.lemonde.fr/elections-regionales-2015/article/2015/12/11/voyage-a-l-interieur-du-peuple-fn_4829729_4640869.html#xkKE5Ok9y3Ktms5e.99

foutent de nous », de « ceux qui ne peuvent pas comprendre », n'avaient cessé de gronder. Leur sentiment de travailler pour rien, leurs difficultés au quotidien, les normes imposées par Bruxelles, tout pesait sur ceux qui ne parvenaient pas à accepter de partager le « peu » qu'il leur restait. Certains jeunes iraient voter Marine Le Pen parce que ce vote leur paraissait « révolutionnaire », à leurs yeux celui du vrai changement. D'autres le feraient par exaspération, parce qu'ils redoutaient d'être abandonnés, ou parce qu'ils se sentaient déjà abandonnés. Que le FN n'ait pas été capable de remporter une seule région lors des scrutins régionaux de 2015 avait nourri la frustration de ses électeurs, furieux de leur non-représentation dans le paysage politique français.

Dès mes débuts sur les terrains de guerre de la fin du XXe siècle et du début du XXIe, j'avais senti que ce qui se passait ailleurs, « loin de chez nous », avait et aurait des conséquences au cœur même de la bulle occidentale tissée d'illusion de puissance, d'obsession du confort et de la modernité. On avait depuis longtemps fermé nos yeux, bouché nos oreilles et envoyé des militaires français sur des terrains hostiles sans en débattre au préalable ; on s'était précipité dans l'action sans jamais envisager l'*après*. On modifiait les stratégies au gré des échecs subis sur les « théâtres d'opération » ; pis, à la tête de l'État, on se laissait influencer par quelques « intellectuels », prêts à tout pour s'assurer une surmédiatisation immédiate et une place dans l'histoire.

Peu désireux de connaître et de mesurer ce qui était en train de se tramer dans les esprits de ceux qui nourrissaient à notre égard une telle haine, au point de vouloir mourir en nous tuant, on avait pratiqué, ni plus ni moins, la politique de l'autruche. Or, il s'agissait de jeunes pour la plupart nés et éduqués en France, qui avaient cherché du travail en France et fini par se retrouver hors des circuits « normaux ».

Qu'il est désagréable de se regarder dans un miroir reflétant notre capacité à produire terreur et inhumanité ! D'autant que personne n'a la moindre idée de ce qu'il faudrait faire ou dire. Les politiques commentent, mais, en réalité, ne savent pas plus quoi faire. Au lendemain du massacre du Bataclan, le grand reporter britannique Patrick Cockburn martelait que « pour le moment, nous n'arrivons pas à enrayer cette menace parce que nous refusons d'en accepter la nature[1] ». Il savait que Daech fonctionnait comme un État, avec force et puissance, et qu'il était temps de s'en rendre compte.

Combien de fois, de retour du terrain, m'étais-je moi aussi retrouvée face à ce manque criant de curiosité, ce mur d'indifférence, si ce n'est pour entendre des mots vides louant mon « courage » ou celui des populations civiles, mais sans réelle volonté de comprendre les événements pour ce qu'ils dévoilaient déjà de l'attraction fatale de certains de nos jeunes envers l'engagement terroriste. Dès le conflit entre la Tchétchénie et la Russie, en 1999, des mères de combattants français convertis m'avaient contactée pour me confier leur désespoir au sujet de leurs fils partis et la crainte d'apprendre leur mort. Celle-ci advenue, certaines me suppliaient de retrouver les épouses locales et d'éventuels enfants. L'idéologie aujourd'hui appelée « Daech » produisait déjà des émules.

---

1. Cf. « Daech est bien un État et il faut le combattre comme tel », par Patrick Cockburn, in *Le Monde*, 21 novembre 2015, p. 16.

« Comme souvent dans l'histoire, les acteurs et les observateurs analysent une situation à partir d'un paradigme qui a déjà perdu de sa force explicative, jusqu'à ce qu'une série d'événements montrent que l'on est dans une phase nouvelle, mais qui avait commencé bien avant[1] », analyse fort à propos Olivier Roy. Ainsi s'explique ce sentiment diffus, gênant, souvent ressenti en tant que reporter, d'arriver toujours trop tard, de ne jamais parvenir à s'intéresser aux phénomènes au bon moment. D'autant qu'il est accentué par la rétraction du temps imposée par les impitoyables lois du système médiatique. Olivier Roy poursuit en affirmant que « les jeunes occidentalisés, musulmans ou convertis, ne s'intéressent pas aux subtilités du Moyen-Orient[2] ». C'est vrai. En revanche, ils sont séduits par « un concept – celui de Daech – qui leur permet de se vivre comme à l'avant-garde de l'*Oumma* musulmane alors même qu'ils ne sont intégrés dans aucune société[3] ».

En France, étions-nous vraiment en guerre ?

La guerre, je l'ai vécue de près, en Tchétchénie, en Irak, en Afghanistan. La formule choc de notre président m'incitait à regarder la France avec les yeux de la correspondante de guerre que je n'ai jamais cessé d'être. Avais-je besoin d'autres raisons pour m'aventurer dans mon propre pays ? En lui accordant toute mon attention, parviendrais-je à le

---

1. Cf. « Les recompositions au Moyen-Orient », par Olivier Roy, in *Le Débat*, n° 190, mai-août 2016, p. 129.
2. *Op. cit.*, p. 132.
3. *Ibid.*

saisir dans sa complexité, avec minutie, honnêteté et en toute subjectivité, la mienne ?

L'Europe abrite « les meilleures sociétés qu'on ait jamais vues dans l'histoire de l'humanité, même si tout le monde y est mécontent tout le temps[1] », affirme l'ancien ministre des Affaires étrangères Hubert Védrine. Effectivement, à chaque retour de reportage, les plaintes, quasi constantes, des Français, me frappaient chaque fois davantage. « Plus un pays est heureux et civilisé, plus extrême peut être le comportement de ses éléments déviants et marginalisés. Certaines personnes ressentent un ennui mortel dans un pays tranquille et prospère », dénonçait quant à lui le géopolitologue Dominique Moïsi après la catastrophe d'Utoya[2] en Norvège.

N'étions-nous pas trop gâtés, nous, Français, au regard de ce qui se passait sur ces terrains de guerre auxquels j'avais consacré tous mes livres précédents ? Là où je me rendais depuis près de vingt ans, la guerre sévissait et personne ne s'ennuyait. Était-ce si lassant de vivre en France ? Loin de moi l'idée d'accabler mes semblables, mais, dans le confort évident qu'offrent nos sociétés occidentales aux régimes politiques stables, beaucoup me paraissaient en proie à l'ennui, voire à une réelle souffrance. Comme si, délestés de la préoccupation primaire de leur propre survie quotidienne, certains compatriotes se laissaient aller à une certaine mélancolie, et, pour une poignée, à des comportements extrêmes, faisant fi des valeurs inscrites sur nos

---

1. Cf « Retour au réel », entretien avec Hubert Védrine, in *Le Débat*, n° 190, mai-août 2016, p. 16.
2. Le 22 juillet 2011, Anders Behring Breivik tue avec des armes à feu 77 personnes sur l'île d'Utoya où se déroulait un camp d'été de la jeunesse travailliste norvégienne. Cf. « À quoi tient le drame de la Norvège ? » par Dominique Moïsi, in *Le Figaro*, été 2011.

frontons, notamment la fraternité, que j'avais justement dé-
couverte dans des pays ravagés par la guerre.

En partant en reportage en France, mon but était d'entendre ces Français qu'on entend si peu, voire jamais. En
dialoguant, en regardant vivre untel ou unetelle, je me di-
sais que je parviendrais à décrire, à exprimer au plus près ce
qu'ils ressentaient. Ainsi, pourrais-je tordre le cou à cette
myriade de préjugés que nous développions tous les uns
sur les autres, et dont j'éprouvais la sensation terrible qu'ils
nous ankylosaient jusqu'à la paralysie.

Mais, la France n'étant pas en guerre comme celles, lointaines, que je dépeignais d'habitude, par quoi commencer ?
Comment procéder ? Comment « tirer le fil », sans lignes de
fronts ? En l'absence d'un guide avec lequel me déplacer d'un
village à l'autre au gré de la carte mouvante des dangers et
de la fuite des civils, qui me conduirait et où aller ? En dis-
cutant de ce projet avec Claude Durand, mon cher éditeur
aujourd'hui disparu, il avait trouvé ce mot singulier, inventé
sur-le-champ : la « Malfrance ». Puisqu'en rentrant de mes divers reportages j'avais « mal à ma France », il s'agissait pour moi
de raconter ce malaise. Or, une fois sur le terrain, quelle ne
fut pas ma surprise de ne pas rencontrer cette « Malfrance » !

Fixer « ce que l'on devrait pouvoir appeler l'instantané mobile d'un pays[1] », cette belle idée de l'écrivain et poète Jean-
Christophe Bailly était tentante. Dans chacune des villes où
je m'arrêtais, j'étais plutôt mue par le désir de la raconter au
rythme de ceux que j'y rencontrais, me concentrant sur leurs

---

1. Cf. Jean-Christophe Bailly, *Le Dépaysement. Voyages en France*, Le Seuil,
2011.

préoccupations majeures. C'est ainsi que je choisis six villes, à l'aune de deux critères, pour cinq thèmes essentiels[1].

Parmi les 36 000 communes de France, je ne voulais traiter ni des mégapoles, ni de leurs banlieues (Paris-Lyon-Marseille). Ainsi j'optai pour des cités n'excédant pas 50 000 habitants (ma seule exception fut Ajaccio), dont aucune n'avait déjà fait l'objet d'une couverture médiatique, et ce afin d'arriver sur des lieux vierges de toute couverture journalistique[2].

Je décidai de traiter du sentiment de déclassement (réel ou fantasmé) à Laon ; de l'emploi et du chômage à Montluçon et à Laval ; de l'identité à Ajaccio ; du malaise des 18-25 ans à Évreux ; du sentiment d'insécurité (réel ou fantasmé) à Lons-le-Saunier.

J'ajoute que l'association d'une ville à un thème était – et reste – interchangeable : j'aurais tout aussi bien pu illustrer l'identité à Évreux, l'emploi à Laon, le déclassement à Ajaccio ou le sentiment d'insécurité à Montluçon. Partout en France se mêlent les mêmes angoisses existentielles et les mêmes problèmes, comme celui des transports, dont la population redoute qu'ils disparaissent, la désertification médicale, la fermeture de services publics, l'obsession de la recherche d'un emploi et/ou de la meilleure école pour ses enfants, les murs invisibles qui séparent les quartiers, ou encore le racisme qui refuse de dire son nom.

---

1. Le plus important de tous, celui de l'emploi, a été traité dans deux villes sous deux angles différents : celui du demandeur d'emploi et celui de l'employeur.

2. Dans cette optique, je ne pouvais, par exemple, inclure la ville de Lunel, et ses djihadistes déjà trop racontés. Pourtant, le thème et le lieu auraient pu me convenir, d'autant que cette commune n'était pas très éloignée de mon point de chute de villégiature cévenol.

De très nombreux « tours de France » ont été accomplis avant le mien, tous différents. Pour ne citer qu'un exemple, à l'été 2012, sous le titre « D'autres vies que les nôtres[1] », mes collègues du *Monde* s'étaient aventurés à « prendre le pouls » du pays. Dans le premier article de leur série, ils s'étonnaient qu'il soit « plus facile de partir en reportage en sachant ce que l'on doit "rapporter "dans sa musette parce que l'actualité l'exige. [...] C'est pratique un angle, ça évite de se disperser, et parfois même de penser ou de regarder ce qui est juste à côté ». Or, notaient-ils, « dans le temps long il n'y a pas d'angle. On ne cherche pas, on trouve... ou on ne trouve pas ». Cette difficulté de l'angle absent, ou plutôt d'absence de cadre, je ne la connaissais que trop, puisque depuis vingt ans que je pratiquais le journalisme j'avais délibérément opté pour cette liberté à couper le souffle, vertigineuse, certes agréable, mais si fragile. Après y avoir goûté dans mes pays en guerre, oserais-je la pratiquer dans mon propre pays ?

Entre juin 2015 et juin 2016, je partis donc tour à tour dans chacune de ces villes, mettant en application la discipline que je m'étais fixée : rester sur place au moins trois semaines d'affilée[2]. Ô surprise ! partout on m'écoutait expliquer cette entreprise saugrenue, partout on m'ouvrait sa porte et partout on acceptait de me parler ! Partir le

---

1. La série d'été du *Monde* « D'autres vies que les nôtres » a été publiée à partir du 7 août 2012, ainsi que sur le blog « une année en France » de 2011 à 2012. Son titre se réfère à l'excellent roman d'Emmanuel Carrère *D'autres vies que la mienne*, POL, 2009 ; réed. Folio, 2010.

2. À l'exception d'Ajaccio, une ville où mon séjour fut coupé en deux pour des raisons personnelles. Premier séjour en juin 2015 et second séjour fin janvier 2016.

nez en l'air, sans aucune certitude, se laisser mener par le terrain ; mais, surtout, en faisant confiance à son instinct, quel plaisir ! Raconter sans broder, faire sienne, le temps de ce projet, la routine du quotidien, parvenir à s'y couler, sans la juger, mais en la détaillant. Avec pour seuls juges mes futurs lecteurs. Tels furent mes défis.

Pour ne pas modifier mon *modus operandi* adopté en zone de guerre, je décidai de loger chez l'habitant. La tâche était ardue, d'autant que, contrairement aux zones de guerre où les hôtels ne fonctionnent plus, en France, j'avais l'embarras du choix. Toutefois, la solitude que vous impose un hôtel, alourdie par le décor et l'atmosphère standardisés, m'aurait « coupée » de mon objet d'études. Et je ne redoutais rien tant qu'une salle de petit déjeuner vide de personnel, en seule compagnie d'un fond sonore insipide, ou, pis encore, d'une télé branchée sur une chaîne d'infos pour combler le vide. En résidant au cœur des foyers, je recherchais le contact permanent.

Depuis près de vingt ans que je parcourais l'Afghanistan, le Pakistan, la Syrie, l'Irak, les ex-républiques soviétiques d'Asie centrale ou la Russie européenne, j'avais effectivement gagné des amis dans les familles qui m'avaient accueillie, avec lesquelles j'avais partagé joie, peur, rires et larmes. J'espérais de tout cœur que cela se reproduise en France, mais arguant de la méfiance hexagonale légendaire, de la disparition des valeurs (en premier lieu, celle de l'hospitalité), de l'absence de crédibilité des journalistes, voire de la mésestime dans laquelle on les tenait, beaucoup avaient tenté de me dissuader...

Or il n'en fut rien. Pas une ville qui ne m'accueillît mal. D'aucune d'entre elles je ne revins bredouille.

En amont du nécessaire et long travail de documentation, je m'enquis de trouver des personnes prêtes à me loger. Pas une famille différente chaque soir, mais un seul foyer pendant le séjour, tout au plus deux. Mon but n'était pas de me faire servir un bon café le matin, mais de me retrouver en face d'une personne avec qui je pouvais continuer la discussion de la veille. J'avais délibérément opté pour l'humain et ses failles.

Parfois, dans certains quartiers, auprès de certaines populations, la popularité de mon mari, le journaliste de radio et de télévision Jean-Jacques Bourdin, joua en ma faveur. Son patronyme en guise de sésame m'ouvrit quelques portes… et, parfois, m'en ferma d'autres ! Il y avait aussi ceux, heureusement les plus nombreux, qui ne cherchaient pas à savoir, via Internet ou d'autres réseaux sociaux, de qui j'étais l'épouse.

Traversée en train à grande vitesse, la France est remarquablement belle, mais c'est un mirage. On file, on ne s'attarde nulle part, on ne voit pas ce qui est difficile à regarder. D'ailleurs, dans le TGV, aux vitres souvent sales, rares sont ceux qui regardent encore par la fenêtre pour admirer le paysage.

Voyager vite est confortable, et c'est le désir d'une majorité : ne pas perdre une seconde, se convaincre que remplir son temps équivaut à une efficacité maximale. Surtout ne pas se retrouver face à soi-même, ne serait-ce qu'un instant. Qui ose encore relever la tête et observer son semblable ?

Quelle que soit la tranche d'âge, les passagers restent absorbés par leurs divers écrans pour « tuer le temps ». Même si on s'use davantage qu'on ne s'épanouit à lire les réseaux sociaux, encore plus à y participer. Mais il faut une féroce autodiscipline pour ne pas céder à la tentation : en catimini, derrière son écran, on se remplit de sensations agréables mais, attention… pas trop fortes – il ne faudrait pas qu'elles portent à conséquence ! Bref, on veut des sensations, mais sans les vivre vraiment, et surtout, en évitant de souffrir. On s'occupe de soi, on ne regarde plus l'autre. Et, quand on le regarde, on en a peur.

Pour ce livre, comme pour les précédents, j'ai voulu « avoir mal », sortir de ma « bulle », aller voir *en vrai*, poser un regard ouvert, bienveillant, sur cet « autre », objet de tous les fantasmes. Aussi, ne suis-je pas arrivée dans chaque ville avec un emploi du temps prédéterminé, encore moins un scénario. Certes, j'avais réfléchi à des axes et à des personnes à rencontrer[1], mais je me suis avant tout laissé guider par mes envies. J'ai travaillé comme j'aime le faire, avec lenteur et minutie.

Débuté en 2014, le projet de Pierre Rosanvallon sur le « Parlement des invisibles », partant du constat que les partis politiques ne sont plus représentatifs de la société, m'avait paru primordial. Sur le terrain, j'ai vu et entendu ce « malaise de la représentation » et, par ces pages, je souhaite apporter ma pierre à l'édifice de ceux qui « ne se sentent pas racontés », ceux qui sont convaincus de ne compter pour rien. Les Français soumis au ressentiment et à l'exclusion ne sont pas les moins dynamiques, ni les moins courageux.

---

1. Je remercie ici Tom Galtat-Couturiaux qui a mené en amont un remarquable travail de documentation.

Scrupuleusement, en toute honnêteté, j'ai retranscrit ce que ces femmes et ces hommes m'ont dit. Certains de leurs propos vont sans doute choquer. Mais pourquoi censurerais-je ce qui choque ? Parce qu'on ne voudrait pas l'entendre ? Il me semble, au contraire, que, pour se forger sa propre opinion et réfléchir aux possibilités de réponses, il faut non seulement l'entendre, mais aussi l'écouter. Je n'ai jamais cédé à la tentation d'édulcorer ou de modifier la parole de mes interlocuteurs. Ils l'ont senti.

D'ailleurs, quelle plus belle marque de confiance que leur volonté d'apparaître, pour la plupart d'entre eux, sous leur vrai prénom et, parfois même, leur vrai patronyme ? Qu'ils en soient tous ici chaleureusement remerciés.

Pendant ces différents séjours, je me suis souvent rendu compte à quel point les Français ne prenaient pas soin d'eux, ou si mal. Ou plutôt, à quel point ils vivaient sans prêter la moindre attention à eux-mêmes ou au monde qui les entourait. Ce qui ressemblait parfois à une fuite en avant semblait prendre le dessus sur tout le reste.

J'ai tant aimé ces femmes seules, généreuses, plus disposées que quiconque à m'accueillir au cœur de leur foyer. Parfois, elles prenaient conscience d'être passées à côté de leur vie, et de cela aussi nous parlions.

À chaque étape, je constatais avec amusement et tristesse l'à-propos de chacun de mes thèmes : le vote FN, le malaise de la police à Lons-le-Saunier, les problèmes d'identité dans le quartier ajaccien de l'Empereur. Ainsi, à Laon, il ne se passait pas une journée sans que j'entende évoquer le potentiel danger du résultat des élections régionales, et je devinais, parmi mes interlocuteurs, celui ou celle qui avait voté, ou qui s'apprêtait à voter FN. À Montluçon, en revanche, alors que la date du scrutin était beaucoup plus proche, je n'ai quasiment pas recueilli de commentaires à ce sujet. La population ne semblait pas concernée. « Wauquiez, ça s'écrit avec un V ou un W au début ? Et, un Z ou quoi, à la fin ? », questionnait l'organisatrice d'un meeting à Moulins. L'organisation des primaires de la droite et de la gauche avaient encore raccourci le temps politique et « normalisé » notre vie démocratique, nous emportant tous dans l'illusion du « tout-démocratique » et du « tout-égalitaire ».

N'en déplaise à mes détracteurs, je n'ai été la proie d'aucun a priori, d'aucune peur, d'aucun tabou. Depuis toujours, la voix des inaudibles et des invisibles est celle qui me charme et m'émeut le plus.

De chaque ville je suis repartie avec des amis, avec lesquels je maintiens des liens. Avec cet ouvrage, j'ai voulu donner l'envie aux lecteurs d'aller à leur rencontre. Mes interlocuteurs méritent tous d'avoir été mis en valeur. Leur humanité fait oublier leurs faiblesses ; leur énergie et leur optimisme forcent l'admiration.

En temps de guerre, l'espérance est la paix.

Mais quand la paix règne depuis longtemps, où trouver l'espérance ?

Revenant de pays dévastés où, me levant le matin, je ne savais pas où je dormirais le soir, où une insécurité démesurée, mâtinée de violence totale était devenue la norme des rapports humains, je revenais en France, ce pays stable et paisible, pour constater avec effroi qu'ici aussi on allait mal.

Cette sourde détresse, dissimulée derrière l'apparence du confort et la banalité d'autres privilèges dont, par la force de l'habitude, nous n'avions même plus idée, avait parfois tendance à prendre le pas sur le reste.

Le souci de mettre en exergue cette réalité dans toute sa complexité, jusque dans ses paradoxes les plus intimes, m'a accompagnée tout au long de cette entreprise.

Surtout, ne pas fermer les yeux[1].

Cévennes viganaises, janvier 2017.

---

1. Je ne peux être plus d'accord avec cette question posée par Alain Minc. « Quel malheur français ? Alain Minc et Marcel Gauchet : un échange », in *Le Débat*, n° 190, mai-août 2016, p. 188. « Pourquoi la classe politique française considère-t-elle que la reconnaissance de la réalité pose problème ? »

À ÉVREUX

Pour arpenter « mes » villes, mieux vaut être bien chaussée. Ce matin, je m'aperçois qu'une de mes semelles s'est décollée, me voilà donc partie en quête d'un cordonnier. On m'a soufflé que je pourrais en trouver un dans l'une des grandes surfaces qui enserrent la ville, du côté de la Madeleine, le quartier où, en 2005, des émeutes avaient fait écho à celles de Clichy-sous-Bois, en banlieue parisienne[1].

Dès le parking, je ressens le gigantisme, mais aussi, paradoxalement, cette proximité que parvient à créer un centre commercial : ici, la mixité sociale perdure. Toutes les classes d'âge, catégories sociales et groupes ethniques constituant la population ébroïcienne – puisque c'est ainsi qu'on appelle les habitants d'Évreux – s'y retrouvent pour faire leurs courses, et c'est un des derniers endroits animés

---

1. La nuit du samedi 5 au dimanche 6 novembre 2005, des troubles éclatent au quartier de la Madeleine. Fin novembre 2006, le procès de treize personnes majeures suspectées d'avoir participé aux émeutes s'ouvre au tribunal correctionnel d'Évreux. Huit d'entre elles ont été condamnées à des peines allant de dix-huit mois à cinq ans de prison ferme La seconde partie du procès des émeutiers s'est ouverte en janvier 2007, avec la comparution, à huis clos, de huit mineurs devant le tribunal pour enfants.

de la cité. On s'y rend même en bus depuis l'autre côté de la ville pour consommer, se distraire, se promener.

Derrière les caisses, dans le couloir menant aux portes vitrées coulissantes de l'entrée, l'artisan cordonnier est très bien placé.

Où je retrouve la Tchétchénie…

De mauvais gré, je lui laisse ma chaussure et patiente sur un banc coloré, une de ces pièces de « mobilier urbain » scellée dans le sol de la galerie. À ma gauche, un jeune homme a le nez plongé sur l'écran de son téléphone portable, à ma droite, une vieille femme agrippée à sa canne, sourire aux lèvres, observe la foule. Comme elle, je me laisse aller à une certaine rêverie quand un jeune homme vient apostropher mon voisin de gauche dans une langue rauque, aux résonances familières, puis disparaît après avoir déposé lourdement deux sacs de pommes de terre à ses pieds. Cette langue, je la reconnaîtrais entre mille, elle m'a bercée pendant des mois – les plus sombres de mon existence de reporter –, mais aussi les plus intenses, alors que les bombes pleuvaient dru sur la population du Caucase. Malgré ma stupeur, je n'hésite pas.

– Vous êtes tchétchène ? dis-je en russe.

L'homme est surpris, relève la tête et me fixe intensément de ses yeux bleus. Impressionné, il sourit, en répondant, dans la même langue :

– Comment vous savez ?

Il semble heureux que j'aie reconnu son origine, et encore davantage quand je lui explique à quel point son pays et sa culture me sont proches. Il y a près de vingt ans, basée en Russie après des études de sciences politiques qui m'avaient menée à une thèse de doctorat sur ce pays, je m'étais retrouvée à des milliers de kilomètres de Moscou, dans le Caucase du Nord alors en pleine ébullition. Une sale guerre « contre la terreur » s'y préparait, opposant des combattants indépendantistes tchétchènes à l'armée fédérale postsoviétique, qui allait s'éterniser pendant la première décennie du nouveau siècle. Le garçon qui se trouve devant moi avait alors à peine 15 ans. Ses souvenirs de ces années terribles, mélange de violences inimaginables et d'exactions massives, restent vifs.

Nous sommes rejoints par celui qui venait de tourner les talons, puis un troisième. Leurs parents, leurs oncles, leurs cousins formaient les combattants de l'époque, et il ne nous faut pas plus de quelques minutes pour nous dénicher des connaissances communes, amis de leurs familles ou membres éloignés du clan. J'ai dormi dans leurs villages assiégés, passé des nuits d'angoisse, le ventre noué, sous les bombes russes de leurs ennemis, à même le sol de leurs maisons. J'ai erré sur leurs routes défoncées, noué mon foulard comme leurs femmes et leurs mères sur les routes des réfugiés. Je me suis régalée de leurs plats nationaux, fièrement préparés malgré la dureté des privations de la guerre. Ces jeunes gens savent qu'il est inutile de faire l'effort de me dire qui ils sont, ce qu'ils ont vécu. Cela les enchante, tout comme moi.

Les trois gaillards font maintenant cercle autour de moi. Par la magie d'Internet, ils vérifient instantanément, ce que je viens de leur raconter de mes longs séjours dans leur pays, s'exclament en découvrant les détails de mes péripéties[1], me congratulent et me remercient à leur manière. Tout, dans leur façon de parler, de se tenir, de se comporter vis-à-vis de la femme que je suis, plus âgée qu'eux d'une dizaine d'années – ce qui leur impose le respect –, me replonge instantanément dans mes premières années de reporter de guerre, et le fait que cette rencontre inopinée ait lieu ici, au cœur du centre commercial d'Évreux, une des villes que j'ai choisies pour mener mon enquête, m'amuse et me rassure en même temps.

Hospitalité oblige, les trois Tchétchènes m'invitent dans leurs foyers : deux d'entre eux résident au quartier de la Madeleine depuis cinq ans, avec femmes et enfants.

Construit à la fin des années 1950 sur des champs de blé, la Madeleine a d'abord attiré ceux qui rêvaient d'habiter en ville et de posséder une salle de bains avec baignoire. Du fond de la campagne, les habitants de Basse-Normandie s'y précipitaient. Puis ce furent les Portugais, les Italiens, les Espagnols, au gré des vagues migratoires de l'époque. À la suite d'accords entre les villes de Dreux et de Mantes-la-Ville, sous le mandat du maire communiste Roland Plaisance (1977-2001), arriva ensuite la population d'origine arabe (Maroc, Algérie), turque et africaine (Sénégal, Mali, Congo, Côte d'Ivoire). Les plus anciens se remémorent avec une certaine nostalgie les prémices du quartier, le Mammouth qui avait remplacé le Casino, les baraquements de l'école communale rue Jean-Moulin, où

---

1. Deux livres relatent en détail mon expérience de la guerre en Tchétchénie : le premier, *Chienne de guerre*, Fayard, 2000 et Le Livre de Poche, 2001, a reçu le prix Albert-Londres et a été traduit dans de nombreuses langues, dont le russe. Le second s'intitule *La guerre qui n'aura pas eu lieu*, Fayard, 2003.

certains élèves se rendaient encore en sabots, et la fameuse
base américaine, dont il ne subsiste aujourd'hui que la
base aérienne. Grâce à sa fanfare et au comité des fêtes, la
vie de la commune cultive alors le « populaire ». Est-ce dû
à cet esprit collectif particulier, insufflé en grande partie
par une municipalité longtemps communiste[1] ? Beaucoup
se souviennent de petits détails qui éveillent leur nostalgie
de ce temps-là, quand la mairie offrait le café à ses administrés le 1er janvier. La Madeleine abritait alors près de la
moitié de la population d'Évreux (environ 20 000 habitants).

Dès 1979, la première salle de prière installée au foyer
Sonacotra[2] était devenue exiguë. Au mitan des années
1980, après que François Mitterrand a libéralisé la création
des associations, les musulmans s'organisent pour acquérir
le 21, rue de la Forêt et en faire une mosquée. En 1995,
quand, peu à peu, dans la plus grande indifférence des bailleurs sociaux qui semblent avoir « oublié » la Madeleine,
les immeubles se précarisent, la tension monte. La drogue
apparaît. Puis, au début des années 1990, les remaniements
de l'aménagement du territoire font sauter quelques tours
et imposent des coulées vertes. On dynamite pour oublier,
mais le mal est fait. La volonté d'implanter des bâtiments
administratifs au centre de la Madeleine est sans doute une
bonne idée, mais personne n'est dupe : une haute clôture
entoure le bâtiment abritant la communauté d'agglomération, comme si, inconsciemment, on avait voulu la protéger. De quoi ? De qui ? La « racaille » du quartier, un

---

1. 1971-2001.
2. La Société nationale de constructions de logements de travailleurs a été
créée en 1956.

de ceux qui ont le plus « cramé » pendant les émeutes de 2005 ?

Deux jours plus tard, en début de soirée, je me rends rue Molière. Depuis l'ANRU[1], les barres d'immeubles de cinq étages ont été espacées. Les plus vétustes parmi celles qui restent me font penser à ces constructions, toutes identiques, qui ont essaimé dans l'ensemble de l'ex-Union soviétique, sous Khrouchtchev, et que les Russes avaient communément appelées les *khrouchtchovki* en son honneur. Finalement, d'un point de vue purement visuel, le quartier de la Madeleine ne doit pas être dépaysant pour les Tchétchènes.

Les parties communes ne sont pas rutilantes, mais, dès qu'on pénètre dans l'appartement où m'accueillent avec des cris de joie les trois enfants, la propreté saute aux yeux. Leïla, 24 ans, épouse d'Arsan, s'est parée d'un *hijab*, car nous attendons aussi Rahman, l'ami et voisin. La famille réfugiée en France a réussi à transformer son intérieur de banale HLM en un havre coquet, à la décoration sobre et élégante. Un confortable divan d'angle gris perle occupe un tiers du salon, auquel fait face un immense écran plat au mur, branché en permanence sur les chaînes satellitaires russes. Dessous, une table basse où sont installées la box et une imprimante dernier cri. Dans un aquarium circulent des poissons aux couleurs vives. Des plantes vertes posées au sol sont tournées vers le balcon. Tendu sur le mur mitoyen de l'autre pièce, un rideau cache l'arrière de la

---

1. À la Madeleine, le programme de rénovation urbaine a été mis en place en 2005.

bibliothèque de la chambre des enfants. L'intimité est ainsi respectée. Tous les papiers peints ont été refaits à neuf par Arsan. La propreté est telle qu'on pourrait manger à même le sol, cela ne me surprend guère, les intérieurs tchétchènes sont toujours impeccables, quel que soit le contexte ! Je tiens à préciser cela à tous ceux – comme me l'ont laissé supposer quelques réflexions entendues ici et là – persuadés que, parce que l'on vit dans une ZUS, on est pauvre, donc sale. Mon expérience, et notamment ici à Évreux, m'a plutôt prouvé l'inverse. Durant les deux premières nuits, j'ai séjourné chez un intellectuel aisé, pénétré d'idées stéréotypées sur la population musulmane des « quartiers », alors que lui-même vivait dans un intérieur crasseux, inconscient de l'état déplorable de son propre appartement… Je m'en suis échappée au plus vite.

La table a été dressée avec simplicité et soin. Mes deux nouveaux amis ont tenu à me faire honneur en mitonnant un *zhizhg galnash*, le plat national tchétchène, des pâtes maison agrémentées d'une sauce à l'ail et servies avec du poulet. Leïla s'affaire dans la cuisine, puis nous apporte les plats. Elle ne viendra pas s'asseoir à table pendant que nous discutons « entre hommes ». Même si je suis une femme, j'ai le statut de l'invitée – une coutume que j'ai appris à connaître et à respecter lors de mes séjours en Tchétchénie. Mère et enfants savoureront les mêmes mets que nous, mais à la cuisine, pour ne pas nous déranger. À Évreux, Leïla ne fréquente quasiment personne, sauf ses interlocuteurs pour les démarches sociales et les cours de français. Elle ne sort que quand elle a « quelque chose à faire » dehors. À deux reprises, la jeune femme a invité chez elle sa voisine du dessous, une Africaine. Mais pas les Blancs du dessus, avec lesquels les Tchétchènes ont un différend concernant la propreté de leur balcon. Leïla se consacre à l'éducation de ses trois enfants, dont l'aîné, 8 ans, est en classe de CM1. Karim a encore peu de copains. Par choix de ses parents, quatre jours par semaine, après la classe, il apprend l'arabe à la mosquée[1]. Le reste du temps, il prend des cours de boxe « pour savoir se défendre », m'explique son père qui souhaiterait que « ce qu'on ne lui apprend pas à l'école : la peur de mentir, et la peur d'Allah, il l'apprenne quelque part ! ».

Dans un mois, Leïla accouchera de son quatrième enfant. Elle rêverait de travailler, mais un sujet la tracasse : le port du voile. « Pourquoi n'est-ce pas autorisé ici ? » Je tente de lui expliquer la laïcité à la française, mais c'est un sujet ardu. Si Leïla n'a pas saisi toutes les nuances du débat, elle a en revanche parfaitement senti le malaise que provoque son foulard. Pour le moment, elle s'en accommode. « Plus tard, peut-être, quand je parlerai la langue, je chercherai à comprendre. Mais ce que les gens ne saisissent pas, c'est que mon voile, c'est ma différence. Il est mon identité. Donc j'y tiens. C'est tout ce qu'il me reste ! » Signe de modernité dans cette famille, pour participer à notre conversation, la jeune femme s'est installé sur un tabouret contre la porte, à quelques pas de la table du salon où nous devisions.

Ces Tchétchènes se disent choqués par l'absence de respect dans notre société, notamment dans les rapports inter-générationnels. Arsan avoue s'être bridé pour ne pas gifler dans le bus un jeune homme, à ses yeux insolent, qui ne

1. Grâce à l'association Les chemins de la réussite qui gère la mosquée du 21, rue de la Forêt (voir *infra*).

laissait pas sa place à des « anciens ». « Mais, comme ici,
c'est toujours celui qui est giflé qui a raison, je me suis
retenu… », bredouille-t-il. Autre sujet d'incompréhension : le marché du travail. « Les Français ne trouvent pas
de boulot, mais nous, on en a ! », assènent-ils en chœur
dès le début de la conversation. Sont-ils au courant du fort
taux de chômage qui sévit en France ? Pas vraiment, et
c'est apparemment le cadet de leurs soucis, car eux n'ont
aucun mal à trouver un emploi, certes dans un domaine
– toujours le même, la sécurité –, mais leur expérience est
édifiante :

« Nos patrons préfèrent travailler avec nous plutôt
qu'avec des Noirs ou des Arabes français. Pourquoi ?
Parce qu'on ne se plaint jamais, et qu'on se fait respecter
plus facilement ! Les Français, eux, ils sont "fatigués". »
Ils prononcent ce mot en français et en riant alors que
toute notre conversation se déroule en russe. « Tous se
plaignent après avoir travaillé six heures d'affilée. Nous,
on tient facilement treize heures ! », fanfaronnent-ils.
Rahman est fier qu'à Chelles, sur un chantier, un représentant du *tabligh*[1] du quartier les ait donnés en exemple

---

1. Le *tabligh* (ou Tablighi Jamaat en français « Association pour la prédication ») est un mouvement transnational de prédication de masse, né en Inde
en 1927, dont le fondateur prônait une pratique individuelle pure, proche
de la vie menée par le Prophète, et une interprétation littérale du Coran
autour de six grands principes. Refondé à la fin des années 1960 pour protéger l'identité musulmane indienne contre les assauts de l'hindouisme en
Inde et au Pakistan, ce mouvement devient le plus étendu des mouvements
islamistes dans le monde. Il s'exporte en Occident, notamment au Royaume-
Uni, où la moitié des mosquées est aujourd'hui dirigée par des *tablighis*. En
France, le mouvement est représenté par l'association « Foi et pratique » qui
contrôle directement cinquante lieux de culte. Leurs adeptes refusent la tenue
vestimentaire occidentale, ils portent le *qâmis* et la barbe. À la différence des
réseaux des Frères musulmans en France (UOIF), le mouvement *tabligh* ne

à la jeunesse locale, eux, les « barbus tchétchènes », qui n'hésitaient pas à parcourir 150 kilomètres/jour pour honorer leur contrat ! « Les Arabes du quartier où l'on devait sécuriser le chantier nous ont même offert du couscous parce qu'on n'était pas constamment en train d'appeler la police, ce qui les aurait empêché de trafiquer leur herbe ! Bref, on leur a dit clairement : "On ne vous gêne pas dans votre vie si vous ne nous gênez pas dans la nôtre ! Ici, on construit pour vous !" » Arsan et Rahman savent se faire respecter. « Si vous êtes des musulmans, alors pourquoi vous vendez de la drogue ? » leur ont-ils aussi lancé, sans grand succès.

Si la méconnaissance de la langue française a principalement limité ces hommes au secteur de la sécurité, ce qu'ils déplorent, c'est d'abord une question de génération : ceux qui, comme eux, sont arrivés en France adolescents, ont eu plus de mal à apprendre le français et à s'adapter à l'école. En revanche, les plus jeunes sont souvent parmi les meilleurs à l'école ; certains achèvent de longues études et sont déjà devenus infirmiers, avocats ou entrepreneurs, même si cela reste encore rare[1].

Rahman et Arsan ne parlent pas bien français (leurs femmes s'expriment mieux, même si elles ont moins l'occasion de pratiquer), mais, s'il est un mot qu'ils

---

vise pas un public éduqué, mais une population déshéritée et frustrée. Les populations immigrées sont la cible privilégiée des *tabligh*. (Extraits de l'article du *Figaro* : http://www.lefigaro.fr/actualite-france/2015/01/27/01016-2015 0127ARTFIG00202-islam-radical-qu-est-ce-que-le-mouvement-tabligh.php)

1. Cf. « Ces Tchétchènes qui ont choisi la baie des anges », mon reportage dans *Le Point* n° 2185 du 31 juillet 2014 dans lequel des Maghrébins du quartier de l'Ariane à Nice, où sont d'abord arrivés les Tchétchènes, racontent leur « admiration » pour « le niveau de violence » des Tchétchènes.

connaissent et répètent en chœur pour illustrer leurs difficultés quotidiennes à s'intégrer, c'est celui de « formation ».

« Ici, il faut avoir une formation pour tout, se plaint
Rahman. Ouvrir une boîte, exercer tel ou tel métier, c'est
infernal ! Ça demande des tonnes d'argent qu'on n'a pas, et
du temps aussi : nous, on est des entrepreneurs, on ne peut
pas attendre que Pôle emploi se penche sur notre cas… »

À la veille de cet été 2016, les deux comparses sont ravis
d'avoir été embauchés jusqu'à la fin de l'Euro 2016 par
une société de sécurité en charge de la fan-zone de la tour
Eiffel.

Après, ils verront bien. Mais Rahman ne restera pas
VTC, même si être chauffeur « Uber » lui permettait de
passer la journée « en beau costard à conduire les belles
filles de Paris ». Mais ça, c'était en théorie. Après trois semaines de terrain au volant d'une Opel Insigna grise, partagée entre trois chauffeurs, il a sérieusement déchanté.
« Finalement, je gagne pas plus en me prenant la tête toute
la journée avec des clients dans une ville que je ne connais
pas, et je ne peux même pas faire le zazou, parce qu'à Paris
personne rigole ! »

Inévitablement, les Tchétchènes comparent la France à
ce qu'ils connaissent le mieux : la Russie. Pour s'avouer,
curieusement, souvent déçus. Ils racontent que des entraîneurs locaux de boxe ou de lutte – deux sports dans lesquels
les Tchétchènes excellent – conseillent à leurs boxeurs de
changer de nom de famille afin de représenter l'Hexagone
en championnat, et se demandent pourquoi. Et puis, les
récents actes terroristes commis en France nourrissent un
amalgame gênant avec l'islam. De plus, originaires d'une
région où, pendant des années, des attentats ont été quasi

quotidiens, pour eux, le terrorisme est devenu banal et ils ont du mal à comprendre que les autorités françaises ne prennent pas des mesures visiblement plus strictes pour « combattre ce fléau ». Récemment, un de leurs amis, qui tout comme eux, avait obtenu l'autorisation d'exercer, par le Conseil national des activités privées de sécurité (pour une durée de cinq ans), se l'est vu retirer après les attentats de novembre 2015. Cette mesure serait liée au contexte du terrorisme international, mais ils affirment que cet ami n'est pas dangereux et qu'il serait ainsi victime de l'amalgame antimusulman.

Au quartier, où résident cinq à six familles tchétchènes, leur réputation est la même que partout où les Tchétchènes ont commencé à s'installer depuis une quinzaine d'années en France, constituant la vague d'émigration la plus récente dans un contexte difficile (attentats terroristes). On les dit « bagarreurs » « ultraviolents », capables même d'en imposer face aux Maghrébins avec lesquels ils ont commencé par se battre ! Mais on reconnaît aussi leurs qualités solidaires, attachés à la famille, travailleurs et honnêtes. À la Madeleine ou ailleurs, peu leur importe d'être en minorité : les Tchétchènes n'ont qu'un coup de fil à passer pour se retrouver une centaine, tant leur solidarité est réelle. Chaque Tchétchène de l'Hexagone est capable de citer les points d'ancrage de pratiquement tous ses congénères, et les kilomètres qui les séparent ne sont pas un problème.

Nous avons été rejoints par la mère d'Arsan, 60 ans, et sa sœur, 38 ans, portant toutes deux le foulard, comme je l'ai moi-même porté en Tchétchénie, en bandeau, sans qu'il cache forcément l'ensemble de la chevelure. Elles sont particulièrement perplexes devant ce qui leur apparaît comme une évidence : de nombreux Français – en tout cas ceux qu'ils côtoient… – semblent ne pas avoir les moyens de loger ailleurs que dans un logement social. Ils seraient donc au même niveau qu'eux, des étrangers en voie de naturalisation et d'intégration ? « Chez nous, cette situation est impossible, commente la mère. Comment ces gens ne parviennent-ils pas à vivre mieux ? Pourquoi sont-ils si nombreux à ne pas travailler ? » Ce cri du cœur illustre la complexité de la situation française, qui peut apparaître paradoxale pour une personne non issue de cette société. « Nous, on accepte n'importe quel travail, insiste-t-elle, le matin on voit bien qui part trimer pour nettoyer les bureaux des autres et récurer leurs toilettes ! Que des gens comme nous ! Que les Français le fassent, ce sale travail ! Ou alors qu'ils acceptent les migrants, au lieu de discuter pendant des mois sur la possibilité de les accueillir ou pas ! »

Nous en venons à évoquer l'islam, leur religion. À quelle mosquée se rendent-ils à Évreux ? Il existe quatre salles de prière : deux fréquentées – en tout cas, contrôlées – par les Marocains et les Algériens qui, comme dans la plupart des villes françaises, sont les communautés les plus anciennement établies et les mieux organisées. Une troisième, gérée par la communauté turque, à Nétreville. La quatrième salle de prière est celle de l'imam Abdullah Jalil, 34 ans, un esprit vif et indépendant, nommé début 2014 après une dizaine d'années à étudier la religion en Égypte.

Ces « clans » locaux n'ont pas échappé aux Tchétchènes : « C'est simple, ici, il y a les barbus, c'est le *tabligh*, et les autres. Tous ont cherché à obtenir notre soutien pour la grande mosquée à venir, et même à nous récupérer pour qu'on milite avec eux. Mais on reste indépendants, affirme fièrement Rahman. On va là où le Coran est le plus joliment récité. » À Nétreville, chez les Turcs.

Grande mosquée, ou pas ?

Aujourd'hui, la Madeleine est un quartier calme, dont la mauvaise réputation n'a pas lieu d'être. Ce n'est pas un quartier enclavé, renfermé sur lui-même et en déshérence. La seule différence avec les autres quartiers est l'homogénéité de sa population, visiblement d'origine étrangère. Sur les « Champs-Élysées » (une portion de la rue de Rugby rebaptisée ainsi par la population après son élargissement), il y a du monde du matin au soir, même le dimanche.

Devant l'agence Pôle emploi coincée dans une HLM neuve, entre MLR (rue Molière) et le « plateau », un père et son fils savonnent leur voiture à grande eau. Patiemment, presque langoureusement, tous deux passent une peau de chamois sur la carrosserie rutilante d'une Mercedes pourtant pas de première jeunesse.

Christophe, 40 ans, est né ici. Il y a grandi, accompli ses premières bêtises, a failli « mal tourner » quand il vivait en foyer pour jeunes déscolarisés, où on lui a appris la menuiserie, la soudure, le jardinage. Puis il a fini par s'en aller[1].

« Je mentais aux agences d'intérim sur mon adresse pour trouver du taf. » L'ancien jardinier de la ville détaille cette « peur » saisissant le « petit Blanc » vivant au quartier, tout simplement parce qu'il s'y trouve en minorité. Ceux qui partent vont s'établir dans des villages non loin, ou alors,

---

1. Pour voir Christophe à 20 ans, vous pouvez visionner cette vidéo sur YouTube : « Un regard sur la Madeleine. Évreux 27 ».

pour certains, se convertissent à l'islam, par mode ou pour se retrouver du même côté que le caïd de sa « cage[1] ». Tout simplement pour ne pas être différent : « Ils pensent que parce qu'ils seront musulmans, rien ne pourra leur arriver, d'ailleurs j'ai failli le faire, se souvient-il, sourire aux lèvres. » Christophe n'a pas oublié non plus les passages réguliers des représentants des Frères musulmans qui emmenaient les jeunes « faire le serment » dans une mosquée de Vernon ou de Louviers aux allures de camp de vacances. « J'accrochais un chapelet coranique au rétro intérieur de ma caisse, et on m'la touchait jamais, voilà ! »

À mesure que les communautés maghrébines s'étendaient en France, au cours des dernières décennies, elles ont organisé leur pratique de l'islam, chaque pays d'origine tentant de marquer son territoire. Au vu du nombre grandissant de pratiquants et dans un souci fédérateur, Michel Champredon, l'ex-maire socialiste de la ville, a remis en 2013 à l'ordre du jour un projet de grande mosquée – ou « mosquée-cathédrale[2] » comme disent les non-musulmans. Ce projet a provoqué et nourri de sérieuses joutes de pouvoir entre « anciens », installés depuis longtemps, et leur descendance, née en France, qui ne partage pas la même vision. Au sein même de la communauté musulmane d'Évreux, la nécessité d'une telle mosquée a été débattue. La ville en avait-elle vraiment besoin ? Cette « vitrine »

---

1. Cage d'escalier.
2. Le 4 mars 2013 le maire PS, devenu PRG, Michel Champredon attribue à l'UCME un terrain de 5 000 m² situé le long du boulevard du 14-Juillet, à la Madeleine, pour l'édification d'une mosquée et d'un espace culturel.

n'aboutirait-elle pas à une plus grande « politisation » ? Dans ce contexte de confrontation ouverte entre deux des structures cultuelles ébroïciennes musulmanes (l'Association des musulmans d'Évreux, l'AME, et l'Union cultuelle des musulmans d'Évreux, l'UCME), adviennent les attentats de *Charlie Hebdo* et de l'Hypercacher.

À l'image de la manifestation parisienne du 11 janvier 2015, Évreux a réuni quelque trois cents personnes et l'ensemble des associations cultuelles, le mardi suivant, sur la place de la mairie. « Rien ne nous empêchera de vivre ensemble », lit-on sur les banderoles et dans la « déclaration commune » signée par les représentants de toutes les communautés religieuses, juive, catholique, protestante, musulmane.

À Évreux, la communauté algérienne domine numériquement, mais les Marocains semblent davantage représentés dans les associations. En 1996, l'AME voit le jour et acquiert un an plus tard la « mosquée rose » de la rue de Colmar. « Nos problèmes de pouvoir sont apparus dès la mort du Prophète… », ironise Mustapha M'Bodji, 43 ans, un grand gaillard chaleureux, qui en impose dans sa petite chemise à carreaux. Fils de diplomates sénégalais très pieux, cet homme a toujours joué un rôle important au quartier. Surtout depuis qu'en 1993 il y a mis en place une représentation des Jeunes musulmans de France (JMF, branche jeunesse de l'UOIF, Union des organisations islamiques de France, proche des Frères musulmans). L'homme est jalousé, mais il n'en a cure. Il hausse les épaules en évoquant l'UCME créée en 2011 afin de paraître unis face au projet municipal de grande mosquée. « Dès le départ, nous, à l'AME, avons été victimes de notre sincérité : oui on voulait le pouvoir. » En dépit d'une intervention du CFCM (Conseil français du culte musulman), les différentes associations ébroïciennes ne parviennent pas à se mettre d'accord. « Le maire actuel nous identifie à l'UOIF, eh bien, il n'a pas tort », se vante l'informaticien, également secrétaire général du Secours islamique[1], une ONG de stature internationale.

À la municipalité, les couleurs politiques se succèdent, mais la construction de la grande mosquée reste en suspens : deux recours contre le projet sont déposés[2], l'un par le Front national, estimant que la décision de construire ne respecte pas le principe de laïcité, l'autre, et c'est surprenant, par l'AME, contestant le bail emphytéotique !

Près de deux ans après l'obtention du terrain, pas une pierre n'est sortie de terre et le processus de financement, géré par l'UCME, principalement basé sur les soutiens extérieurs et l'appel aux dons (à en juger par le site web consacré au projet), est lent ; seuls 80 000 euros sur les 2,4 millions ont été rassemblés. Cet entre-soi est néfaste, mais typique de l'islam de France. Dans un contexte de crispation vis-à-vis de l'islam, Mustapha M'Bodji souligne que Maxime Hauchard, le Normand devenu bourreau de Daech, qui a grandi non loin d'Évreux, n'est pas passé par une mosquée. « En fait, l'islam révèle en France un malaise qui dépasse l'islam », conclut-il.

---

1. Le Secours islamique de France (SIF) est une organisation non gouvernementale mondiale centrée sur l'assistance humanitaire et l'aide au développement en France et dans le monde. Elle intervient avant tout dans l'urgence.
2. Pour finalement être rejetés par le tribunal administratif de Rouen à l'été 2015.

Un dimanche au bord de l'Iton

La Fromenterie est un des commerces les mieux placés de la Madeleine. Impossible de rater cette boulangerie située au centre du quartier. Sidy Diakité, en pull rose sous son blazer, en est l'heureux propriétaire depuis plus de vingt ans. Le commerçant a résisté au temps pas si ancien où le quartier « bouillonnait », quand les braquages étaient légion et que les agences bancaires avaient fini par déserter les lieux. Aujourd'hui, malgré l'ambiance apaisée, Sidy déplore que le réaménagement du quartier ait fait décroître la fréquentation de son commerce, et que la non-mixité se poursuive. Il connaît parfaitement les jeunes affalés dans les belles voitures sur le parking devant son nez. Sans formation, ils s'ennuient et certains se mettent à dealer. Les seuls à les côtoyer, à les écouter et à les « prendre en main » sont les salafistes ! Combien de jeunes a-t-il vus se transformer dans les dix dernières années, laissant subitement pousser leur barbe, endossant des habits afghans, refusant de serrer la main aux femmes, se coupant peu à peu de leurs familles ? Pour éviter cet engrenage, lui-même, père de deux garçons, n'a pas hésité à envoyer sa progéniture au pays (Sénégal) pendant les années « risquées » de l'adolescence. Pour qu'ils voient autre chose. « Au vu de ce que leurs amis d'alors sont devenus, ils me remercient. » Sidy se lève du divan où nous dégustons un café pour aller lui-même servir les clients. Mû par une désinvolture amicale et caractéristique du quartier, il plaisante avec chacun. Ici, on se connaît, on se tolère, on vit tous ensemble.

Évreux est une ville de Haute-Normandie souvent confondue avec Dreux. « Mal située », nichée entre cinq collines, une bonne partie de sa population se rend quotidiennement à Paris pour travailler. Pour celui qui prendrait le temps de jeter un regard par la fenêtre du Transilien qui l'emmène en une heure de la gare Saint-Lazare à Évreux, il faudrait rester vigilant et ne pas rater le passage du paysage périurbain de la banlieue au paysage rural. Se replonger sur l'écran de son portable, ne serait-ce qu'une minute, au mauvais moment, et c'est raté, les péniches qui bordent la Seine à Poissy sont déjà derrière vous. Les usines longeant le fleuve se sont évanouies ainsi que les zones industrielles des entrepôts Leroy-Merlin, ce ne sont plus désormais que vallonnements, grappes boisées, fermes isolées, douces courbes et végétation printanière. Seulement alors, on devine qu'on a dépassé Mantes-la-Jolie.

En ce dimanche de début de printemps, nous ne sommes pas nombreux à nous promener au centre-ville le long de l'Iton, visible à cet endroit et pour quelques centaines de mètres, avant de redevenir souterraine. L'eau vive file entre le beffroi éclatant de blancheur – fraîchement rénové – et la cathédrale Notre-Dame. Une ou deux jeunes mères isolées, encombrées de courses accrochées aux poussettes, s'engouffrent sous des porches, quelques jeunes hommes rentrent chez eux, les yeux rivés au sol, la baguette coincée sous le coude et le portable vissé à l'oreille. Seuls les restaurants turcs, japonais et chinois sont ouverts, profitant de la propension des Français à ne pas vouloir travailler le dimanche.

Accrochés à même le rivage de l'Iton, des panneaux tentent d'attirer l'attention sur l'histoire locale. Comme toutes les villes où j'ai séjourné, Évreux joue sur son passé récent et lointain, cherchant à se (re)trouver une identité. Rares sont ceux qui connaissent encore l'histoire de l'impératrice Joséphine qui empruntait une gondole sur l'Iton pour se rendre à la cathédrale du château de Navarre, dont il ne reste plus rien aujourd'hui, hormis le nom d'un hôpital et d'un quartier. Optimiste, un vieil homme lance sa canne à pêche.

« Voyez comme ils sont heureux
quand je reviens ! »

Le bal des hypocrites se déroule un dimanche, lors de la première édition du Salon du livre d'histoire, inauguré par Jean-Louis Debré, maire d'Évreux de 2001 à 2007. Lors des discours, on évoque la visite du général de Gaulle en octobre 1944, on cite la bonne parole du philosophe normand Alain : « L'Histoire est un grand présent, et pas seulement un passé. » Tel un acteur rompu aux estrades, l'ancien président du Conseil constitutionnel, qui n'a plus repris la parole en public depuis son départ, s'anime, jetant un coup d'œil furtif sur son papier. Lui aussi excelle en l'art du discours creux, flattant à l'envi les huiles locales, sans oublier les sempiternels vœux pieux : « Qu'Évreux retrouve sa mission : éclairer ceux qui s'interrogent sur ce que demain va être ! »

Écharpe bleu pastel nonchalamment arrangée autour du cou et assortie à la couleur de ses yeux, l'ancien maire évolue dans un aréopage de personnes qui le pressent, l'embrassent, lui donnent l'accolade. Il est tout à la fois avec chacun et personne, virevoltant, prenant l'air distancié de celui qui voit plus loin, pour finir par s'asseoir à mon côté, sur un banc, en retrait de la foule. Ayant repéré sa crinière et son écharpe, certains ne résistent pas à la tentation de venir le saluer. L'homme feint l'agacement, mais il est ravi en vérité, voire flatté de cette ferveur. Sa position d'ancien « sage » légitimé par les ors de la capitale lui sied à merveille, ce qui semble prodigieusement agacer son successeur, Guy Lefranc (LR), peu charismatique, mais non dénué de lucidité lorsqu'il proclame : « Ils sont venus pour vous ! » Oui, ils sont venus pour Jean-Louis Debré, l'homme qui a été maire d'Évreux tout en habitant Paris et qui, visiblement, aimait aussi sa ville. Il regrette qu'à l'époque, repliés sur eux-mêmes, les élus n'aient pas souhaité que l'autoroute aille jusqu'à eux et insiste sur le fait qu'il a été élu « par la Madeleine, dont le précédent maire avait fait un ghetto », ce qu'il a tenté de rompre en y installant le bâtiment de la communauté de communes et une antenne de police. Les fonctionnaires allaient devoir « monter à la Madeleine », ce serait une première ! Pendant les émeutes, dont l'origine était à chercher selon lui dans une bagarre entre bandes, Jean-Louis Debré se souvient d'avoir distribué son numéro de téléphone portable à tout le monde et reçu des appels de jeunes du quartier. Trois de ses adjoints à la mairie étaient issus de la Madeleine, ce qui n'est plus le cas aujourd'hui. « Voyez comme ils sont heureux quand je reviens, se délecte-t-il, je leur redonne de la fierté, je leur fais les mêmes discours enflammés qu'au Sénat ! »

Aujourd'hui, qu'ils soient de droite ou de gauche, « quand les élus s'expriment, c'est pour parler d'eux, rien que d'eux-mêmes, semble-t-il regretter. Or le dialogue est nécessaire pour asseoir sa crédibilité tout le temps. Surtout, ne pas attendre l'incident. On venait à ma permanence sans rendez-vous ! Si le maire ne sort pas de sa mairie et ne s'adresse qu'aux notables, il ne crée pas de dénominateur commun entre le Noir de là-haut et le Blanc du centre-ville ! ». Jean-Louis Debré me conseille de ne pas écrire les mots « Noir » et « Blanc » car ce n'est pas « politiquement correct ». Mais, dans sa bouche, ces qualificatifs ne sont nullement péjoratifs, ce sont de simples paroles de bon sens, de celles qui aident à comprendre la situation telle qu'elle est, sans déni ni faux-semblants.

« Personne n'est né
pour se retrouver dans la rue »

Le père Berjonneau est un ancien prêtre ouvrier, ancien syndicaliste CFDT (de 1971 à 1983), aumônier depuis 1983 à la maison d'arrêt d'Évreux – située dans le quartier de la Madeleine. Le dimanche, sa messe est souvent dévolue à un groupe de parole privilégiant l'échange à partir de textes choisis par les prisonniers. Souvent, ils évoquent le mal, la possibilité du pardon, d'un salut. Participent ceux qui le désirent, et, parmi eux, de plus en plus nombreux, des musulmans, preuve du manque d'imams en milieu carcéral, mais aussi qu'une fois enfermés les détenus ne sont pas aussi sectaires qu'on pourrait le penser et qu'ils sont demandeurs d'une écoute la plus ouverte possible. En milieu carcéral, les imams ne devraient pas se cantonner à la répétition du Coran, mais devenir des « écoutants », comme le suggère Berjonneau de sa voix douce. Lui-même a passé des décennies à écouter les uns, puis les autres, c'est pourquoi il tient tant au dialogue interreligieux dont le diocèse l'a chargé, et qui est devenu plus nécessaire encore depuis les attentats de 2015.

Que lui demandent ces musulmans ? Une aide pour parvenir à prendre leur place dans la société et trouver leur identité. Et c'est à un catholique qu'ils s'adressent ! En évoquant leur cas, Berjonneau salue l'acte de « courage », mais aussi de « liberté ». Car, en prison, se développe parfois une animosité par rapport aux chrétiens et des bagarres peuvent avoir lieu dans la cour à propos de la façon de pratiquer le ramadan. Berjonneau observe que ces musulmans emprisonnés sont « en demande ».

« Le sentiment de ne pas parvenir à prendre sa place dans la société française a débouché sur une agressivité croissante », souligne-t-il. Il ne reste plus aux organisations musulmanes qu'à tenter de tempérer cette « radicalisation », mais, face à un courant salafiste puissant et « englobant », qui représente pour eux une certaine « fierté », voire une identité de substitution, la tâche n'est pas aisée.

Après les attentats de janvier 2015, une première rencontre entre croyants (suivie par quatre-vingts personnes environ) a eu pour thème la prière. Le père Berjonneau a pu y évoquer l'émotion ressentie en vivant dans des pays arabes face à l'importance de la prière en islam. Une seconde rencontre s'est tenue en octobre 2015 sur le thème : l'« amour du prochain ». La troisième rencontre, autour du thème de la Miséricorde, n'a toujours pas eu lieu. Depuis les attentats, le « carrefour des cités » animé par le père Berjonneau fait même l'objet d'un questionnement permanent. Berjonneau a entendu certains se plaindre qu'il n'y avait plus beaucoup de « vrais Français à la messe » ou encore que l'« État s'occupe mieux des migrants que de nous ». Face à un tel « blocage devant l'immigration », voire à une telle haine quasi installée, Berjonneau martèle qu'il faut devenir « serviteur de la rencontre entre gens qui ne se rencontrent pas ». Cependant – et c'est le seul moment où il hausse la voix –, de nombreux paroissiens catholiques réagissent négativement à cette volonté de dialogue.

Car, pour ceux-là, « dialoguer, c'est déjà pactiser », regrette l'homme d'Église, qui, en janvier 2016, s'est rendu, dans sa commune de Vernon, à trente-cinq kilomètres d'Évreux, pour accompagner d'autres paroissiens dans les deux mosquées locales, créant une « caravane de solidarité ». Tous se sont réunis à la mosquée « turque », puis ont cheminé en cortège jusqu'à la mosquée « marocaine », dans laquelle, tournés vers la *kibla*, chrétiens et musulmans ont prié ensemble. La « caravane » a poursuivi jusqu'à l'église, les musulmans y sont entrés. Mais, regrette le prêtre, « on aurait dû aussi prier dans l'église, au moins dire un psaume ». L'imam de Vernon, qui poursuit des études à l'Institut catholique de France, a regretté que le père Berjonneau n'ait pas revêtu sa soutane ce jour-là, soulignant indirectement l'importance de la visibilité du religieux.

Le père Berjonneau est sans tabou : il évoque naturellement le phénomène des conversions à l'islam parmi certains chrétiens de la Madeleine, une tendance qui n'est pas propre à Évreux. Facile et rapide, la conversion à l'islam a déjà provoqué la discorde dans plusieurs familles sénégalaises de la Madeleine où le phénomène est en augmentation depuis quatre ans. « Les jeunes d'origine africaine doivent trouver les mots pour affirmer leur foi en Jésus-Christ, voilà le défi ! Il nous fait réfléchir à la présence de l'Église dans les cités populaires, où les propositions évangélistes et musulmanes sont très fortes », affirme-t-il. En effet, que répondre à celui qui a rencontré des musulmans au lycée, a été embarqué à la mosquée où il a été très bien accueilli, s'est converti et affirme qu'il se sent tranquille car, dorénavant, il sait ce qui est permis et ce qui ne l'est pas, il sait comment prier, il sait comment faire ses ablutions ? Ce phénomène de conversions, qui reflète une soif d'encadrement de la jeunesse, devrait être analysé en profondeur. Rares sont les représentants de l'Église catholique osant l'évoquer frontalement. C'est le cas de Louis-Pasteur Faye, à Versailles, un curé noir qui parle arabe : « Cette saignée cause de la souffrance au corps entier de l'Église. Il faut en parler et faire connaître les dispositions mises en place par l'Église pour récupérer les convertis, les apostats et les réintégrer dans la pleine communion de l'Église. » Pourtant, certains catholiques – notamment ceux qui votent FN – et certains musulmans, refusent l'urgence de ce dialogue, ce qui le rend encore plus fragile.

À Évreux, quatre sœurs catholiques ont fait le choix de vivre à la Madeleine. Tirées à quatre épingles dans leur quatre-pièces rutilant, en jupe longue et corsage blanc, le chignon impeccable, personne ne pourrait croire que, derrière l'intitulé « Filles de la Charité[1] » de l'interphone se

---

1. La congrégation des Filles de la Charité de Saint-Vincent-de-Paul, servantes des pauvres a été fondée le 29 novembre 1633 par Vincent de Paul, Louise de Marillac et Marguerite Naseau, une paysanne de 34 ans. Depuis

cache une solide vie en communauté, et ce depuis près de soixante ans. La table pour le petit déjeuner a été dressée dans une salle à manger lumineuse où trône un buffet normand. Chaque sœur partage ses souvenirs personnels, mais toutes s'accordent à dire que les fêtes populaires et mixtes du quartier n'existent plus.

L'intérieur est simple et confortable. L'atmosphère, chaleureuse et les signes religieux à peine visibles. Dans l'espace exigu de l'oratoire « maison », ont été placés quatre prie-Dieu en bois sur lesquels est délicatement posée une bible. Les tâches et missions du quotidien sont partagées entre sœur Marie-Joseph, qui rend visite aux personnes âgées ; sœur Renée, qui est en lien avec le centre hospitalier psychiatrique ; sœur Annie, qui participe à l'équipe de la paroisse de la Madeleine-Nétreville[1] ; et enfin, sœur Yannique, la plus jeune, aumônière de prison, qui est particulièrement impliquée dans la réinsertion des détenus, mais aussi la maraude communale, et très active au « carrefour des cités » du père Berjonneau. Soulignée quelque peu maladroitement dans le fascicule de présentation des activités des sœurs, « il est une réalité religieuse qui ne peut être ignorée dans nos quartiers, c'est l'importance de la communauté musulmane, laquelle fait du prosélytisme ». Voilà qui est dit.

Rentrée dans les ordres à 21 ans, infirmière de formation, Yannique, 74 ans, a été pendant dix ans employée dans une

---

ce jour, les sœurs vont à la rencontre des pauvres et vivent au milieu de ceux qu'elles servent. Aujourd'hui, la congrégation est implantée dans quatre-vingt-treize pays.

1. À l'image du quartier, cette paroisse regroupe près de trente nationalités différentes, en majorité des paroissiens africains sénégalais.

entreprise de nettoyage, où elle a contribué à mettre en place un syndicat. « On a même fait grève, et mon patron ignorait que j'étais sœur ! » Elle sourit à l'évocation de ce souvenir. Aumônière de prison durant une décennie, sœur Yannique croise aujourd'hui au quartier « ses » détenus d'hier, pour la plupart musulmans. Ils l'apostrophent sur le parking ou devant chez elle avec entrain et reconnaissance : « Vous étiez là, vous nous écoutiez », se remémorent-ils. Sœur Yannique sait que les jeunes à la rue aujourd'hui, qui ont fait un détour par la case prison, sont convaincus qu'on ne croit plus en eux. « On récolte ce qu'on a semé », bougonne-t-elle, philosophe.

Les premières sœurs de la Charité sont arrivées à Évreux en 1842 pour servir à l'hôpital général. Quinze ans plus tard, elles y ouvrent le centre de la Miséricorde. En 1963, quasiment cent ans plus tard, elles s'éloignent du centre pour s'établir dans un quartier neuf, la Madeleine. Fin 1977, leur centre de soins ferme et les sœurs doivent quitter leur pavillon pour aller vivre en HLM. Quand leur barre est détruite en 2005, pour cause de vétusté, les quatre « rescapées » s'installent en toute discrétion rue Joliot-Curie. Connues et acceptées dans le quartier, la présence des sœurs est discrète, mais attentionnée, toujours fondée sur la solidarité.

Sœur Yannique m'explique avoir dédié sa vie à l'Autre, mais « dans la vie », pas dans l'Église. Car le fondateur de l'ordre, un Gascon, « avait trouvé une rouerie pour que ses filles soient dehors », insiste-t-elle pour justifier leur présence hors d'un couvent. Yannique n'aime rien tant qu'aller « voir les gens à l'œil », selon l'expression de saint Vincent de Paul. Celles qui ont cessé de porter la cornette – sœur Yannique

l'a portée pendant cinq ans jusqu'à ce que cet usage soit
aboli[1] – comprennent mal cette appétence pour la soutane
des jeunes chrétiens d'aujourd'hui.

La veille[2], le président François Hollande était invité à
la télévision. Pour rien au monde, sœur Yannique n'aurait
raté l'émission. Elle m'en parle ce matin : elle ne l'a pas
trouvé crédible : « Il ne veut pas perdre la face », analyse-
t-elle finement, tout en retirant de sous son lit, avec une
joie non feinte, d'immenses cartons représentant les cinq
continents. Toute à son projet du 1er Mai, elle est fière de
ces panneaux qui illustreront les « sans-voix » (ou les « cent
voix ») qu'elle fera porter par des hommes et des femmes
à cette occasion. On ne peut éviter l'allusion aux « sans-
dents » de Hollande.

Partie prenante du « carrefour des cités » qui tente de pé-
renniser la présence des chrétiens dans les petites cités, « sans
prendre pour autant notre trompette », sœur Yannique aimerait aller chercher les jeunes pour « recréer du lien ». La
détermination qui illumine en permanence le visage ouvert
et rieur de cette femme menue, en doudoune grise métal-
lisée sans manches, force la sympathie.

Depuis la veille, les télévisions de France affichent le visage de Salah Abdeslam, le « quatrième homme », unique
rescapé des attentats de Paris et arrêté à Bruxelles. Pas de
haine chez la religieuse. « Quand je vois la bouille de ce
gosse, je suis dans la compassion. Il a été happé… » Elle
soupire. « En France, on a perdu les repères importants. La
vie de famille, par exemple… Avec c'te saloperie de fric ! »

---

1. En 1964.
2. Jeudi 14 avril 2016, France 2 a diffusé en direct son émission politique
« Dialogues citoyens avec François Hollande ».

Elle part d'un grand éclat de rire. Pour elle, du point de vue des jeunes d'aujourd'hui, l'islam offre davantage de réponses immédiates que la religion catholique, dont le message est moins facile à décrypter que celui des musulmans et des évangélistes, qui, eux, sont partout présents et très actifs ! À ses yeux, si la religion revient « comme un boomerang », c'est justement parce qu'on a eu tort de cesser de croire à l'importance de l'esprit ! « Si des jeunes ont envie de partir rejoindre Daech, il faut chercher à savoir pourquoi on en est arrivés là ! »

Une des raisons de cette envie est la demande de religion, ces jeunes veulent remplir leur vie autrement. C'est pour moi une des révélations de ce « tour de France » ! Pour beaucoup en rupture avec leur famille, avec l'école, la société, le monde du travail, ils ont d'autant plus besoin de repères. À Évreux comme ailleurs, j'ai partout entendu ce refrain, communautés musulmane et catholique confondues. La religion leur permettrait de « marcher droit » et d'atteindre un but qui « canalise » : fonder un foyer, arrêter de boire ou de fumer, travailler.

Le dimanche après-midi suivant, les sœurs et moi nous retrouvons au multiplex d'Évreux pour voir *Les Innocentes*, long-métrage franco-polonais réalisé par Anne Fontaine qui relate, basé sur des faits réels, les viols, par des soldats russes à la fin de la Seconde Guerre mondiale, de religieuses bénédictines en Pologne, qui ont mis à rude épreuve leur vie en communauté et leur foi. À la fin de la séance, tout en trottinant sur le parking, toutes me confient leur émotion. La façon dont ce difficile sujet a été traité fait l'unanimité. « Mais, tout de même, cette mère supérieure, quelle horreur, quel jansénisme ! Elle a bon dos, la Providence ! », insiste sœur Anne, choquée, en pensant à un moment fort du film.

Ce mercredi soir, j'accompagne sœur Yannique « faire la maraude », puisque c'est une de ses occupations régulières en tant que bénévole dans le cadre de l'association locale Accueil Service qui existe depuis 1995. Cette maraude est assurée à Évreux et Vernon sept jours sur sept, en binôme. Ce soir, nous serons quatre, puisque le binôme que je forme avec sœur Yannique s'ajoute à celui qui officie normalement ce soir-là, composé de Marie-Christine et Dieudonné.

Dans le coffre du berlingot de service, on a amassé les thermos de café et de thé brûlants – les nuits sont encore très froides –, et les sacs en plastique contenant chacun une banane, un pâté en boîte, un yaourt, pas uniquement destinés à nourrir celui à qui on le propose, mais plutôt prétexte à entamer la conversation. « Faire parler, communiquer, écouter, voilà notre but principal », explique Dieudonné, ex-physicien chimiste, d'origine africaine, émigré à Évreux. Ultrasensible sous ses airs bourrus, il est lui-même arrivé dans cette ville il y a quelques décennies. D'une voix douce, à peine audible, il explique : « C'est un paquet symbolique. La maraude, c'est leur espace à eux. Ils peuvent discuter, nous insulter même. On les écoutera. »

De 19 heures à minuit, parfois même plus tard, le véhicule sillonne la ville, en passant par quatre ou cinq points habituels où, généralement, il est attendu. L'équipe tourne toute la nuit, observant le moindre recoin des parkings de grandes surfaces et des alentours de la gare. Premier arrêt à 20 h 30 devant l'église Saint-Taurin, où six personnes patientent, adossées au portail. Un autre individu est affalé sur un banc non loin. La voiture à peine garée, tous se mettent en mouvement. Ce sont des habitués. Un jeune homme, la trentaine, édenté, athlétique sous son sweat à capuche, semble plus vif que les autres. Il est aussi plus excité par l'alcool.

– Qu'est-ce que tu prends, Luc ? demande Marie-Christine.

– Que de l'eau !

Lestement, une canette de bière à la main, Luc se saisit d'une petite bouteille en plastique qu'il descend goulûment. Régis, cheveux ras, yeux bleu pervenche et voix fluette, a du mal à quitter son banc. Il raconte avoir perdu son travail, comme la plupart de ceux qui sont là. Tous touchent le RSA. Gentil et perdu, Régis vit déjà dans un autre monde. Arrive Vince, à l'allure plus dynamique, dont le dos de la veste de surplus militaire est décoré d'un dessin. Lui aussi fourre rapidement une bouteille dans sa poche avant d'aviser Luc :

– Eh, mon pote, j'ai un gros truc à te dire !

– Quoi, quoi, arrête de jouer les fayots, qu'est-ce t'as ?

Avant d'entamer leur conversation, tous deux – ainsi que tous les autres, tour à tour – viennent me serrer la main, ainsi qu'à sœur Yannique et aux deux employés d'Accueil Service. Leurs poignées de main sont franches, accompagnées d'un regard qui se plante droit dans mes yeux et d'une question, la même, une marque de politesse à laquelle, visiblement, ils tiennent : « Bonsoir, madame, vous allez bien ? » Cette question n'attend pas de réponse, elle est assortie d'un large sourire. Par cet échange convenu d'amabilités, ces hommes montrent qu'ils restent membres de la communauté humaine, et ce souci de l'apparence chez ceux qui ont été abîmés par la rue me bouleverse.

On fait cercle autour de Vince qui tient fermement dans ses deux mains un petit téléphone portable d'ancienne génération – dont l'image, trop petite et mal définie, est mauvaise. Un autre homme, en blouson jaune, serre son gobelet de café fumant dans ses mains, sans le boire. Visible à son cou, un imposant collier arborant une croix en bois. Sœur Yannique l'a rencontré en prison, où il demandait souvent à lui parler. Vince tient à montrer ce petit film qu'il a lui-même tourné gare Saint-Lazare : on y voit deux jeunes gens improviser un quatre-mains sur le piano de la gare destiné aux passants. Lui-même est joueur d'harmonica, la musique le détend. « Il a la cinquantaine, me souffle sœur Yannique : vingt-cinq ans de rue, sept ans "posé" chez son ex-copine, comme ils disent pour signifier une sédentarisation temporaire. » D'ailleurs, le voici qui sort l'instrument à vent de sa parka et se met à souffler. Stoppant, le temps d'une mélodie, l'échange d'insultes gentillet et les accolades maladroites des sans-abri, dans le froid glacial de la nuit, retentit, fier et sonore, on ne sait pourquoi, l'hymne national de la Côte d'Ivoire.

Nous avons repris notre maraude. Dieudonné, pourtant avare de commentaires, insiste : « Personne n'est né pour se retrouver dans la rue, personne. » Il secoue la tête. « Ils ont leur dignité. On ne force personne à s'approcher de nous. Il faut respecter leur territoire. »

On passe en revue le parking de Carrefour, celui de Cora et de l'Inter, puis on se dirige vers les hauteurs de Nétreville.

Vince, l'homme à l'harmonica, précise gentiment Marie-Christine, se met parfois au piano dans la gare d'Évreux. C'est un mélomane.

Sans éclairage, dans le noir absolu, je ne distingue quasiment pas les quatre hommes et la femme qui se dressent à notre arrivée. Ce sont des émigrés de Centre-Afrique arrivés en France depuis fin février. La trêve hivernale s'étant achevée le 31 mars, le CADA[1] où ils dormaient a fermé. Ils sont désormais dehors de jour comme de nuit. Tous s'emparent du paquet de nourriture. L'un d'eux tient à me raconter sa demande d'asile en détail. Ce soir, il accompagnera ses compagnons d'infortune dans un hangar chauffé de la zone industrielle, à une vingtaine de minutes à pied, où on les a autorisés à dormir. C'est un local de l'Église évangélique mis à disposition par un pasteur qui a donné la clé à l'un d'eux. « Ce n'est pas notre évêque qui ferait la même chose…, maugrée sœur Yannique en reprenant place dans le berlingot. C'est vrai, quoi, le sous-sol de certaines de nos églises est sain, vacant, chauffé. » Mais vide. « Là voilà, la vraie humanité, au lieu de laisser les gens dehors ! », regrette celle qui rêverait d'emmener son évêque pour une nuit de maraude. Qu'il prenne conscience de la détresse. De la solitude. De la nécessité de solidarité. Et du peu finalement nécessaire pour offrir ce réconfort.

Il est 23 heures. Nous approchons de la gare SNCF, ouverte (et chauffée) jusqu'à minuit, où l'on est pratiquement sûr de trouver chaque soir des sans-abri. Cette fois-ci, nous sommes attendus à l'intérieur. Là aussi, quatre mi-

---

1. L'accueil des demandeurs d'asile en France résulte de l'application de la convention de Genève du 28 juillet 1951. C'est dans ce cadre que l'État finance les centres d'accueil de demandeurs d'asile français (CADA).

grants africains se lèvent pour rejoindre le berlingot. Une jeune femme au visage poupin, apeuré a du mal à se lever. Seule parmi ces hommes, à 23 ans, enceinte, elle arrive de Sierra Leone. Aucun d'eux ne parle bien français (en Sierra Leone, on parle anglais). Qui sommes-nous pour eux ? Des sauveurs ? Des logeurs ? Des gens qui vont leur donner de l'argent ? Que croient-ils ? Croient-ils seulement encore en quelque chose ou en quelqu'un ? Comment peuvent-ils saisir le sens de cette maraude ? Alors que je traduis en anglais les questions de sœur Yannique à la jeune Sierra-Léonaise, surgit une femme ronde, de petite taille, nu-pieds dans ses savates, un impressionnant trousseau de clés autour du cou. Malgré son allure peu avenante, il se dégage d'elle une énergie et une volonté à toute épreuve. « C'est Christiane », m'annoncent de concert Marie-Christine et sœur Yannique. Christiane Murcia, 63 ans, femme de cœur, ouvre sa porte depuis des années à ceux qui en ont besoin. Ce soir, comme presque tous les soirs, elle a décidé de passer à la gare, au cas où elle trouverait quelqu'un à aider. Elle tombe bien, car nous n'avons pas l'intention de laisser la jeune Sierra-Léonaise sur le carreau.

– Bon, ben chez moi ça sera pas possible j'ai d'jà trop de monde, réfléchit tout haut Christiane, alors j'vais vous la monter à l'hôpital…

Je traduis à l'intéressée. Hochements de tête de part et d'autre. Christiane est souriante, son regard franc. Submergée par la honte et la souffrance, la jeune femme n'a pas le cœur à sourire et maintient les yeux baissés.

– Comment ça, à l'hôpital ? s'enquiert sœur Yannique. Que vont-ils faire d'elle ?

– Justement, rien, précise Christiane, que l'on sent habituée. Je la dépose à la salle d'attente des urgences d'où ils n'ont pas le droit de la mettre dehors. Si elle a de la chance, ils lui apporteront peut-être quelque chose de chaud à manger.

Combien de sans-abri a-t-elle amenés dans le bâtiment flambant neuf du centre hospitalier, au personnel de nuit qu'elle connaît, en leur promettant que ses protégés vont bien se tenir le temps d'une nuit, et somnoler recroquevillés sur une chaise ?

Nous terminons notre maraude à la Madeleine, où, devant l'antenne de police désertée aux rideaux de fer baissés, nous attend un dernier jeune homme également arrivé de Sierra Leone qui a entendu parler du « local de l'église où on peut dormir », mais ne sait ni où il se trouve, ni comment s'y rendre. D'un coup de voiture, nous décidons de l'y accompagner. Dieudonné se rappelle vaguement l'adresse, dans la zone industrielle, près du hangar de « Batterie 27 ». Nous nous arrêtons devant un grillage que nous longeons jusqu'à une vaste entrée, qui a l'air de ne mener nulle part. En l'absence de lumière, Dieudonné, le migrant, sœur Yannique et moi-même nous efforçons d'éclairer nos pas grâce à mon smartphone. Marie-Christine nous attend dans la voiture. On frappe à de lourdes portes en fer. Sans réponse. À l'une d'elles, un gardien ouvre. Le vigile comprend que nous nous sommes trompés, il devine ce que nous cherchons. « Là-bas, plus loin, encore trois portes et vous y êtes », indique-t-il poliment. Un, deux, trois. Ça devrait être là. On tambourine. Rien. En essayant d'ouvrir la porte, la poignée tourne, mais derrière, dans l'obscurité, c'est un espace vide, pas vraiment accueillant. Notre migrant a une idée : appeler celui qui lui avait indiqué ce refuge. Il devrait être en mesure de nous ouvrir. Je compose son numéro. À peine ai-je échangé deux mots avec l'homme venu de Centre-Afrique que son ami apparaît, là même où nous pensions qu'il n'y avait rien. Rires, accolades. Au fond de ce qui s'apparentait à un espace vide, ils sont là, une quinzaine, regroupés dans deux pièces chauffées, en chaussettes. Peu ou prou tous les migrants rencontrés ce soir. Ils nous montrent la salle de prière. Sur son seuil, un panneau d'informations où il est écrit au feutre noir : « Église Maison de l'Éternel » annonçant un séminaire avec pour thème « condamner à réussir » (*sic*) puis ces mots : « Que Dieu vous Bénisse ! » et le téléphone de l'église en 09. D'après l'un des administrateurs de cette paroisse joint par téléphone le lendemain, Évreux compterait cinq églises adventistes « noires » et deux « blanches », c'est ainsi qu'il les présente. La « Maison de l'Éternel » existe depuis 2013 et dispose d'un local depuis fin 2014. « On a trouvé ces gens dans le dénuement, alors la moindre des choses, c'est de leur apporter un toit », commente, à propos des migrants, l'homme qui a commencé son discours en citant les versets de la Bible sur l'amour et la charité.

De joie, nous nous prenons en photo. Les femmes se pressent les unes contre les autres, toutes d'un côté, poussant vers le centre sœur Yannique et moi ; les quatre hommes se tiennent de l'autre côté. Nous voilà tous les dix souriants, alors qu'il n'y a aucune raison de l'être. Ces êtres dans le dénuement forcent le respect et l'humilité. Ils me demandent de leur envoyer les photos. Je le ferai. « Je vous souhaite du courage pour continuer votre entreprise », me dit l'un d'eux, en guise d'au revoir. Et lui, n'a-t-il pas besoin de courage ?

Cette nuit de maraude m'a laissé un goût amer. Je me fais la réflexion que les plus alcoolisés, les plus en détresse, les moins en bonne santé sont « les nôtres », des Blancs, bien français, totalement exclus de notre société, alors que les plus déterminés, ceux que l'on sent encore emplis d'une force qui pourrait déplacer des montagnes, ce sont « les autres », les Noirs, ceux qui sont venus de très loin et ont besoin de rassembler toute leur énergie pour s'inventer une nouvelle vie. Certes, ils viennent tout juste d'arriver et croient encore à ce continent qui les accueille, même si ses coutumes, qu'ils ne reconnaissent pas, les effraient. Nulle forme ici de cette solidarité familiale, si naturelle dans leur culture, induisant l'hospitalité immédiate envers celui de passage. Elle est remplacée par notre solidarité sociale, certes organisée et moderne, mais tellement administrative et qui manque si souvent d'humanité, de naturel et de chaleur.

Le supermarché Cora, aisément desservi par la nationale, est situé à l'ouest de la ville. C'est une grande surface comme toutes les autres, un de ces improbables nouveaux points de rassemblement, incontournable lieu de promenade le week-end ; mais ici, en plus, il y a la cafétéria, ouverte très tôt le matin et sans discontinuer jusqu'au soir, avec son menu du jour à 6,50 euros.

Le lieu est vaste, tranquille, et personne ne viendra vous en déloger même si vous restez des heures un simple café sur votre plateau. Aucun risque non plus si, en sus des boissons achetées, vous agrémentez votre goûter ou petit déjeuner de gâteaux et autres friandises sortis de votre sac. Ces avantages,

Christiane Murcia ne les connaît que trop, tant elle en use et en abuse presque tous les jours, car c'est là qu'elle donne rendez-vous à « ses » migrants, « ses » pauvres, « ses » paumés, autrement dit « ses bébés », qui, parfois, donnent du fil à retordre aux employés. D'ailleurs, l'établissement ne dispose plus de micro-ondes, ce que j'avais constaté en étant venue y déjeuner deux jours plus tôt, alertée par la discussion entre la caissière et un client qui s'en plaignait. « Ben oui, c'est à cause d'un de mes protégés, peste Christiane. Y en a un qu'a fait l'con ici. Il avait bu. Alors à cause de lui, ils l'ont enlevé. Mais je leur donne raison à Cora ! Je lui ai dit : j'veux plus d'toi. » Elle est comme ça Christiane, ronde comme un pain et cassante comme un coup de trique.

Ce samedi matin, comme tous les samedis depuis dix ans, la matrone est là, bien calée dans son fauteuil, au fond de la salle, face à Dédé, un sans-abri récupéré la veille, et trois femmes dont une ex « de la rue » venue avec ses deux garçons, sages comme des images, qui ont quand même bien envie d'un pain au chocolat et d'une boisson chaude.

Depuis 1981, Christiane s'occupe des pauvres. Des « cassés de la vie », comme elle, septième d'une famille de quinze, dont le père s'est fait renverser par une voiture en rentrant du travail et dont la mère, femme de ménage dans un petit hôtel des environs d'Évreux, achetait du pain à crédit grâce aux allocations. Placée par la DDASS à 16 ans, Christiane est enlevée par un homme, algérien, qui l'emmène au bled où elle sera séquestrée et mariée de force. Son refus de se convertir l'exaspère encore plus. Christiane finira par s'échapper avec sa fille de 9 mois et sera escortée par la police jusqu'à l'aéroport. De retour en France, sa famille la renie, la traite de « pute à

Bougnoule » et sa fille de « bâtarde ». S'ensuivent de bien tristes années où la priorité de la jeune femme est de gagner sa vie, même chichement, afin qu'on ne lui enlève pas cette fille adorée. Elle y parviendra, s'activant à faire des ménages « tous déclarés, hein ! » souligne-t-elle fièrement, à l'antenne du ministère de la Justice local ou à la Ville. « Je rentrais vers minuit et me relevais à 4 heures », se souvient Christiane au bar-tabac de la Madeleine où elle tient à m'offrir un café. Pour son malheur, à cause d'une agression au début des années 1980, la « polyvalente » de la Ville qui n'aimait rien tant que passer la tondeuse industrielle municipale dans les parcs (« Oh, que j'aimais tondre et débroussailler, c'était ma folie !! ») est déclarée inapte au travail et enchaîne les dépressions. « J'étais folle de ne plus travailler, alors je me suis mise de plus en plus à aider les autres… » On comprend mieux pourquoi Christiane est là ce matin, comme tous les samedis, accompagnée de Lolo, une Ébroïcienne « famille d'accueil », qui loge des fratries de 0 à 21 ans placées par le juge. Bottines noires, béret blanc vissé sur la tête, Lolo, ex-factrice, est, elle aussi, passée par des moments difficiles : elle se remémore ses années de misère, où, sans logement, elle se nourrissait à la va-vite et dormait dans sa voiture où la rejoignait son mari après son travail. Le couple a vivoté de parking en parking, jusqu'à ce que ses parents à lui, d'un milieu aisé, se rendent compte de la déchéance de leur fils et décident de l'aider. « Ils nous ont avancé la caution de notre premier appartement, se souvient Lolo avec reconnaissance. Aujourd'hui, on a une maison ! »

À son tour, Lolo aide les autres en récupérant, partout où c'est possible, vêtements, vaisselle, meubles, frigos, ou encore nourriture, pour les donner à Christiane qui les stocke dans sa « caverne d'Ali Baba », et les redistribue à sa façon, sans intermédiaire, sans s'adosser à la moindre structure associative.

Efficace et généreuse comme on n'en fait plus, Christiane la rescapée a bien du mérite à sillonner les rues d'Évreux, telle un pauvre hère poussant sa poussette à bébé qu'elle utilise comme fourre-tout, sa silhouette et sa gouaille sont bien connues des différents acteurs de la commune, qui l'aident comme ils peuvent, chacun à leur mesure : des pharmacies remettent à la « Mère Noël » (un surnom qu'elle affectionne) leurs échantillons de dentifrice, et quelques supermarchés de la nourriture destinée à la poubelle et encore très bonne – Christiane peste devant les nouvelles lois imposant, par mesure d'hygiène, que les produits aux dates dépassées soient désormais incinérés. Elle et Lolo tempêtent aussi contre cet autre procédé, ignominieux, de passer les vêtements déstockés au cutter pour « que des gens comme nous ne puissent pas les utiliser ». Lolo, qui n'a pas honte de dire qu'il lui est arrivé de faire les poubelles, est choquée par ce procédé. Certains commerçants lui offrent un chouia de leur production, ou les rebuts des marchés. À Évreux, Christiane se targue d'avoir cuisiné bénévolement pour toutes les associations qui le souhaitent, à une seule condition : avoir le droit de récupérer les restes pour « ses » pauvres.

Dédé, qui a pu se faire propre ce matin grâce aux douches d'Accueil Service, se cure les ongles en se balançant sur sa chaise. Tous les jours, pour dormir en foyer

social, la procédure est la même : appeler le 115 et attendre
une place. « C'est pas évident ! » Ce matin, impatient, il
attend la clé d'un squat – un ami de Christiane est en
route pour la lui apporter. Lolo et Christiane ont promis
de le meubler : cet après-midi, elles doivent récupérer
un lit de camp. Dès demain, il aura « un lit et un frigo,
mais va falloir se tenir tranquille, prévient Christiane de
sa voix forte, sinon, problème ! Si tu veux garder l'électricité, fais-toi tout petit, ne l'utilise pas trop, pour pas te
faire repérer des voisins ! ». Des conseils qu'elle prodigue
en experte. Dédé est au moins le trentième qu'elle réussit
à loger ainsi, régulièrement alertée par un de ses contacts
qui la prévient de la prochaine vacuité de tel ou tel ancien local associatif devant être mis en vente. Christiane
sait que d'après la loi, au bout d'une semaine, la police
n'a plus le droit de déloger les squatteurs. Alors, en attendant… « Ça fait de mal à personne », tonitrue celle
qui ne digère pas que le vieil hôpital du centre-ville, vide
depuis que l'établissement a été délocalisé à la périphérie
sur la route de Lisieux, soit gardé par des vigiles, justement pour empêcher qu'on l'occupe. Elle l'a d'ailleurs
dit au maire à plusieurs reprises : elle ne tolérera pas ces
habitations fermées, qui narguent les plus démunis. Alors
elle les ouvre !

– C'est inadmissible et inhumain tous ces espaces qui
servent à rien…, tempête-t-elle. Les institutions sont dé-
faillantes, faut bien faire quèque chose…

– Ouais, pourquoi le 115 y va pas là-bas ? questionne
Dédé, naïvement.

– P't'être que les gens du centre-ville y veulent pas voir
ça…, renchérit la mère des deux garçons.

– Voir quoi ?

– Ben nous, quoi ! des pauvres, des gens pas comme eux !

Un homme arrive, rougeaud et essoufflé. Il tend une clé à Christiane, qui la remet aussitôt à Dédé :

– Tiens, la clé du paradis !

Tout le monde rit autour de la table.

Pour ces nouvelles générations,
pas question de subir

Entre la Madeleine et le centre-ville, dans le pavillon de ses parents partis savourer leur retraite au Sénégal, je fais la connaissance d'Abdullah Jalil, 33 ans, le jeune imam de la mosquée de Nétreville. Une météo clémente nous permet de nous installer dans sa véranda où un jardin gazonné, entouré de hauts murs blancs, abrite les jeux de ses deux fils, 7 et 5 ans.

Abdullah écarte ses bras pour me faire partager sa joie d'être « ici, avec pour voisins des avocats, des chirurgiens » et autres CSP+ d'Évreux et non pas au quartier. Il salue *a posteriori* « le culot » de son père, « simple immigré » qui a su acheter au bon endroit au bon moment, après de nombreux sacrifices, pour que ses enfants grandissent dans un environnement sain. « C'est la clé ! Moi et mes frères et sœurs on n'a que eu des Romain et des Pascal comme copains d'école ! »

Après un bac économique, le jeune homme, à l'intelligence vive, s'est retrouvé à la fac de Saint-Denis « chez un cousin », en DEUG d'anglais, avec « des gens qui se

ressemblent » [il veut dire des Noirs], lui qui était habitué à être en minorité parmi les Blancs. À cette époque,
Abdullah accumule les frustrations et la rage d'un jeune
adulte noir de son temps : il s'intéresse aux droits civiques
et connaît par cœur certains discours des Black Panthers.
Ses parents sont des mandaks sénégalais, il a été élevé dans
une famille catholique. Quand, en cours de civilisation
britannique, Abdullah étudie la traite négrière, il s'étonne
de ne pas avoir appris ces événements historiques au lycée, où ses professeurs, selon lui, n'avaient fait qu'évoquer la décolonisation – pourtant, selon les programmes
de l'Éducation nationale, ces épisodes ont été largement
traités. « Pour que l'on comprenne quelque chose, il aurait peut-être fallu commencer par la colonisation ! »,
défend-il avec emphase. Le discours d'Abdullah peut choquer, mais il existe, alors écoutons-le : « Quand on naît,
on doit savoir qui l'on est. Pourquoi le Français ne le
sait pas ? Parce qu'il s'est égaré. La période des Lumières
est considérée comme extraordinaire. En son nom, on a
fait table rase de tout le reste ! » À cette évocation, la colère du jeune homme au crâne rasé, la barbichette peu
fournie, portant de fines lunettes, remonte à la surface,
il se souvient même que sa mère se demandait s'il n'était
pas devenu raciste tant ses propos pouvaient être haineux.
On en sourit. Abdullah a mis du temps à se défaire de sa
culture d'enfant de chœur de la cathédrale d'Évreux, où
il ne croisait que des petites filles de son âge, très chics
en jupe plissée et des garçonnets en veston bleu marine. Cependant, « quelque chose » l'empêche de faire sa
confirmation. Un livre de vulgarisation théologique du
Coran dans lequel un verset évoquant la non-divinité du

Christ est analysé lui donne un coup à l'estomac. Dans l'ambiance délétère post-11 Septembre, le jeune Ébroïcien exige des réponses à tout ce qui se bouscule dans sa tête d'adolescent. Il se pose des questions auxquelles les dames de la bonne société catholique ébroïcienne sont bien en peine de répondre.

Lors de sa deuxième année de fac, une étudiante sénégalaise voilée lui offre un livre sur l'enfer : « Dans ma bonne éducation catholique, personne ne m'avait jamais parlé de châtiment… », se souvient-il. Du coup, Abdullah se rend à la bibliothèque universitaire pour découvrir le Coran en se cachant, comme s'il s'agissait d'un magazine pornographique ! Il l'ouvre en s'armant de courage et se sent dignement récompensé : « Pour une personne dans le doute comme j'étais alors, je me dis : quel culot ! Quelle clarté dogmatique ! En prime, je n'ai pas besoin d'aller parler de mes péchés à un tiers ! » Abdullah est conquis par « tant d'intimité, de pudeur, de possibilités de me réapproprier ma sensibilité ». Pourtant, ajoute-t-il immédiatement, non sans humour, « j'avais suffisamment de handicaps dans cette société pour ne pas en rajouter un : devenir musulman » !

En 2002, à 20 ans, il se convertit. « J'ai été voir un de mes copains musulmans que j'avais vu prier à Foot Locker où j'étais vendeur. Il m'emmène à la mosquée de Trappes où je me retrouve face à des barbus qui n'ont qu'une hâte : connaître le prénom (musulman) que je me suis choisi. Moi, j'ai besoin de réconfort et ces mecs me regardent comme si j'étais de la chair fraîche. L'un d'eux me demande ce que je fais dans la vie. À ma réponse, "ingénieur du son", je l'entends rétorquer : "Attention, la musique c'est *haram* !" Je prononce la *chahada*[1]. »

Abdullah interrompt alors ses études d'ingénieur du son et se lance à corps perdu dans l'apprentissage de la langue arabe. Deux ans plus tard, il a la chance d'être choisi par des mécènes saoudiens parcourant les banlieues françaises en quête de « bons dossiers » pour aller étudier en Égypte. Sur place, il intègre la plus prestigieuse des universités arabes : l'université de théologie d'al-Azhar, d'où sont issus les spécialistes de l'islam les plus renommés. De ces longues années d'apprentissage, Abdullah l'Ébroïcien a retenu la rigueur de son cheikh [ici, conseiller en études] qui refusait de s'habiller « à la saoudienne », comme on le lui avait pourtant conseillé, et, surtout, l'importance du silence, parce que « la première chose qu'on nous apprend, c'est de savoir se taire », c'est-à-dire accepter de ne pas parler de l'islam sans en avoir la science. Pour financer ses études, il est traducteur sur un site religieux où des Occidentaux posent des questions islamiques à un cheikh du Qatar, ce qui lui permet d'observer à loisir le décalage entre les différents courants de l'islam. Il s'en servira plus tard pour nourrir ses prêches ébroïciens.

Après l'échec du Printemps arabe, la destitution de Mohamed Morsi, le massacre sur la place Tahrir et la situation insurrectionnelle délétère de l'Égypte l'incitent à rentrer à Évreux, avec son épouse cairote et leurs deux fils. Très vite, une association cultuelle locale lui propose de devenir imam.

C'est à ce titre qu'Abdullah participe à la première réunion de l'association interreligieuse (du père

---

1. Profession de foi de l'islam dont elle constitue le premier des cinq piliers.

Berjonneau) où il se sent immédiatement mal à l'aise : « Ce qui m'a frappé d'emblée, c'est que les catholiques évoquent leur présence à cette réunion comme si c'était un exploit ! » Selon Abdullah, deux femmes de Vernon qui prétendaient avoir toujours voulu parler à un musulman sans jamais l'avoir fait [il rit jaune] se précipitent vers lui à la fin de la réunion pour lui suggérer de lire le livre d'un musulman converti au catholicisme ! Au vu du parcours du jeune homme et de son érudition, on peut comprendre son indignation. « Moi je n'étais pas venu leur dire qu'elles s'étaient égarées en étant catholiques ! J'aurais aimé qu'elles se comportent vis-à-vis de moi comme l'islam s'est comporté avec les chrétiens jusqu'à la fin du califat », avec tolérance. Ce qu'Abdullah semble ne pas avoir apprécié est cette attitude *a priori* méfiante vis-à-vis de l'islam. Blessé, il l'exprime crûment : « Pour ces gens, je ne suis qu'une statistique : les nègres, qu'ils se sont fatigués à christianiser, reviennent aujourd'hui à l'islam... » Effectivement, dans la communauté mandjak de la Madeleine, on ne compte plus les conversions. Aux jeunes qui viennent lui annoncer leur décision de se convertir, Abdullah demande s'ils ont lu le Coran. La réponse est quasi toujours négative. « On voudrait de la qualité, mais on ne récupère que la quantité », semble regretter l'imam.

Hassan Hammouche préside l'association Nour qui gère la mosquée où prêche Abdullah[1]. Ses propos en feront frémir plus d'un, mais ils ont le mérite de la clarté. Pour

---

1. En 2017, il n'est plus président de cette association.

Hassan, le discours des politiques à propos du voile et de l'islam manque tellement de sincérité que c'est le FN qui modifiera la donne, il en est convaincu : « Si le FN arrivait au pouvoir, les attaques contre les musulmans cesseraient ». Il insiste : « Qu'il y aille, le FN, au pouvoir, au charbon, pour quatre ou cinq ans, et on verra que c'est pas le musulman qui est à l'origine de cette crise économique ! » Hassan ne s'en cache pas : il souhaite que le FN passe. Au quartier, il n'est pas le seul, c'est une opinion que j'entendrai s'exprimer fréquemment au cours de mon enquête. Comme si l'arrivée au pouvoir d'un parti d'extrême droite aurait pour conséquence de cesser d'attiser la situation et qu'on pourrait ainsi « y voir plus clair ».

Hassan confirme que l'évolution de l'islam en France est avant tout due à l'arrivée de ces nouvelles générations nées en France, dont la mentalité diffère de celle des anciens. À l'époque, beaucoup ne pensaient pas rester définitivement, le crédit « musulman » n'existant pas alors, rares étaient ceux qui achetaient leur maison, tant ils étaient convaincus qu'ils repartiraient. Chez eux, le soir, après une dure journée de labeur, ils avaient tout juste la force de préparer la « gamelle » pour le lendemain, et pas la tête à revendiquer quoi que ce soit. Aujourd'hui, comme tous les Français « moyens », les jeunes issus de ces familles obtiennent des crédits et veulent devenir propriétaires. Les parents n'empêchent plus leurs enfants d'évoquer l'école coranique. Pour ces nouvelles générations, pas question de subir. Hassan compare la situation de la France à celle de la Grande-Bretagne, pour mieux en souligner les différences : « Quand les Pakistanais sont arrivés en Angleterre, ils ont affirmé être chez eux. L'inverse de nos parents vis-à-vis de l'Hexagone ! » Hyperdéçu par le « matraquage médiatique » qui va, à ses yeux, toujours dans le même sens (faire peur avec l'islam), Hassan, sourire en coin, remarque : « Et si, à l'heure actuelle, les églises se re-remplissent, c'est bien grâce à nous ! Depuis que l'islam est montré du doigt, les gens redeviennent chrétiens, non ? » Nous rions de sa trouvaille, pas tout à fait fausse.

Je retrouve Abdullah dans la salle de classe attenante à la mosquée Nour. Pendant près de trois heures, notre discussion portera sur les malentendus liés à l'islam, la violence et la nécessité de la tolérance. « En France où aucun ministère ne gère le culte, trois mouvements ont de l'influence, le *soft power*, sur la jeunesse : le *tabligh*, les Frères musulmans et les salafistes. » Si un jeune vient le voir en se proclamant « salafi », il pense souvent que c'est d'abord l'expression d'un certain zèle religieux. Qu'il soit converti ou *born again*, le « nouveau » en religion adopte une attitude plus extrême, a remarqué Abdullah. Souvent arrogant, le converti se retourne contre tout ce qu'on lui a inculqué, il « cherche le clash ». « Peu importe qu'on soit barbu ou pas – c'est-à-dire salafiste ou pas –, il s'agit en fait d'une dispute de théologiens entre anciens et modernes à Bagdad, au Caire, à Bassora et ailleurs ! Ignorant tout cela, le pseudo-salafi vient me voir et m'accuse, d'être, moi aussi, un égaré si je ne suis pas avec eux ! » Abdullah secoue la tête en signe de désapprobation.

Ces trois mouvements trouvent leurs racines dans des pays à majorité démographique musulmane. Le *tabligh* par exemple est devenu hyperprosélyte au début du XXe siècle en réaction à la colonisation britannique. Tous ont grandi dans des périodes de crise. « Nous aussi, musulmans de

France, nous trouvons dans une situation de vulnérabilité, et j'estime que ce n'est pas le moment de servir des intérêts étrangers quelconques ! prévient Abdullah, préoccupé de savoir que les mosquées construites par les Marocains restent "surveillées" par ces derniers – l'État marocain craignant de perdre le contrôle sur "sa" diaspora. Transformer les musulmans de France en un outil diplomatique, c'est inacceptable », affirme-t-il. « Ce danger devrait être un argument clé en faveur de la formation des imams en France par des gens compétents ! »

« L'islam se transmet de cheikh à élève et/ou de parents à enfants. Mais, ici, en France, les jeunes ont été à l'école française, ils n'ont appris ni l'arabe ni les concepts soufis. Alors, quand ils se retrouvent face au brutal retour du religieux des années 1990, c'est le salafisme wahhabite qui l'emporte ! », explique l'imam, soucieux de trouver le discours le plus audible possible pour les non-musulmans. Abdullah est formel : il souhaite ce « compromis sans se compromettre » qui poserait les bases d'un islam français, voire européen, sans pour autant saper le système républicain.

De plus en plus, le jeune imam recueille les confidences de jeunes qui « ne se sentent pas français », et il les comprend. « C'est comme au foot, explique-t-il. Quand on s'entraîne, on doit pouvoir jouer. Rester sur le banc de touche, c'est pas pareil. Alors voilà, nous, les Arabes, les Noirs, et les autres, on sent qu'on ne sert qu'à boucher des trous, et moi, ça me choque ! »

Abdullah s'escrime à faire comprendre à ses « paroissiens » qu'en matière d'islam, sur le territoire français où ce n'est pas la religion majoritaire, les dérogations prévues par le Coran priment : par exemple, si une infirmière

porte le voile, deux choix s'offrent à elle : soit elle abandonne son métier (parce qu'elle refuse d'ôter son voile),
soit elle abandonne son voile, car son métier est utile à la
société. Que rétorquer aux salafistes opposés à ces dérogations ? « Ce sont des ignorants », lâche celui qui accepte
que des individus se réclamant du *tabligh*, des Frères ou du
salafisme viennent prier dans sa mosquée, mais leur refuse
obstinément le droit d'y organiser la moindre activité, la
seule façon, il en est convaincu, de conserver le contrôle
sur sa paroisse et d'éviter la « zizanie entre musulmans ».

« Non pas diviser, mais unir », tel est le credo d'Abdullah qui ridiculise les propos simplistes des recruteurs.
D'autre part, assène-t-il, « le kamikaze ne se fera pas sauter uniquement pour les soi-disant quarante et une vierges
qui l'attendent ! C'est débile, surtout, ici, en Occident,
où on peut assouvir ses désirs sexuels ! » Son engagement
s'apparenterait plutôt à la quête de celui qui pense avoir
raté sa vie et qui voudrait réussir son au-delà ! « "Tu se-
ras quelqu'un de grand !" soufflent les recruteurs. Ils leur
offrent le rôle de défendre un État, alors qu'ici, c'est pas
pour dire, mais on a vraiment du mal à nous donner les
clés de la maison. » C'est pourquoi, dans ses prêches,
Abdullah a à cœur de donner des réponses concrètes aux
soucis précis et lancinants du quotidien de ses ouailles,
et que ces réponses soient pérennes. Il n'a de cesse de
montrer que l'islam de France existe pleinement et serei-
nement.

« Du boulot, il y en a,
mais mal payé ! »

En arrivant à Évreux, j'avais loué une voiture à côté de la gare et fait la connaissance de Charlie, un employé. Serviable, extrêmement efficace, je sens pourtant que quelque chose ne va pas. Il semble perturbé et, bientôt, s'en ouvre à moi quand je lui apprends que j'enquête pour un livre.

Charlie a obtenu son brevet des collèges à Évreux, puis un BEP de pâtissier, a travaillé à Intermarché avant de se rendre en Chine rejoindre deux copains expatriés. Il y a bossé au noir pour une boulangerie française et, en rentrant, a accumulé les CDD, comme surveillant de nuit dans une structure pour handicapés mentaux, éducateur, puis responsable du rayon multimédia dans une librairie du centre-ville où il reconnaît commencer tout juste à s'épanouir quand celle-ci est mise en liquidation. Les vingt et un salariés, qui ne s'y attendaient pas du tout, ont occupé les locaux, engagé des plaintes, sont allés jusqu'au procès, peine perdue. Charlie réalise alors la dureté du marché du travail.

Simple agent commercial et opérationnel, Charlie vit très mal son second plan social chez son employeur. Arguant de cinq années d'expérience à son poste, il prépare une validation d'acquis en entreprise (VAE) qui lui donnerait l'équivalent d'un BTS. Pour lui, ses employeurs sont des « ordures, qui nous ont fait croire tout et son contraire ». Pour ce qui est de la formation, on leur a d'abord déclaré que le budget formation était illimité, puis il est passé de 7 500 heures par tête à 3 000, et, aujourd'hui, on est à 2 500. « Le rêve de reconversion de chacun tombe à l'eau », dit-il tristement. Le jeune homme au visage ouvert, à la barbe de trois jours et à la présentation excellente – ah, si tous les loueurs de voitures étaient comme lui ! – est vraiment déçu : « Ici, ce qu'on appelle la "méthodologie de vente", c'est du bourrage de crâne pendant les trois jours de formation à Paris ! Ils nous apprennent à entuber le client, c'est tout ! En plus, a-t-il constaté, ça ne marche pas… » Charlie n'est pas dupe : « Les employeurs nous robotisent et veulent nous imposer comment faire notre travail, avec des phrases types à réciter au mot près ! Ils nous notent après nous avoir mis en situation par téléphone. C'est peut-être efficace aux États-Unis ou dans quelques grosses agences, mais pas ici ! » À Évreux, les clients sont des habitués et ils n'ont pas envie de se retrouver face à des pseudo-ordinateurs. Voilà le genre d'expérience (un second plan social en trois ans) qui pousse un jeune à quitter la France. Du coup, Charlie ne croit plus en rien, même aux chiffres du chômage : « Nous, avec notre PSE, on ne rentre même pas dans les statistiques ! Donc tout est faux, tout est biaisé. »

Chef de famille, Charlie a besoin de travailler et ne fait pas partie de ceux qui pensent que c'est difficile de trouver un emploi : « Du boulot, il y en a, mais mal payé ! glisse celui qui n'a pas l'intention de passer par la case Pôle emploi. Leur accompagnement est trop lent, et en plus j'ai du mal à y croire. Avec le cabinet spécialisé que ma boîte a engagé, ma conseillère est motivée en fonction de ce qu'elle réussit à me faire décrocher ! »

Charlie est l'exemple type du jeune fraîchement entré sur le marché de travail, qui s'est démené pour trouver un boulot stable (généralement, c'est un premier CDI), mais qui, à cause de la façon dont il est traité par son entreprise, nourrit une vraie frustration et ressent une grande amertume. Comme de nombreux jeunes (23-29 ans), il a profité de son statut stable pour fonder un foyer, mais sa progression − et son ambition − sont stoppées net face à cette quasi-absence de possibilités d'évolution.

Qu'en est-il de ceux qui sont à peine bacheliers ? Julien, 19 ans, pratique le BMX à haut niveau, au grand dam de sa mère. Je fais sa connaissance sur un banc dans le parc, avec sa petite amie du moment, rencontrée sur un site de rencontres « pour jeunes » − c'est ce qu'il affirme.

En 2015, Julien a obtenu son bac éco au rattrapage. Comme il pensait ne pas l'avoir, il ne s'était pas préparé pour la suite. Inscrit sans vraiment y avoir réfléchi en comptabilité-gestion, après trois mois de fac, il a abandonné. Sa mère le juge fainéant. Comme de très nombreux jeunes de son âge, Julien avait été plongé dans le désarroi et la plus profonde perplexité quand on lui avait imposé de commencer à préparer son projet post-bac dès la fin de la classe de première[1]. Depuis, sa mère l'a traîné à la Mission insertion du lycée Modeste-Leroy, dont le but est de remettre les jeunes décrocheurs dans le circuit. On lui a déniché un stage dans la restauration. Après une semaine dans un restaurant où il a passé l'aspirateur en salle, mis le couvert, fait le service et servi quelques cocktails

---

1. Ce système s'appelle Admission post-bac.

derrière le bar, Julien a voulu en savoir plus sur la vie sociale de ses collègues. Puis, il a jeté l'éponge. « Lécher les bottes des clients, leur demander constamment si ce que je leur servais leur avait plu, c'était pas mon truc. » Après ce nouvel échec, il a fallu « relever » Julien, analyse sa mère, mère poule mais réaliste. Aujourd'hui, son fils est pion pour 500 euros par mois. Il est frappant de le voir surpris par l'état de défonce dans lequel les élèves arrivent au collège et la façon dont ils s'adressent aux professeurs, – qui fut aussi la sienne, mais il n'est pas prêt à s'en rendre compte : « C'est fou leur manque de respect, quoi ! ils les insultent, comme si c'était normal ! »

Finalement, Julien a déposé un dossier de BTS négociation-relations clients (NRC) en alternance à la chambre de commerce, mais n'a reçu aucune réponse positive. Je lui demande de quoi il a vraiment envie.

« D'argent ! » C'est le cri du cœur. « Parce qu'un travail qui me plaira toute ma vie, ça, j'suis sûr que j'en aurai pas... »

Julien enchaîne sur l'image qu'il a de sa propre mère, bénévole à l'association de parents d'élèves de son lycée, une occupation qu'il estime « inutile ». La veille, je me suis entretenue avec cette mère chaleureuse au local de l'association. Dynamique, élégante, toute de rose et de gris vêtue, elle semble consciente que le principal problème de son fils est son manque de maturité. À son âge, il n'est pas le seul. Mais Julien tient des propos « violents », insiste-t-elle, notamment racistes. Lors de notre conversation dans le parc, il a avoué avoir voté FN aux élections régionales de décembre 2015. Pourquoi ? « Oh, j'sais pas, dans le milieu du BMX, on les aime pas, vous savez, c'est souvent eux qui volent les vélos… » Cela désole sa mère, mais, à travers ses propos, je perçois qu'elle se pose de nombreuses questions, même si ses convictions s'expriment moins rudement. Par exemple, les jeunes musulmanes nées en France et qui portent le voile la rendent perplexe : « Ces femmes sont libres et choisissent de s'enfermer ! Elles ont la possibilité de s'épanouir et elles se ferment ! ». Comme beaucoup de Français, elle ne comprend pas.

J'essaie de suggérer à la mère de Julien de prendre le problème dans l'autre sens. Et si, justement, pour des raisons qui leur sont personnelles, des convictions qui leur sont propres, ces jeunes filles se sentaient plus libres en portant le voile ? La mère de Julien prend soin de déclarer qu'il ne faut pas se laisser tenter par l'amalgame, mais insiste sur le fait que « ces jeunes filles voilées font le jeu des extrémistes », ce qui constitue à mes yeux l'un des premiers stéréotypes à déconstruire dans le contexte français. Elle insiste : « C'est comme si nous, on se promenait avec une grosse croix sur le dos ! Alors qu'elles sont humiliées là-bas, dans tous ces pays où vous êtes allée ! », autre stéréotype. Non, la majorité des milliers de femmes que j'ai rencontrées en Irak, en Syrie, en Afghanistan, au Pakistan et en Tchétchénie ne vivent pas dans l'humiliation permanente, elles sont parfois heureuses dans leur mariage, en tout cas, autant qu'on puisse l'être, et je ne crois pas que, chez nous, en Occident, on ait la moindre leçon à donner en matière de mariage heureux.

Pendant mon séjour à Évreux, des spots sur le racisme sont diffusés à la télévision et font grand bruit. Ces séquences de trente secondes, commandées par le gouvernement dans le cadre de la campagne « Tous Unis Contre la Haine », montrent une agression filmée au smartphone, avec, en fond sonore, des conversations « racistes ». À la fin du spot, une autre voix dit : « Vous êtes sérieux là, vous croyez vraiment ce que vous dites ? » La mère de Julien trouve ces spots déplacés. Elle n'est pas la seule. Je n'ai cessé, au cours de ce tour de France, de les entendre critiquer : elle estime que ces images sont diffusées pour « nous faire culpabiliser ». Puis elle avoue, en baissant la voix : « En fait j'ai peur pour mes filles… J'ai peur qu'elles tombent amoureuses d'un type qui ne mange pas de charcuterie, pas de porc, etc. Dans les couples mixtes d'Évreux, ce sont les hommes qui imposent leur religion, pas l'inverse ! J'ai peur qu'il y ait des tendances comme ça dans la société… Parce que nous, chrétiens, nous n'avons pas cette force, ce répondant… C'est cette force de l'islam qui me fait peur. En fait, je suis désemparée. »

Son sourire et sa franchise sont désarmants. Si cette femme intelligente, curieuse et ouverte sur le monde, déléguée de parents d'élèves dans un syndicat de gauche, a si peur de l'avenir, on mesure le niveau d'angoisse général !

« J'suis un leader naturel,
j'aimerais que tu l'écrives »

Poursuivant mes rencontres avec de jeunes Ébroïciens du quartier de la Madeleine, je retrouve Tyson, 23 ans, un beau Black à la chevelure impressionnante. Ce vendredi soir, avec Annette, il a rejoint son copain Axel[1] chez lui,

_____

1. Axel, 23 ans lui aussi, est le fils de Caroline, l'institutrice qui me loge à Évreux. Je tiens ici à la remercier de sa confiance. C'est sa fille aînée, esthéticienne à Paris, qui avait eu cette idée. Merci Chloé !

pour reformer, le temps d'une soirée, le trio de leurs années lycée. Souriant, bluffeur, portant merveilleusement son costume gris perle, Tyson, « le grand frère », Tyson le « sapeur », la grande gueule clownesque de la bande, est aussi un jeune homme sensible et pudique. Ce soir, c'est un festival. Après une excellente scolarité, son bac obtenu haut la main, grâce à l'école supérieure de la chambre de commerce d'Évreux, Tyson a trouvé un emploi en alternance à Cherbourg dans le cadre d'un « master achats » dans le domaine du nucléaire.

Issu d'une famille humble de la Madeleine, des trois amis, il est celui qui, pour le moment, semble s'être le mieux affirmé. « Tout ce que je fais, c'est pour inspirer mes petits frères [il veut dire, les Noirs]… et tous les autres ! » On rigole. Ce fils de vigile congolais aurait-il davantage confiance en lui parce qu'il a été habitué à devoir toujours convaincre davantage ? En tout cas, il a visiblement beaucoup plus d'ambition que ses deux amis blancs. Son truc, c'est l'exemplarité : « J'suis un leader naturel, j'aimerais que tu l'écrives ! », lance-t-il à mon adresse, mi-amusé, mi-sérieux. Je l'écris, car je vois bien que la réputation de Tyson n'est pas surfaite : le regard d'admiration d'Annette et d'Axel sur leur copain en dit long.

« Acheteur », ou, plus précisément, « acheteur de prestations intellectuelles » à Areva est une profession récente où Tyson peut développer à l'envi son art de la diatribe. La grande différence entre lui et les jeunes de son âge, c'est que ces derniers ne savent que faire de leurs journées, de leur jeunesse, ou de leur vie. « Ils me disent qu'ils aimeraient bien faire quelque chose, mais qu'on ne leur en donne pas les moyens. Moi j'leur réponds : c'est vrai, c'est pas simple. Mais regardez, on peut y arriver ! Faut s'bouger ! » Tyson évoque l'alternance, même si, d'expérience, il sait que beaucoup d'employeurs considèrent les étudiants en alternance comme de la main-d'œuvre à bas prix. « Ouais, encore faut-il trouver l'entreprise ! » lui rétorquent ses potes, découragés d'avance. « Ils n'ont même plus ce sens de l'effort », constate Tyson avec philosophie et tristesse.

Annette, dont les cheveux joliment relevés découvrent une fine nuque et mettent en valeur son visage de métisse (son père vient de Martinique, sa mère est ébroïcienne), couve son copain de ses beaux yeux bleus malicieux, allumant une nouvelle cigarette. Le profil professionnel de la jeune fille est tout différent : elle souhaiterait être admise au fameux haras du Pin, dans l'Orne, comme « sellier-arnacheur ». Elle nous explique pourquoi « créer », se mettre à son compte, devenir artisan lui plairait. Mais, pour des raisons financières, elle ronge son frein en BTS négociation-relations clients à Caen, et en alternance chez Glaxo, le dernier grand employeur de la région, où travaille sa mère.

Notre petit groupe est installé dans le salon télé de la mère d'Axel, qui a la présence d'esprit et la courtoisie de rester avec une copine dans la cuisine pour que nous discutions à notre aise. Aucun des trois jeunes ne lit le moindre journal papier, ni même ne regarde les journaux télévisés à une heure précise (sauf Annette, qui concède avoir un faible pour le JT de 13 heures sur France 2, « super agréable à regarder quand ça parle pas d'islam et de terrorisme ! »).

Axel et Annette, en chœur :

— Rien à foutre du discours des politiques !

Axel :

— Et puis, d'toute façon, c'est pas quelqu'un comme moi qui va être interviewé pour passer à la télé, ah non, ça, jamais…. (Sa déception est perceptible.)

Tyson :

— Ah mais moi ça m'intéresse ! J'vais p'têt' me faire violence et l'devenir ce profil-là, celui qui passe toujours à la télé, non ? (Il pouffe.)

Annette :

— Moi, de toute façon, je vote ce que ma mère me dit de voter, pour le moment en tout cas. Mon père est plus à gauche et ma mère plus à droite, je dirais…

Axel :

— Moi aussi j'demande à ma mère.

Et Tyson ? Le problème ne se pose pas, Tyson n'est pas français, mais congolais, arrivé de Kinshasa en France à l'âge de 8 ans.

Le lendemain, quand je revois Tyson, il se montre moins flamboyant, plus pudique. Quand le jeune garçon a rejoint son père à Évreux, il a dû faire la connaissance de sa grande sœur, née d'une autre mère. Ce père et cette sœur se rendent tous les dimanches matin au culte, et de nombreux pasteurs évangéliques passent à la maison. Ces « affaires » n'intéressent guère Tyson qui s'attache à être le meilleur à l'école. À la maison, il s'entend répéter que certains « mauvais esprits » seraient liés à sa personne, ce qui chiffonne le foyer. Rue des Marronniers, dans la barre « Riga » détruite depuis, face au foyer Sonacotra et à deux jets de pierre des hauts murs de la prison, ça discute religion, mais personne ne s'intéresse à ses bonnes notes. « Depuis que je vais à l'école, affirme Tyson, mon père n'a jamais été convoqué pour mauvaise conduite de son fils… »

Tyson grandit dans une famille croyante, imprégnée de traditions de sorcellerie. En l'écoutant évoquer le « problème » qu'il semblait constituer alors, aux yeux de sa famille, je comprends mieux la rage de vaincre du jeune garçon qui a fait des pieds et des mains pour être admis au lycée Senghor, « celui des Blancs, de l'élite », ose-t-il me dire ce matin, alors que sa condition sociale l'aurait plutôt naturellement aiguillé vers le lycée Aristide-Briand. Il y parvient.

Sa vision de la mixité entre communautés « blanche » et « noire » de la Madeleine est brute mais édifiante : « Au collège déjà, il y avait un écart entre le mode de pensée et de fonctionnement des Blancs, qui venaient beaucoup de la campagne des environs, et celui des Noirs, qui répondaient déjà au profil "racaille". Chacun restait entre soi. Même si on s'appelait tous "frères", les Blancs craignaient les Noirs. Pourquoi ? Parce que les Noirs n'avaient pas les moyens d'impressionner les Blancs via les notes, alors ils le faisaient autrement ! [Il rit à ce souvenir.] Moi, naïvement, je voulais être un pont entre les deux. Aucun autre Noir n'a choisi l'option "théâtre" en 6ᵉ ! En fait, tout le monde parle de vivre ensemble, mais personne n'en a vraiment envie ! »

Au collège, certains copains de Tyson deviennent dealers, comme celui croisé hier soir en sortant du ciné : fortement alcoolisé, voire sous l'emprise de stups, il paradait au volant d'une Audi A6 flambant neuve… « On est mal regardés ici, en France [depuis les attentats] », lui avait soufflé ce dernier, ajoutant qu'il pensait même à rentrer au bled [en Algérie].

Tyson :

– Wallah', tu vas rejoindre tes copains de Daech ? [Toujours cette envie de provoquer et le mot pour rire.]

Son copain :

– Arrête tes conneries, Daech, c'est pas l'vrai islam, lui avait répondu la petite frappe.

À travers cet échange, Tyson dit avoir senti que ce qui préoccupait son ami n'était pas forcément le mal que Daech avait fait à la France, mais quelque chose de plus personnel, qui englobait l'ampleur de sa déception vis-à-vis de cette France. Comme si ce profond sentiment de frustration, cette colère rentrée rendaient plus « acceptables » les actes terroristes. En tout cas dans la tête de ces jeunes.

À la Madeleine comme dans d'autres quartiers d'autres villes de France, ces sentiments existent et se développent, même diffus, difficilement concevables et compréhensibles pour ceux ne vivant pas ce genre de frustrations.

Accompagnée de Tyson, je décide d'aller faire un tour à la Madeleine où il n'habite plus depuis quelques années. À la place de l'immeuble de son enfance a été érigée une placette jonchée de jeunes arbres et de bancs de béton. Au bout de la rue, les hauts murs de la prison d'où résonnent parfois les cris des détenus. Sur un muret, trois initiales : « PSR » [pour « Prison Sans Retour »] ont été taguées.

Tyson se souvient de la pudeur de l'époque, quand « on n'allait pas vraiment chez les uns, chez les autres », quand les gamins jouaient à l'école, dans la rue. « Le premier Blanc qui m'a ouvert les portes de chez lui, je devais avoir

11 ans ! » Trop jeune pour participer aux émeutes de 2005 qui ont enflammé le quartier, Tyson dit avoir « saisi le malaise » tout en désapprouvant les meneurs. Lui, le petit Congolais, campait sur une position, la seule tenable à ses yeux : l'école est le moyen le plus « facile » pour accéder à un statut. Mais les ados étaient braqués contre le « système » qui, à leurs yeux, déjà, ne les reconnaissait pas.

« Ça recommence aujourd'hui, insiste-t-il, sauf que le niveau de violence général, toléré par le reste de la société, a augmenté et incite tout le monde à s'engouffrer dans la brèche. La nouvelle génération ne cherche même plus à intégrer le système. D'emblée, ils se disent "j'ai pas ma chance". Pour moi, ça a été normal de continuer le collège après le brevet, j'en voulais comme un dingue, mais eux, ils s'arrêtent là… Pourquoi ils feraient cinq piges d'études si c'est pour finir payé au SMIC ? »

Les attentats qui ont endeuillé la France en 2015 ont marqué le jeune homme, mais pas plus que ça. Les jeunes que je croise accordent moins de place que nous, adultes, à ce qui s'est passé à ce moment-là. Comme si cette obsession de l'islam, ces flambées de haine et de violence les étonnaient moins. Comme s'ils y avaient davantage été préparés. Comme s'ils possédaient en eux la prescience que ces attentats composent le monde dans lequel ils vivent et dont ils devront s'accommoder à l'avenir.

Tyson n'a pas peur des mots, les sujets graves ne l'impressionnent pas, il a toujours vécu le pire, en se débrouillant. Pour lui, ce qui se passe est une espèce de guerre civile. « En France, où tout le monde se regarde avec suspicion, on manque de re-con-nais-sance ! » C'est de là que tout part, il en est convaincu. Voilà pourquoi, depuis toujours,

Tyson a décidé de devenir « le meilleur joueur », et ça, son meilleur pote Axel « le sait », ajoute-t-il en souriant.

Axel est cet ami-nounours que Tyson aimerait « tirer vers le haut », à qui il aimerait « insuffler la petite étincelle, vu son talent ». Pour lui, il visait le BTS infographiste. Parfois – trop souvent, au dire de sa mère –, Axel s'enferme dans le virtuel, le déni, la négation de soi aussi. Après les attentats, Axel a été accusé à tort d'être djihadiste par un élève de l'internat où il est surveillant – serait-ce sa barbe ? –, ce qui lui a valu une convocation de la direction qui l'a questionné sur ses convictions religieuses – alors qu'il n'en a aucune ! Ce grand gaillard de près de 1,90 mètre vit toujours chez sa mère, laquelle redoute qu'il ne soit pas simple pour son garçon (comme pour tous les enfants qu'elle instruit – Caroline est institutrice) de grandir de façon apaisée. Le jeune homme ne regarde pas les infos et ne croit pas en grand-chose. Il a l'impression que « tout ça » ne le concerne pas vraiment…

Axel a l'impression que son bac « arts plastiques », obtenu en 2015, n'a servi à rien. Le coût de l'inscription en MANAA (mise à niveau aux arts appliqués) avoisine les 6 000 euros, pas évident à financer. En ce printemps 2016, Axel et Tyson préparent leur visite à la Japan Expo de juillet[1], où ils se sont déjà rendus les deux années précédentes, une méga-manifestation qui draine des dizaines de milliers de jeunes visiteurs. « On y va pour le fun, souvent costumés, affirme Tyson. Moi j'fais simple : j'achète mon costume, ou je le loue. Axel, lui, il le crée lui-même, il le dessine, il le confectionne ! » Pour

---

1. La plus grande convention consacrée à la culture japonaise hexagonale, qui draine chaque année des milliers de visiteurs au Parc des expositions de Villepinte.

ses 18 ans déjà, lors de sa fête d'anniversaire, Axel avait imposé à toute la maisonnée – y compris sa mère et sa grand-mère – de porter des masques de superhéros. Cette année, le *serial* « *cosplayer* » (costume *player*) s'est concocté la tenue de Red Hood, Jason Todd dans *Batman,* qu'il peaufinera tous les jours avec amour, demandant de l'aide tantôt à sa mère – sa voiture pour aller chercher des matériaux –, tantôt à son père, un manuel, comme lui. Si le jeune homme peut paraître indolent, il porte en lui cette passion et une volonté de création immense dont il aimerait faire usage dans une future vie professionnelle. Mais comment ?

Chez Axel, on retrouve Robin, son cousin, 23 ans, et sa copine, une Suissesse rencontrée via un jeu vidéo en ligne. Revenu en mode amuseur, Tyson s'exprime haut et fort. Il fait rire. On se met à parler religion.

Robin :

– La religion, c'est bien pour apprendre des valeurs comme le respect, l'amour de l'autre. Considérer l'autre comme mon égal, des choses comme ça...

Tyson :

– Ouais... Quand on se tourne vers la religion, c'est qu'on est un peu perdu j'ai l'impression, non ?

Robin, qui le coupe :

– C'est quand on a peur de la mort ! « Rien ne se perd, tout se transforme... »

Tyson :

– Pascal !

Robin :

– Bravo ! Ben moi, j'ai grandi, et j'suis plus croyant (il semble triompher). Ça me paraît inconcevable qu'un Dieu nous écoute… Les islamistes, eux, n'ont pas peur de la mort, pourtant y en a pas beaucoup qui ont lu le Coran en fait ! Faut avoir du recul par rapport à la religion et tout ça… La religion, c'est que le prétexte dans ces attentats ! En fait, ces gens auraient pu être très bien dans la vie quotidienne, mais ils se sont fait laver le cerveau…

Tyson, l'air de réfléchir :

– Ouais, la religion ça peut vraiment être un prétexte…

Axel et la Suissesse restent silencieux, mais ne perdent pas une miette de ce dialogue animé.

Robin, après une pause, inquiet :

– On est bien loin d'endiguer le mouvement, j'crois. François Hollande dit qu'on traque les gens de Daech, mais ceux du Bataclan, y z'ont dû s'prendre des trucs avant, non ? Ils se sont drogués ! Comment ils ont pu perdre cette humanité ?

Tyson :

– J'connais un type, le copain de son fils est parti faire le djihad… y a comme un côté mystérieux qu'on se doit d'analyser.

Robin :

– C'est bien d'avoir chopé Salah Abdeslam en vie[1]…

Tyson :

– Et qu'est-ce que tu penses de « Je suis Paris », toi ?

Robin :

---

1. Cette discussion a lieu le samedi 16 avril 2016, peu après les attentats du 22 mars à Bruxelles.

– Bon, « Je suis Charlie », ça m'avait marqué, ce slogan, pour soutenir *Charlie Hebdo*, là, ça voulait dire quelque chose. Maintenant, c'est devenu un effet de mode, ça a perdu de sa valeur.

Tyson, qui n'est pas musulman, encore moins croyant :

– Ouais, mais caricaturer, c'est dénigrer. C'est interdit pour les musulmans.

Robin :

– Dans ces cas-là, on peut plus s'moquer de Mohammed parce que ça fait mal aux musulmans, c'est comme ça qu'on se crée une autocensure, quoi ! C'est normal d'être choqué, mais *Charlie Hebdo* se bat contre l'islamophobie quand même !

Tyson :

– OK, moi aussi j'me fous de la gueule des handicapés ! Faut quand même comprendre qu'on pense pas tous pareil ; il aurait fallu se douter de comment les musulmans allaient réagir... Le 13 novembre, c'est encore pire !

Robin :

– Des gens tués pour ce qu'ils sont et non pas pour ce qu'ils font, juste parce qu'ils étaient au mauvais endroit au mauvais moment... Ils ont tué ceux qui ne sont pas comme eux, des mécréants, c'est une véritable croisade ça ! Franchement, j'les plains les musulmans aujourd'hui ! Ceux qui ont tué ne sont pas des musulmans !

Tous semblent réfléchir, puis Robin s'enhardit :

– Moi-même je me suis remis en question plus d'une fois. Qui suis-je ? On peut s'la poser cette question ! Moi et Axel on était dans un trou (il jette un œil à son cousin qui fixe le sol). Aujourd'hui, j'ai des pistes : je crée plein de trucs, je fais tout ça dans ma chambre, des dessins, des cartes, mais j'ai peur d'aller vers l'autre, oui, je le dis, je redoute de sortir, de présenter mon travail, parce que si c'est pas parfait, j'vais pas le montrer aux autres… Dans ma 5e année de droit, je ne me suis plus senti à ma place, j'ai commencé à prendre des médicaments anxiolytiques. C'est pas que j'étais pas à la hauteur, c'est qu'il me manquait le désir. (L'assemblée laisse parler Robin dans un silence attentif. Robin est visiblement ému, mais poursuit.) J'ai vu le docteur, j'ai pris des médocs, puis j'ai arrêté. Je me souviens de cette douleur que j'ai ressentie à la poitrine. C'était psychédélique ! Mes rêves se réalisent pas. J'voudrais faire de la musique en fait.

Sa tirade ressemble à un cri du cœur.

Tyson :

– Mais qu'est-ce que t'as été faire dans le droit alors ? Artiste, c'est pas un vrai métier, ça ! Qu'est-ce que tu veux faire ?

Robin :

– De la musique.

Tyson :

– Ben qu'est-ce qui t'en empêche ?

Robin :

– Moi-même… et les autres. J'ai pas confiance en moi et j'ai peur du regard des autres. OK, j'ai un master de droit public, mais je m'attendais pas à ça, même si je l'ai choisi…

Tyson :

– Ouais, allez, Robin, c'est toi ton plus grand fan, mais là tu te lasses, tu perds confiance…

Robin :

– Je suis sûr de rien, je remets tout en question.

Tyson :

– Dis pas ça ! L'autre il est comme toi et moi ! Moi, j'peux pas avoir peur de quelqu'un !

Tyson se redresse, bombe le torse et sourit à tout le monde. Une fois de plus, il détend l'atmosphère.

Tout en résidant à Rouen, pour son master, Robin se rendait trois fois par semaine à Paris. Il se trouvait dans la capitale lors des attentats de novembre, qui l'ont « écrasé », dit-il. À la suite de l'attentat de *Charlie Hebdo*, avec son cousin Axel, son frère aîné et un autre copain, les quatres jeunes gens ont confectionné un « journal » numérique qui « paraît » tous les 7 du mois. Preuve supplémentaire de l'angoisse existentielle du jeune homme et de sa bande, *Debout Mensuel*, le nom du journal, n'est disponible que sur un groupe Facebook privé. Ils redoutent de le partager, car ils ne sont pas prêts à affronter les critiques.

Le journal des quatre compères compte une quinzaine de numéros, dont Axel consent à me montrer un exemplaire sur son portable. Ils en sont à la fois fiers, mais leur humour au second degré, maladivement gardé « entre soi », témoigne avec force d'un mal-être dur à partager. Notre conversation les a aidés à réaliser qu'ils avaient envie de persuader leurs deux collègues de publier *Debout Mensuel* en « public » sur Facebook.

« Votre fils est majeur,
il n'a commis aucune infraction »

Ahmed, l'artisan-boucher de la Madeleine, au visage d'ange agrémenté de fossettes, a troqué sa blouse blanche

tachée de sang pour une polaire élégante et sobre, et m'emmène dîner au kebab où Tyson et ses amis sont allés après
leur séance de cinéma vendredi.

Depuis que son fils de 18 ans, le troisième de ses quatre
enfants, est parti faire le djihad en Syrie, fin 2014, le propriétaire des lieux arbore un visage sombre. Le temps passe,
et son fils, établi dans une brigade de Français appartenant
au groupe terroriste Al-Nosra, ne revient pas. Même si le
père communique avec lui par Internet, l'Ébroïcien n'est
pas dupe : il ne reviendra plus. D'abord, le jeune homme
le lui a dit, lorsqu'ils se sont rencontrés à la frontière turco-
syrienne, d'autre part, s'il rentre en France, il sera emprisonné et mal considéré jusqu'à la fin de ses jours tant le
malaise entre la République française et ses citoyens partis
en Syrie est profond.

La peine du père est immense. Même sur son lieu
de travail, où ses proches collègues et l'ensemble de la
communauté turque d'Évreux connaissent la triste histoire,
le restaurateur ne cache plus son désespoir. Dans l'année
qui a précédé ce départ, suspicieux, les parents avaient
confisqué son passeport au jeune homme. Mais ce qui devait arriver arriva : il a réussi à s'en faire délivrer un nouveau après avoir déclaré sa perte, puis s'est envolé pour la
Turquie. Voilà ce que ses parents ne pardonneront jamais à
l'État français : lui avoir remis le sésame dont il avait besoin
pour partir. Dans la panique, les parents suivent leur enfant, restent sur place près d'un mois. Finalement, le père
parvient à rencontrer son fils, non pas en tête à tête, mais
accompagné de son groupe. « Mon épouse voulait le faire
mettre sous protection jusqu'à ses 25 ans », mais les services français avec lesquels le couple a été en contact quasi

quotidien pendant plus d'un an le leur avait déconseillé, cette procédure a anéanti leurs velléités de remonter la filière. « Ils nous ont utilisés comme de vulgaires pigeons », ne cesse de répéter le père, tête baissée, cherchant ses mots, en colère contre ceux qui ont cessé de lui répondre au téléphone à partir du moment où son fils avait quitté le territoire français. « Subitement, il ne les intéressait plus du tout. Et nous non plus par la même occasion. »

Ce départ retrace la banalité d'un guet-apens, sur fond de parents démunis. Bon élève, leur fils s'était mis à fréquenter la mosquée « rose » où des gens venus de Paris traînaient souvent à cette époque-là. Alors que leur fils est sous la loupe des services, les parents les implorent d'intervenir et de l'arrêter. Ils auraient préféré qu'il soit en prison plutôt qu'embrigadé. On leur opposait la sempiternelle réponse : « Votre fils est majeur, il fait ce qu'il veut. Il n'a commis aucune infraction. » Les yeux du père, d'allure fragile, sont embués de larmes.

Comment, en tant que parent, rester sain d'esprit face à une telle situation ?

Absent depuis plus de deux ans, le jeune homme a été jugé *in abstentia*, et condamné à dix années de prison. « C'est lui qui nous l'a dit, lance le père. On ne le savait même pas… » Le voir irrégulièrement par le biais d'un écran n'arrange rien. Sur quoi échangent-ils ? Pas grand-chose. Il leur dit : « Vous nous laissez tout seuls, Bachar bombarde et, vous [la France], ne faites rien pour l'en empêcher. » Sinon, il semble changer souvent d'endroit et passer sa vie sur Internet, précise le père. La mère n'a même plus la force de lui adresser la parole. Le benjamin de la fratrie, âgé d'une dizaine d'années, croit son grand frère en Turquie pour faire des études, mais il commence à poser des questions. Bientôt, il souhaitera lui rendre visite. Que pourront lui répondre ses parents et ses sœurs ?

Alors que ce sont les vacances scolaires, je passe des heures à discuter avec Caroline, la mère d'Alex. Son domicile se situe au-dessus de la cour de l'école publique où elle enseigne, à la lisière du quartier de la Madeleine. Caroline se souvient qu'après les deux attentats de 2015, avec la complicité des institutrices, le directeur de l'école primaire s'était refusé à fermer l'école à clé comme l'administration le demandait. Tous souhaitaient laisser aux enfants l'impression de liberté et de sécurité qu'ils considèrent inhérentes à l'école.

Caroline est préoccupée par les comportements des parents d'élèves, qu'elle a vus se modifier au cours des années : les parents se disputent, voire s'insultent devant les grilles de l'école jusqu'à parfois se taper dessus, sous le nez de leurs propres enfants.

« Comment nous, enseignants, pouvons nous récupérer les choses ? » se demande-t-elle. En plus de cet « irrespect » patent au sein de la cellule familiale, elle constate que de moins en moins de parents sont en couple. « Les enfants portent le nom du père, mais il n'y a plus de père ! » En revanche, selon ses observations, dans les familles issues du Maghreb, le socle familial paraît « plus solide ». Quand la maîtresse convoque les parents, c'est généralement au père seul qu'elle a affaire. Avec le temps, Caroline a vu ses anciennes élèves se voiler. « Dès l'adolescence, on ne peut presque plus se parler », ajoute-t-elle avec tristesse. Toutes ces jeunes filles ont été élevées dans la liberté, elle le sait, puisqu'elle y a contribué, puis elles font ce choix. Pourquoi ?

Pour tenter de répondre à cette question, j'ai souhaité rencontrer des femmes voilées, heureuses de l'être et désireuses de s'exprimer sur ce sujet. Pour ces femmes, le voile n'est pas une restriction, il « apporte » quelque chose. Toutes sont mécontentes, voire outrées, de la mauvaise image médiatique du voile[1]. Elles se plaignent que les médias ne s'intéressent jamais à celles se sentant bien dans leur peau et que personne n'a obligées à porter le voile.

« Les gens sont choqués de me voir sourire »

Samira m'a donné rendez-vous à la cafétéria de Cora, décidément un lieu de rencontre prisé. J'arrive en avance et me poste dans un angle qui me permettra de la voir arriver. Peu de monde en cette heure encore matinale et je repère immédiatement la jeune femme au port de reine et au large sourire, vêtue d'une tunique vert émeraude assortie à la couleur de son foulard. De fines lunettes de soleil Dior rehaussent l'éclat de son teint pâle et ses grands yeux marron.

Samira, 27 ans, dernière de sept enfants, a grandi dans un bourg de 6 000 habitants où les familles d'origine

---

1. Comme le note le magazine *M Le Monde* du samedi 21 mai 2016, qui a choisi de mettre sur sa couverture une femme portant le voile (elle pose de trois quarts) en turban en soie et blouson de cuir très mode, arborant une paire de Ray-Ban, tout « débat » dans les médias sur le voile est souvent hystérique : « On s'y jette des principes à la figure comme autant d'anathèmes, sans souci de nuances. » Pour ce numéro, *M Le Monde* a demandé à une de ses journalistes pigistes d'aller « se promener dans le nouveau Forum des Halles à Paris, dont les boutiques et les cafés aimantent les jeunes de toute la région parisienne ».

marocaine n'étaient qu'une poignée. Elle dit avoir passé
une enfance heureuse et ordinaire, ses deux parents étaient
employés chez le géant laitier Lactalis. En famille, les coutumes et les rites français tels la dinde de Noël et les œufs
de Pâques étaient respectés et appréciés. « Grâce à mes parents, je ne me suis pas sentie différente », insiste-t-elle.
C'est seulement en quittant le cocon familial à 21 ans que la
jeune fille prend conscience de sa condition. Pourtant, elle
ne se sent que « musulmane d'identité », non pratiquante.
Vendeuse chez Décathlon et dans d'autres enseignes de
sport des villes avoisinantes, Samira a déjà ressenti des préjugés envers les Maghrébins, qu'elle qualifie pudiquement
d'« irrespect », mais pas au point – elle insiste – que cela
l'ait jamais empêchée de trouver du travail. « Toutes ces
barrières que j'ai pu faire tomber avec un sourire ! », lance-
t-elle gaiement. Il faut dire que le sien est particulièrement
désarmant.

C'est dans la ville du Mans que la jeune femme va devenir pratiquante. À l'occasion d'un ramadan, elle se rend
avec une copine dans une des mosquées de la ville pour poser des questions sur la façon de prier. Les barbus orientent
les deux jeunes femmes vers l'épouse de l'un d'eux.
« C'était la première fois que je rencontrais des femmes
en *jilbâb*[1], et même en *niqâb*[2] ! Ça me faisait bizarre ! se
souvient Samira. Le lendemain, à son tour, Samira décide
de se voiler la tête. Je lui en demande les raisons. « Je vais
essayer d'expliquer : j'avais toujours été entourée, mais je
me sentais quand même seule. Je sers à quoi ? Je fais quoi ?

---

1. Voile couvrant la chevelure et les épaules.
2. Voile intégral ne laissant apparaître que les yeux.

Voilà les questions qui me taraudaient. Il me manquait de la sincérité. Avec cette brusque irruption de la douceur, l'islam a donné un sens à ma vie, je me suis sentie apaisée. » Ses parents s'en étonnent – dans la famille, seule sa sœur aînée est voilée. Tout comme ses amis laïcs, ils croient que c'est une tocade.

Samira préfère rire des remarques désobligeantes, parfois méchantes, ou, tout simplement, purement racistes (du style « rentrez chez vous en Arabie saoudite ! – inutile de préciser que Samira est française) entendues dans son sillage quand elle revêt le *jilbâb*. Remarques qu'elle tente de désamorcer à sa façon, par le sourire. « Les gens sont tellement étonnés de me voir sourire ! Ils en sont même choqués ! Ça les déstabilise ! Et puis, faut pas croire, en privé, nous, les musulmanes croyantes, on est toutes des *fashion victims* ! » Dans l'espace privé, Samira ne rechigne pas à porter un décolleté ou une minijupe, mais, en public, elle n'a pas envie d'être « reluquée » : « Mes atouts physiques, je les garde pour moi et ceux qui me sont chers. » Rien à voir avec une quelconque « soumission », prévient-elle. Et de poursuivre dans une veine que ne renieraient pas certaines féministes antivoile : « Voir partout des femmes nues, ce n'est pas dégradant pour la femme ? Les femmes sont constamment utilisées comme des objets sexuels et ne sont pas appréciées à leur juste valeur. » Selon Samira, le voile contribuerait à contrer tout cela. « De quel droit vous vous permettez de parler à notre place et affirmez que nous ne sommes pas libres ? » aimerait-elle demander à toutes celles [et à tous ceux] qui l'affirment sans douter.

À leur retraite, les parents de Samira sont revenus vivre à la Madeleine. Parfois, entre deux contrats, leur fille habite

chez eux où elle découvre les joies de la vie au quartier.
L'accueil chaleureux des voisins, la bienveillance, le respect,
le sens de l'hospitalité, de la solidarité l'impressionnent. J'ai,
pour ma part, toujours rencontré ces qualités dans les pays
musulmans où j'ai séjourné ; elles sont à l'opposé des idées
reçues sur les quartiers en France. En revanche, Samira n'est
pas habituée à voir toute une partie de la population « zo-
ner », traîner au quartier, et encore moins aux cris et aux disputes. Les moteurs de voitures ou de motos gonflées à bloc
pétaradant pour de rapides courses-poursuites avec la police
l'horripilent, encore plus quand c'est pour meubler le désœuvrement de leurs propriétaires. Et puis ces trafics de drogues que l'on devine sans réellement les voir la désespèrent.

Si Samira tient à son voile et prend du plaisir à le porter, elle n'a aucune difficulté à l'ôter pour aller travailler.
Réaliste, la jeune femme sait que dans le contexte actuel,
mieux vaut travailler que rester inactive. « Je suis française,
je sais faire la part des choses. Si je refusais d'enlever mon
voile, je ne travaillerais pas ou me débrouillerais pour travailler chez moi », affirme-t-elle. Assistante scolaire dans
une école maternelle publique, Samira respecte la loi. Elle
se voile au sortir de l'établissement, parce qu'elle assume
son choix et en est fière. Ce voile l'aide à vivre.

« À Pôle emploi où je m'étais rendue une fois voilée, la
conseillère s'est étonnée de ma nature joyeuse : "Vous res-
pirez la joie de vivre !", m'a-t-elle dit. Pour cette femme
– je ne la blâme pas, femme voilée égale femme triste. Il
est grand temps de sortir de ces idées reçues ! » Le sourire
de Samira s'estompera uniquement quand nous aborderons
le sujet du terrorisme. Ne lui parlez pas des « valeurs de la

République » toujours brandies, selon elle, dans le mauvais sens : « La France tue, elle bombarde des civils et l'a fait en Afghanistan et au Moyen-Orient ! Ce n'est pas pour autant que je ne suis pas française ! Qui va oser définir à partir de quoi, à partir de quand, on est français ? Faut arrêter d'appuyer, d'enfoncer le clou. On parle que de ça. Non, c'est vrai, on dirait qu'ils veulent mettre l'animosité dans les cœurs… »

Dans quelques mois, Samira convolera avec son fiancé. Elle s'en réjouit. En couple depuis deux ans, la jeune femme pousse son petit copain à « se bouger » pour trouver un travail. Demain, samedi, elle se rendra à la mosquée Nour pour ses cours d'arabe.

Je décide de m'y rendre ce vendredi pour la prière de la mi-journée. Peu après 13 heures, des voitures de plus en plus nombreuses apparaissent en bordure des dépôts de la zone industrielle de Nétreville. Ancienne maison de gardien de stade, la mosquée est un pavillon reconverti en salle de prière. À l'entrée principale, fréquentée par les hommes, on se congratule avant de se diriger vers l'endroit où procéder aux ablutions. De l'autre côté de la rue, une seconde entrée a été créée pour les femmes, qui, elles, empruntent un escalier pour se rendre à leur salle de prière où le service est retransmis par le son. On vient aussi beaucoup à pied, certains ont revêtu le *qâmis* (vêtement recouvrant tout le corps) à la va-vite, par-dessus leur pantalon de jogging. Je suis frappée par l'hétérogénéité des paroissiens : jeunes, vieux, noirs, blancs, maghrébins. Du côté des femmes, on dépose ses chaussures au pied de l'escalier et on s'assied sur la moquette bleu foncé, visage tourné dans la direction du sud-est. Juste avant que ne monte une voiture aux vitres

teintées déposant une ombre en *niqâb* noir qui s'engouffre
pesamment après s'être délestée de ses babouches d'un coup
sec. Dans son sillage, je respire un parfum lourd, un tantinet
écœurant. Nous sommes une trentaine, beaucoup sont avec
leurs enfants, voire des bébés. Les plus jeunes et les plus
souples sont assises le dos contre le mur, les jambes allon-
gées ou en tailleur. D'autres ont opté pour le confort d'un
tabouret ou d'une simple chaise pliante. Ici et là, je repère
les foulards colorés des Africaines, parfois en boubous. Les
Maghrébines d'un certain âge sont d'aspect plus classiques,
en *hijab* sombre et modeste jupe longue. Les plus jeunes
sont davantage voilées, ce qui n'exclut pas quelques touches
de modernité, comme cette toute jeune femme, elle aussi
en *niqâb*, qui, après avoir enfilé ses socquettes fuchsia pour
se prosterner, se met tranquillement à rédiger des textos
pendant toute la durée du prêche en arabe, ne s'interrom-
pant que pour les prières. Une convertie, blonde aux yeux
bleus sous *niqâb*, a placé devant elle, sur une couverture
polaire rose pastel, son bambin de 6 mois. Dès que le bébé
manifeste une gêne quelconque, sa mère le prend dans ses
bras. Dans la minuscule salle adjacente, deux fillettes de 7
et 9 ans jouent sans faire trop de bruit. L'ambiance est bon
enfant, comme je l'ai toujours expérimenté dans les mosquées des pays en guerre où j'ai vécu.

Claire et posée, la voix de l'imam Abdullah s'élève dans
un silence profond, d'abord en arabe, puis en français. Il
traduit lui-même son prêche : « Nous connaissons la situation des musulmans en France, leur position sociale.
Nous avons du mal à obtenir notre place dans la société,
débute-t-il, dans le vif du sujet. La jeunesse musulmane est
en prison ou en échec scolaire ; beaucoup de musulmans

sont dans le doute et, en vérité, notre problème essentiel est de s'être habitués à cette situation et de la considérer comme normale. » Sans rien manifester, les femmes présentes écoutent l'imam qui les exhorte à poursuivre sans relâche l'éducation de leurs enfants.

Une petite fille demande à sa mère si elle peut aller faire pipi, une jeune femme s'adosse à l'épaule de sa sœur aînée. « Il n'y a jamais eu d'ignorance dans la civilisation musulmane », martèle l'imam, exemples historiques précis à l'appui, se référant notamment au premier des hadiths, quand certains prisonniers d'une mémorable bataille n'avaient même pas d'argent pour payer leur rançon : « Tu n'as pas d'argent, mais tu as un savoir ! » [Pause.] « Le Prophète a considéré l'écriture comme un potentiel économique ! » [Pause.] « Pourtant, en Occident, le musulman est à la traîne, et c'est incompréhensible parce que ici l'école est gratuite, les bibliothèques ouvertes à tous ! Malgré cela, on n'y arrive pas, se lamente l'imam. Alors cessons d'être indifférents devant une personne qui échoue scolairement ! Ça, c'est extrêmement grave ! » [Son ton se fait encore plus réprobateur] : « C'est ce qu'on doit changer : rendons-nous aux réunions de parents d'élèves ! Intéressons-nous aux parcours scolaires de nos enfants au lieu de toujours venir nous plaindre à l'école ! Nous avons ici accès à l'un des systèmes scolaires les plus performants au monde, et ça, on ne peut pas le créer dans vos pays d'origine ! » Beaucoup baissent la tête, comme si elles voulaient laisser passer les réprimandes, comme si elles se sentaient coupables, mais que c'était si lourd à porter qu'il aurait mieux valu ne pas aborder le sujet.

Toutes se redressent dès que l'imam repasse à la langue arabe pour la prière. Certaines ouvrent les paumes, d'autres placent leurs mains jointes devant elles, ou près de leur visage. À l'unisson, toutes se lèvent, se pressent les unes contre les autres, forment quasiment un rang pour écouter la prière chantée s'élevant du bas. Au rythme des salutations, la femme convertie berce sa fille d'une main, ne la lâchant que pour la prosternation à terre.

C'est lors de ce service à la mosquée Nour que je rencontre Amel. À 34 ans, celle-ci est éditrice et rédactrice en chef de *Ahly Magazine*, un mensuel qui a été vendu en kiosque de décembre 2014 jusqu'à la fin août 2015. Je me rends chez elle le lendemain. Il y a un an, Amel et son mari ont emménagé ici, à un jet de pierre de la nationale 13, dans un pavillon flambant neuf. Lui, ex-conducteur de métro, est employé de la SNCF. Ils vivent avec leurs deux enfants en bas âge. À en juger par les panonceaux piqués dans la terre, à même les très anciennes pierres tombales, des sépultures sont à vendre dans ce cimetière catholique. Passé les dernières fermettes et les pavillons, surgit un nouveau lotissement, une vingtaine de maisons quasi identiques qui « grignotent » la campagne environnante. Pour certaines, le crépi n'est même pas encore posé, les terrains sont vierges d'arbres et d'efforts paysagers, et restent non clôturés.

L'histoire d'*Ahly* est celle d'un succès rapidement tombé à l'eau : s'afficher comme le « premier magazine musulman en kiosque » fin 2014-début 2015 ne fut pas très opportun ni très porteur. Pourtant, croit savoir Amel, qui excelle dans l'utilisation d'Internet et des médias sociaux[1], la demande pour une publication de cette nature était et reste immense.

L'éducatrice spécialisée, qui a fait elle-même le choix de porter le voile, ainsi que celui d'afficher en couverture de son magazine des femmes voilées et toujours souriantes, tient un discours on ne peut plus clair.

« L'islamophobie post-attentats m'a porté un terrible coup financier. J'ai quasiment été obligée de mettre la clé sous la porte. » Alors que la diffusion d'*Ahly* ne cessait d'augmenter, le magazine peinait à rester visible sur ses points de vente. Après quatre ou cinq vérifications en des lieux aussi variés que la gare Saint-Lazare à Paris, Bordeaux, ou Strasbourg, Amel a dû admettre que certains kiosquiers refusaient de mettre en avant les magazines « musulmans » comme cela lui a été rapporté par des vendeurs. Déstabilisée, en colère, elle s'est rendue compte après quelques recherches, que *Gazelle*, « le magazine de la femme maghrébine » – qui ne met pas en une des femmes voilées –, avait dû faire face au même genre de difficultés dans les années 1990. Mais cela ne l'a pas calmée.

En 2009, par choix personnel, Amel décide de porter le voile. Depuis les attentats, elle se soucie qu'il ne soit pas de couleur noire (« y a que les gothiques en noir ! », s'amuse-t-elle).

Des idées, Amel en a à revendre. Avant de lancer *Ahly*, elle avait créé le site-vitrine « *muslims in love* », une sorte d'agence matrimoniale pour musulmans. « On vérifiait leurs motivations, on sélectionnait les membres. J'ai toujours été

---

1. Disponible sur le Net, son « *draw my life* » m'a permis d'arriver jusqu'à elle alors que j'ignorais que la jeune femme vivait à Évreux !

passionnée par les notions de mariage et de célibat », raconte la jeune femme tout en allaitant son nouveau-né
alors que je monte à l'étage pour enclencher un DVD qui
occuperait sa fille aînée, 4 ans, et qu'elle nous laisse poursuivre notre conversation. Ne s'étant pas résolue à l'inscrire
dans une école catholique ébroïcienne, et encore moins à
l'école publique du village qu'elle a trouvée « en désordre,
avec des maîtresses débordées », Amel lui fait l'école à la
maison.

À l'avenir, Amel compte parvenir à siéger au conseil municipal voilée, pour tenter de faire passer ses idées qu'elle
ne considère pas plus traditionalistes que « celles d'une
femme très catholique et pratiquante, conclue-t-elle ». « En
France, on colonise les esprits ; on est encore dans une politique d'assimilation, et non d'intégration. Nous, musulmans nés en France, on le dit haut et fort : la richesse, c'est
la différence. »

Au travers de la baie vitrée ouvrant sur un champ, de
gros avions militaires emplissent le ciel. La base militaire
105, un des derniers vestiges de la présence américaine,
est quasiment à portée de voix. Le couple avait porté son
choix sur ce village non loin d'Évreux, parce qu'il répondait à plusieurs critères : la verdure, le calme, la région parisienne, la proximité d'une ville avec des mosquées, et la
possibilité de construire une maison neuve. « En face, c'est
un couple de lesbiennes, de ce côté, ce sont des Noirs,
et, par là-bas, il y a une autre famille musulmane, mais
pas visible comme nous », somme toute, un village français
d'aujourd'hui.

Un hijab gris perle,
l'exacte couleur de ses yeux

Ma rencontre avec Laura, 28 ans, une autre convertie, s'est avérée plus étonnante encore. J'imaginais qu'elle
pourrait m'expliquer avec clarté et intelligence son choix
du voile, mais je n'aurais jamais imaginé qu'une femme
puisse être si passionnée – et passionnante – dans la révélation et l'expression de son histoire amoureuse, et, en
même temps, si lucide à propos de sa non-soumission.

Originaire de Mantes-la-Jolie, la jeune femme se convertit l'année de son bac S, qu'elle obtient haut la main. Laura
a grandi dans une famille « catholique, typiquement française », qu'elle qualifie d'« islamophobe », un état d'esprit
qu'elle dit comprendre, étant donné le « comportement
de certains voyous français qui se font passer pour musulmans ». Pendant toute son adolescence, Laura souffre entre
sa mère et son père, en instance de divorce, qui l'utilisent
chacun comme bouclier. Pour ne déplaire ni à l'un ni à
l'autre et protéger ses frères et sœurs cadets, Laura apprend
à mentir. Et à se détester. C'est la spirale infernale, la chute
de l'estime de soi.

La jolie blonde aux yeux gris explique s'être convertie
après avoir fait un rêve, la nuit suivant un événement qui,
dit-elle, lui a fait prendre conscience de l'hypocrisie et de la
cruauté humaines : un petit chien abandonné qu'elle voulait ramener à la SPA se fait écraser sous ses yeux devant
l'arrêt de bus du lycée, sous les quolibets des jeunes gens
présents. Dégoûtée, Laura ne trouve pas la force de prendre
le bus à leurs côtés. La nuit suivante, en position de fœtus,

elle ânonne la *chahada*. Son petit copain de l'époque, musulman non pratiquant, se fait arrêter pour trafic de drogue. De sa prison, il lui écrit des lettres enflammées. Laura se plonge dans le Coran jusqu'à ce que sa mère l'exhorte à choisir entre « elle et le Coran ». À 17 ans, Laura quitte le domicile parental et cherche un travail, ce qui n'a jamais représenté pour elle une grande difficulté : « Il faut juste ne pas être exigeant », précise la jeune femme aux mains fines, élégante, même en *jilbâb* ! Le jour de notre rencontre, il est gris perle, l'exacte couleur de ses yeux.

Après un emploi en CDI dans un hôtel de luxe sur la Côte, Laura « monte » à Paris pour achever son BTS en relations humaines. Réconciliée avec ses parents qui ont fini par admettre sa conversion, elle leur cache toutefois son voile, déployant des trésors d'ingéniosité lors de ses visites à l'un comme à l'autre. Laura affirme avoir compris le sens de ce voile au moment où elle s'est décidée à le porter : « On me reconnaissait comme musulmane. C'est comme si, en tant que femme, j'avais enfin de la valeur. La convoitise et les relations malsaines, c'était derrière moi, enfin, on s'adressait à moi pour ce que j'étais réellement ! confie-t-elle, visiblement satisfaite.

Grace au voile, je percevais enfin l'égalité parfaite entre femmes, le droit d'avoir un corps qui change après une grossesse, sans se sentir complexée, le droit de posséder un goût vestimentaire bien à moi, mais, surtout, celui de ne pas être exclusivement préoccupée par mon apparence physique ! » À l'écouter, aucun doute, le voile l'a libérée. Laura sait que son discours, majoritaire parmi les femmes voilées, n'est quasiment jamais relayé dans les médias. Cela l'insupporte. Les discours « malsains » dominant à l'encontre des femmes voilées en France la désespèrent. Laura dit avoir rencontré des jeunes femmes surdiplômées, architectes, avocates, comptables, ingénieurs, au chômage uniquement parce qu'elles refusaient d'enlever leur voile au travail.

Comme de nombreux Français, les parents de Laura ne sont pas perméables à son discours. Depuis qu'ils ont découvert qu'elle portait le voile, les liens sont à nouveau coupés. En 2011, sa mère a refusé d'assister à son mariage avec un Algérien qui lui donne une fille, avant de la répudier un an plus tard. « Aujourd'hui, c'est quelqu'un qui est parti en Syrie. »

Les yeux bleu-gris de Laura se sont plantés dans les miens. Je n'en reviens pas. Par hasard, dans une seule et même ville, je suis confrontée à deux départs pour le djihad, survenus concomitamment fin 2014. Laura poursuit le récit de sa descente aux enfers au côté de ce jeune homme dont elle a cru être amoureuse :

« Je n'ai jamais été acceptée par sa famille à lui. Moi, la convertie, j'étais plus pieuse qu'eux ! Je portais le voile, ce qui n'était pas le cas des femmes de ma belle-famille. Ils pensaient que c'était le signe que je voulais effacer ma vie d'avant. » Laura décrit un jeune homme instable, mal à l'aise avec ses racines, s'instruisant à propos de sa religion exclusivement sur Internet tout en ne mettant rien en pratique, et se montrant agacé par son épouse, plus religieuse et plus droite que lui. Pour lui, Mohammed Merah, qui a tué sept personnes dont trois enfants juifs avant d'être abattu par les forces antiterroristes à Toulouse, en 2012, est un héros ! Celui avec qui Laura ne parvient plus à avoir des discussions sensées se comporte de plus en plus

« comme un pacha » — à l'opposé du respect que l'époux doit montrer vis-à-vis de sa femme tel que détaillé dans le Coran. L'islam a donné des droits aux femmes, tente de se convaincre Laura au quotidien, mais elle se fait insulter tous les jours jusqu'à être transformée bien malgré elle en femme-objet, tout ce qu'elle cherchait à fuir de la société occidentale. « Je ne suis pas ton animal de compagnie », se met-elle à lui rétorquer. « C'était un homme frustré de ne pas être devenu un "caïd", ni avec sa femme ni avec sa bande. » En s'instruisant à la va-vite sur la Toile, il avait fini par tomber sur de mauvaises fréquentations qui l'ont incité à divorcer, et surtout, à partir au « Cham », un geste qui, *de facto*, lui octroyait ce statut de héros dont il avait toujours rêvé. Là-bas, il se remariera.

De Syrie, l'apprenti djihadiste ex-voyou/fêtard/zonard de banlieue parisienne tente de renouer avec son ex-épouse. Il veut lui expliquer sa vision de la Syrie, mais Laura refuse d'écouter ces idées trop « haineuses » et « dangereuses ». Il lui propose même de venir le rejoindre avec leur fille pour que tous trois contribuent à « recréer un village avec des musulmans pratiquants qui vivraient en autarcie ». On voit l'ampleur du leurre. Laura lui tient tête, d'autant qu'il poste désormais des photos de lui en djihadiste sur son profil Facebook. Après l'attentat contre *Charlie Hebdo*, Laura coupe définitivement les ponts avec lui, et se félicite que leur fille ne porte pas son patronyme. À la suite de la tuerie du 13 novembre 2015, Laura n'a qu'une hantise : voir apparaître son nom parmi celui des terroristes. Au lieu de cela, le lendemain de l'attentat, un bref « *salam* » lui parvient d'une adresse mail que tous deux avaient utilisée pour communiquer. Laura répond : « *Wa leikum salam,* qui est-ce ? Dis-moi que tu n'as rien à voir avec toutes ces horreurs. » Silence au bout de la ligne.

Depuis, Laura et sa fille tentent de se reconstruire. Tous les samedis, dans la salle de la mosquée Nour, la jeune femme donne des cours de religion aux femmes et aux enfants, tout en poursuivant son instruction religieuse dans une école réputée. Elle y a fait la connaissance d'un professeur dont elle est tombée éperdument amoureuse. Polygame, cet homme, qu'elle qualifie d'« exceptionnel », cherche une seconde épouse avec l'accord de sa première femme. Laura, qui n'a, alors, qu'une conception « occidentale » – donc négative – de cette pratique, découvre, grâce à ses discussions avec la première épouse, une facette pour elle inconnue de ce que peut être un couple « équilibré ». « Mon mari est un homme bien, et c'est parce qu'il l'est que je lui donne la possibilité d'avoir une autre épouse », explique la première épouse. Ce comportement plonge Laura dans des affres méconnues jusqu'alors. La jeune femme est à la fois épouvantée à la perspective de devoir « partager » l'objet de son désir avec une autre, mais elle est tout autant impressionnée, voire fascinée par l'attitude de ce couple, à des années-lumière de la conception des relations homme-femme en France, où la polygamie est interdite[1]. Follement amoureuse, et, reconnaît-elle, incapable de dominer ses pulsions, Laura prend la sage décision de rompre.

---

1. Depuis les lois Pasqua de 1993 en France, la pratique de la polygamie est interdite. Malgré cette interdiction officielle, un rapport de la Commission nationale consultative des droits de l'homme (CNCDH) estimait, en 2006, qu'entre 18 000 et 20 000 foyers restaient polygames dans l'Hexagone, soit environ 200 000 personnes. Un nombre qui, selon Sonia Imloul, présidente de l'association Réseau 93 et auteur d'un rapport sur la polygamie en France en 2009, « pourrait aujourd'hui avoir doublé ».

Dans son premier couple, Laura la convertie, Laura la voilée, plus pieuse que son mari, avait refusé de lui être sou-
mise alors que, vu de l'extérieur, tout portait à croire qu'elle
l'était ! Dans son second couple, qui correspond pourtant
aux canons de l'islam pur que la jeune femme cherche à
atteindre, c'est parce que Laura ose avouer sa faiblesse vis-
à-vis de la passion qui la ronge, qu'elle la brise. Laura ou
l'antithèse de la jeune musulmane convertie, voilée, que tout
le monde croit rangée. Laura ou la version musulmane d'une
Madame Bovary des temps modernes, même si cette compa-
raison lui fait sans doute horreur.

Je quitte Évreux au volant de ma voiture de location. Le
jaune vif du colza tranche sur le vert tendre des champs.
Des deux côtés de la route, l'herbe chatoie, et son vert
émeraude devient plus profond quand les trouées nua-
geuses s'écartent pour laisser place à de fantasmagoriques
faisceaux lumineux qui pourraient annoncer l'imminence
d'un message divin.

À la radio, je tombe sur Nova diffusant une parodie
tragi-comique du hit *Là-bas* de Jean-Jacques Goldman[1], sur
les départs en Syrie. Le résultat est bluffant et hilarant, car
il faut « rire du pire ».

« *Là-bas*, commence la voix masculine/ *tout est halal
et tout est sauvage/ y a des burqas avec grillage/ici j' m'ennuie et
il fait froid/ ouhouhouhou/c'est pour ça que j'irai… là-bas/ La
voix féminine : N'y va pas/ y a des massacres et des carnages/
des morts partout dans les villages/ ces gens-là n'ont même pas la*

---

1. Il s'agit de l'excellente émission « Vu d'ailleurs », vendredi 8 avril 2016,
avec Thomas Barbazan et Yasmine Belattar.

foi/ ouhouhouhou/ alors reste ici près de moi/ Lui : *j'aurai ma chance dans les combats/* Elle : *n'y va pas/* Lui : *je retrouverai des gens comme moi/des caillra/je pourrai jouer avec des kalach/ ce sera mieux que sur la ps 4/* Elle : *j'y crois pas/je te perdrai peut-être là-bas/ n'y va pas* / Lui : *mais je retrouverai Kevin et Abdallah/* Elle : *j'les aime pas/* Lui : *la vie ne m'a pas laissé le choix/ mais le djihad ça c'est fait pour moi/* Elle : *oh la la/* Lui : *tout est halal et tout est sauvage/* Elle : *n'y va pas* / Lui : *ici on s'ennuie et il fait froid/* Elle : *va au spa*, etc. »

Finalement, la voix féminine, en parlant : « *eh t'sais quoi ? va à Raqqa et restes-y, ça t'va très bien Raqqa, ça ressemble à racaille…. /* Lui : *eh fais attention comment tu parles toi ou j'te mets la burqa direct/* Elle : *mais tu veux mettre la burqa à qui, toi ? Mets-toi plutôt une muselière ça éviterait qu'on entende tes conneries/* Lui : *ah ouais, eh ben tu sais quoi ? Franchement si j'allais pas au match du PSG demain, wallah j's'serais parti en Syrie !!!!!* »

À LAON

En ce jeudi 1er octobre 2015, au centre de tri postal de Laon, on s'affaire, comme tous les matins.

Même si la majorité des activités de triage ont désormais lieu à Amiens – du tri manuel on est passé en 2011 à la mécanisation –, immenses et vides, les casiers témoignent d'une ardeur pas si lointaine.

J'ai été autorisée à suivre la tournée numéro 40, celle de Bertrand, un Laonnois de 52 ans qui exerce depuis seize ans le métier de facteur, devenu désormais « distributeur tous objets », sous la pression d'un management censément moderne. Cette sèche appellation dont le but est de banaliser le métier en rendant ces agents « interchangeables » et, surtout, de moins en moins impliqués, contribue sérieusement à faire naître un sentiment de « déclassement ».

À peine le dépôt quitté, les manières faussement bourrues de Bertrand se détendent. Il m'offre gentiment un pain au chocolat à la première boulangerie rencontrée, où, semble-t-il, il a ses habitudes. « Bon, j'vous préviens, annonce-t-il tout de go, telle une pile au volant de sa voiture jaune électrique, si vous écrivez tout c'que vous allez me voir faire, j'suis viré ! » Il a l'air sérieux et légèrement anxieux.

« C'est nous qui sommes dans la vraie vie »

La voix haut perchée de Bertrand surprend tant son apparence est quasi militaire, soulignée par une coupe de cheveux ras et des lunettes strictes. L'homme a pris sa retraite de l'armée à 35 ans. Sa grand-mère était postière, et ses parents tous deux fonctionnaires du Trésor public. Tout en se revendiquant « facteur à l'ancienne », Bertrand, dont le salaire mensuel s'élève à 1 300 euros nets, a dû s'adapter aux évolutions de son entreprise. Très fier, il me montre son téléphone portable équipé du logiciel « spécial Poste », dont on l'a muni il y a un an et demi, tout en pestant sur l'évolution du métier, convaincu qu'il n'y a rien de bon à lui retirer peu à peu son humanité : « Je suis censé ne plus discuter avec mes clients… On profite de chaque instant pour faire plus de fric : faudrait que j'leur vende des timbres, des enveloppes préaffranchies et même, avant les vacances, de la réexpédition ! » L'ex-syndiqué CGT secoue la tête tout en passant les vitesses. Il ne lui reste que la vente du calendrier annuel, lucrative pour ceux, qui, justement, comme lui, chouchoutent leurs « bons » clients, qui offrent parfois de généreuses étrennes. « Bon, qu'on me donne ou qu'on me donne pas, j'essaie de rester le même : classe ! Mais quand c'est un foyer où y a visiblement du fric, ça fait un peu mal quand on donne rien… » s'amuse Bertrand. Pour ce qui est des enveloppes préaffranchies, il sait qu'à choisir entre les acheter au bureau de poste ou se les procurer à domicile auprès du facteur, le client préférera toujours la seconde option. Tant mieux, ça lui rapporte des points pour son évaluation annuelle.

Bertrand estime être entré dans la « maison » à la mauvaise période : comme plus de 50 % des employés de la Poste – un service de l'État qui tend de plus en plus à se privatiser[1] –, il n'est pas fonctionnaire, mais contractuel. Conséquence : il ne reçoit pas de treizième mois et n'a droit qu'à deux primes de 250 euros chacune sur l'année. Avec le temps, le « distributeur tous objets » a été déconsidéré, mais Bertrand résiste, pour le plus grand bonheur de celles et ceux à qui il rend visite quotidiennement.

Puisque son ancienne tournée a été « éclatée[2] » voilà deux ans, Bertrand a « acheté » celle que j'ai l'honneur de faire avec lui, d'une durée de six heures trente. C'est ainsi que cela se passe, les facteurs « achètent » les tournées de ceux partis à la retraite, non pas avec de l'argent, mais symboliquement : ils s'en portent acquéreurs selon un complexe principe d'ancienneté convenu entre eux, un peu comme les moniteurs de ski dans une station ont droit, par ordre d'ancienneté, aux « meilleurs » clients et sont prioritaires pour les leçons particulières. Ces facteurs deviennent titulaires de leur tournée, mais ils vivent dans l'angoisse qu'elle soit un jour « cassée », c'est-à-dire qu'on répartisse son cheminement sur différents secteurs ou à d'autres facteurs, toujours dans le but – vain, d'après Bertrand – de mieux gérer les parcours.

La brume matinale n'est pas encore levée que nous pénétrons dans la cour de l'une des plus grosses fermes

---

1. En 1990, la Poste a changé de statut, elle est devenue un établissement public industriel et commercial (EPIC) où « client » a remplacé « usager ». En 2010, le Groupe La Poste change encore de statut pour devenir une société anonyme, capitaux 100 % publics : La Poste S.A.

2. En 2016, 16 emplois sur 170 ont été supprimés à Laon. Ces postes de facteurs n'ayant pas été remplacés, on « éclate » leur tournée.

du coin. Là sont garées une Porsche rutilante et l'une des plus grosses cylindrées Audi. Sans mot dire ni croiser âme qui vive, Bertrand dépose le courrier dans la boîte, pour laquelle il possède un « pass ». Sur la route, Bertrand se doit aussi de « flasher » les boîtes aux lettres jaunes dans lesquelles le public dépose le courrier qu'il récupère. « Ils nous fliquent sans cesse avec ces mouchards », explique-t-il tout en trottinant de son véhicule à ces boîtes sans jamais s'arrêter. J'ai l'impression d'assister à un ballet qui prend des airs de course permanente contre la montre, et je peine à le suivre.

Après Molinchart, on passe par Laniscourt, où Bertrand avoue avoir parfois laissé, à telle ou telle personne qu'il connaissait bien, un mot caché sous une poubelle, ou derrière un volet – selon des accords connus des deux seuls intéressés –, pour indiquer la présence d'un colis. Pis encore, dans le passé, il aurait laissé le colis en question aux voisins, « mais seulement s'ils s'entendent bien ou s'ils se connaissent bien », nuance-t-il, à la fois fier de ce contact privilégié avec « ses » usagers et conscient que la Poste cherche à éradiquer cette proximité. « Ben oui, mais comment faire ? L'chef est pas content si on revient avec trop de colis, ça l'fait enrager si on "avise" trop, alors, bon, on s'débrouille comme on peut, comme on l'sent », maugrée-t-il. Pour satisfaire son chef et revenir avec le moins d'« avis » possible, Bertrand préfère déposer un mot au destinataire du colis ou de la lettre recommandée afin que ce dernier soit prévenu et puisse rester chez lui pour recevoir son pli ou son colis, le lendemain par exemple, ce qui évite un afflux de monde dans les bureaux de poste, la hantise de tout chef. « Faut pas croire, nos clients, on les connaît bien ! On sait qu'ils n'ont pas envie, ou alors qu'ils ne peuvent pas s'organiser pour aller jusqu'au bureau de poste. »

Le dilemme permanent du facteur : qui mieux servir, ses clients ou sa direction ?

À Cerny-les-Bucy, après avoir salué deux, puis trois personnes sorties de chez elles sitôt qu'elles ont entendu ou aperçu par leur fenêtre la voiture de Bertrand, nous sommes tentés de laisser un mot à un particulier pour lui signaler un « colis à récupérer dans la cave », mais Bertrand m'explique pourquoi il ne peut plus le faire : il risque une mise à pied de huit jours ! Pourtant, « en campagne, c'est possible si on est sûr de soi ! », s'amuse celui qui connaît ses clients comme personne. Comment ne pas les connaître quand, au quotidien, on apporte les courriers bancaires, les envois du tribunal de grande instance s'il y a lieu, les recommandés de la Banque de France, les journaux des abonnés, qui, souvent, révèlent une couleur politique ? S'il le souhaite, le facteur peut devenir le grand confident du destinataire du courrier, mais « on est des tombes ! », assure Bertrand.

« Bonjour, Yvette, comment allez-vous ? » lance-t-il à la cantonade en pénétrant chez Mme D. Je suis sur ses talons. Affalée près du poêle, une vieille femme en tablier fleuri. Il fait chaud, ça sent bon le café. Sur une chaise, à ses côtés, un employé municipal sirote une tasse de café fumant. Visiblement, Bertrand n'est pas le seul à bien connaître Mme D. On aurait envie de rester et de bavarder. « C'était délicieux le pain que vous m'avez donné pour mon canard la dernière fois, Yvette ! lance Bertrand en posant deux lettres sur la table, son avant-bras gauche toujours pris par la liasse de courrier restant à distribuer, souvent retenue par un élastique. Et puis, avec votre cageot de fruits, j'ai fait cinq pots de confitures ! » La vieille femme a à peine le temps de sourire que Bertrand a déjà disparu, ne laissant derrière lui que le cliquetis des lanières du rideau en bambou.

Son passage a duré moins d'une minute, car la tournée est loin d'être terminée. Mme D., 85 ans, est veuve, son fils est mort, ce sont d'anciens petits cultivateurs. « Aujourd'hui, les femmes d'agriculteurs sont différentes, leur mode de vie est moderne, c'est simple, on ne les voit jamais, parce qu'elles travaillent ! » Observateur avisé des mœurs et de l'évolution sociale des habitants de « sa » tournée, Bertrand se targue aussi de savoir qui est handicapé, contrairement à son remplaçant, un « rouleur », c'est-à-dire préposé à de multiples tournées, qui se contente de bourrer le courrier dans la boîte alors que celle-ci n'est jamais relevée, car inaccessible à la personne handicapée.

Dans les rues de Cerny-les-Bucy, une femme s'apprête à entrer dans une maison plutôt cossue. « C'est la femme de ménage, elle n'habite pas ici, commente Bertrand. Le maire devrait s'adresser à moi pour connaître ses administrés, au moins là, y ferait pas d'erreur ! » Bertrand sait aussi à peu près qui vote quoi : « Dans cette région, c'est souvent FN, y me le disent, y me font confiance, comme pour le courrier. Y a beaucoup de chômage par ici, les gens ont perdu de leur pouvoir d'achat, y voient qu'on amène des migrants, y comprennent pas ! Pour eux, c'est le pompon ! », commente-t-il.

Quelques mètres plus loin, un homme a l'air exaspéré farfouille dans sa boîte. Justement, c'est l'ancien maire, dont le chien, entre ses jambes, aboie furieusement. Bertrand

garde son calme, et, toujours sur le même ton enjoué, inlassablement dynamique, le salue. « Faut avoir une gueule
qui revient bien aux gens. Un nouveau facteur va toujours
faire plein d'erreurs. Alors faut être aimable, faut s'présenter. C'est comment t'es au départ qui fait tout !

» Quand j'ai commencé à la Poste, ça – il me montre
une dame de la tête –, c'était un usager. Bon. Maintenant,
c'est un client qui doit nous rapporter du fric ! Enfin,
"nous", la structure j'veux dire... Et ça en rapporte ! Grâce
à qui ? Grâce à nous, les petites mains du matin ! » Bertrand
s'amuse de ce trait d'humour.

Même s'il trouve ça dur, même si tout a changé, même
si « on est pris pour des cons », il est indéniable que
Bertrand aime son métier, « sa » tournée, qui doit durer
précisément six heures et demie, « ses » « usagers », qu'il
côtoie, sans doute trop vite et superficiellement, mais tous
les jours de la semaine. C'est l'incontournable répétition du
passage qui lui permet de pénétrer leur intimité. Bertrand
insiste sur le « rêve » de tout facteur de posséder « sa » tournée. Mais il sait aussi qu'aujourd'hui des plus jeunes que
lui, riches d'une autre expérience, par exemple des « rouleurs », se satisfont parfaitement de ne pas connaître leurs
clients, de tourner quasi anonymement, d'« aviser » [poser
des avis] sans réfléchir, avec le seul but de terminer leur
quota d'heures sans faire de supplément.

Au beau milieu d'une phrase, je l'entends souvent crier
un tonitruant : « Y en a !!! », alors qu'il a baissé sa vitre
à toute vitesse. C'est ainsi que Bertrand annonce son
courrier. Il s'adresse généralement à une porte ou une
fenêtre fermées éloignées de quelques dizaines de mètres
de la boîte, lesquelles s'ouvrent aussitôt, comme par magie.

Souvent, nous sommes accueillis par toutes sortes de chiens jappant ou grognant, du caniche au molosse. Vaillantes, parfois seules, les femmes sont déjà à s'affairer dans les jardins. À peine aperçoivent-elles Bertrand qu'elles courent vers lui, sourire aux lèvres. « Un facteur célibataire, c'est juste pas possible ! C'est qu'y doit être homo, rigole le facteur qui ne cesse d'ironiser à propos des réorganisations périodiques imposées par sa direction : Y peuvent nous dire c'qu'y veulent, au final, c'est bien nous qui sommes là, dans la vraie vie, à parcourir les campagnes et les villes par tous les temps, et tous les jours, pour distribuer. Donc on fait c'qu'on veut ! »

Il est 11 h 39. Après avoir longuement tourné dans les villages du sud-ouest de Laon où l'on est passé de la grosse ferme à la petite résidence, nous nous engageons, pour la fin de la tournée numéro 40, cité Marquette, dans le bas de Laon, où de confortables pavillons de plain-pied dépourvus de clôtures, ont, ici aussi[1], été construits pour les ex-officiers américains, venus avec femme et enfants quand la base de Laon-Couvron était encore en activité[2].

Le retour « en ville », amène Bertrand à des situations inconnues à la campagne : ici, cette dame qui a usé sept femmes de ménage en un an et demi et exige de Bertrand un horaire fixe de passage, ce qu'il lui est impossible de garantir. Sur ce thème au moins, sa direction l'a défendu. Là, deux maisons plus loin, bien à l'abri sur le rebord de la

---

1. Cf. chapitre précédent « À Évreux », où je mentionne la base aérienne 105 d'Évreux-Fauville, ancienne base américaine.

2. Située au nord-ouest de Laon, cette cité a été baptisée « Marquette », en hommage à un curé-explorateur laonnois du XVIIᵉ siècle, elle fut inaugurée le 3 novembre 1956 pour accueillir des familles américaines jusqu'à l'évacuation de la base par l'US Air Force, en 1967.

fenêtre, une épingle à linge sur une boîte en fer-blanc, le signe de la présence de courrier timbré à poster. Bertrand ouvre la boîte et se saisit des lettres.

Il se gausse des « trouvailles » venues d'en haut pour éradiquer l'idée même du service rendu « par pure gentillesse » : ainsi la Poste facture déjà l'achat de médicaments et souhaite tarifer l'achat d'une ampoule neuve au retraité isolé qui ne peut attendre quinze jours que ses enfants lui en apportent une. Ce genre de services, ça fait des années que Bertrand les rend gratuitement. Sacrifiera-t-il sa bonne relation avec « son » client en lui annonçant que sa gentillesse sera désormais payante ? Très peu pour lui, il ne le fera pas.

« Le plateau se meurt »

Depuis Paris, le plus simple est d'arriver à Laon par la gare du Nord. Chargée et souvent en retard, la ligne ferroviaire est l'une des plus anciennes de France. Ce matin, le train sera à l'heure. Très vite, le paysage urbain de Paris et des dépôts de sa banlieue laisse place aux forêts et aux immenses étendues céréalières dont l'horizontalité n'est cassée que par l'ode à la verticalité chantée par chaque flèche de clocher.

Par les fenêtres détalent silos et châteaux d'eau. Une verdure foisonnante obstrue des chemins creux en bordure de rails. La végétation est si touffue qu'elle interdit de prendre du recul, si bien qu'on se croirait lancé à toute allure dans un tunnel vert creusé à la machette. Le vrai tunnel passé, entre Villers-Cotterêts et Soissons, une jeune femme de mon wagon se recoiffe en se servant de l'écran de son smartphone comme d'un miroir.

Dans ce TER où les distinctions de classes n'existent plus, on est souvent prisonnier des conversations des autres, forcément toutes à voix (trop) haute. « Bienvenue à bord du TER Picardie à destination de Laon », égrène, à chaque fermeture des portes, une voix d'ordinateur se voulant féminine. Un jeune homme essaie de plaider sa cause auprès du contrôleur, affable, en train de le verbaliser. On passe Anizy et Pinon. Sur un terrain vague jouxtant la gare, une invite en forme de promesse : « Ici, prochainement, zone artisanale », lit-on sur un panneau envahi d'herbes hautes. Et ces sempiternelles voitures parquées au-devant des gares, preuves immobiles de l'activité pendulaire qu'elles suscitent.

À Laon, la gare se situe dans la ville basse, du côté de l'ancienne Cité des cheminots. D'en bas, parmi les wagons abandonnés et les bâtiments hétéroclites de la SNCF, on distingue nettement les cinq tours imposantes de la cathédrale, comme une impression de grandeur oubliée. D'où que l'on arrive, elle se dresse, vous nargue, vous attire, vous indique le chemin.

Dans le funiculaire POMA[1] fabriqué par la même entreprise que celle équipant toutes les stations de ski de mon enfance, qui permet de rejoindre la ville haute[2], un vieillard

---

1. Stoppé depuis juillet 2016 parce que trop coûteux, le POMA avait perdu la moitié de sa fréquentation depuis sa mise en circulation. Une pétition tourne contre cette décision.

2. Avant l'apparition du POMA en 1989, la ville était équipée d'un tramway électrique à crémaillère qui grimpait avec difficulté.

gourmand jette sans vergogne le papier de sa barre chocola-tée au sol. Deux garçonnets de 8 ans, l'air ravi, sont juchés sur le replat de la cabine avant de l'engin. D'abord poussif, puis comme propulsé, celui-ci glisse sur un rail treuillé qui se courbe tout en opérant un virage en montée. Les flèches de la cathédrale semblent nous attirer comme un aimant. On déboule alors dans le cœur médiéval de l'ancienne ca-pitale de la France carolingienne comme au sortir de mon-tagnes russes d'une fête foraine.

Sur ce « plateau » résolument tourné vers la Belgique, culminant à 180 mètres d'altitude, se dévoile une ville mé-diévale où la vie s'est paisiblement écoulée, puis éteinte, entre la cathédrale – l'une des plus belles de France, quoique méconnue car dans l'ombre de celles de Reims et d'Amiens[1] –, trois anciennes abbayes (où siège aujourd'hui la préfecture), le palais épiscopal (palais de justice) et l'ex-palais royal (1836-1839) devenu hôtel de ville. Réputés imprenables, des remparts de six kilomètres de long (au-jourd'hui en rénovation) enserrent encore la cité. Depuis des siècles, les abrupts versants du « plateau », couverts de sentiers, vignes et jardins permettent de voir apparaître l'en-vahisseur de loin.

Pour qui daigne s'y intéresser, la ville de Laon est pétrie d'histoire.

En 1814, Napoléon fait le siège de Laon où s'est en-fermé un général prussien, il échoue. En 1815, l'empe-reur passe à nouveau par Laon en marchant vers Waterloo. Cent ans plus tard, la ville est déclassée : ses fortifications

---

1. La cathédrale de Laon a été construite sans interruption entre 1155 et 1230, cas unique en France. C'est le premier âge gothique qui offre les premiers arcs-boutants.

n'étant plus entretenues, les Allemands la traversent facilement. Le 16 avril 1917, plus de 100 000 soldats français sont mis hors de combat en quinze jours, cinglant échec, qui a sans doute provoqué de sombres mutineries[1]. La « bataille de France », un nouvel Austerlitz, devint ce Chemin des Dames, à une trentaine de kilomètres au sud de Laon. Un bel hymne en témoigne, entonné par les soldats réfractaires : « C'est à Craonne, sur le plateau, qu'on y laisse sa peau/Nous sommes les con-da-mnés ! » Sur le Chemin des Dames, les touristes d'aujourd'hui sont en majorité néerlandais et britanniques. Cet étonnant lieu de mémoire commence à émerger de l'oubli : serait-ce parce qu'il témoigne, avant tout, d'une mutinerie ?

Pendant la Seconde Guerre mondiale, la ville haute est bombardée, mais sa cathédrale miraculeusement préservée. En 1834, en sa qualité d'inspecteur général des Monuments historiques, l'écrivain Prosper Mérimée avait considéré qu'elle méritait rénovation, ce que l'État entreprit à partir de 1846[2]. Du 7 au 15 juin 1940, l'écrivain allemand Ernst Jünger, alors officier, séjourne à Laon avec son unité et contribue, lui aussi, à la sauvegarde de quelques manuscrits datant de l'époque carolingienne alors qu'il fait monter la garde devant la cathédrale par des soldats allemands.

Le développement de l'Aisne semble buter sur l'angle mort géographique que représente la région Picardie. Expression d'un déchirement, osons le dire, c'est comme

---

1. Ce triste événement sera-t-il commémoré pour son centenaire, en avril 2017 ? Depuis une dizaine d'années, on n'occulte plus cette bataille, le Chemin des Dames ayant été mis en avant par le conseil général.

2. Ils dureront jusqu'en 1906.

si l'Aisne n'était nulle part. Tous les observateurs, même locaux, s'accordent pour penser que si les départements avaient été remis en question, celui de l'Aisne aurait disparu. On y passe, mais sans s'arrêter. Aucun tracé ferroviaire à grande vitesse ne le traverse. Ni Laon, ni l'Aisne ne sont faciles à orthographier. Certains ne savent pas même prononcer ces deux mots. Comble de l'absurde : en 2006, une stupéfiante campagne de publicité avait éclos sur les murs des couloirs du métro parisien, proclamant étrangement en anglais : « L'Aisne *it's open*[1] ! »

Laon est une petite ville dont la population (26 000 habitants) est à peine suffisante pour constituer une préfecture, d'autant qu'en 2012 le départ des militaires n'a pas contribué au dynamisme de la cité[2]. Au contraire, en laissant quelques friches derrière eux, cette absence a fait croître l'insidieux sentiment d'abandon des pouvoirs publics. Pour ce qui est de son accès, la nationale 2 n'est pas à quatre voies sur sa totalité, et l'autoroute A26 vers Calais ramène parfois, en guise d'inattendu reflux, quelques migrants coincés dans un camion, vite délogés par les gendarmes. Quand la route pour Paris passait par Laon, la traversée de sa ville haute était obligatoire : on passait alors devant l'hôtel de la Bannière, au charme désuet de province, pour redescendre vers l'hôpital. La circulation étant devenue trop dense, un contournement par le bas de la ville a été décidé, ce qui a provoqué l'exode des commerçants du haut vers le bas.

---

1. Cette campagne, conçue par le conseil général de l'Aisne, et dont René Dosière, maire PS de Laon de 1983 à 1989, avait été l'instigateur, a été déclinée sur différents supports jusqu'en 2014. Le premier geste de ses successeurs a été de la faire cesser.

2. Le 1er régiment d'artillerie de marine a quitté Couvron en 2012, après s'y être installé en 1993.

Détruits pendant les bombardements de la Seconde Guerre mondiale, les environs de la gare ont dû être rénovés. Pour loger les nouveaux arrivants des campagnes environnantes en quête de confort urbain, ce fut l'érection du quartier Champagne, et l'apparition des deux quartiers populaires de la ville basse : Charlemagne et Moulin-Roux.

L'ancienne ville haute, bourgeoise, peuplée de notables et de fonctionnaires, s'est prolétarisée. Les jeunes peinent à trouver du travail et partent pour Soissons ou Paris. Seuls 40 % des habitants acquittent une lourde taxe d'habitation.

« Le plateau se meurt », entend-on partout.

René Dosière a pourtant tenté de le redynamiser en jouant la carte de la piétonnisation. En lieu et place du tramway, il a mis le POMA en service, organisé les horaires de bus et créé des stationnements payants. Dans les dix dernières années, d'anciennes maisons traditionnelles ont été découpées en appartements et louées à des loyers très modérés à des familles bénéficiant des aides sociales et au logement. Il a fallu rénover ces bâtiments vétustes. Du coup, la population est plus mixte.

Cette tendance a été poursuivie après le départ de René Dosière, mais sans contrôle : attisées par les agents immobiliers, les réhabilitations se sont faites hâtives. Pour concurrencer l'habitat HLM, nombre d'agents privés n'ont pas hésité à « couper » les appartements pour les réagencer. Un certain « laisser-aller » s'est installé, les mécontentements liés à l'« insécurité » se sont multipliés. Après avoir refusé net, le maire-sénateur, Antoine Lefèvre, a cédé aux sirènes de la vidéosurveillance[1]. Quant aux commerces, ils n'ont pas

---

1. Ce sujet est traité plus en détail dans le chapitre « À Lons-le-Saunier ».

modifié leurs horaires d'ouverture. Du coup, les commerçants se plaignent de la désaffection des rues – certains ont
même mis la clé sous la porte pour se réinventer en bas –, et
les grandes surfaces s'installent aux quatre points cardinaux
où elles drainent une énorme clientèle. Simultanément, les
anciens « bourgeois » du haut s'exilent vers les riches communes du sud de Laon. La magnificence des monuments
historiques est soudainement perçue comme un problème.

Peut-être, mais quelle beauté, quelle poésie, quel
charme dans cette ambiance « village » du Plateau ! Il fait si
bon se promener autour du trou de la cuve Saint-Vincent
– comment qualifier autrement les pourtours de cette cuve
autrefois garnie de vignes ? Entre deux averses, j'y croise
des promeneurs accompagnés de chiens, un cycliste es-
seulé, un homme s'astreignant à son taï-chi matinal. En
longeant la muraille du collège-lycée Paul-Claudel, par vagues, des éclats de rap français m'atteignent. Un groupe
d'adolescentes d'une quinzaine d'années s'éclate en écoutant Maître Gims. Elles connaissent par cœur les paroles de
leur héros, les chantent à tue-tête. On se salue de la main.
Dommage qu'elles soient hors d'atteinte, je leur aurais bien
parlé.

« *On sait faire, on veut faire,*
mais on ne peut plus faire »

Après ma tournée avec le facteur, je pousse la porte d'un
local syndical de cette vénérable institution qu'est la Poste.

Michel Dubor, fonctionnaire cégétiste des postiers,
me reçoit, accompagné de Laurent Roy, un contractuel.

Pendant plus de trois heures, tous deux me livrent leur vision de la « violence » du déclassement ressentie depuis quelque temps à la Poste : « Comment expliquer à notre public qu'une lettre de Laon à Laon remontera à Amiens pour revenir dans trois jours ? » À terme, explique le militant, la lettre verte (plus lente que la rouge) aura remplacé la rouge. « La violence, elle est là aussi ! insiste-t-il. Dans une France des années 1950-1970 on savait faire les choses : aujourd'hui, à cause de choix dits "stratégiques", sciemment, on ne fait plus comme on sait très bien faire. » Dubor secoue la tête en signe de désarroi et poursuit : « On sait faire, on veut faire, mais, dans le même temps, on ne *peut* plus faire. »

Exit les « vies de bourlingues » et de nomades de ces anciens travailleurs de nuit qui s'appelaient entre eux « les seigneurs », celle des ambulants de la petite flotte aérienne que possédait la Poste. Dans les dernières décennies, la culture du service public a laissé place à celle de la culture d'entreprise, dans laquelle beaucoup ne se reconnaissent pas. Ou pas encore. « Le métier de facteur est bafoué, le courrier physique n'est plus mis en valeur, la fonction sociale – dans le sens de "faire société" – de notre entreprise disparaît au profit du business, où n'importe quel service se monnaie. Le travail perd beaucoup de son sens », estime Michel Dubor. Certains guichetiers vivent mal de devoir apprendre aux usagers à se passer d'eux : en utilisant des machines, en faisant la publicité pour les centres d'appels ou les services proposés sur Internet : « Ils ont vraiment le sentiment de scier la branche sur laquelle ils sont déjà en équilibre précaire », analyse Dubor.

D'où ce sentiment très largement ressenti de déclassement dans le travail.

Tous deux sont parfaitement conscients de la crise du militantisme à laquelle la CGT ne déroge pas. Certes, on se syndique moins ; certes, ces militants sentent bien que, critiqués de toutes parts, y compris par les nouvelles générations, les syndicats peinent à se réinventer. « Sauf que, dès qu'il y a un problème, où sonne le téléphone ? À la CGT ! claironne Dubor. Pourquoi ? Parce que, syndiqués ou pas, les gens savent que chez nous, ça répond toujours ! » Même si le syndicalisme « pur et dur » a disparu au profit des fameux départements de « ressources humaines », davantage dans l'air du temps. « Nous sommes presque devenus des assistantes sociales qui passons notre temps à régler des questions individuelles et non plus collectives… », notamment dans certains services isolés où les interlocuteurs des salariés sont quasi inexistants, se plaint Dubor. « C'est comme un rôle de pompier… On est passé du syndicat de lutte à un syndicat de défense », constate-t-il avec amertume.

Partout, ces syndicalistes ne me paraissent pas végéter dans la nostalgie, ils ne refusent pas toute réforme par principe : au contraire, c'est la dure réalité du monde et les décisions prises en son nom pour améliorer productivité et profitabilité qui leur paraît souvent faire fi de toute humanité. Par exemple, le guichet de la Poste, tel qu'il a perduré pendant des décennies, n'existe pratiquement plus : on a d'abord enlevé la vitre de séparation ; au fil du temps, le guichet est devenu un « espace de vente » avec des îlots en ESC (« espace service client »). « Quand vous avez 20 ans, c'est sympa, mais beaucoup de salariés ne sont pas contents de ne plus être assis. » La Poste doit « bouger », rétorquent sempiternellement ses communicants. Rester « statique » donne une mauvaise image.

Une des conséquences – violente – de ce fort sentiment de déclassement est la montée du vote pour le Front national : la CGT de la Poste en a fait les frais en découvrant, en 2014, que l'un des siens s'était présenté sur la liste municipale FN de Villers-Cotterêts[1]. Cet homme ne voyait d'ailleurs pas le moindre problème à continuer en même temps à militer à la CGT. Ordre a été donné d'activer la procédure d'exclusion à son encontre. Il lui a été proposé de démissionner de la liste FN afin de rester syndiqué CGT, mais l'individu n'a rien voulu entendre et n'a tout simplement pas accepté de dialoguer, ce qui a choqué plus d'un syndiqué. L'« extrémisation » du discours est aussi notable dès que le mot « réfugié » est prononcé. Dubor est horrifié, mais pas étonné, d'entendre à ce propos, dans les couloirs de la Poste, les commentaires de ses collègues, du style : « Qu'est-ce qu'on va en faire, de ces réfugiés ? », ou encore : « Il va falloir en plus payer pour eux… »

Dans le cadre du programme d'accueil et de réinstallation des réfugiés syriens mis en place pour respecter les engagements pris par la France auprès du Haut Commissariat des Nations unies pour les réfugiés (HCR), Laon a reçu six familles syriennes regroupant trente-deux personnes. Dès leur arrivée, un « comité de pilotage » a été mis en place pour tenter d'impliquer localement tous les citoyens en

---

1. Où le maire, Franck Briffaut (FN), a été élu au scrutin de 2014.

lien avec l'État, les élus, les bailleurs sociaux, les différents services publics et les acteurs associatifs, dont l'association Coallia. Fin 2015, ce programme avait permis d'accueillir et d'accompagner plus de mille personnes.

Parce qu'ils étaient les plus vulnérables, les bénéficiaires ont été repérés par le HCR dans les pays de premier accueil (Liban, Jordanie, Égypte) et ont obtenu le statut de réfugié dès leur arrivée sur le territoire français. Dans les locaux de Coallia, une vieille maison à flanc de coteau entre le haut et le bas de Laon, nous faisons connaissance autour d'une simple table sur laquelle ont été disposés des gobelets en plastique pour le café et des montagnes de pains au chocolat offerts par Coallia. Les visages sont fatigués, mais les mines heureuses d'être accueillies et d'accueillir à leur tour. Pour nous servir d'interprète – ces Syriens récemment arrivés (depuis le 16 mai 2014) ne parlent pas encore assez bien français au point de pouvoir raconter leur parcours –, on va chercher un coiffeur tunisien du bas de Laon. Même si les deux langues arabes dialectales ne sont pas les mêmes, on parvient à se comprendre.

Face à moi, bien droit, se tiennent quatre hommes et deux femmes voilées, originaires de Homs, Damas et Alep. L'air compassé, avec la pudeur qui caractérise ceux qui ont vécu le pire mais n'osent pas se plaindre, ils partagent leur difficile adaptation. La timidité et l'orgueil dépassés, les mains nouées qui se tordent en disent bien plus long que les mots. Je sens qu'ils font tout pour tenter de se reconstruire tant bien que mal, sans rien connaître des codes du pays qui les accueille. Dans leur pays, ils étaient « quelqu'un », ils bénéficiaient d'un statut. Ici, ils ne l'ont plus et se retrouvent – c'est ce qu'ils ressentent – tout en bas de l'échelle sociale.

Arriver dans cet ailleurs inconnu où l'on sent que l'on n'est pas forcément le bienvenu n'est pas aisé. Les timides sourires expriment une infime reconnaissance à Coallia qui les soutient en tout, surtout, en matière de logement. Parce ce que je connais les horreurs qu'ils ont fuies sur place, je sais que ces familles de réfugiés n'ont pas la moindre idée du fonctionnement des institutions françaises et ne peuvent donc concevoir pleinement l'ampleur de cette aide. D'autant que, dans leurs sociétés, les réseaux de solidarité sont exclusivement familiaux. L'inscription à Pôle emploi, notamment, est souvent perçue comme une garantie de *recevoir* un travail, car il n'est pas facile de comprendre le marché de l'emploi et le cadre dans lequel il fonctionne, en toute légalité, en France.

Bruno Blondelle, employé de Coallia, a soutenu, encadré, aidé chacun d'entre eux – en tout cas les hommes – et souffre de devoir « tourner la page » parce que d'autres réfugiés attendent après ceux-là, de plus, passé un certain délai, il doit tout recommencer à zéro avec de nouvelles familles : cours de français, quête d'un logement, Pôle emploi, discussions sans fin avec des employeurs potentiels. « À quel moment les lâcher ? » Bruno sait mieux que quiconque que, vu la conjoncture française, ces réfugiés auront du mal à être pleinement intégrés. Il sait aussi que s'ils ne trouvent pas de travail, ils recommenceront à traîner, à se dévaloriser, à broyer du noir. « Tout comme des milliers de Français dans la même situation, c'est sûr », reconnaît Bruno. L'un des Syriens a eu la chance de se faire embaucher à Coallia comme veilleur de nuit. Il est ravi, et rêve de pouvoir mettre assez d'argent de côté pour se payer une autre formation professionnelle. Jalal, pharmacien en Syrie, a intégré la pharmacie de l'hôpital de Laon pendant six mois. Devant l'incertitude de son avenir – vont-ils le reprendre ? Son statut le permet-il ? –, il se laisse gagner par l'angoisse. Une des deux femmes assises face à moi avoue ne pas s'être inscrite à Pôle emploi parce qu'elle ne souhaite pas travailler sans son voile. Ah, le voile ! S'il est un sujet qui fâche en France, et dont la complexité n'est pas comprise par les migrants musulmans, c'est bien celui-là ! Mais comment un étranger pourrait-il comprendre en quelques semaines le principe de la laïcité propre à l'histoire de France, quand bien des Français ont du mal à le saisir eux-mêmes ?

Les musulmans auxquels j'ai parlé, chez lesquels j'ai vécu en Syrie, en Irak, en Afghanistan, ont conscience que le voile pose problème aux institutions occidentales. Mais, paradoxalement, ceux qui ont pris la terrible décision d'arriver jusqu'ici, sans jamais s'être réellement rendu compte des sacrifices que cela sous-entendait ni de la difficulté extrême à s'intégrer, peinent à accepter les lois françaises sur le sujet, car ils sentent confusément que certains musulmans de France ont eux-mêmes développé un malaise par rapport à ce principe, jusqu'à, pour certains, le remettre en question.

Le sentiment d'être oublié, abandonné, déclassé

Je me promène dans le bas de Laon, plus populaire, plus mixé et moins… esthétique que ses hauteurs. Les cafés autour de la gare sont à peine accueillants, sauf celui décoré dans les tons beige et blanc, tapis de corde au sol avec rubans garnissant ses chaises en osier. La rue Eugène-Leduc est la principale artère commerçante de Vaux, le quartier du bas. Je pénètre dans la boutique Hubert Cahouzart, institution laonnoise de vêtements masculins, passé du plateau au bas de la ville. De son arrière-boutique, le propriétaire me conduit directement dans le salon de son domicile attenant. Avec l'installation de Carrefour et l'agrandissement du Leclerc « le centre-ville du haut a été pompé ! », accuse le commerçant. En bas, à Vaux, son chiffre d'affaires est à peu près deux fois et demi supérieur à celui du haut. « On dirait qu'un couvercle a été posé sur la ville », se plaint le commerçant, faisant écho à la plupart des plaintes de ses collègues, préoccupés, comme partout ailleurs en France, par l'essor des grandes surfaces et les difficultés de stationnement dans les environs de leurs commerces. « Pour un appartement construit, on devrait obliger le promoteur à prévoir un parking, sinon on n'a qu'à imposer une surtaxe ! », propose-t-il.

Sur les remparts altiers, face au bureau de Me Cyrille Bouchaillou, s'offrent les terres du bas de Laon, et, non loin, le bâtiment de la prison, qui abrite un détenu laonnois, célèbre pour la monstruosité de son crime. Lewis Peschet, 23 ans, a écrit à l'avocat pour l'implorer d'assurer sa défense[1].

Le 19 avril 2012, ce jeune homme a assassiné Sonia, une de ses copines de lycée, après l'avoir emmenée se promener près des ruines de l'abbaye Saint-Vincent, en contrebas

---

1. Lewis Peschet a été condamné à la réclusion criminelle à perpétuité, dont vingt-deux années de sûreté. Il sortira sans doute de prison vers 40 ans.

des remparts. Souvent, Lewis avait joué au terrible jeu du foulard avec Sonia et d'autres filles, toutes consentantes. Ils s'amusaient à s'étrangler mutuellement pour voir jusqu'où ils étaient capables d'aller, de serrer, de sentir l'excitation monter. « Tuer, c'est créer », avait écrit Lewis sur un bout de papier qu'il laissait traîner sur sa table de chevet, tel un slogan provocateur. Le matin du crime, Sonia a eu peur, alors il l'a tuée. Dans l'esprit du jeune assassin, c'est aussi simple que cela. Julie, une autre fille qui avait partagé ses jeux, n'avait pas eu peur : « Ça ne m'a rien fait », avait-elle admis. Ce « rien » l'avait sauvée.

Le fameux jour, Lewis a porté à sa victime soixante coups de couteau. Elle crie, il l'éventre, puis l'éviscère. Le lycéen n'a pas oublié de se munir d'une petite cuillère afin de recueillir ses yeux. Comme beaucoup d'autres jeunes en France, la bande de Laonnois à laquelle il appartient est friande de gore, mais Lewis, lui, joue avec ses peurs au point de laisser s'évaporer sa propre émotion. Convaincu de vivre dans une société virtuelle, il est devenu insensible. Il a quitté le réel parce que ce réel lui fait peur ; c'est dans le virtuel qu'il laisse libre cours à ses macabres fantasmes. Mais ce qu'il croit être le virtuel est la réalité. « Sonia est hideusement belle », a-t-il déclaré aux enquêteurs qui lui montraient des photos de la scène de crime.

S'appuyant sur l'horreur de cet assassinat, Me Cyrille Bouchaillou avait eu l'intention d'écrire un livre sur la « violence morbide » qui s'empare de plus en plus de jeunes. Choqués, les parents de la victime ont exprimé leur désaccord. Le livre n'a pas été écrit. L'avocat du barreau de Laon égrène une longue liste de ce qui amène, selon lui, le commun des mortels à potentiellement « basculer ».

La mort lente des commerces et des industries qui ne sont plus dans l'air du temps, mais aussi la fermeture annoncée des tribunaux de proximité attisent ce sentiment glauque d'être oublié, abandonné, déclassé. Certains se réfugient derrière des substances ou l'alcool, et se marginalisent de plus en plus tôt. Dans les milieux reculés qui font parfois appel à lui, les cas de viols augmentent, alors que, dans le même temps, l'aide juridictionnelle, à laquelle un département comme l'Aisne a tant recours, s'amenuise. La misère s'installe dans les milieux ruraux où le « deuxième copain » [l'alcool] cause la plupart des délits routiers.

La brune aux cheveux mi-longs qui m'attend au restaurant du bas de Laon est grande et bien bâtie. De sa personne émane un mélange de sophistication urbaine mâtinée d'un socle rural qu'elle tend, sait-on pourquoi, à dissimuler. Santiags noires, collants noirs, minijupe en jean, col roulé noir, Rolex au poignet sur la manche et sac Vuitton au bras, Marie Soller, 33 ans, tranche avec le personnel politique local habituel. Sixième sur la liste des municipales aux élections de 2014, cette Laonnoise de naissance encartée chez Les Républicains paraît proche de cette terre, même si elle reste aimantée par la capitale, où elle réside.

Déléguée au patrimoine historique, Marie se plaint de ce qu'aucun des conseillers municipaux avec lesquels elle travaille n'ait moins de 40 ans. Elle regrette qu'ici on ne sache que « subir », d'où la pluie de critiques à l'égard de ceux qui, comme elle, « tentent d'aller plus loin ».

Fille de militaire, Marie a passé toute son enfance entre groupes scouts et diverses associations. À l'époque, elle vit dans le bas de Laon tout en rêvant du haut. En 2011, son rêve devient réalité : avec son époux, lui aussi engagé chez Les Républicains, Marie acquiert un hôtel particulier Napoléon III de dix chambres, qu'elle transforme en une charmante maison d'hôtes. Il faut l'entendre évoquer les salles des ventes écumées avec son époux pour récupérer le mobilier et les tissus Pierre Frey du palace parisien Prince-de-Galles avant sa réfection, qui trouveront leur place dans cette maison, également leur domicile.

En parfaite illustration de la femme active, Marie Soller jongle entre trois casquettes : directrice d'une école privée à Paris, consultante et élue locale. La jeune femme au parler chuinté, si typique d'une certaine bonne société parisienne, ronge son frein à Laon tout en ne cessant de lorgner vers ces maires voisins (à Soissons, à Saint-Quentin) qui administrent leur ville « comme des entrepreneurs ».

Marie a un avis sur tout, et n'hésite pas à avancer des solutions pour attirer du monde dans ce « désert français » que représentent Laon et ses environs : d'abord, les primo-accédants, qui travaillent à l'aéroport de Roissy ou dans ses environs et cherchent une résidence secondaire, devraient être dorlotés. Elle est également intarissable sur les quatre-vingts monuments classés historiques que compte Laon ! Encore faudrait-il savoir comment les mettre en valeur ! Pour pallier ce qu'elle désigne comme un « manque d'émulation culturelle » local, Marie propose la négociation d'un partenariat avec un grand musée parisien qui pourrait mener à des expositions de sculptures monumentales. Délicatement posées au pied des remparts, elles les mettraient en valeur.

Ce samedi matin, malgré le brouillard et l'humidité ambiante, pimpante et énergique, Marie Soller se prépare à se rendre à une réunion des Républicains animée par Xavier Bertrand et son équipe dans le cadre des futures élections régionales. Celle-ci a pour thème la ruralité.

Pour l'occasion, la salle de la chambre de commerce a été réquisitionnée. Elle est pleine. Venus de la nouvelle grande région Nord-Pas-de-Calais-Picardie, les militants se pressent pour répondre à l'appel du programme « Notre Région au Travail », slogan de campagne de l'ancien ministre du gouvernement Fillon, qui, alors, n'est pas si sûr de gagner ce scrutin, menacé par la candidature de Marine Le Pen qu'on annonce déjà gagnante. Le député-maire du Touquet, Daniel Fasquelle, a fait le déplacement. Il en est de même pour Frédéric Nihous, candidat malheureux de Chasse, Pêche, Nature et Tradition (CPNT) à la présidentielle de 2007, clamant haut et fort être revenu du Béarn pour s'installer dans la région de Douai (Pas-de-Calais) et empêcher l'arrivée au pouvoir de Marine Le Pen. Christophe Coulon, secrétaire régional des Républicains et directeur de cabinet d'Antoine Lefèvre, le maire de Laon, est assis au premier rang.

À la tribune, Daniel Fasquelle dénonce le sentiment d'abandon qui s'est emparé des ruraux : « Certains ne votent plus, d'autres vont vers des partis qui proposent une impasse. Il faut les écouter, affirme-t-il, désignant le FN sans le nommer. On a beau avoir une belle devise, on a l'impression que c'est tout pour les villes ! s'enflamme-t-il. À l'Assemblée, il y a les députés des villes et ceux des champs, dont je fais partie. On est peu nombreux, on a l'impression d'être marginalisés et, parfois même, incompris ! » Il faut préciser que la nouvelle région est la septième française en termes d'hectares de terre ; elle compte quelque trente mille exploitations agricoles et emploie cent trente mille personnes dans les activités agraires, commerciales et industrielles, ce qui l'a propulsée au rang de première région agro-industrielle d'Europe.

On se succède derrière le micro pour répéter la même antienne : à l'ère de la globalisation, les traditions ne sont plus entendues, plus respectées. Pire, elles sont niées. Et cette négation des racines et de l'identité nourrit la colère. Le « terrorisme des Verts » est fustigé, l'attitude dogmatique du tout-bio en agace plus d'un, et les écologistes anti-OGM en prennent pour leur grade. « Nous représentons un monde calme, mais quand il se mettra en colère, ce sera grave ! », prévient le président de la Fédération des chasseurs de l'Aisne.

Aussi lointaine qu'arrogante aux yeux de l'assemblée, la ville de Lille est sur la sellette : les propos de Martine Aubry, qui aurait affirmé, à l'occasion de la constitution de la grande région, ne pas vouloir des « pauvres » picards[1], sont bruyamment raillés. Certes, on consent à accepter que Lille et sa métropole deviennent la « locomotive » de la région, mais sans pour autant créer un désert autour !

Alors que la présence de Xavier Bertrand n'était pas annoncée, le maire de Saint-Quentin fait une brève apparition, en marge de la journée d'action des maires de France contre la baisse de leurs subventions. Petit, râblé, l'homme avance en distribuant de rapides poignées de main. La bise claque sur les joues des militantes, y compris sur les miennes. Son irruption crée des remous jusqu'au devant

---

1. « Deux pauvres n'ont jamais fait un riche », a déclaré un des seconds de Martine Aubry, laquelle a cosigné un texte au vitriol, en juillet 2014, contre cette fusion.

de la scène où il finit par être acclamé, donc contraint de
faire une déclaration. « Moi, maire de la première ville
du département, j'ai un habitant en ville, un habitant en
campagne et je suis le garant de cette représentativité ! »
Xavier Bertrand en rajoute sur le thème de la nouvelle
grande région contre laquelle la grogne persiste : « On ne
la redressera pas avec les outils d'hier. Il faut essayer des
choses radicalement nouvelles. Les agriculteurs nous disent
qu'ils sont en train de disparaître et qu'on ne s'en rend
pas compte. Mais si on perd les emplois agricoles, on perd
aussi les emplois industriels ! »

« *On n'est pas loin de 1789,*
et c'est pas à nous qu'on coupera la tête ! »

La parole est à la salle. Antoinette, une jeune agricultrice, demande le micro. D'abord inaudible, sa voix
fluette monte *crescendo* pour évoquer les critères d'éligibi-
lité aux aides de l'Europe, trop complexes à son goût. De
technique, son discours se mue en une doléance vers « plus
de démocratie » : « On nous demande notre avis, comme
vous, Les Républicains, vous le faites ce matin, mais on
n'est plus écoutés. Pourtant on a plein d'idées ! » La jeune
femme est soutenue par Jean-François, son voisin de rangée, un collègue du même âge qui renchérit. Pire que le
sentiment d'abandon du monde rural, tous deux certi-
fient avoir l'impression que la région a divisé les agriculteurs entre « grands » et « petits », « bios » et « classiques ».
On essaie même d'opposer les agriculteurs aux citoyens !
s'insurge-t-il. De ce discours ému transparaît l'amertume :

partout les agriculteurs souffrent d'être uniquement perçus
« comme un problème ».

Je retrouve Antoinette, 33 ans, et Jean-François, 36 ans,
dans un café sur le parvis de la cathédrale. Ce matin, ils
sont revenus à Laon pour participer à une réunion de la
chambre d'agriculture où Antoinette est scrutatrice. Jean-
François a été président des Jeunes Agriculteurs de l'Aisne
(380 adhérents), et continue à vouloir aider et soutenir un
« maximum » de jeunes qui s'installent, même s'il y en a
de moins en moins. L'agriculteur syndiqué JA-FNSEA emploie trois salariés permanents. Il aimerait en embaucher un
quatrième, mais n'y parvient pas (trop de charges, pas assez
de rentabilité). « La terre ne m'appartient pas, elle appartient à mes enfants, répète le jeune homme en polo rose
pâle Ralph Lauren porté sur une chemise bleue, le tout
assorti à un pantalon de belle facture. Nous, on veut lé-
guer », insiste-t-il en comparant leur situation à celles des
Ardennes, par exemple, où « à la fin [la retraite], c'est terminé, "ils vendent". » *A contrario*, ici, dans l'Aisne, les jeunes
agriculteurs raisonnent à long terme, se montrent plus prag-
matiques qu'idéologues. « Les politiques nous aiment bien,
ils nous caressent tous dans le sens du poil. Tous ! À droite
comme à gauche ! » À cette évocation, Jean-François es-
quisse un sourire. « Eux, ils prennent des décisions idéo-
logiques, qui servent leurs intérêts, ils sont pas dans le
souci du long terme comme nous ! accuse-t-il. Les uns et
les autres évoquent de soi-disant réformes jamais menées
à terme ou à peine ébauchées... » Cinquième génération
d'agriculteurs, Jean-François pratique la polyculture (blé,
colza, betteraves à sucre, pommes de terre et féculents pour
l'industrie cosmétique) sans oublier l'élevage sur 210 hec-

tares en bordure de ville. « Depuis trente-six ans, on perd environ deux hectares l'année. Soit par expropriation pour la construction de routes, soit parce qu'on a été contraint de vendre ! » La première conséquence a été de faire baisser le nombre des animaux, des taurillons (vendus sous le label « viande jeune bovin ») et génisses à viande pour l'industrie.

Face à moi, Jean-François répète qu'il ne se sent absolument pas entendu : « Même si je suis un peu au-dessus, j'appartiens au peuple d'en bas… On n'est pas loin de 1789, et c'est pas à nous qu'on coupera la tête ! », s'anime-t-il brusquement. La complexité des législations qui se contredisent les unes les autres, pire, la difficulté à définir, par exemple, un « cours d'eau » – dont les régulations dépendant de quatre ministères différents, le laissent pantois. La virulence avec laquelle les acteurs du territoire – lui-même et ses collègues – sont stigmatisés, aussi. Tous sont blessés d'entendre que la France serait devenue un pays exclusivement touristique, sous-entendant que l'agriculture ne servirait plus à rien. Jean-François s'affiche en faveur d'une « Europe de la paix et de la souveraineté alimentaire », alors que l'Europe, justement, défend les intérêts des multinationales et non ceux des « peuples ».

Sourire charmeur, écharpe bleue assortie à ses yeux nouée à son cou, Antoinette, quant à elle, cultive la betterave sur 180 hectares. Elle a repris l'exploitation de ses parents voilà cinq ans, après une maîtrise en bio-environnement obtenue à Amiens. Charmante, et hyperféminine en jupe courte, la jeune chef d'entreprise ne mâche pas ses mots et m'assure qu'elle se serait rendue avec autant de fougue et d'entrain à une réunion sur la ruralité organisée par le PS – si une telle rencontre avait été organisée ! En revanche, jamais elle ne se serait rendue à une réunion du FN. Ce à quoi Jean-François réagit : « Ben moi, si, car je souhaite savoir ce qu'ils proposent. » Le jeune agriculteur avoue avoir déjà donné sa voix au FN. Antoinette n'est pas d'accord : le FN lui fait peur.

Antoinette : « Pourtant, moi, j'ai vécu ce qu'on peut appeler le racisme antiblanc à Paris et dans sa banlieue où j'ai passé plusieurs années. J'étais animatrice dans l'Essonne. En tant que petite "catho de droite" j'en ai bavé… alors c'est pas pour infliger maintenant aux autres cet état d'esprit ! »

Jean-François : « On dirait que le système s'est perverti tout seul, et que les gens en profitent ! Y a de plus en plus de gens qui vivent aux crochets du système… Et ni la droite ni la gauche n'osent dire qu'elles sont d'accord avec Marine Le Pen… »

Antoinette : « Moi je me sens finalement davantage "chef d'entreprise" qu'agricultrice. Il n'y a pas que le terrain finalement, mais aussi la gestion, les ressources humaines. »

Jean-François : « Oui, on est comme des petites PME. »

Antoinette précise qu'elle est également conseillère municipale à Neuville-Saint-Amand : « Y a une menace foncière terrible avec Saint-Quentin qui s'étend… »

Jean-François : « Moi aussi je la sens, c'est comme si on avait une épée de Damoclès au-dessus de nous. Pour un élu, un champ, c'est un désert ! Lui voit ça comme un espace où l'on peut facilement construire, alors que, pour nous, c'est toute notre vie ! »

Antoinette : « Moi, perso, je ne me vois pas agricultrice toute ma vie [Antoinette a trois filles de 6, 4 et 2 ans]. OK, je me ferai bouffer, mais la tête haute ! Nous avons le pistolet sur la tempe, mais il faut céder au bon moment.

La vérité, c'est qu'on est démunis face à ce rouleau compresseur. »

Jean-François : « Ouais, ils veulent toujours créer une "zone logistique" là où t'as ta parcelle… Mais ce genre de zone, ça crée pas d'emploi ! Aucune valeur ajoutée ! Alors que nous, on en crée de la valeur ajoutée (il soupire). Même les gens de droite ne nous aident pas là-dessus… »

Les deux agriculteurs embauchent des jeunes du centre d'insertion voisin pour désherber les « betteraves montées », un travail épuisant et fastidieux, sur la base du volontariat.

Antoinette : « Mes collègues m'ont prise pour une folle, ils m'ont dit à ce propos : "Y sont français, t'es sûre ?" Moi ça m'est totalement égal ce qu'ils sont ! »

Jean-François : « Moi, Pôle emploi venait me démarcher directement, mais je leur ai dit non. J'ai sélectionné une case grâce à laquelle je ne serai plus appelé ! Tant mieux ! »

Antoinette : « On m'a appris à être réglo, alors je le suis. Je dors mal parce que j'ai des soucis, c'est sûr, j'en ai plein ! Mais, au moins, même si je le paie cher, je dors sur mes deux oreilles ! »

Laon, place forte, inexpugnable

Ces villes que j'ai choisi d'habiter, au sens propre comme au figuré, sont le trait d'union le plus « intime » entre la « puissance publique et la vie des citoyens[1] ». Elles sont le lieu où, concrètement, on observe sans « effet de manches » l'effet réel des décisions politiques.

---

1. Cf. article de Hubert Huertas, *in* Mediapart, 19 septembre 2015.

En cette ouverture des Journées du Patrimoine, il pleut des cordes. Dommage, car c'était l'occasion ou jamais de montrer à la bonne société laonnoise comment fonctionne le chantier d'insertion des remparts, chapeauté par la mairie depuis 1998. De la tour Saint-Rémi où le rendez-vous a été donné, la vingtaine de personnes venue le dé-couvrir est contrainte de se replier dans la salle d'apparat de la mairie pour y suivre la conférence de l'incontesté Claude Carême, ce même professeur qui m'a introduite à Laon il y a quelques jours. Un tantinet impressionnés, les ouvriers du chantier, un Arménien, un Marocain, un Guadeloupéen, des Français de métropole et un manouche, se tiennent tout au fond, serrés les uns contre les autres. Ils se seraient certainement mieux sentis en extérieur à faire admirer leurs talents de rénovateurs, sous la direction de Grégory Sarrazin, 40 ans, dynamique fonctionnaire de la ville.

« En aucun cas il ne s'agit d'un chantier de réinser-tion », tonne ce dernier. S'il prend la peine de faire cette précision, c'est que, fréquemment, la confusion est faite, comme s'il s'agissait d'anciens taulards ou de drogués à réinsérer.

Au fond, on a exposé des photos du chantier. Vif et pas-sionné, Claude Carême rappelle que, depuis le IIIe siècle, Laon est considérée comme une place forte inexpu-gnable : « Mérovingiens, Carolingiens, tous préfèrent faire le tour ! » Au moment où l'historien évoque ces remparts qui ne peuvent être pris que par la trahison, quelques sou-rires apparaissent sur les visages des ouvriers. Six heures par jour à malaxer cette terre et à en replacer les pierres une à une, ce sont eux les premiers détenteurs des secrets des remparts.

Rémy, 37 ans, est un homme fier, de sa famille et de ses racines avant tout.

Arrivé en 1998 sur le continent pour le service militaire depuis sa Guadeloupe natale, il a trouvé ses premiers emplois grâce à l'armée. D'abord bagagiste dans la zone de fret à Roissy, Rémy ne rentre à Laon que les week-ends. Quand la boîte de son boss perd son marché. À 35 ans, il se retrouve au chômage. Une conseillère de Pôle emploi lui parle de l'existence du chantier d'insertion. Quand il dégaine une photo de son épouse laonnoise et de leur fille de 9 ans, sa « petite reine », on en oublie le cou et les avant-bras massifs, le crâne rasé et les trois rangées de colliers. Face au rire sonore, communicatif et tellement humain, on est emporté.

Malgré le quotidien difficile, Rémy a toujours le mot pour rire. Ce qui le surprend le plus dans le fonctionnement de la société française, c'est cet accompagnement ultravalorisant pour celui qui en bénéficie pendant le sacrosaint temps du contrat, puis le vide abrupt qui lui succède.

Mouad, 32 ans, son collègue sur le chantier, a l'air particulièrement zen. « Des fois, j'suis content d'être ici, des fois non. On est tranquille, on est en sécurité, c'est sûr ! Mais… y a pas trop de travail ! Au bled, quand on voyait revenir les anciens avec de belles voitures, qui coûtent de l'argent, ça nous faisait rêver et on se disait : nous aussi, on va y aller, en France, et faire comme eux ! Mais c'est seulement ici, en France, que j'ai pu comprendre que ces vieux s'étaient privés pour frimer au Maroc ! »

Il y a sept ans, sur Internet, Mouad fait la connaissance d'une jeune Laonnoise, ils se rencontrent, s'aiment, se marient, et le voilà qui débarque à Laon. Il aurait préféré qu'elle le rejoigne à Sidi Slimane, au Maroc, mais sa fiancée a préféré l'inverse. Mouad découvre le chantier des remparts et, chance pour lui, il est sélectionné. Il gagne 679 euros mensuels, mais n'a aucune visibilité sur l'après-chantier d'insertion. « Ça fait mal, parce que je me suis intégré, j'ai amélioré mon français, ça m'a donné confiance en moi, et puis… pfff, plus rien. » D'après la législation[1], ce type de contrat ne peut être renouvelé plus de quatre fois, pour une durée totale de 24 mois.

C'est la désillusion, d'autant que, fils d'un professeur de français marocain, Mouad assure qu'il n'était pas « malheureux » en son pays. « Vivre bien », pour Mouad et sa jeune épouse, ça signifierait toucher chacun le SMIC, et puis, peut-être, se « faire plaisir » en s'achetant une voiture. Mouad réfléchit pour trouver un de ses copains ou une connaissance qui aurait un boulot stable ou qui aurait décroché le Graal, un CDI. Non, il ne voit pas. Face à cet avenir bouché dans un pays qui l'a déçu – il consent cependant à reconnaître qu'il ne doit s'en prendre qu'à lui même : il au-

---

1. Selon la fiche technique *ad hoc* officielle consultable sur Internet, « depuis décembre 2015, ces ateliers chantiers d'insertion (ACI) assurent l'accueil, l'embauche et la mise au travail sur des actions collectives des personnes sans emploi rencontrant des difficultés sociales et professionnelles particulières ». Cependant, de fait, les ACI embauchent plutôt des personnes en début de parcours souvent « très éloignées de l'emploi ». À ce titre, ils organisent le « suivi, l'accompagnement, l'encadrement technique et la formation de leurs salariés en vue de faciliter leur insertion sociale et de rechercher les conditions d'une insertion professionnelle durable ».

rait dû appréhender cette réalité avant de partir… –, Mouad ne voit son futur qu'au bled… « C'est sûr, je rentrerai un jour. Là-bas, y a du boulot ! Bon, bien sûr, c'est moins bien rémunéré ! Et puis, t'as pas de droits ! Si tu bosses une heure de plus, elle te sera jamais payée et t'auras juste le droit de t'la fermer, c'est tout ! » Il hausse les épaules en riant. « Mais je ferai avec ! »

Lui aussi serait prêt à donner sa chance au FN si seulement il avait le droit de vote. « Si, grâce à Marine Le Pen, y a davantage de boulot, pourquoi pas ? » Quant aux réfugiés syriens, comme beaucoup, il ne voit pas leur arrivée d'un bon œil.

Sa jeune épouse est sans emploi et sa belle-mère, chez qui le couple vit, émarge au RSA. Malgré cette situation difficile, Mouad s'estime plus optimiste que son épouse et sa belle-mère : natif d'un pays sans solides aides sociales, il est habitué à ne pas dépenser et porte un regard horrifié devant ceux qui, en France, « dès le milieu du mois, ont déjà bu ou dépensé toute leur paie ! Moi j'préfère me priver et m'acheter quelque chose dont j'ai besoin. Comme une belle voiture. Mais les Français, quand y voient ça, un Rebeu avec une belle voiture, ils le jalousent, ils croient qu'on gagne plus qu'eux ! Ils n'ont pas compris ! C'est juste qu'on n'a pas les mêmes traditions. »

Son frère, qui habite à Bordeaux et travaille dans l'intérim, est lui aussi marié à une Française « chinée » sur Internet – comme on chinerait la perle rare en faisant ses courses. « C'est marrant, toutes ces femmes occidentales qui n'ont pas trouvé de mari ici, comment ça s'fait ? », questionne-t-il en souriant.

« Mes concitoyens ont peur du vide,
ils ne savent même pas de quoi ils ont peur »

Sur la route départementale entre Soissons et Fère-en-Tardenois, des bolides semblent glisser par-dessus le vert et le marron des champs fraîchement labourés. Dans la lumière métallique reflétée par les pylônes électriques, écouteurs sur les oreilles, joggeurs du dimanche et cyclistes bravent le danger. Pas de pluie mais la terre luit. Telles de hautes murailles jaunes, des bottes de foin bouchent l'horizon.

Ce sont peut-être ces vaillantes silhouettes entr'aperçues au fond des vallons, ou ces tracteurs à la poussée si lente qu'ils agacent celui qui ne parvient pas à les doubler immédiatement, ou encore, ces inattendues « zones blanches » où aucun portable ne passe – qui tracent, curieusement, une France à la tranquillité profonde, comme inaltérable. Certes, c'est une France « périphérique », mais qui vit et se déplace. Les routes y sont belles, bien entretenues. On sent que, bon an mal an, dans ce pays, tout fonctionne, et que rien d'essentiel n'est jamais mis en péril.

L'Aisne est une terre d'écrivains : la Fontaine est né à Château-Thierry, la famille des comtes de Sade est enterrée à Condé-en-Brie, Jean Racine est né à La Ferté-Milon et Paul Claudel, à Villeneuve-sur-Fère, dont il nommait les habitants « les bêtes mauvaises », me rappelle Jacques Hurmane, qui, de 1989 à 2001, œuvra en tant que maire communiste[1] de ce village de trois cents âmes, en rase campagne. Propret, avec ses maisons aux jardinets attenants, le havre de paix où le film *Camille Claudel* a été tourné en 1988[2] compte un certain nombre de bâtisses à vendre. Sur la place du village, le café repris deux ans auparavant par le neveu de l'ex-propriétaire n'a pas tenu bien longtemps. Dans l'ancienne école, des logements sociaux sont en cours de construction.

Tous deux licenciés de Tubest, l'entreprise locale fabriquant des tuyaux en inox pour le bâtiment, un couple se plaint de ne pas voir jouer dehors les enfants des « nouveaux habitants ». C'est parce qu'ils sont sur leurs écrans : la génération « portable et voiture » les coupe du reste de la population.

De nombreux jeunes (et moins jeunes) du village, qui ne travaillent pas, votent FN, croient-ils savoir. Il y a aussi ce couple, l'ancien jardinier du cimetière américain et la secrétaire de mairie, qui votent tous deux FN. Et cette coiffeuse à domicile, dont la page Facebook regorge de commentaires à la gloire du parti qui a publié cette fameuse carte de France barrée de la mention « COMPLET ».

Le couple évoque d'anciens amis de gauche qui offrent aujourd'hui leur voix à l'extrême droite sans vraiment le crier sur les toits, illustrant parfaitement cet entre-deux typique de celui qui exorcise ainsi tranquillement et hypocritement ses peurs.

---

1. Jacques Hurmane a été élu durant trois mandats d'affilée, de 1989 à 2001, PCF puis IDG.
2. Le réalisateur du film était Bruno Nuytten, ses acteurs principaux : Isabelle Adjani et Gérard Depardieu. Tout le village se souvient du tournage.

Dans ce charmant village typiquement français, il y a aussi cet Ukrainien, ou ce Polonais – personne ne sait vraiment, personne n'ayant eu la bienveillante curiosité de le lui demander, car, finalement, personne ne fait la différence entre ces deux pays, c'est un étranger, c'est tout ! –, installé dans une caravane en bout de rue, qui gagne sa vie en réparant des voitures. Et que dire de ces nouveaux foyers devant lesquels sont garés un, voire deux véhicules, alors que personne dans le couple ne travaille ? Ce type de foyer suscite la jalousie, tout au moins la suspicion.

Cette situation est confirmée par Marie-Jeanne Potin, ex-professeur de français en collège et lycée, ex-Verte, ex-Parti de gauche et ex-policière démise de ses fonctions[1], qui vit non loin, à Coulonges-Cohan. Dans ce canton, à six kilomètres de Soissons et une quinzaine de kilomètres de Château-Thierry, le vote FN est monté à plus de 30 % au premier tour des dernières départementales. Marie-Jeanne ne décolère pas envers le FN et sa force d'attraction, d'ailleurs un proche membre de sa famille vote pour ce parti. Du coup, ils ne se parlent plus.

Marie-Jeanne Potin m'offre une photocopie d'une étude de l'INSEE sur la paupérisation, révélant des chiffres dramatiques. « Avec des taux de pauvreté de 18,6 % pour l'ensemble de sa population et de 31,4 % pour les moins de 30 ans, l'Aisne figure parmi les départements au niveau de vie le plus bas, peut-on lire dans *L'Union* du 4 juin 2015[2]. […] Au total, près de cent mille personnes vivent sous le

---

1. Puis réintégrée à la suite d'une décision du tribunal administratif.
2. Cf. « La pauvreté brise les clichés », par Frédéric Gouis, in *L'Union*, jeudi 4 juin 2015, p. 3.

seuil de pauvreté dans le département. » La situation économique et sociale fait campagne à la place des gens du FN, ils n'ont même plus besoin de se déplacer.

En 2009, grâce aux efforts de Marie-Jeanne, une famille de Mongolie avait résidé neuf mois au village sans le moindre problème. « Avant de les avoir rencontrés, le moulin à rumeurs fonctionnait, mais, dès qu'une vraie rencontre personnelle a été organisée, la peur a cessé. Je ne sais pas quoi dire… Mes concitoyens ont peur dans le vide, ils ne savent même pas de quoi ils ont peur. »

L'appauvrissement de la population l'inquiète beaucoup : ayant repéré une année un de ses élèves de 6ᵉ sans manteau en hiver, elle lui avait gentiment demandé de revenir le lendemain correctement habillé. Le garçon avait fondu en larmes et avoué qu'il ne pouvait pas. Après discussion avec le proviseur, le collège s'est débrouillé pour lui acheter un manteau. « À ce point-là, on ne peut plus même parler d'image de soi, tant elle est détruite », commente Marie-Jeanne Potin. Et ce cas n'est pas rare dans cette partie du département où se multiplient les « opérations petit déjeuner », les enseignants ayant remarqué que de nombreux enfants arrivaient à l'école le matin le ventre vide.

De quoi vit-on ici ? De la cueillette et de la vente des champignons (girolles, morilles, cèpes, trompettes-de-la-mort, pieds-de-mouton), mais aussi des escargots, dont la cueillette se transforme en véritable affaire à certaines périodes, surtout quand certains débutent leur récolte avant la date légale ! On vivote également de la revente à la sauvette de cigarettes.

Mais comment s'extirper de ce mal-être, de cette tristesse, de ces magouilles ? « Allons donc ! C'est qu'ici beaucoup de gens voudraient la guerre ! », s'exclame abruptement, en fin connaisseur de ses terres, l'ancien maire de Fère-en-Tardenois, Jacques Hurmane. Une guerre contre qui ? ose-t-on à peine demander. « Ben, contre les Bougnouls, évidemment ! »

Ce parler cru a le mérite de la franchise. Jacques connaît ses anciens administrés, il les a vus évoluer et sait que, le phénomène des migrants prenant de l'ampleur, ses conci-toyens rechignent à accepter les nouveaux venus.

Monique, son épouse, convoque ses souvenirs de l'exode : elle se revoit, gamine, déguenillée sur la route avec ses grands-parents, tentant de passer en zone libre. « On ne peut pas être contre les migrants quand, nous aussi, on a été sur la route », lui assène-t-elle, débordante d'humanité et de bon sens[1].

« C'est la foi qui guérit ! »

Joëlle, chez qui je réside à Laon, se lève à 7 heures du matin cinq jours sur sept pour quitter son domicile à 8 h 25 précises. Pas question d'arriver en retard chez son nouvel employeur, un assureur de Soissons. Quelques mi-nutes avant de monter dans sa voiture garée juste devant sa porte, je l'entends saluer d'une voix douce ses voisins, lesquels se hèlent de maison à maison.

---

1. Monique Hurmane s'est éteinte en mars 2016, quelques mois après mon passage à Villeneuve-sur-Fère. Le souvenir de son hospitalité, de sa gaieté et de ses récits est encore vif en moi. Que sa fille, Christine, l'institutrice de mon fils en maternelle, soit ici remerciée de m'avoir permis de la rencontrer.

Grande, mince, le nez aquilin, les cheveux mi-longs, les lèvres fines, Joëlle, 52 ans, respire l'honnêteté, la fiabilité et la gentillesse. Elle a élevé quasiment seule ses trois filles, aujourd'hui de jeunes adultes de 22, 24 et 28 ans[1]. Pendant ses années de mariage, Joëlle a subi les incessantes moqueries de sa belle-famille, une noble lignée de Soissons, dont le dernier fils était considéré comme le « mouton noir » parce qu'il avait convolé avec elle, simple fille de cheminot.

Joëlle a grandi parmi d'autres enfants placés dans la famille d'accueil constituée par sa mère – qui suivait là le chemin de sa propre mère. À cette époque, ces enfants de la DDASS ne délaissaient leur famille de substitution qu'après leur majorité. Joëlle se souvient avoir été jalouse du trousseau que chacun de ces enfants recevait de l'État, une fois l'an : « C'était pas extraordinaire, mais ça nous faisait rager, nous, les enfants de ma mère, car les autres recevaient beaucoup d'un coup, alors que nous, c'était au compte-gouttes ! »

Joëlle est une mère-épouse-courage qui a passé son temps à organiser le confort et le développement personnel de tous les membres de sa famille, sans jamais perdre de sa superbe ni de son élégance naturelle. « Aux yeux des autres, nous étions le couple idéal, se remémore-t-elle en pensant à son premier mariage. D'ailleurs, aucun de mes voisins ne m'a crue quand je leur ai confié que mon mari était parti ! »

1. Le contact avec Joëlle a été obtenu grâce à une de ses trois filles, Manon, à qui j'ai parlé de mon projet et qui a su convaincre sa mère, qui ne me connaissait pas, de m'accueillir. Qu'elles en soient ici chaleureusement remerciées.

Pendant des années, en silence, Joëlle a travaillé à ses côtés, dans l'assurance – sans être déclarée… Pour se constituer une maigre retraite, elle est aujourd'hui contrainte de continuer à travailler. Titulaire d'un contrat « senior », avantageux pour son employeur, elle se rend même à son agence le samedi matin, en vingt minutes de voiture, pour contenter ce nouveau boss.

Avec 1 350 euros mensuels, Joëlle s'en sort tout juste, mais elle est satisfaite. « J'ai toujours été primaire : un toit, de quoi manger, de quoi se chauffer, une voiture, ça suffit ! » Elle voit bien qu'autour d'elle la vie est dure pour tout le monde, et que les gens ne sont pas spécialement heureux. Dans sa cuisine encastrée, l'emplacement de l'ancien frigo a été transformé en placard à huiles essentielles et autres médicaments homéopathiques. Même si c'est un peu plus cher, Joëlle tient à s'alimenter bio, dans la gamme spéciale chez Carrefour. Elle met un point d'honneur à choisir son eau minérale « avec le moins de résidus » (elle me fera d'ailleurs la leçon parce que je ne me suis jamais intéressée aux notes explicatives de la bouteille). Toutes les semaines, Joëlle se prépare elle-même sa teinture de cheveux, bio, bien sûr. « Avec mon genre de vie étriquée, ma télé en panne depuis deux ans, comment aurais-je pu m'intéresser au monde ? » résume-t-elle.

« Le monde », Joëlle s'y intéresse, à sa façon : par le filtre de la religion. « Si j'avais pas la foi, je serais désespérée de vivre dans un monde pareil, que des trahisons, des lâchetés, des bassesses, c'est à celui qui bouffera l'autre le premier. On dit qu'on est plus humain qu'avant, mais j'ai du mal à y croire… », doute cette fille de communistes débordant de générosité et d'empathie. Tout comme Christophe, son nouveau mari, Joëlle n'a pas oublié la déception de son propre père, communiste, vis-à-vis de la politique. C'est pourquoi, la « meilleure solution », estime-t-elle, est de se tourner pleinement « vers Dieu, vers la lumière », d'aimer son prochain et d'arrêter de se plaindre. La violence, le racisme, la peur vis-à-vis des migrants la choquent. Alors elle prie. Elle prie pour que « ça s'arrange ». Pour tout le monde : pour la fille de son patron avant qu'elle passe un examen, pour ses trois filles, pour une commerçante de ses amies. Elle prie pour le sort de la France aussi.

Ce samedi soir, Joëlle reçoit une douzaine de personnes à son domicile pour l'assemblée hebdomadaire de son Église. Rached, le pasteur, se tient assis face à l'assemblée installée sur le divan, les fauteuils et les chaises supplémentaires disposées en cercle. En jean, chemise et veste sombre, il a posé sa bible reliée sur sa cuisse droite, et ne cesse de mettre et d'ôter ses lunettes de sa main gauche. Le pasteur a visiblement besoin de ses deux mains pour s'adresser à la dizaine de fidèles qui boit ses paroles.

De temps à autre, l'air radieux, il se tourne vers une femme blonde élégamment maquillée : Catherine, son épouse. Celle-ci l'encourage d'un signe à peine perceptible. « Le ressuscité est partout, et il agit avec la même ferveur tandis que les autres se tiennent cois. Il ne me trahira jamais. Dans le doute, il me fait confiance. L'être humain a besoin de tout contrôler. Jésus n'est pas dans ce registre-là, il est dans le registre de son Papa ! » Rached amplifie le son de sa voix, tourne la tête à droite et à gauche, tape dans ses mains.

Stoïque, Joëlle me fait penser à une statue de ravie. Rached poursuit sa diatribe debout. « Quelque chose de merveilleux va se manifester sur la région de Picardie, quelque chose de glorieux est en train de se passer, ça va venir de tous les côtés ! », annonce-t-il. « Amen ! », répondent Joëlle et les autres en écho, désireux que des miracles adviennent. « Il y aura une église, il y aura des chrétiens, ici, c'est toi, c'est moi, et on s'en fout, hein, si on n'a pas de bâtiment ! Quand Jésus passait, ça déménageait ! Quoi, c'est qui c't' homme-là ? » Rached, qui fait allusion ici au fait que son « Église » ne dispose pas de murs, fait aussi semblant d'avoir peur. « Moi, Jésus m'a changé, il m'a donné l'amour ! Et, sans amour, tu n'es rien ! » Tous boivent ses paroles.

C'est le temps de la communion. « Merci de nous avoir pardonné nos erreurs, Alléluia, merci, Papa ! » Une femme prend librement la parole : « Je vous remercie d'avoir tous prié pour moi. Je traverse une grave dépression, mais j'ai été capable de redécorer mon salon, on peut dire que ça va mieux… La chape de plomb s'en est allée. J'ai retrouvé quelque chose qui m'avait quittée. »

« Gloire à Dieu ! », s'exclame Rached.

L'assemblée est terminée. On se retrouve autour de gâteaux cuisinés par Joëlle. « Cette assemblée va nous booster pour toute la semaine ! », confie la maîtresse de maison. Un certain Dominique, qui y assiste pour la troisième fois, est convaincu que « si certains ont des doctorats en théologie, nous, on a la Révélation ! ». Cette Église, librement constituée, regroupe des cabossés de la vie. Toutes et tous attendent qu'« un événement » extraordinaire se produise dans le monde, dans leur pays, ou, tout simplement, dans leur vie. Une simple amélioration suffirait, qu'ils attribueraient à la volonté du Seigneur et comme le signe de son existence.

Cette Église de maison a aussi accueilli Marie-Christine, 40 ans, qui enseigne les SVT dans un lycée du bas de Laon. Elle y trouve « bien plus de sens et d'émotion » que dans une église catholique classique où la « raison » domine.

Après avoir longtemps pesté contre sa mutation à Laon voilà quinze ans, Marie-Christine s'est accommodée de cette ville aux loyers abordables. Mais elle s'est toujours étonnée devant le manque d'ambition de ses élèves. « Pourtant, ils ne sont pas méchants, tempère-t-elle en comparant avec les récits de ses collègues titularisées en banlieue parisienne qui ne s'entendent même pas crier dans la classe !

» On ne sait même plus ce que c'est d'être français, on a limite presque honte de nos origines ! Le monde entier nous envie Versailles, et nous, on peut même plus parler de Louis XIV ! » Oui, cette prof a voté Marine au premier tour de la dernière élection présidentielle, mais pas au second tour, parce qu'elle n'a pas osé. « Je fais partie de ces Français qui n'ont pas les couilles ! », livre-t-elle. Voter blanc ou voter FN ? Tel est son dilemme. « Tu peux plus donner d'heures de colle, sinon t'as le grand frère qui t'attend à la sortie, ou alors on te crève tes pneus de voiture ! », explique-t-elle, indignée, en guise de justification. Marie-Christine regorge d'anecdotes rapportées par ses collègues de banlieue parisienne. « Mes collègues blancs, là-bas, au mieux, on les appelle les "fromages blancs". Au moins, ici, on est préservé de ce genre de discours… »

Face à ce miroir ultradéformant, la professeure mesure sa chance de travailler à Laon. Pour étayer ses doutes, comme nombre de mes interlocuteurs, elle brandit en étendard *Soumission*, le dernier roman de Michel Houellebecq : « Est-ce que ce ne serait pas déjà la guerre civile larvée en France ? » Quand la fiction nourrit la réalité. Ou serait-ce l'inverse ?

Catherine, 53 ans, et Rached, 55 ans, semblent toujours s'exprimer à l'unisson : lorsqu'elle commence une phrase, il la termine, et vice versa. « Mon père vivant, je n'aurais pas pu me convertir », concède immédiatement Rached, issu d'une famille marocaine émigrée en France. Pour ne pas blesser ce père maçon musulman, Rached a attendu. Quand il rencontre Catherine, une catholique, leur désir d'enfant bute sur la stérilité diagnostiquée de Rached. Le couple a décidé d'entamer une FIV avec donneur quand, comme souvent en matière de religion, une rencontre subite change leur vie : un soir, Rached entame une conversation avec un livreur de supermarché qui lui avoue être « pasteur ». Pas vraiment convaincu, mais curieux, Rached accepte de visiter l'Église évangélique de ce pasteur-livreur. Même assis au dernier rang, il est bouleversé par sa prédication. « Devant mon propre père, il ne fallait jamais montrer la moindre émotion. Là, comment suis-je parvenu à ne pas pleurer ? J'en sais rien, mais j'ai senti de l'amour naître à l'intérieur ! » En racontant, l'émotion affleure à nouveau.

Une semaine après cette « première », comme aimantés, Catherine et Rached retournent à cette Église évangélique où Rached finira par évoquer, face à l'assemblée, les déboires de sa « vie d'avant ». Le « miracle » se produit : Catherine tombe enceinte. Le couple aura trois enfants. Galvanisé, tous deux se font baptiser, puis se mettent à enseigner la Bible à d'autres. « Je ressentais la souffrance des gens, comme si j'étais eux », précise Rached. Ils se rendent ici et là, au gré des « besoins ». « Comme à l'époque de Jésus, des gens en souffrance s'avancent vers notre Église », commente Rached.

En 2005, le couple ouvre sa maison pour « partager l'Évangile ». S'ensuit une litanie de « miracles » : telle voisine qui vient prier chez eux guérit de sa clavicule déplacée. Telle autre d'un glaucome. « C'est la foi qui guérit, pas la main du pasteur », nuance Rached, qui anticipe la critique.

Cette « Église » n'est pas encore très nombreuse (un noyau dur d'une quinzaine de personnes, dont Joëlle), mais semble fidèle. De temps à autre, des « prophètes » venus d'ailleurs – souvent des États-Unis – font halte dans l'Aisne, accueillis par des paroissiens. Comme pour moi, Joëlle leur ouvre sa maison. Les communications ont lieu via Facebook, où l'incontestable maître en la matière reste l'hyperconnecté Saïd Oujibou, un Berbère converti au protestantisme évangélique, qui poste ses vidéos sous le logo « Fier d'être arabe et chrétien ». Pour un nombre toujours plus grand de fidèles, après l'échec de la médecine classique, de la psychanalyse, ou de l'ésotérisme, le dernier recours, c'est l'Église évangélique protestante.

« Pour vivre ici, faut y être né ! »

Au XVIe siècle, la Thiérache, au nord de l'Aisne, est l'une des premières régions de France à accueillir le calvinisme, un courant du protestantisme. Un certain Georges

Magnier, savetier de son état, diffuse localement le protestantisme par le truchement d'ouvriers saisonniers. Arrêté lors d'une assemblée clandestine en 1550, il fut aussi l'un des premiers galériens.

Une quarantaine de kilomètres à peine séparent Laon de Lemé (450 habitants), un village de cette Thiérache vallonnée, humide et bocagère, à quelques encablures de la Belgique, où, portés par un élan protestant resté vif localement, mes ancêtres maternels se sont installés vers la fin du XIXe, en provenance du canton de Vaud (Suisse). Des amoncellements de pommes de terre ont l'air soigneusement rangés dans des coins de champs. Les parcs éoliens forment le seul horizon.

Louis Sueur et son épouse Elsa décèdent tous deux à Lemé, lui en 1919, elle un an auparavant. Le couple a eu trois filles, les « sœurs Sueur ». Léa, la cadette, épousera Jean Jonac, arrivé en ces terres protestantes du Nord vers 1885 comme instituteur à l'école privée de ce que l'on appelait encore l'« asile[1] », diminutif pour l'« asile évangélique Notre Maison », un orphelinat de garçons qui a fonctionné entre 1853 et 1974. Léa et Jean sont mes arrière-grands-parents maternels. Ils auront trois fils, Marc, représentant de commerce, puis directeur de l'usine de machines agricoles du village voisin, Daniel et Pierre, ingénieur des poids et mesures (mon Papi).

Louise, surnommée Tante Ise, est restée vieille fille. À sa mort, elle lègue à Pierre sa maison, une longue bâtisse de briques peinte en blanc construite perpendiculairement à la route. Depuis Reims où il étudiait, Pierre venait régu-

---

1. Il s'agissait de l'asile évangélique de Lemé, un hospice.

lièrement rendre visite à cette tante qui louait sa chambre donnant sur la rue à une certaine Simone, institutrice à l'école publique du village depuis 1927. Simone, ma future Mamie, épousa Pierre.

Pour ma mère, ce village protestant de Lemé représente la Champagne pouilleuse dont elle garde des souvenirs idylliques – elle ne s'y ennuyait jamais grâce à sa cousine germaine du même âge. Pourtant, ne poussait là-bas aucune vigne, et n'y vivaient que de petits retraités et d'humbles agriculteurs-éleveurs de bovins, réfute son frère aîné. « On était des touristes », se remémore-t-il, admettant que ni lui, ni sa sœur, ni leurs cousins ne pouvaient se mêler véritablement à la population locale, n'étant présents que pour les vacances d'été. « Les deux cousines, on nous appelait des fières-cul ! », confie tout de même ma mère.

Alors que je n'y suis pas revenue depuis plus de trente-cinq ans, je retrouve, rue de la Nation, cette maisonnette familiale qui devint la résidence secondaire de mes grands-parents, où mes parents m'ont emmenée, petite fille. Elle est fraîche, pimpante, et visiblement habitée[1].

Par un matin glacial à la pétillante luminosité, j'ai rendez-vous avec un membre de l'association des Amis du musée du Protestantisme de Lemé dans le fameux temple construit en 1853, de loin le plus grand de toute la Thiérache, où ma mère a été baptisée[2].

---

1. Par un fils d'agriculteur avec ses deux jeunes enfants.
2. Le culte cessera d'y être célébré à partir de 1976. À la suite de la fermeture de l'orphelinat en 1974 et de la baisse du nombre de protestants, l'édifice n'est plus utilisé et se dégrade. Il échoit à la commune en 1990, date à partir de laquelle le temple sera restauré et finalement transformé en musée du Protestantisme, en 2006. Arrivé de Suisse en 1811, quand la construction

« On n'est pas opposés aux évangéliques, absolument pas, annonce immédiatement Évelyne Loizeaux, retraitée de l'Éducation nationale, une de ces femmes énergiques sans laquelle une telle association ne survivrait pas, qui a eu la délicate attention d'apporter un thermos rempli de café. Ces nouveaux protestants sont chaleureux et militants. Parmi nous, les opinions sont très variées : les luthériens ont accepté le mariage gay, les évangéliques, non. Moi je me sens assez proche d'eux », commente celle qui n'a pas peur de reconnaître qu'elle et les siens, calvinistes[1], représentent la branche historique du protestantisme qui « s'essouffle un peu ».

Même bicolore, le temple en brique reste austère, à peine égayé par les écoliers ou les particuliers qui viennent de temps en temps visiter son exposition sur les origines de la Réforme en Europe, en France et en Thiérache. Seule une exposition sur les caricatures, dont Mme Loizeaux précise qu'elle avait été conçue et montrée *avant* les attentats terroristes de 2015, a vraiment attiré du monde. Celle-ci tentait

des temples était en pleine explosion, un certain pasteur Antoine Colani dirige la construction du premier temple de Lemé, un des plus anciens terroirs protestants de France. Contrairement à Noyon, où il avait quasiment disparu, dans la région de Lemé, le protestantisme était parvenu à se maintenir sans interruption depuis les origines. Trente-quatre années durant (de 1811 à 1844), le pasteur Colani animera les paroissiens de son zèle évangélique : il construit nombre d'écoles protestantes, l'impressionnant presbytère attenant et engendre beaucoup de vocations missionnaires. En 1874, son gendre et successeur implante à Lemé l'« asile évangélique Notre Maison », le fameux orphelinat, qui, durant cent cinquante ans, accueillit plus de deux mille garçons et marqua la région à jamais. Sa fermeture eut finalement raison de celle du temple. La paroisse de Lemé se « réfugia » alors à Landouzy-la-Ville, à une vingtaine de kilomètres vers l'est, où elle se trouve encore.

1. C'est à Noyon, à soixante-dix kilomètres au sud-ouest de Lemé, que naît en 1509 Jean Calvin, pasteur emblématique de la Réforme protestante, converti au protestantisme en 1533.

de répondre à la question « Dieu est-il marrant ? », se référant à la caricature religieuse au fil des âges.

Cette ancienne prof personnifie une foi rustique et profonde. Mme Loizeaux ne nie pas que vivre en « protestant » attire aujourd'hui beaucoup moins. Aussi, elle est ravie que tous soient unis derrière la bannière de l'Église protestante unie de France, qui, avec les évangéliques, les baptistes et tous les autres nouveaux protestants, apporte de l'énergie, et surtout « de la vie, c'est le plus important ! ».

Je la quitte pour mon prochain rendez-vous, avec Denis Hubert, 40 ans, un ouvrier syndiqué CGT d'une usine de biscottes voisine, le maire de Lemé.

L'édile lemérois aux cheveux en brosse et blouson de cuir m'attend de pied ferme sur le seuil et ouvre pour moi son bureau. Il est visiblement curieux de rencontrer la « journaliste et femme de Jean-Jacques Bourdin, qui est originaire de la région ! », trois éléments pour lui importants et mystérieux. Il a facilement vérifié mon lien avec le village, car l'un de ses employés municipaux se souvient parfaitement de ma mère et de notre famille.

Sa triste litanie envers l'État, qu'il accuse de vouloir appauvrir les communes, emplit immédiatement l'espace sonore. Les dotations s'évaporent : pour une petite commune comme la sienne, le périscolaire grève le budget municipal, car des heures ont été rajoutées à l'ATSEM (agent territorial spécialisé des écoles maternelles, un fonctionnaire chargé d'assister les enseignants de maternelle). Pour Denis Hubert, cette décision s'apparente même à « une injustice supplémentaire : ceux des villes ont un musée, un stade, et nous, rien ! C'est pas une obligation, bien sûr, mais nous on fait cet effort pour maintenir notre école ! ».

Trente ans qu'il n'y a plus à Lemé ni café, ni boucher, ni boulanger. Fini le temps où, attiré par les prix bas, l'on venait acheter en Thiérache sa résidence secondaire. Parce que si le village perdait son école, cela entraînerait un dépeuplement accéléré. Maintenant, c'est tout juste si des Hollandais profitent encore de l'offre immobilière. Et, quand ils viennent, c'est avec leur matériau et leurs ouvriers, ils n'emploient personne de la région. Des sept fermes du canton qui fonctionnent encore, aucune ne peut s'offrir le moindre employé : « Ils s'arrangent entre eux pour s'donner des coups de main… », explique le maire.

Avec tout ça, c'est dur de nourrir une vision positive de l'avenir. Ici, pas l'ombre d'un immigré, et pourtant, les scores du FN sont en hausse constante, alors que leurs candidats, de parfaits inconnus, sont toujours opposés à des personnalités locales. « Moi j'veux pas la guerre en mon pays, assure l'édile d'une voix morne malgré son accent chantant. J'ai pas envie d'connaître ce que les anciens ont connu. C'est vide ce que le FN propose, mais si c'est le FN qui passe à l'avenir, ça sera la guerre entre nous ! Moi j'critique autant la droite que la gauche, mais j'm'interdis d'voter FN…, affirme-t-il tout en sachant qu'autour de lui ce n'est pas le même raisonnement. Pour vivre ici, faut y être né ! »

Après avoir acheté des fleurs pour honorer la tombe de mes ancêtres, j'avale de mauvais spaghettis bolognaise dans une pizzeria plutôt kitsch, à la sortie de Vervins. Entre ses murs peints d'un vert et jaune fadasses, enlaidis par des néons, je « subis » un album de Daniel Balavoine. « Non aux éoliennes, Oui à la Thiérache ! » peut-on lire sur des banderoles en ville.

Je reprends la route pour me retrouver rapidement sur l'impressionnante place du Familistère de Guise (prononcer « Gouise »), complètement vide en cette fin d'après-midi.

En son centre trône un veritable palais social imaginé par Jean-Baptiste André Godin, ancien ouvrier, lui-même fils et petit-fils d'ouvrier devenu patron. Massive, sa statue me rappelle immédiatement celles, innombrables, de Lénine, croisées pendant toute ma période russe. À Guise, c'est le même aspect monumental, le même message en mouvement, le même bras tendu vers un avenir assuré.

Godin, né en 1817 et contemporain de Karl Marx, avait fondé son premier atelier de poêles en fonte à 20 ans. Admirateur du philosophe Charles Fourier, il rêve, comme lui, de créer une société équitable. En plein second Empire, l'entrepreneur du Nord engage une révolution sociale plutôt osée. Comme tous les fouriéristes, Godin n'est pas un philantrope. Il n'est pas non plus égalitariste, mais souhaite mixer capital et travail, c'est-à-dire associer les ouvriers de son usine en leur offrant des conditions d'existence comparativement confortables. Ainsi, il fait construire un palais d'habitation où viennent vivre des centaines de familles, logées dans des appartements indépendants. Le gigantesque établissement possède ses nourrices, ses écoles, ses magasins coopératifs, ses salles de bains, ses lavoirs, ses buanderies, ses étendoirs, sa bibliothèque avec salle de lecture, son café, son théâtre, ses jardins… et même sa piscine dont le bassin est équipé d'un plancher mobile ! Tout est géré par l'association coopérative administrée par la direction de l'entreprise et des ouvriers ou employés distingués pour le mérite et associés aux bénéfices. « Je serais heureux si tous les capitalistes et chefs d'industrie d'Angleterre et d'ailleurs me tendaient la main pour associer les ouvriers aux bénéfices de l'industrie, comme je l'ai fait afin de réaliser au profit des travailleurs toute la somme de bien-être que le progrès de la production moderne permet de leur donner[1] », écrit-il avec conviction en 1886.

C'est d'ailleurs ici, au Familistère, qu'a été inventée la fête du Travail le premier dimanche de mai de l'année 1867 ! Godin interpelle le pouvoir politique de l'époque en affirmant que l'amélioration du sort des classes ouvrières doit être inscrite dans des lois favorables à une plus juste répartition de la richesse. Il aimerait même faire de la loi un instrument de prévoyance sociale, comme il l'écrivait en 1883 !

Cette expérience, Godin l'a conduite chez lui, dans cette Thiérache pauvre où la population est moins politisée que dans des centres urbains, une gigantesque œuvre sociale qui lui a survécu quatre-vingts années, jusqu'à ce que l'association soit dissoute, en 1968, en un charmant pied de nez à l'histoire ! À l'époque, la ville de Guise avait même prévu de racheter les bâtiments pour un franc symbolique et de les revendre à la découpe. Heureusement, ce patrimoine fut sauvé en 1998 par le député Jean-Pierre Balligand qui lança l'idée d'un musée. Aujourd'hui, le lieu est classé monument historique et reçoit 63 000 visiteurs

---

1. Cf. lettre de Jean-Baptiste André Godin, datée du 19 janvier et adressée au directeur du *Courrier de Londres*, rapportée dans le livre *Lettres du Familistère*, par Jean-Baptiste André Godin, photographies de Hugues Fontaine, les Éditions du Familistère, 2011.

par an, douze fois la population de Guise – sans gare ferroviaire, c'est un exploit !

En 2016, une aile du palais est encore en travaux, dans
le but d'être transformée en hôtel « social » à étoiles multiples, aux prix et conforts différents en un même lieu. Cent
mètres plus loin, je pénètre dans l'usine Godin, toujours
active ; plus précisément dans son local syndical, où m'attend Vincent Lambert, délégué FO, syndicat majoritaire,
qui y travaille depuis vingt-sept ans. D'immenses sacs d'oi-
gnons posés à même le sol embaument l'atmosphère.

Le syndiqué reconnaît l'existence d'un « esprit Godin »
mais estime qu'il s'est « délité ». Le « tas de briques » d'à côté
(comme il appelle le Familistère) ne l'attire pas plus que
ça. Pour lui, l'usine, qui appartient aujourd'hui au groupe
« Cheminées Philippe », ne fait pas exception. Comme tous
les grands groupes, celle-ci est entrée dans la spirale du profit
à tout prix et à court terme. « Rendez-vous compte qu'ici,
à l'usine de poêles Godin, on travaillait encore sans chauffage l'hiver ! Mais où est passé l'esprit Godin, qu'a-t-on fait
de la fameuse "révolution sociale" ? On a dû faire intervenir
l'inspection du travail ! », raconte-t-il.

Ici, ça travaille dur, pour le SMIC ou à peine plus, le treizième mois a disparu, et Lambert se fait le porte-voix de ceux
qui aimeraient « emmener leurs enfants au cinéma sans que
ça fasse un trou dans le budget » ! Trouver un autre emploi
dans les cent cinquante kilomètres à la ronde est une vraie
gageure, alors personne ne bouge. Un plan social a été évité
de justesse grâce à la pyramide des âges, mais une soixantaine
d'emplois ont été sacrifiés en quatre ans. Ces trois dernières
années, l'entreprise n'a produit aucun bénéfice.

« Godin était sans doute quelqu'un de très bien, mais il nous manque des témoignages de salariés de l'époque. On n'a qu'une version : la sienne ! », tient-il à souligner à propos du musée voisin. En bon syndicaliste, Lambert est choqué qu'à l'époque les syndicats aient été interdits chez Godin.

« Plus personne n'envoie du rêve ! »

En face du bâtiment de la gare qui n'accueille plus le moindre train se dresse l'hôtel de Guise, un deux-étoiles racheté il y a dix ans par Mouloud, un Kabyle de 40 ans qui a géré avec efficacité d'autres établissements à Paris et en banlieue parisienne.

Au centre de la réception, un homme âgé est affalé sur le divan en skaï. Il y passe ses journées sans que Mouloud ne l'en déloge. Le vieil homme semble absorbé par l'écran télé, quelles que soient la chaîne et l'émission. Le matin, à 8 h 30 précises, il remet deux euros à l'employé de service pour qu'il aille lui chercher le journal local au kiosque du coin, puis Mouloud lui offre son café. Veuf, l'homme n'a jamais dormi à l'hôtel car sa demeure, une vieille et imposante bâtisse, se trouve juste derrière l'établissement. Mais elle est vide et il s'y sent affreusement seul. Alors, midi et soir, il mange ici. « Pourquoi blesser ce vieil homme en lui faisant une remarque désobligeante ? Il ne fait de mal à personne, et, en plus, il doit me laisser environ 900 euros par mois… » Ah, cette fichue solitude, que n'induit-elle pas chez l'humain ! Touché, Mouloud laisse le vieil homme

« habiter » à sa façon son hôtel, « sa dernière demeure »,
comme il dit.

Le dimanche, son restaurant reçoit des clients d'Amiens,
de Beauvais, et même de Metz, pour de délicieux et réputés couscous. Les déjeuners d'anciens ayant tendance à
s'éterniser, Mouloud a l'habitude de faire passer ensuite la
clientèle de l'autre côté de la salle, derrière un paravent, où
chacun peut, s'il le veut, se mettre à danser sur de vieilles
ritournelles, généralement à deux.

Ce Français d'origine kabyle est le seul, localement, à
avoir compris la solitude du troisième âge « blanc, français
de souche », comme disent certains, désœuvré le dimanche,
et que les autres restaurants mettent (trop) rapidement dehors. Tous se retrouvent aux thés dansants de Mouloud,
où l'après-midi s'étire paisiblement.

La plupart des clients du bar votent FN. Mouloud le sait
parce qu'ils le lui disent, ils ont même des discussions à ce
propos. Les plus jeunes s'en vantent d'ailleurs, et certains
lui ont exhibé leur carte, même si beaucoup n'ont jamais
été jusqu'à Paris. « Ces jeunes-là ne connaissent rien à la
politique, c'est pour ça qu'ils votent Marine, philosophe-
t-il, assis sur les marches de l'escalier menant aux chambres.
J'en connais un, chauffeur routier de métier, qui a déchiré
sa carte devant moi quand je lui ai dit que si le FN arrivait
au pouvoir, lui ne toucherait plus ses aides sociales ! Il en
rit encore. Non, ce qui désole vraiment Mouloud, ce n'est
pas de disserter sur le succès ou l'échec de l'intégration –
« comme ils passent leur temps à le faire à Paris ! » –, mais
d'observer concrètement, au jour le jour, l'état d'esprit de
ce début du XXI⁰ siècle marqué par l'angoisse permanente,
la peur de l'autre masquant celle de soi-même, la peur de

sortir, etc. Quand il embauche, suite à une formation, ce n'est pas le candidat au poste et ses capacités qui intéressent Mouloud, mais ses parents, qu'il tient à rencontrer. « En voyant les parents du jeune, je sais tout de suite si ça va marcher ou pas », explique-t-il en désignant une jeune fille de 18 ans en train de descendre de la Peugeot 405 de sa mère, au moment même où nous parlons. À son bar, il ne sert de l'alcool qu'aux pensionnaires, et pas plus de un ou deux verres s'il vous plaît ! « Un mec bourré, ça fait perdre du temps… »

Retour à Laon, ville haute. Au cœur de la place Saint-Julien, au bout de la rue Châtelaine et de la rue Saint-Jean, trois bars se font face : le Lutin Bleu, le Gibus et le Vortex. Ce triangle est l'épicentre des jeunes lycéens, étudiants et apprentis. Légèrement en retrait derrière le Lutin, une boîte de nuit, l'Odyssée, fait salle comble les vendredis et samedis.

Le Lutin Bleu appartient à Fifi, 40 ans, qui, il y a dix ans, a repris cet ancien magasin de jeux pour enfants, d'où son nom. « Aujourd'hui, regrette-t-il, le mercredi après-midi j'ai plus personne, ils sont tous sur leur console ! » Fifi a vu sa clientèle du midi se réduire comme peau de chagrin. Exemple parfait de reconversion réussie, Fifi est un ancien boucher passé par la case prison dont le rêve était de devenir barman. Il l'a réalisé. Trouver un apprenti n'a pas été de tout repos. L'un d'eux s'est barré avec la caisse. Ses serveuses, il les déniche sur Facebook. La viande, « je la choisis directement à l'abattoir, ça, c'est facile, c'est mon ancien métier ! ». Fifi est un gai luron. Que ce soit dans sa vie professionnelle ou dans sa vie privée, il parvient toujours à se concentrer sur le bon côté des choses. Une immense qualité.

Ça discute ferme devant l'entrée du Lutin. De tout. De la grande région, un prétexte, entend-on, pour « détrôner les Bretons en termes de picole ! », et même de Vladimir Poutine, qui, en cet automne 2015, agit militairement en Syrie. Le chef de l'État russe serait l'« homme fort » qui a décidé de « faire là-bas le travail que nous, on se décide pas à faire », commentent les piliers de bar, pas si loin de la complexité de la réalité. En tout cas, le Russe a forcé le respect jusque sur le plateau.

Debout sur le seuil, bière à la main, ou dans l'antre plus sombre de la salle, les habitués se congratulent, s'embrassent à n'en plus finir. On se moque gentiment de ceux qui passent trop de temps à pianoter sur l'écran de leur téléphone au lieu de « se regarder dans les yeux et de se marrer ». Car, ici, on ne jure encore que sur les vrais rapports, la vraie vie, la vraie musique, les vraies « teufs ». Ici, on voit sa ville telle qu'elle est, on l'aime malgré tous ses défauts, et personne n'a envie que « la journaliste » de passage dise du mal de Laon. Chacun, à sa mesure, se débrouille pour éviter de trop exprimer ce sentiment de « déclassement » propre à de si nombreuses villes de France. « D'ailleurs, c'est la société qui rend les gens fous aujourd'hui. Ça n'a rien à voir avec not' ville… »

Dixit Marilyne, 37 ans, infirmière pédopsychiatrique, blonde platine aux cheveux ras, la voix rocailleuse et un fin anneau planté dans le sourcil, qui tourne rageusement son clope entre ses doigts avant de l'allumer. Le verbe haut, les épaules larges, la dure-à-cuire en doudoune sans manche sous laquelle apparaît un maillot de marin s'est endurcie au fil d'une vie turbulente qui a débuté par un drame. Unique fille d'une famille de six enfants, son frère, âgé de 3 ans, deux de moins qu'elle, s'est noyé dans une rivière sous ses yeux. « C'est l'hallu comment t'inverses les choses, hein ? Parce que moi, des années plus tard, j'ai fait natation ! » Effectivement, Marilyne en impose avec son physique de nageuse olympique : Marilyne la grande bringue, aux épaules larges, si larges.

Dès la préadolescence, les rapports mère-fille se compliquent. L'ado trouve refuge dans la famille de sa meilleure amie de l'époque, des forains du Nord qui possèdent de gros manèges. Déjà gouailleuse, la petite Marilyne s'impose au centre du manège où elle danse le hip-hop. Résultat : le client adore et le chiffre d'affaires monte en flèche. Papoune, une ancienne meneuse de revue du Lido, passionnée de cirque, prend en main l'éducation de Marilyne qu'elle loge dans sa caravane VIP, aux sanitaires siglés Thierry Mugler. À Douai, financée par sa famille foraine – ça, elle ne l'oubliera jamais –, la jeune femme passe son bac et est même allée jusqu'à suivre une première année en droit. Dix étés passent et se ressemblent, de marché en marché, de fête foraine en fête foraine. Marilyne grandit en s'éclatant dans le convoi de caravanes entre Sens, Auxerre, Cambrai, Hénin-Beaumont ou Douai. « J'étais destinée à m'occuper d'un manège, et, si j'avais continué dans cette vie, je serais riche aujourd'hui ! part-elle d'un grand rire généreux.

» Mais bon, l'homosexualité n'est pas vraiment tolérée dans la culture foraine… » Sa « famille » se doutait bien de quelque chose, mais personne n'osait en parler. Marilyne n'en veut pas aux forains, mais, quand elle arrive à Laon, un beau printemps, il y a dix-sept ans, elle décide qu'ils repartiront sans elle. Marilyne est tombée amoureuse, et rien ne l'arrêtera plus. D'abord peintre en bâtiment, elle multiplie les emplois-jeunes, puis s'inscrit au concours d'infirmières qu'à sa grande surprise elle réussit.

Pendant trois ans et demi, Marilyne finance ses frais de scolarité en travaillant pendant les week-ends comme aide-soignante en pavillon d'urgence, pédopsychiatrie et intérim divers, dans les quatre ITEP (institut thérapeutique éducatif et pédagogique[1]) de la région. « Faut que ça pulse ! avance, en guise d'explication, celle qui sortira major de sa promotion et sera logiquement recrutée par l'hôpital psychiatrique départemental de Prémontré[2], à 20 kilomètres de Laon. Nous, les forains, on y va au culot ! Leurs valeurs, c'est morale, travail, courage. Je les ai faites miennes ! »

Marilyne est intarissable sur les questions existentielles que se posent ses patients. Elle sait ce qu'elle dit et le dit très bien. Tout en resserrant machinalement son bandeau noir de ses deux mains, ses yeux bleus s'animent, son débit s'accroît. La « putain de battante » n'a pas oublié les paroles de cette femme aujourd'hui tétraplégique, à Prémontré, qui, après s'être défenestrée, lui avait confié : « Au moins, maintenant, ma souffrance, elle se voit. »

---

1. Prémontré a ouvert en 1867 dans les bâtiments d'une ancienne abbaye. Anciennement nommés institut de rééducation (IR) ou institut de rééducation psychothérapeutique (IRP), ces instituts regroupent une structure médico-sociale qui accueille des enfants ou des adolescents présentant des difficultés psychologiques sévères qui pénalisent leur socialisation, voire l'accès aux apprentissages.

2. Officiellement, l'appellation est : établissement public de santé mentale départemental (EPSMD).

« Aujourd'hui, la société est devenue psychopathe, Lewis Peschet[1], c'est rien ! Plus personne n'a de cadre, ni même d'identité, tout est instable. Plus personne n'envoie du rêve ! Mes patients recherchent l'anesthésie. Ils sont victimes de leur vie », constate avec regret Marilyne tout en avalant ses mots, une pinte de bière à la main, son cou tendu, le visage figé, soudain pensif. « Putain, mais envoyez-nous du rêve, quoi ! » Des années que Marilyne observe et écoute tout autant les parents de ces gamins livrés à eux-mêmes, qui ont tous assisté à des bagarres familiales (ou les ont subies) et ont souffert de l'alcoolisme de leurs proches. Des années qu'elle voit des mères culpabiliser et se fourvoyer dans le « trop » qui ne convient pas non plus. Des années qu'elle voit se pointer des jeunes parfois habillés « en Burberry alors que la mère n'a pas de thunes et qu'ils bouffent des pâtes ou des nuggets toute l'année ». Des années pendant lesquelles, de son propre aveu, elle-même aurait pu « partir en couille » mais est parvenue à ne pas se « saboter », parce qu'elle est parvenue à travailler à fond sur la « gestion d'émotion ».

Tout ce mal-être fait souffrir Marilyne, qui ne sait pas qui est son père, comme sa propre mère l'ignorait avant elle, mais sans lequel elle est parvenue à se construire à force de persévérance et de volonté. « Faut renvoyer la réalité à l'enfant pour qu'ça joue, lance-t-elle de son débit saccadé. Eh ouais, faut chercher l'étincelle de vie, toujours, et c'est chaud ! », une méthode qu'elle a employée sur elle-même, à tâtons. Pour rester d'aplomb. Pour ne pas renoncer. Pour réussir à supporter la frustration.

---

1. Allusion au crime commis le 19 avril 2012 par ce jeune homme de Laon alors âgé de 18 ans, sur une de ses amies lycéenne comme lui, voir p. 136-137.

« Animer, c'est pas assister »

Dans mon dos, de lointains cliquetis se font de plus en
plus sonores. L'homme qui s'approche pour faire la bise à
Marilyne garde un visage jovial sous son crâne rasé et sa
barbe de trois jours. D'imposants trousseaux de clés pendent
à sa ceinture. C'est Nico, 40 ans, le troisième larron de la
bande, qui dirige le centre social Capno, situé dans le bas de
Laon et destiné aux populations des quartiers de Montreuil,
Champagne et de Moulin-Roux.

Il me propose de venir visiter sa structure, installée dans
un ancien hangar. À ceux qui ne cessent de répéter « y a rien
qui s'passe à Laon », Nico répond invariablement : « Ben si,
y a le centre ! » Il en est très fier. Nico se définit lui-même
comme un « fêtard », qui, comme beaucoup, au début de sa
vie d'adulte, n'avait pas vraiment envie de travailler. Après
une fac de maths à Reims, une ceinture noire de judo et
« quelques conneries », il s'est retrouvé à faire son année de
service national dans un centre social en Thiérache, puis
s'est décidé à passer un diplôme d'éducateur spécialisé.

À Laon, Nico est nommé à la tête de Capno, un centre
social de quartier aux innombrables activités géré par
Loisirs et Culture[1], une ancienne et solide association locale. Dans un document rédigé « pour ton livre », Nico
a écrit à la main, puis recopié au propre : « Peu de délin-

---

1. Loisirs et Culture a été créée en octobre 1946 et n'a cessé, depuis, de
s'adapter aux évolutions de la société. Elle est gérée par un conseil d'administration et deux conseils d'usagers. À Laon, elle gère trois centres : Capno,
l'espace jeunesse du Triangle, nouvellement créé et signé par un architecte
lillois, et l'Escale.

quance, les voyous c'est nous ! » À partir de 2005, l'« éduc spé » mentionne, en vrac, les émeutes de Clichy, la diminution des contrats aidés et la baisse de professionnels présents dans les quartiers. Il raconte aussi la peur de l'inconnu, l'isolement, le travail qui s'enfuit, la dévalorisation progressive, le sentiment d'inutilité qui s'installe. Dans les années 2002-2005, les actions ont été développées pour les plus fragiles. L'année 2015, il la résume par un laconique « peu de reconnaissance ». Nico est frustré que son travail et celui de ses collègues ne soient pas reconnus à leur juste valeur. Je le comprends. « La moitié de l'année, je la passe à chercher des subventions, l'autre moitié, je les justifie[1] ! », s'exclame-t-il. Si la complexité administrative croissante l'angoisse, c'est surtout l'absence de possibilité d'embaucher qui l'attriste. « Parce que les moyens, on les trouve toujours, moi je suis une machine à monter les dossiers ! »

Les quartiers d'ici sont-ils « chauds » ? Il mentionne une petite délinquance pas vraiment violente. Nico n'est pas de ceux à se précipiter pour appeler les forces de l'ordre à la moindre occasion. D'autant que la police ne se presse pas pour intervenir. « Ma jauge, c'est le temps qu'il faut pour que ce Caddie (posé dans la cour de Capno) se remplisse, et surtout, de quel type de bouteilles ! », précise l'éducateur. Fréquemment accusé d'être « payé pour protéger les cas sociaux », Nico préfère gérer lui-même. En bon professionnel, il sait que le lien social est long à tisser et demeure très fragile. Après les attentats de *Charlie Hebdo*, l'éducateur a été convoqué à la préfecture pour d'interminables réunions, notamment avec le responsable

---

1. Pour un salaire mensuel de 2 200 euros nets.

des RG, toujours plongé dans ses dossiers, quand « toi, t'es dans l'humain », assène-t-il en parlant de lui. Comme un petit décalage.

« Soyez fiers de ce que vous êtes ! », ose-t-il lancer à ses « clients » (sa population) pour contrer la crispation quand elle monte d'un cran au niveau national. Mais ce n'est pas facile. Nico a été marqué par une expérience récente : un toxico, caïd du quartier, qui fréquentait Capno, lui avait maladroitement lancé des appels du pied. Le drogué voulait se faire interner tellement il se sentait mal. Était-ce du lard ou du cochon ? En tout cas, pas moyen de le faire interner dans l'urgence sans raison. Deux mois plus tard, le caïd a volontairement balancé une barrière dans la vitrine d'une agence bancaire pour se retrouver en taule, où il s'est suicidé. « Animer, c'est pas assister, répète Nico. C'est donner envie de faire, c'est donner envie de vivre ! »

Tous les vendredis, à partir de 17 h 30, Marilyne, Fifi et Nico se rejoignent au Lutin. C'est le début du week-end, le trio discute de tout et de rien, du boulot, de ses histoires perso, mais… presque jamais de politique, ou si peu, « parce qu'on a peur de ne pas être d'accord », avoue Marilyne. La bande s'organise pour le week-end : aller au parc Astérix, préparer la soirée Trans' à venir, dîner chez tel ou tel pote.

Fifi, Marilyne et Nico ont encore la niaque, le sourire, le mot pour rire. Ils constituent ce dernier pré carré d'optimistes qui refusent l'insidieux sentiment de déclassement. En dépit de tout, ces trois-là ont des convictions et s'y tiennent. La première étant le respect vis-à-vis de tout un chacun, mais surtout de soi-même.

C'est jour de brocante sur le plateau. Malgré la fraîcheur matinale, un homme se tient en robe de chambre sur le pas de sa porte, la laisse de son chien au poignet. Il observe l'état d'avancement des stands qui s'installent le long de la rue du Bourg et de celle de Saint-Jean. Celui de Fifi a déjà fière allure : en musique et pour des prix dérisoires, on peut y racheter tous ses vieux stocks de verres à bière. Nico le gai luron s'est posté juste en face. Pour attirer le chaland, il a élaboré une pyramide de boîtes de Pampers vides de laquelle « dégouline » un capharnaüm de jouets d'enfants, souvenirs des premières années de ses deux rejetons. Marilyne vogue d'un stand à l'autre, sourire aux lèvres, café à la main, humant l'air comme si elle était en forêt. Une passion commune pour la musique réunit les trois compères. Mais, surtout, cette furieuse envie de se retrouver pour refaire le monde, entre bons vivants. Pour « résister ». À tout, à la facilité de la drogue qui anesthésie, à la sinistrose ambiante.

Pour rêver aussi.

Avant mon départ, Marilyne m'emmène faire un tour à l'hôpital psychiatrique Prémontré. Je suis émerveillée par la beauté architecturale de cette ancienne abbaye, dont il émane autant de grandeur que de malheur.

À la cafétéria, nous rencontrons un patient en HDT (hospitalisation à la demande d'un tiers), qui la reconnaît. L'homme de 32 ans est réputé avoir du mal à contrôler sa violence. « Qu'est-ce que vous allez faire, après ? », ose lui demander Marilyne d'un ton ferme, accompagné de son franc sourire. « Moi ? Après ma sortie ? » Il hésite, nous dévisage l'une après l'autre, comme hébété, rapproche les deux mains de sa tasse de café qu'il porte lentement à sa bouche, et dit simplement : « Après, je vais vivre », en insistant sur le verbe « vivre ».

À LAVAL

Nous sommes neuf à table. Huit entrepreneuses et moi-même, dans ce restaurant du centre-ville où Nathalie Hutter-Lardeau, 50 ans, grande prêtresse des affaires mayennaises, a eu la bonne idée de nous regrouper. Elles sont arrivées les unes après les autres, pour la plupart en retard, fatiguées, mais contentes de décompresser autour d'un bon plat et d'un verre de vin. Ces femmes ont entre 30 et 50 ans, elles ont du charme, et leur dynamisme est communicatif.

Sandrine (qui dirige la Cité des sciences et des techniques) :
– J'ai travaillé tous les week-ends du mois de mars, partout on est en sous-effectif ! Ma présidente est une élue, donc je comprends les problèmes, mais, comme assoc, il faut qu'on vive, alors j'ai réussi à négocier pour trois zéros une table de débat à « Laval Virtual[1] » ! Mais je ne sais pas où loger mon intervenant, s'il faut encore payer un hôtel…
Nathalie :
– J'peux le prendre chez moi si ça t'arrange…

---

1. Salon annuel dédié aux technologies du virtuel, cf. fin du chapitre.

Sandrine :

– Depuis le temps que tous les politiques ont promis que la Cité des sciences allait s'étoffer… À chaque fois, ça tombe à l'eau… Comme le projet est conduit et signé par la municipalité, il est défait à chaque alternance. Tous mettent en œuvre une politique politicienne au lieu de déployer une réelle ambition pour Laval… (Elle soupire.) Pour moi, tout ça, c'est terminé, je vais ouvrir ma boîte !

De part et d'autre, on opine de la tête ou de la voix. Sandrine part en conjectures sur la grosse entreprise de la région, le géant laitier Lactalis, soulignant que, malgré tous ses défauts, cette boîte fait toujours rêver.

Sandrine :

– Tu parles, une entreprise internationale restée familiale, gérée comme une PME, une entreprise mondiale qui a conservé son siège social à Laval, avec ses cadres et ses employés !

Isabelle :

– Oui, c'est possible ! Tenez, moi je suis avocate au barreau de Paris, mais j'habite ici, à Laval ! Je pars le lundi matin et je reviens le mardi soir, puis je repars du jeudi au vendredi. C'est juste une question d'organisation, surtout pour mes enfants en bas âge qui restent ici… Y a pas de synagogue à Laval (elle rigole), mais, franchement, pour moi et mon mari commerçant, cette ville, c'est vraiment une terre d'accueil !

Nathalie (s'adressant à moi) :

– Le mari d'Isabelle tient un commerce qui marche très bien à Carrefour ! Mais Isa, c'est elle qui passe son temps à accueillir les autres !

Sandrine :

– Ouais, je suis pas trop d'accord sur l'hospitalité en Mayenne. Moi j'arrivais de Bretagne : ici, il y a quand même moins de bars ! (Toutes sourient.) Le seul moyen, c'est d'arriver à pénétrer les réseaux !

Cécile, offusquée :

– Moi, j'ai jamais bougé de la Mayenne. Que ce soit pour mes parents, pour mon mari dont je suis aujourd'hui divorcée, ou pour mes enfants, il y a toujours quelque chose qui m'a retenue ici… Et je n'ai aucun réseau. Ou plutôt, je me rends compte que je ne suis plus admise dans aucun réseau parce que, maintenant, je suis une femme seule… Quand j'étais jeune, j'avais été mise à la porte de chez moi par mes parents parce que je sortais avec un Portugais… J'étouffe ici, j'ai l'impression de ne pas pouvoir exister, de ne pas me déployer… (Elle se tourne vers les autres.) Non, vous ne trouvez pas ? Les mecs qui traînent dans les bars ont 25 ans en moyenne, et les 40-50 ans sont soit casés, soit hyperoccupés ! J'suis ici en mode survie… (Elle baisse la voix.)

Valérie :

– C'est pas facile, c'est vrai. J'ai créé ma boîte d'événementiel en avril 2012. Mon ex-employeur ne s'est pas privé pour me mettre des bâtons dans les roues… J'ai appelé, sur les conseils de Nathalie, Samuel Tual[1], qui m'a reçue. Oui, il a été humain, mais c'est pas pour autant qu'il m'a donné du travail ! En fait, notre problème à nous, les femmes, c'est qu'on n'est pas crédibles aux yeux de tous ces hommes entrepreneurs…

---

1. Un chef d'entreprise de Laval, président du Medef-Mayenne.

Sur ce point, elles sont toutes d'accord : leur principal obstacle reste, encore et toujours, de ne pas être prises sufisamment au sérieux.

– Peut-être devrions-nous être plus ambitieuses… lance Frédérique, une architecte assise en bout de table. Moi j'suis passée par le club BNI, un club de recommandations d'affaires, mais j'avais pas envie d'aller jouer au golf… (Elle fait la grimace.)

Cécile n'est pas du tout d'accord : elle redoute l'obligation du « renvoi d'ascenseur ». L'architecte avoue d'ailleurs qu'en échange elle a dû aller refaire le cabinet dentaire de celui qui l'avait aidée à entrer au club.

S'ensuit une discussion à propos de ces fameux réseaux. À Laval, où l'on reste attaché aux solidarités, familiales ou autres, le désir d'aider à la réussite de chacun est réel. Les club-services sont nombreux : le mouvement international JCI, le club BNI (Business Network International), qui regroupe entre trente et cinquante personnes tenues de se présenter en une minute, les DCF (Dirigeants commerciaux de France), le CJD (Centre des jeunes dirigeants), le CEC (Club des entrepreneurs chrétiens), les deux Rotary, le Lion's Richelieu, toutes les grandes loges, dont le Grand Orient, mais encore la chambre de commerce, le Medef, la Confédération générale PME, plus les syndicats professionnels. Sans oublier le milieu de l'équitation et la sphère religieuse.

Sonia prend la parole :

– Moi j'ai créé une boîte à taille humaine, un atelier de confection féminine haut de gamme. J'ai même réussi à emporter le marché des robes des finalistes de Miss France, sans aucune réaction de mes salariées, comme si elles ne me soutenaient pas, comme si elles n'étaient pas stimulées, voire pas concernées. Ça a été horrible. (Sa voix s'étrangle, elle baisse les yeux.) Quand je leur annonce de bonnes nouvelles, j'ai des murs face à moi ! Leur vie dans l'entreprise est uniquement alimentaire, ça me désole… J'ai même dû faire appel à Ulule[1] pour régler mes problèmes de trésorerie !

Sonia, 46 ans, dont le visage aux traits fins laisse transparaître lassitude et découragement, est une femme d'affaires dont le sérieux est reconnu. Lorsque ses yeux s'embuent derrière ses lunettes, elle passe furtivement sa main sur ses tempes. Elle paraît au bout du rouleau. En quelques phrases, je comprends qu'elle a été victime de son succès. Quelques semaines plus tôt, dans le but d'illustrer le recours – réussi – d'une société en redressement judiciaire – son cas depuis juillet 2015 – à une plate-forme de financement participatif, une équipe du journal télévisé de France 2 est venue la filmer. À cette occasion, la plupart de ses employées ont refusé la présence des caméras. La réalité est encore plus amère et complexe : Sonia fait face à de graves problèmes avec son associée qu'elle avait salariée par gentillesse dans l'éventualité qu'elle puisse « recevoir les droits au chômage, s'il se passait quelque chose », un jour. Et ce « quelque chose » est arrivé. Après avoir créé sa société en 2011 avec un capital de 15 000 euros et dix salariés[2], Sonia s'est retrouvée bloquée par le dernier ultimatum

1. Première plate-forme de financement participatif européen, qui a permis à Sonia de récupérer 27 000 euros.
2. Aujourd'hui ils sont vingt en CDI, avec un chiffre d'affaires de 600 000 euros.

du tribunal de commerce. Ses nouveaux investisseurs ne peuvent entrer dans le capital tant que sa partenaire n'en sort pas, ce qu'elle se refuse à faire pour le moment. Il y a peu, à la suite des appels au secours lancés à la mairie, Sonia a vu débarquer le sénateur-maire centriste François Zocchetto, un dossier sous le bras, dont il a brandi une feuille : le détail de ses arriérés de loyer. La jeune femme n'est pas près d'oublier ce moment, et si elle reconnaît avoir reçu des aides de l'État au démarrage de son affaire, elle ne comprend pas qu'on ne prolonge pas le coup de pouce en cas de trésorerie fragile, quand l'entreprise est viable et son dynamisme légitimé par un carnet de commandes bien rempli ! Les banques, quant à elles, sont restées frileuses.

Sandrine l'interrompt :

– T'inquiète, moi ça fait longtemps que j'ai compris qu'ici on est au Moyen Âge. Le maire est toujours celui qui a la plus grande maison, le bras le plus long, etc., en gros, si tu fais pas partie du sérail…

Sonia, au bord des larmes :

– Je gagne moins que les filles que j'emploie, j'ai tout injecté dans mon entreprise… et il faudrait que je l'abandonne, que je dépose le bilan ! Mais c'est impossible, c'est toute ma vie !

Avant de nous rejoindre pour ce déjeuner, Sonia a passé deux heures avec trois entrepreneurs influents de Laval, Samuel Tual, président local du Medef, Patrick Gruau, PDG du groupe Gruau, et Daniel Bellanger, président de la commission des finances du Medef-Mayenne, qui, justement, avaient souhaité l'entendre pour saisir les nuances de son épineux dossier. Tous trois l'ont félicitée d'être parvenue à remplir son carnet de commandes jusqu'à janvier 2017 tout en se trouvant dans cet imbroglio juridico-financier, pour conclure qu'ils pourraient éventuellement « revoir leur position » (concrètement : l'aider financièrement) si elle n'y parvenait pas seule. Mais Sonia n'a aucune intention de se laisser déposséder de son « bébé », cette boîte qu'elle porte depuis cinq ans et dont le concept lui est venu avec deux de ses anciennes collègues d'une entreprise de textile.

Dès les prémices de l'aventure, Sonia multiplie les dossiers d'aide à la création de l'entreprise et finit par se voir attribuer un bâtiment de la communauté de communes – vétuste et inapproprié pour son type de production –, dont le loyer a été aménagé. Rapidement, elle peine à le payer : les deux premières années de la jeune entreprise spécialisée dans les toutes petites séries de vêtements et les pièces uniques sont particulièrement difficiles, même si GLM Fashion parvient peu à peu à se faire connaître et respecter.

Après avoir impressionné tout le monde par sa gentillesse et ses capacités de conciliation, Sonia semble au bord de l'implosion :

– Ça suffit maintenant ! J'aimerais qu'on m'écoute ! Je dois investir dans mon matériel pour que ma production soit rentable ! Avec tout ça, je rate des commandes… On m'empêche de me développer pour des problèmes de trésorerie ! Non, vraiment, ça me dégoûte… De temps en temps, apparaissent des « anges » qui vous disent : on est là si vous avez besoin, mais si je pouvais me passer d'eux, ce serait vraiment mieux, tempête-t-elle. Ce droit du travail français, qui privilégie le salarié plutôt que celui qui lui donne du travail, j'en peux plus ! Les salariés s'y complaisent, on n'a plus de relations humaines dans la boîte, tout se crispe, tout se déshumanise. On nous brandit la menace des prud'hommes à tout bout de champ. Le harcèlement de l'employé sur l'employeur, on pourrait en parler aussi, non ?

Après une bataille juridique d'un an pour ne pas subir l'humiliation du dépôt de bilan, l'entrepreneuse est moralement épuisée, même si, depuis fin juillet 2016, la partenaire de Sonia a fini par signer. Elle tire une leçon amère de son expérience : pour ne pas être déçue, mieux vaut monter un projet seule ou avec des personnes avec lesquelles on n'a aucun lien d'amitié… Elle se voyait déjà « sans un rond, sans droit au chômage ni à exercer aucun mandat de direction pendant cinq ans ». Finalement, le tribunal de commerce a accepté son plan de reprise.

Un entrepreneur humaniste, féru de travail

« Le problème principal de Sonia, explique Samuel au volant de sa fringante Maserati, c'est son associée. Tant qu'elle ne s'en sera pas débarrassée, on ne peut rien envisager… Pourtant, la solidarité est possible et nécessaire en Mayenne. Celui qui le souhaite sait qu'il disposera d'une écoute bienveillante, après, ça fait levier… On a tous connu ces périodes-là… »

Samuel Tual est PDG du groupe Actual qui possède plus de cent agences et dégage un chiffre d'affaires de 450 millions d'euros, c'est une référence locale sur le marché des agences de l'emploi. L'allure élégante et d'une apparence recherchée, en chemise souvent colorée sous des costumes sombres, cintrés à l'italienne, aisément souriant, Samuel Tual aime son métier – trouver du travail aux autres –, mais, par-dessus tout, il aime réfléchir à la notion de « travail » qu'il considère comme une « source de bonheur et d'épanouissement », voire une « source de spiritualité », dont il faut réinventer la valeur dans notre société, ce à quoi il s'est d'ailleurs employé dans un livre, *Le Travail pour tous !*, au sous-titre en forme de programme : *Revaloriser le travail pour sauver la France*[1]. Un sous-titre qui ressemble étrangement au programme « Tous au travail » développé par Xavier Bertrand (LR) pendant la campagne des régionales dans la région Hauts-de-France[2], et, plus anecdotiquement, au slogan « *America Works* » déployé par Franck Underwood, le héros de la série américaine, *House of Cards*, dont Tual est fan. L'entrepreneur se prend même à rêver d'un candidat à l'élection présidentielle qui mettrait la France au travail ! « On est le seul pays dénigrant le travail au quotidien, affirmant sans cesse que le travail est source de pénibilité. En France on laisse entendre que, pour s'épanouir, il faudrait travailler moins ! »

Quand l'essayiste Emmanuel Todd, auteur du livre polémique *Qui est Charlie*[3] ?, se rend à Laval, le 17 jan-

---

1. Samuel Tual, *Le Travail pour tous. Revaloriser le travail pour sauver la France*, Alisio, 2015.

2. Cf. chapitre « À Laon », p. 141.

3. Cf. Emmanuel Todd, *Qui est Charlie ? Sociologie d'une crise religieuse*, Le Seuil, 2015.

vier 2015, à l'occasion de la cérémonie des vœux de la
chambre de commerce et d'industrie locale, six cents personnes sont dans la salle, dont Tual. Ces générations
d'héritiers – et non de rentiers – peuplant ce département de droite libérale se sont reconnues dans l'appellation, pourtant peu flatteuse, de « catholiques zombies »
qu'emploie Todd pour nommer les éparpillés du sud
de l'Orne jusqu'au nord de la Vendée. Pour le cher-
cheur, considérer qu'il faut travailler relève de l'éthique
catholique et permettrait de comprendre le plus bas taux
de chômage de l'Ouest français, mais aussi la proximité
patronat/ouvriers perpétuée par la solide cohésion morale des entrepreneurs, qui donneraient ici la priorité à
l'humain.

« J'ai adoré son intervention, commente le PDG, car il
a mis le doigt sur ce qu'on a souvent du mal à exprimer. »
À la différence de certains, Samuel Tual n'a pas été particulièrement choqué par l'appellation « catholiques zombies ».

« Avant, personne ne connaissait les candidats aux élections régionales, mais, en 2015, on n'a eu que des têtes
d'affiche ! », se félicite-t-il, ravi que le pouvoir glisse peu à
peu vers les régions, même s'il considère que leur nouveau
découpage a été incohérent, voire improvisé.

Tual est fier de ses racines à la fois rurales et chrétiennes
qui constituent à ses yeux le ferment d'une plus grande
paix sociale et de relations de travail de qualité dans son
département. Ici, insiste-t-il, l'employeur considère ses salariés, on est respectueux du travail bien fait. Appliqués, les
travailleurs mayennais contribuent par leurs qualités à créer

un climat qui « donne du sens à ce que l'on fait », en cela, ils rejoignent les objectifs de leur employeur.

Ayant achevé ses études de commerce à Angers, puis à Paris, Samuel Tual a d'abord créé sa propre maison d'édition, spécialisée dans la presse étudiante, jusqu'à devenir le premier groupe de presse étudiante en France. En 1998, il a lancé la première société française de travail temporaire spécialisée dans les *call centers*, pour, en 2001, se rapprocher de son père qui possédait dix agences généralistes en province. Pour finir, il a racheté sa société et ils ont créé ensemble le groupe Actual. En 2014, Samuel Tual peut se targuer d'avoir mis 50 000 personnes au travail, 65 000 en 2015 et près de 90 000 en 2016. Il n'a pas de mots assez durs pour qualifier l'échec de la politique nationale de l'emploi depuis trente ans.

L'entrepreneur mayennais est un fervent défenseur de la mise en place de la « TVA sociale », votée sous Sarkozy et abandonnée sous Hollande, ce que ce dernier regrettera plus tard[1]. Selon lui, elle rendrait les produits français plus compétitifs. Grâce au système de crédit d'impôt pour la compétitivité et l'emploi pour les entreprises[2] (CICE) mis

---

1. Cf. Françoise Fressoz, *Le stage est fini*, Albin Michel, 2015.
2. D'après le site du ministère de l'Économie et des Finances, le CICE représente une économie d'impôt équivalant depuis 2014 à 6 % de la masse salariale (4 % en 2013), hors salaires supérieurs à 2,5 fois le SMIC. Il concerne toutes les entreprises employant des salariés relevant d'un régime réel d'imposition sur les bénéfices (impôt sur le revenu ou sur les sociétés), quelle que soit la forme de l'entreprise (entreprises individuelles et indépendants, sociétés de capitaux, sociétés de personnes…) et le secteur d'activité (agriculture, artisanat, commerce, industrie, services…). Le CICE a pour objectif de redonner aux entreprises des marges de manœuvre pour investir, prospecter de nouveaux marchés, favoriser la recherche et l'innovation, recruter, ou encore restaurer leur fonds de roulement ou accompagner la transition écologique et énergétique grâce à une baisse du coût du travail.

en place par la gauche, Samuel Tual reconnaît avoir reçu plusieurs millions d'euros, alors que le plus simple aurait été de baisser les charges sociales !

Satisfait de sa place intermédiaire entre le géant Manpower et les petits acteurs locaux, Samuel, deuxième acteur français dans l'intérim d'insertion, domaine dans lequel les micro-structures sont souvent de type associatif, croit aux nouvelles formes d'emploi. Il est un fervent défenseur du temps partagé, du portage salarial, voire de nouveaux types de contrats comme le CDI-Intérimaire, qui permet à un spécialiste d'être, non pas salarié de l'entreprise pour laquelle il travaille, mais d'une agence d'intérim. Sur 500 000 intérimaires en 2016, 20 000 auront signé ce type de CDI en 2017, en majorité dans les qualifications les plus basses de l'industrie. Toujours davantage de flexibilité dans l'entreprise, tel est le credo de Samuel Tual, convaincu qu'on ne pourra moderniser le travail qu'en introduisant de la « flexi-sécurité », ce qui était prévu dans la version initiale de la loi El-Khomri.

Mon séjour à Laval coïncide avec la présentation au public de la loi Travail première mouture, dévoilée dans la presse le 17 février 2016, un texte d'inspiration sociale-libérale qui fait la part belle aux accords d'entreprise. Bien qu'il aurait souhaité son vote dix ans plus tôt, Samuel Tual reconnaît que cette loi d'emblée controversée accorde davantage de liberté à l'entreprise : une compétitivité accrue pour se retrouver à armes égales avec les autres pays européens. Mais, surtout, elle apporte de la sérénité aux entrepreneurs qui sauront, à l'embauche, « sur quoi ils s'engagent, notamment en termes d'indemnités en cas de rupture ». « L'employeur a besoin de savoir combien va lui coûter la rupture d'un contrat, assure Tual, qui récuse le procès immédiatement fait aux patrons de vouloir licencier davantage : « Je ne connais pas un patron qui souhaite licencier, ce serait un échec total ! », lance-t-il, en élevant légèrement la voix.

« Le Code du travail est devenu obèse, il normalise tout ! ajoute-t-il, agacé. Il faut accorder davantage de place aux contrats et aux accords divers, et mettre en action une politique régionale de l'emploi. Si c'est utile, vantons les mérites du travail ! On nous ressort le même logiciel depuis quarante ans, c'est comme un disque rayé. »

En sus de ses activités professionnelles, Samuel Tual préside depuis 2009 le SATM (Santé au travail en Mayenne), une association pourvue de vingt médecins, qui suit 77 000 salariés dans le département. Depuis une quinzaine d'années, le département manquait de médecins. Dès son arrivée, Tual a voulu s'attaquer à cet épineux dossier. En avril 2016, et grâce au vote de tous les représentants syndicaux, y compris de la CGT locale, il a obtenu une dérogation sur la loi Santé et obtenu qu'en Mayenne les visites médicales des salariés soient aménagées pendant certaines périodes et assurées par des infirmières.

L'entrepreneur mayennais a eu l'occasion de se rendre à une séance parlementaire de l'Assemblée nationale, il en est ressorti choqué :

« C'était comme au théâtre. Tout est préparé, déjà décidé en amont. Le pouvoir n'est assurément pas là », glisse-t-il avec détermination et une pointe de tristesse. Malgré tout son respect pour la *res publica*, Samuel Tual en a assez que les politiques soient à ce point ignorants des réalités. C'est pourquoi, en 2012, il a créé, avec d'autres entrepreneurs mayennais l'association MADE IN *Mayenne*, un outil de communication pour le département. Car si les Mayennais souffrent d'un certain complexe, tous mettent un point d'honneur à faire taire leurs rivalités et à se serrer les coudes dès qu'il est question de mettre en avant le département : cette mentalité s'illustre dans l'apparence unie qu'offre le « Club des cinq » à l'origine de ce MADE IN *Mayenne*. En 2014, cinq entrepreneurs[1] posent les fondements de ce MADE IN *Mayenne* avec, entre autres, des maires et le président du département. L'évêque participe aussi aux rencontres.

Tous considèrent que, pour savoir où l'on va, il faut savoir d'où l'on vient, d'où la commande d'une étude sociologique qui dégagerait les tendances fortes et le « code ADN » de la Mayenne : on y retrouve la « réussite de la vie familiale et de la vie professionnelle, dans une Mayenne terre d'équilibre ». Dans le même document, on recense les « talons d'Achille » : une « connexion au monde » par le très haut débit (pour ne pas devenir une « réserve », la question de la vitesse de connexion est essentielle), un axe routier nord-sud (on doit pouvoir se déplacer rapidement, même pour les livraisons via Internet ; or, les déplacements dans le sud du département ne sont pas à la hauteur sur l'axe Laval-Angers, où il n'existe pas encore de quatre-voies) et par les connexions aéroport (par exemple Notre-Dame-des-Landes, si l'aéroport se fait) et la LGV (ligne à grande vitesse).

En dépit des rivalités personnelles, l'union semble ne pas être que de façade. Ici, par exemple, la chambre de commerce n'est pas en rivalité avec le Medef, car les deux

---

1. Dont Patrick Gruau, Bruno Lucas et Samuel Tual.

présidents se connaissent bien et l'un fut le directeur de l'autre.

Avec la LGV prévue en 2017, la durée du trajet Paris-Laval sera encore raccourcie : d'une heure quarante on passera à soixante-dix minutes, ce qui propulsera Laval à vingt-cinq minutes seulement de Rennes, l'autre grande métropole, et la rapprochera de sa capitale de région : Nantes (une heure quarante-cinq). La gare de Laval, où est prévu un arrêt, grâce aux efforts de François d'Aubert conjugués à ceux des entrepreneurs lobbyistes, dont Samuel Tual, est d'ailleurs en travaux dans cette perspective[1].

« Attention, cette LGV amènera peut-être des populations différentes, ce qui pourrait potentiellement être un souci », fait doucement remarquer Tual. Mais, le pire – que Laval soit transformée en une cité-dortoir – a été évité. Car Samuel Tual refuse l'idée que ne résident en Mayenne que des Mayennais : « Il faut accueillir, mais des gens qui partagent nos valeurs. » Lors de leurs recrutements, lui et ses collègues entrepreneurs y portent un soin tout particulier. Le territoire doit rester maîtrisé, donc modéré. Ici, on veut élever ses enfants en sécurité, faire du sport et équilibrer harmonieusement vie professionnelle et vie privée.

---

1. Huit arrêts quotidiens ont été obtenus par Laval, dont trois directs, sans arrêt au Mans. Dans les tractations avec la SNCF, il se dit que les dix mille billets annuels achetés par Lactalis ont pesé…

À la messe

L'entrepreneur et sa famille vivent dans un des plus beaux hôtels particuliers de Laval, une imposante bâtisse en pierre de taille datant de 1771, classé monument historique, qui a longuement appartenu aux ancêtres de l'épouse de Samuel Tual, les Duplessis d'Argentré[1]. Le couple a réussi à le racheter il y a six ans. À quelques centaines de mètres à vol d'oiseau, se dresse un autre hôtel particulier, construit comme son jumeau par deux frères, maîtres de forges. Brigitte, épouse de Samuel et mère de leurs trois garçons, une brune menue et élégante, travaille à mi-temps dans le centre d'affaires du groupe Actual, mis sur pied avec son mari il y a huit ans.

En ce dimanche de mars précédant les Rameaux, la famille se prépare pour la messe à la cathédrale de la Sainte-Trinité, non loin de la maison. Philibert, 7 ans, a hésité, puis troqué sa trottinette pour son vélo, et c'est muni de ce moyen de locomotion qu'il pénètre dans l'église où l'orgue résonne déjà. Majestueux et accueillant par la beauté de sa pierre, l'édifice gothique reste glacial en température, et l'assemblée demeure emmitouflée. Des familles accompagnées d'enfants, parfois de bébés, arrivent souvent à la dernière minute et tâchent de s'installer le plus discrètement possible. En ce dimanche, je compte environ quatre-vingt-dix personnes. Des enfants de chœur

1. L'hôtel d'Argenteuil à Laval était resté dans la famille de Brigitte Tual jusqu'au début des années 2000. Brigitte et Samuel Tual ont eu la gentillesse de m'accueillir chez eux pendant mon séjour à Laval. Qu'ils en soient ici remerciés.

en chasuble se mettent à cheminer devant les yeux intéressés de Philibert qui dit préférer le service religieux dans
cette église plutôt que « là où c'est dans la langue où je
comprends rien » (en latin, à l'église Saint-Vénérand de la
communauté Saint-Martin), même s'il « trouve ça beau »,
avait ajouté sa mère en vapotant lors de notre échange
matinal.

Après un coup d'œil complice à cette dernière, Philibert
disparaît lui aussi dans la sacristie, c'est quand même beaucoup plus amusant que de suivre la messe assis sur un banc
avec les adultes ! Dans de lourds effluves d'encens, le prêtre
s'adresse à ses ouailles : la femme coupable d'adultère sera-
t-elle condamnée par Jésus ? « Que celui d'entre nous qui
n'a jamais péché lui jette la première pierre, dit le Sauveur,
renvoyant chacun à sa propre conscience. Nous sommes
tous coupables quelque part, insiste le prêtre en levant les
yeux de son lutrin. Même si l'on ne lapide plus, on ricane,
on dénonce. » Après une collecte pour le Comité catholique contre la faim et pour le développement – Terre solidaire (CCFD) –, les cloches d'une autre église viennent
rompre le silence de la nôtre, signe d'un certain retard.
Philibert s'impatiente. À la sortie, on distribue des prospectus pour un prochain départ en pèlerinage à Lourdes.
Avant de s'en retourner déjeuner chez soi, chacun se regroupe quelques instants, par affinités sociales ou familiales.
Accompagné de sa dernière fille, affichant un sourire de
sphynx, François Zocchetto, le sénateur-maire, émerge
de la foule et vient saluer les Tual, dont le deuxième fils
s'apprête à partir à Lourdes comme assistant « hospitalier »,
un cadeau de sa tante. Cette perspective l'intéresse autant
qu'elle l'inquiète – bien sûr, il aurait préféré un téléphone

portable, mais, heureusement, plusieurs de ses copains sont de l'aventure. Comme son frère aîné en ce dimanche matin, l'adolescent a préféré l'église Saint-Vénérand de la communauté Saint-Martin[1]. Pour lui, la messe de la cathédrale est « tristoune ».

À la communauté Saint-Martin, les prêtres trentenaires sont férus de rugby, tout autant que d'autres sports – à chacune de leurs apparitions au stade Lavallois pour soutenir leur équipe préférée, ils suscitent commentaires et réactions en tout genre ! –, ils revêtent la soutane dans le civil, ce que les jeunes semblent apprécier. Ces religieux semblent avoir trouvé le langage qui plaît aux jeunes catholiques, car, même pendant les homélies ils savent rester « drôles » et, du coup, plus accessibles, selon le récit du second fils. Résultat : l'église de Saint-Vénérand ne désemplit pas, et « pique » même les ados des autres paroisses, se plaignent certains paroissiens.

« À Saint-Vénérand, au moins, le prêtre ne se fait pas dominer par les laïcs de sa paroisse », assène le jeune homme, qui raconte avec bonheur un moment partagé avec les prêtres à la cure, tous ensemble devant un match de rugby télévisé, canettes de bière à la main !

---

1. La communauté Saint-Martin est une association de prêtres et de diacres séculiers, fondée en Italie en 1976, dont le siège français est à Évron, non loin de Laval. Elle fait littéralement un tabac auprès des jeunes catholiques de France. Ces prêtres et ces diacres vivent leur apostolat en commun au service des diocèses. Elle fut fondée par l'abbé Jean-François Guérin, dans le renouveau du concile Vatican II, et compte aujourd'hui 92 prêtres et diacres, et 90 séminaristes. Signes distinctifs : ils portent la soutane, affectionnent la liturgie grégorienne en latin – célébrée selon le missel de Paul VI – et se donnent entre eux du « don », au lieu de « père », empreinte des premières années italiennes de leur communauté.

Vendredi soir, la famille est réunie à table. Sans doute à cause de l'hypermédiatisation de la loi Travail, c'est notre sujet de conversation. Les deux aînés sont en désaccord sur l'utilité du CDI par rapport au CDD : « Entre 20 et 30 ans, moi j'veux bien des CDD, dit le plus jeune, et, après 30 ans, un CDI. » Mi-sérieux, mi-roublard, l'aîné propose à son père de signer un accord avec les étudiants de sa promo d'école de commerce qui « s'éclatent tous en intérim en parallèle de leurs études ! ». Le paternel regarde avec amour et amusement ses deux garçons débattre d'un sujet central de sa vie professionnelle. « Ouais, mais c'est plus facile de choper un CDD qu'un CDI », insiste le cadet. Son père rit.

Aujourd'hui, les jeunes, voire les très jeunes (15-18 ans) considèrent qu'il y a plus d'avantages à être chômeur qu'en CDD ! Quant à sortir diplômé de leur école pour accepter un salaire moindre, par exemple comme apprenti, même en ayant la garantie d'entrer immédiatement sur le marché du travail, cela ne leur semble pas la panacée ! Au sortir de dures années d'études, ils veulent être payés « plein pot » et refusent d'entendre parler de ce salaire « au rabais » suggéré par leur père. L'appellation « apprenti » les gêne, ils ne veulent pas être considérés comme des diplômés « au rabais », voire « ne sachant rien » – or c'est bien l'impression que les adultes leur donnent ! Le discours de leur père les choque, même si je sens un immense respect dans leur façon de s'adresser à lui. Ces deux garçons sont polis, curieux et sensés. Certes, leurs parents ont tenté de leur inculquer leur propre sens de la valeur du travail, mais ils tiennent à faire entendre leur point de vue. Philibert expose sa jolie bouche édentée de garçonnet de 7 ans et lève parfois le doigt dans le but de s'interposer. Malgré les « chut » de sa mère, le garçon veut savoir de quoi l'on parle et pourquoi ses deux aînés sont si virulents.

Je questionne le benjamin sur son école (un collège-lycée catholique privé) qui n'est pas sous contrat avec l'État, où il semble heureux d'être interne. L'établissement est dirigé de main de maître par un directeur qui invite parfois des intervenants à donner des conférences. À en juger par ce qu'en a retenu l'adolescent, le dernier conférencier semble avoir tenu un discours particulièrement conservateur et antimusulman, qui a beaucoup plu aux jeunes. Après s'être présenté comme une personne qui a lu le Coran « de fond en comble », le conférencier aurait passé plus d'une heure à « prouver » que l'islam était une religion « violente », soulignant que n'importe qui « doué de raison » lisant ce livre saint « cesserait d'y croire et se convertirait immédiatement à une autre religion » – sous-entendu, au christianisme. C'est en tout cas ce qu'il a retenu de la conférence.

Pour le jeune homme, l'islam est une « imposture fondée sur la violence », « les musulmans sont des agresseurs et un poids pour notre pays », et il a du mal à concevoir qu'il puisse en être autrement, malgré ce que ses parents, son frère aîné… et moi-même tentons, avec force conviction, de lui opposer immédiatement. À chaque argument il oppose de pseudo-propos violents du Coran « qui n'existent pas dans la Bible », souligne-t-il, et s'énerve parce que son frère lui tient tête. L'aîné, lui, raconte son amitié avec un certain Abdel avec qui, ici, à Laval, il a beaucoup échangé sur l'islam et duquel il a même appris quelques mots d'arabe. L'aîné tente de soutenir à son frère que l'islam n'est pas une religion de « fanatiques et de terroristes », qu'il existe aussi des musulmans « normaux, comme ce monsieur qui fait le ménage dans l'entreprise de papa ». À mon tour, j'explique que « les musulmans » ne constituent pas un groupe uni en tant que tel, qu'on ne peut pas les accuser « en masse » de quoi que ce soit, qu'ils ne possèdent pas de clergé, que les sunnites et les chiites diffèrent, et même s'entre-déchirent au Moyen-Orient. Brigitte et Samuel renchérissent. Notre récit semble n'avoir que peu de poids face à celui, plus violent, plus convaincant, que l'adolescent a déjà fait l'effort d'écouter dans son école. Le nôtre, surtout, est moins porteur.

« En fait, se reprend le jeune homme, c'est très à la mode d'être musulman, c'est tout ! » Puis il arbore un air boudeur. Sur ce point précis, son aîné ne trouve rien à redire. Il ajoute même : « Le problème, c'est qu'ils − les musulmans − sont très visibles : leur façon de s'habiller, de ne pas se raser, etc., alors que nous − les cathos −, quand tu nous vois dans la rue, tu peux pas savoir qu'on est catho ! Un catho ne s'affiche pas forcément catho. L'islam a eu la force de s'afficher, de s'imposer, et ça, c'est très tentant, et c'est là que nous, eh ben… on a raté un truc… en tout cas c'est c'qu'on s'dit, dans notre génération… » Sa tirade terminée, le jeune homme se jette sur l'appétissant poulet grillé et ressert son frère qui semble avoir déjà oublié notre échange. Je salue l'ouverture d'esprit de cette famille, où ce genre de discussions peuvent avoir lieu.

Son dernier argument m'a ouvert les yeux : et si l'une des caractéristiques les plus importantes des jeunes générations d'aujourd'hui (18-25 ans) était cette forme de « jalousie », ce mal-être des uns envers les autres, souvent traduit par de la violence verbale, mais aussi, de plus en plus, physique ? Et si l'aîné des frères touchait là un point primordial ? Le grief envers ses parents, qu'il « accuse » d'avoir finalement « oublié » qu'ils étaient cathos, en tout cas, oublié de le montrer, est capital[1]. Et s'il tentait d'exprimer maladroitement que « les Arabes » – qui font peur à ces jeunes cathos parce qu'ils les pensent plus « unis » qu'eux – seraient plus capables de donner corps au concept d'identité et de façon plus « efficace » que nous, les non-Arabes, qui confondons, en un puissant amalgame, identité et religion ? Ce qui tendrait à montrer que les jeunes générations, quelle que soit leur religion d'appartenance, n'auraient aucun mal à revendiquer, contrairement à leurs aînés, ce retour du religieux que nous croyions tous enterré. Ce que le jeune homme tente d'exprimer avec ses affirmations péremptoires, n'équivaudrait-il pas à l'expression de son regret de la déchristianisation progressive de l'Europe occidentale, rendue plus évidente encore par ce qu'il perçoit comme l'identité récemment affirmée des musulmans, d'autant qu'elle est proclamée dans la violence et des actes de terreur qui instrumentalisent l'islam ? Pour ces jeunes catholiques pratiquants – mais je soupçonne que ce sentiment peut aussi éclore chez des jeunes non croyants du même âge –, les jeunes musulmans de leur âge, plus ou moins pratiquants eux aussi, ont de la chance ! Ils les envient ! Ils envient leur visibilité et leur médiatisation « permanente », alors qu'eux ont l'impression de ne rien avoir de cela. Et si le désenchantement, la sécularisation de nos sociétés d'Europe occidentale ne convenaient pas à certains

---

1. Cf. « Les yeux dans les dieux », par Marion Rousset, in *Le Monde*, 19 mars 2016, qui montre la difficulté des sciences sociales à s'emparer du fait religieux alors qu'il est de plus en plus présent dans la réalité. « En 1987, Bourdieu raillait ainsi les "sociologues de la croyance" qu'il accusait de véhiculer des "croyances de sociologues". »

de nos jeunes, demandeurs de davantage de « religieux » comme socle d'une « structuration » du monde ?

À table, la discussion avait commencé à propos de *Soumission*, le roman de Michel Houellebecq, quand l'adolescent avait déclaré qu'à son avis l'arrivée au pouvoir d'un président arabe et musulman en France – décrite dans le livre – se produirait bientôt. Sans avoir lu l'ouvrage, il y croyait dur comme fer. Au collège, lui et ses copains discutaient à bâtons rompus de cette possibilité de métamorphose de la France.

Belle et boueuse, la Mayenne

Dans le centre-ville historique, des grappes d'écoliers et de collégiens profitent de rares instants de soleil pour pique-niquer sur l'esplanade du Château-Neuf[1] qui prolonge majestueusement la place de la Trémoille. Plus loin, leurs jambes soigneusement placées l'une devant l'autre, la bouche en canard pour imiter au mieux leurs *hit girls* préférées, d'intrépides collégiennes multiplient les *selfies*. Le temps de la prise, elles se pressent les unes contre les autres, s'écartent instantanément dès que c'est fini, puis se mettent à pouffer, espérant secrètement que le groupe de garçons, statique, un peu plus loin, se retournera.

En contrebas du Vieux Château médiéval, des étudiants des lycées publics et privés riverains scrutent les menus de telle ou telle enseigne de restauration rapide de la rue

---

1. Le Château-Neuf de Laval est un ouvrage Renaissance. Longtemps palais de justice, il a été rénové dans les dernières années, ses grilles ont été abattues et les abords de la place modifiés. Un nouveau café a ouvert en juin 2016 à son angle sud.

du Val-de-Mayenne, d'autres font la queue devant une sandwicherie. La Mayenne m'apparaît ample et boueuse, son débit est impressionnant, nerveux. La cité paraît de marbre face à cette impétuosité.

Chacune des villes où je me suis arrêtée pour cette enquête est chargée d'une histoire, parfois lourde, voire encombrante, comme les remparts de la ville haute de Laon dont l'entretien grève le budget de la ville. Un point leur est souvent commun : leur rivière et leur château. À Laval, un château Renaissance et un médiéval se dressent proches l'un de l'autre, sans être véritablement mis en valeur. Ici, dans l'une des tours de la porte Beucheresse, est né le Douanier Rousseau. L'écrivain Alfred Jarry fut aussi natif de Laval[1], à qui le sculpteur cubiste d'origine russe, Ossip Zadkine a dédié un monument place Hardy-de-Lévaré. Eugène Ionesco, autre écrivain de l'absurde, y a vécu deux ans[2].

La Mayenne, terre de bocages, plonge ses racines dans le monde rural catholique. C'est un terroir et non simplement un territoire. Ici, par nature, on est méfiant et sur la réserve. De grandes familles catholiques ont longtemps possédé terres et châteaux où dominaient les relations propriétaires-métayers. Ces familles décidaient ce que devaient penser les leurs, et, plus largement, ceux qui travaillaient pour elles. Géographiquement, l'activité économique régionale a toujours été répartie de façon équilibrée. Jean

---

1. Alfred Jarry est né à Laval quai de Mayenne (aujourd'hui quai Jehan-Fouquet) le 8 septembre 1873. Il est le fils d'Anselme Jarry, négociant en textile, et de Caroline Marie Jarry née Quernest.
2. Entre 1917 et 1919 avec sa sœur, dans une famille de paysans de La Chapelle-Anthenaise, un village proche de Laval.

Arthuis[1], qui, à 26 ans, fut élu maire de Château-Gontier, la deuxième ville du département, située à trente-cinq kilomètres au sud de Laval, me rappelle qu'au moment de la création des départements par la Constituante une partie de la Mayenne se situait dans l'ancienne province du Maine. Quant à l'autre côté, plus à l'ouest, il se situait sur les marches de la Bretagne. Le nord du département était quasiment normand tandis que le sud pouvait prendre un tour angevin.

Laval a été la capitale de la toile de Mayenne, très prisée aux xve et xvie siècles, exportée jusqu'en Amérique à partir de Saint-Malo. Quand le sel, autre commerce important de la région, périclite avant la Révolution, de nombreux nobles partent en Grande-Bretagne. La guerre de 1792 acheva de désorganiser complètement le tissu industriel et commercial et imposa la chouannerie. À trois reprises, les Vendéens passèrent à Laval et ruinèrent son industrie, sur les ruines desquelles se profilait déjà l'essor du coton.

Au xixe siècle, après avoir développé quelques mines de charbon, des forges et de l'énergie sur les bords de son fleuve, la Mayenne s'industrialise. Des familles protestantes du nord de la France, telle la famille Coisne et Lambert, propriétaire du Textile du Vermandois, plus connu sous le nom de TDV Industries, s'installent dans le département. Face à la montée du nazisme en Allemagne et à l'éventua-

---

1. Jean Arthuis, ex-ministre de l'Économie et des Finances (1995 à 1997), est sénateur centriste de la Mayenne de 1983 à 2014 et président du conseil général de 1992 à 2014. Il a créé et présidé l'Alliance centriste, l'un des partis associés au sein de l'UDI. Aujourd'hui député européen, il est président de la commission des budgets du Parlement européen.

lité d'un nouveau conflit, ils achètent des bâtiments à Laval en 1938.

La Mayenne n'est pas un département de grandes métropoles, mais une zone rurale très habitée, riche en usines et en entreprises. Jusque dans les années 1950, notamment à cause de l'exode rural vers Paris, le département perd de la population. Son secteur agro-alimentaire se développe jusqu'à employer 50 % de la population active (seulement 10 % aujourd'hui). Les enfants vont à l'école locale, souvent privée et catholique, signe de la force du catholicisme comme socle. En 2016, sur un peu plus de 305 000 habitants (51 000 pour Laval, et 100 000 avec les vingt communes de Laval-agglomération), le département compte un peu plus de 91 % de catholiques.

Quand, dans les années 1970, les régions se constituent, la Mayenne demande son rattachement à la Bretagne. Mais, pour les Bretons, Laval et ses alentours constituent historiquement une « zone de marches », la porte d'entrée de la Bretagne, en quelque sorte son « paillasson ». Les Mayennais cherchent leur identité.

La Mayenne est l'un des départements français ayant le plus faible taux de chômage : 6,8 % en 2016[1], un chiffre qui s'explique entre autres parce que les jeunes, plus souvent au chômage, ne sont pas comptabilisés quand ils quittent le département. Autre particularité : 40 % de l'emploi total est concentré dans la communauté d'agglomération de Laval, une ville considérée comme l'une de France

---

1. Source : site Insee, dernier trimestre 2015. Pays de la Loire pour la même période : 9,1 % et France : 10,2 %.

où « il fait le mieux vivre » : dans un classement de 2015[1], Laval se place douzième sur 295, notamment après Rennes, Rambouillet et Nantes. La densité des entreprises de petite et moyenne taille et des groupes familiaux y est plus élevée que la moyenne française. Si l'une d'elles est sur le point de déposer le bilan, les patrons des environs tâcheront de se regrouper pour l'aider, selon l'adage : « Quand votre voisin se casse la figure, c'est peut-être vous le prochain ! »

Ces entrepreneurs solidaires sont dynamiques et soucieux de leur indépendance. Ils se questionnent sans cesse sur leur rôle en tant qu'acteurs économiques du département et se méfient des politiques. « On veut rester acteurs de notre avenir ; notre légitimité, c'est notre entreprise, et ce que nous avons créé doit être pérenne », martèle Samuel Tual.

Si on laisse faire les politiques, pense-t-il, on risque de subir leurs décisions et leur vision court-termiste. C'est ce qu'on refuse à tout prix.

Rare exemple français, ce qui compte ici, c'est l'« intérêt du territoire » et la « vision partagée », deux certitudes serinées à longueur de réunions aux élus. Toute nouveauté potentielle est débattue, soupesée, analysée en long et en large : par exemple, les avantages et les inconvénients de la LGV ont été listés, sa mise en œuvre par Eiffage depuis six ans, orchestrée. Sur ces dossiers, le maire et ses alliés se sont retrouvés sous la loupe du « Club des cinq », le noyau dur des décideurs qui a pris les choses en main et compte les garder. Ensemble ils essaient de réfléchir à ce qui entre dans le projet régional ou non, et s'accordent pour qu'aucune entreprise du CAC 40 ne pénètre le territoire. Ça

---

1. Cf. Jean-Marie Colomb, *Les Échos*, 16 juillet 2015.

romprait l'équilibre. « On ne veut ni s'enfermer, ni déna-
turer notre milieu, ni briser notre écosystème d'entreprises
familiales », répète Samuel Tual.

Pour l'épineux dossier de la sortie d'autoroute à
Louverné, le moment venu, des entrepreneurs ont « convoqué » les têtes de liste des principales villes concernées. « Ils
sont tous venus ! se félicite Tual. Du centriste au type du
FN ! Donc la vraie question est celle-ci : les politiques
peuvent-ils durablement construire quelque chose sans les
entreprises ? »

Quels que soient la ville où je me suis arrêtée, le milieu
économique et social dans lequel j'ai enquêté, la même dé-
légitimation du politique m'a frappée : parmi les ouvriers
de Montluçon qui peinent à joindre les deux bouts, les
chômeurs de longue durée, les restaurateurs de Laon, les
jeunes du quartier de l'Empereur à Ajaccio, ou les patrons
de la Mayenne, je me suis heurtée à la même défiance vis-
à-vis du politique, insidieuse, profonde, sans retour.

À Laval, comme partout ailleurs, non seulement les patrons ne font plus confiance aux politiques, mais ils les
conseillent, les surveillent, jusqu'à les remplacer en partie
pour s'assurer d'une action juste et effective, dans le sens
qu'ils souhaitent.

En Mayenne on compte environ 1 000 chômeurs,
5 000 postes proposés et 2 500 emplois pourvus. La plupart
des ouvriers travaillent dans l'agro-alimentaire, le BTP, ou
la sous-traitance automobile. Mais le vrai problème est la
qualification, le nombre (toujours croissant) de ceux qui
refusent de travailler, et le manque de mobilité.

Du temps où Jean Arthuis était à la tête du département, l'administration avait fait appel à Samuel Tual pour trouver du travail à celles et ceux touchant le RSA. Sur les trois mille personnes inscrites dans les registres pour toucher l'allocation (ce chiffre est en progression), seules trois cents étaient réellement en recherche de travail, avait constaté Tual, après consultation des statistiques et dossiers du département. En même temps que celui-ci fournit l'argent du RSA, il a pour mission de faire revenir ces personnes à l'emploi, et c'est là que tout devient plus ardu. « On ne peut pas stigmatiser ces personnes, mais il faudrait savoir concrètement qui, parmi elles, est volontaire pour travailler[1]. Chacun tourne autour du pot. Le résumé cynique de l'affaire pourrait être "touche pas à mes pauvres !". J'ai fini par me rendre compte que je dérangeais ce système de dupes où chacun est pourtant de bonne foi », analyse Tual *a posteriori*.

En Mayenne, les ouvriers sont solides, ce sont des travailleurs fiables, souvent issus de la campagne, mais fidèles à la ville où ils se sont installés. Fidèles aussi à leur famille et à leur entreprise. Ici, les syndicats sont peu puissants, les grèves quasi inexistantes. Quand la contestation gronde, c'est parmi les électeurs de droite : les agriculteurs sont ceux qui manifestent le plus, comme, à deux reprises pendant mon séjour de trois semaines, sur le rond-point de Lactalis[2] et sur le pont de Pritz.

---

1. Ces propos rejoignent ceux de Sidonie Zaher, psychologue de Pôle emploi, dans le chapitre « À Montluçon ».
2. Cf. « Près de 200 producteurs mobilisés devant Lactalis », par Jean-Loïc Guérin, *Ouest-France*, jeudi 24 mars 2016, p. 8.

Même si, à l'instar de la Vendée, le département est rural, l'admiration et la fascination pour ceux qui ont réussi sont grandes, et le capitalisme familial reste solidement implanté. À Laval, même les entrepreneurs « de gauche » n'osent critiquer Lactalis, ce groupe mondial, véritable *success-story* à l'américaine comme la France en produit peu. La phobie de l'exposition médiatique – et sociale – du propriétaire de Lactalis s'est transmise de père en fils, jusqu'à atteindre des sommets avec son propriétaire actuel[1] : Emmanuel Besnier, 46 ans, ami d'enfance de Samuel Tual, qui a été jusqu'à faire installer des vitres fumées autour de sa loge au stade François-Le-Basser, afin que personne ne puisse savoir s'il est présent durant les matchs ou pas. Comme d'autres entrepreneurs locaux, Emmanuel Besnier aime suivre les performances de foot du stade Lavallois, le vendredi soir, pendant que d'autres en profitent pour sceller des affaires dans les allées du stade. Depuis qu'il a été sauvé par des entrepreneurs locaux[2], celui-ci est devenu un centre d'affaires informel, digne du plus puissant des réseaux locaux.

En Mayenne, 95 % du tissu économique est encore constitué d'entreprises familiales patrimoniales de la première, deuxième, voire septième génération…

---

1. À lire, sur ce sujet : http://www.lexpress.fr/region/pays-de-la-loire/emmanuel-besnier-un-si-mysterieux-patron_1640556.html et http://www.lepoint.fr/economie/besnier-le-milliardaire-invisible-19-05-2011-1335279_28.php

2. Depuis 2005, 69,70 % des parts du club appartiennent au pôle à six groupes économiques mayennais de premier plan : le groupe Actual, le groupe Lactalis, le centre E. Leclerc Laval/Saint-Berthevin, le groupe Lucas et le groupe Séché ; 24,24 % à un regroupement de vingt-six petites et moyennes entreprises qui se sont regroupées en société anonyme simplifiée à capital variable, la SAS Tango Entreprises, et 6,06 % à l'association Stade-Lavallois.

Un poids lourd
de la septième génération

« Sonia, de GLM-Fashion, a bien présenté les choses, elle a osé venir nous dire où elle en était avec beaucoup d'humilité, résume Patrick Gruau[1]. Sa situation n'est pas désespérée, mais l'entrepreneur est quelqu'un de très seul... À la fin, je lui aurais bien donné un chèque pour acheter ses machines, mais elle a mobilisé des investisseurs autour d'elle par le biais de la *"love money"*[2]. » Patrick Gruau a apprécié la délicatesse de cette jeune chef d'entreprise se refusant à devenir minoritaire dans sa structure, et dont l'obsession est de reprendre le pouvoir.

À partir du moment où le projet présenté peut servir le département, Gruau est un fervent partisan de l'entreprise citoyenne et de la solidarité entre entrepreneurs mayennais. Dès la présidence du Medef-Mayenne sous Bruno Lucas[3], Gruau a proposé une structure enrichie de nombreuses commissions afin que chacun puisse être au courant de la situation de son collègue, le but étant de « jouer les "graisseurs" ». Pour preuve, le projet Échologia, fruit du travail

---

1. Patrick Gruau est PDG du groupe Gruau, numéro un européen de la carrosserie et du véhicule utilitaire en France. Gruau emploie 800 personnes dans l'Ouest (à Laval, au Mans, à Lamballe, à Saint-Laurent-sur-Sèvre et à Argentan) et transforme plusieurs milliers de véhicules par an en voitures de police, de gendarmerie, en ambulances, etc.

2. Se dit des entrepreneurs qui préfèrent demander des investissements à leurs amis chers ou à des parents proches plutôt qu'à de grandes entreprises.

3. Bruno Lucas est le PDG du groupe de BTP Bruno Lucas, une entreprise familiale qui a cinquante ans, 1 000 salariés et un chiffre d'affaires annuel de 85 millions d'euros. Il est numéro deux du Medef et ancien président du Medef-Mayenne.

acharné de deux jeunes partenaires mayennais qui ont eu la chance et le mérite de recevoir le soutien financier et technique de soixante-dix grandes entreprises patrimoniales mayennaises. Sur un ancien site industriel d'extraction du calcaire, des hébergements « insolites » ont été conçus et bâtis. Si, cette initiative a été sauvée et recapitalisée, c'est parce qu'elle faisait le lien entre « des hommes, un projet et, surtout, avait un intérêt immédiat pour le rayonnement de la Mayenne », insiste l'industriel.

Patrick Gruau, 61 ans, est un bon vivant. Je l'ai rencontré chez les Tual, avec son épouse de retour d'un voyage de méditation au Tibet. L'entrepreneur m'avait alors parlé avec grand naturel de ses deux filiales en Pologne, de sa tentative ratée en Russie, et conseillé un hôtel à Dubai, d'où il revenait. Mais, surtout, à table, il avait publiquement avoué s'être posé une question existentielle, liée à ses 60 ans récemment fêtés : « Maintenant, je fais quoi ? Je vais où ? » Pour trouver la réponse, le PDG avait pris six jours de réflexion en thalasso en Bretagne.

Je lui rends visite un samedi matin, au siège de son entreprise (1 300 salariés, 220 millions d'euros de CA). Celle-ci a vu le jour en 1889, année de l'érection de la tour Eiffel. Le bureau du PDG n'est pas au dernier étage, dans une tour de verre, mais facile d'accès, au rez-de-chaussée, face à l'entrée principale. Au mur, une photo de ses mille employés, offerte par tous pour ses trente années de capitanat. Devenu PDG du groupe à 28 ans – il incarne la septième génération ! –, après le décès impromptu de son père, et sans y avoir été préparé, Patrick Gruau ne sait pas s'il souhaite transmettre les manettes à ses filles et son fils. « Rendre Gruau transmissible est un projet en soi », avoue-t-il. Y préparera-t-il ses enfants ? Sur une vidéo disponible sur le Net, diffusée lors d'un JT de France 2 en mars 2016, Guillaume, 30 ans, son fils, affirme en présence du père au second plan qu'il ne peut répondre à la question de la succession ! « Pour assurer la pérennité de l'entreprise, explique l'entrepreneur, je me dois de construire la *dream team* qui me succédera. Mes enfants[1] en feront partie, ou pas. En tout cas, je ne céderai jamais à des financiers purs et durs. » Le dirigeant en est convaincu : la qualité des hommes qui composent l'entreprise dépend de la qualité de son management ! Quant à la transmission, elle doit répondre à deux conditions : que les enfants en aient très fortement envie, et qu'ils en soient capables. « Moi-même, fils de patron, j'avais demandé à mes parents de quitter Laval pour vivre en internat… Mes enfants doivent d'abord réussir leur vie ! »

Au décès de son père, Patrick avait entamé un tour de France des chefs d'entreprise qui avaient compté pour lui. « Un chef d'entreprise doit avoir une vision, sinon il ne prendra aucun risque et ce sera au détriment de son outil de travail. » Il pèse les avantages et les inconvénients d'une entreprise familiale : « J'ai passé mon temps à racheter les parts de ma famille », explique-t-il, parce que, dans ces structures séculaires, le risque est l'atomisation du capital et les disputes familiales. Gruau insiste : « Si, capitalistiquement, nous n'avions pas été organisés comme nous le sommes aujourd'hui, l'entreprise aurait eu plus de mal. »

---

1. L'aînée, 33 ans, travaille dans une entreprise horlogère à Genève. Le second travaille dans l'entreprise. La troisième travaille dans le marketing au Mans.

« Je suis un industriel, j'aime mes usines, je prends du plaisir à les voir fonctionner, à les améliorer, à produire quelque chose. Ce n'est pas le profit qui me guide, mais l'amour de l'industrie et de l'humain. Si cet après-midi je me tue sur la route, Gruau continuera, mes employés le savent ! J'ai toujours trois personnes clés de mon directoire et du conseil de surveillance à mes côtés, mais si je devais couper le cordon ombilical avec chacun d'entre eux, ça marcherait également : ils ont de l'autonomie ! » Pas de l'indépendance, nuance ! C'est dans cette « nuance » que réside la spécificité de son management.

Après de nombreux voyages au Japon et aux États-Unis, Gruau a opté pour le « management participatif ». La direction générale montre une direction, mais chaque département dispose de son propre projet. « J'aimerais qu'ici il fasse bon vivre, et pas seulement travailler », insiste-t-il de son air jovial. Il fut un temps où le jeune PDG n'osait aller au marché du samedi matin, de peur d'y croiser l'un de ses collaborateurs sans pouvoir le reconnaître ou le saluer par son prénom. Aujourd'hui, Patrick Gruau est libéré de cette peur.

Depuis 1987, Gruau pratique le « DDD » (Dialogue Direct avec la Direction), tirant au sort mensuellement dix personnes, une mesure facilitant la circulation de l'information. Lors d'un tour de table de deux heures, tous les thèmes sont abordés, sauf – c'est une loi d'airain – les questions personnelles, individuelles, ou les questions revendicatrices. « Vous avez 60 ans, qu'allez-vous faire ? », étant la plus fréquente, le PDG a officiellement annoncé sa décision de rempiler pour cinq ou sept ans.

Patrick Gruau, dit tirer un bénéfice extraordinaire de ces séances (« j'y puise du carburant ») et archive les carnets stabilotés de toutes les questions qu'on lui a posées au fil des ans. Il s'en inspire même pour la rédaction de son « édito » annuel dans le journal interne.

« Il suffit d'être un peu attentif et à l'écoute des siens. Un de mes ouvriers sur ligne de production aime chanter, un autre est féru de chorale. Qu'à cela ne tienne, ils ont créé une chorale en interne ! Cela peut paraître insignifiant, mais apprendre à découvrir une autre facette de mes employés, c'est énorme ! », dit le PDG en souriant. D'ailleurs, Patrick Gruau possède une passion connue de tous : la compétition automobile[1]. Il roule en Porsche Panamera hybride, comme celle qui a gagné les Vingt-Quatre Heures du Mans en 2015.

L'espace sur lequel s'est déployée son usine de Saint-Berthevin (mitoyenne de Laval) a été complètement « paysagée » selon la vision développée par le patron en « *learning expedition* » en Californie avec d'autres entrepreneurs. Quand l'intervenant avait demandé à chacun de coucher sur le papier « votre rêve à dix ans », Patrick Gruau s'était surpris à dessiner son terrain de vingt-deux hectares (sans la voie ferrée qui le ceinture qu'il réussira à faire déclasser), avec un étang (« j'aime l'eau, ça apaise ») et des espaces verts. Depuis, un plan d'eau a été creusé et 5 500 arbres ont été plantés. Gruau souhaitait une « usine à la campagne », il l'a créée.

---

1. Patrick Gruau est président adjoint de l'Automobile Club de l'Ouest. Il est aussi membre élu de la chambre de commerce et vice-président du Medef-Mayenne.

Depuis 1988, Patrick Gruau produit un projet d'entreprise qui doit « apporter du sens ». « C'est grâce à cette cohérence que tout le monde va dans le bon sens », insiste-t-il. Les affaires tournent, mais cela n'a pas été toujours le cas : à la fin des années 1990, à un moment crucial d'un pic d'investissement, la trésorerie était tendue. « Je n'ai pas hésité, raconte Gruau. J'ai appelé François d'Aubert et Jean Arthuis – les deux politiques aux manettes à l'époque –, car je savais ce dont ils étaient capables. Ils m'ont aidé sur le crédit-bail de mon bâtiment… Ce qui m'a permis de ne pas déposer le bilan ! » Si, à ce moment-là, Patrick Gruau a eu l'humilité de prendre son téléphone et raconter ses difficultés, aujourd'hui, il a d'autant plus envie de partager son succès.

Un PDG plongé
dans le questionnement philosophique

Au cours du dîner chez les Tual, il était placé à ma droite. Sa voix douce, au timbre si faible que personne, à part moi, ne semblait entendre ses paroles, m'avait frappée. Christophe Lambert est le PDG de TDV Industries, la cinquième génération dans le textile. « Pourquoi y a-t-il si peu de femmes chefs d'entreprise en Mayenne ? » lançait-il à table ce soir-là, un brin provocant, ajoutant que lui n'avait pas hésité à se prononcer pour la parité totale hommes-femmes, y compris dans les plus hautes instances de son entreprise. Sur son compte Twitter, TDV Industries s'affiche comme le « spécialiste français de tissus pour vêtements professionnels et tissus techniques 100 %

made in France ». Le PDG reçoit parfois des missives adres-
sées à son homonyme acteur, et ce n'est pas pour lui déplaire.

L'usine textile se déploie sur quatre hectares le long
de la Mayenne, en bordure du chemin de halage, entre
d'anciens abattoirs et l'ex-usine de tissages. Le bureau de
Lambert ne possède rien d'attrayant, encore moins d'osten-
tatoire, comme si la volonté de « rester normal » passait aussi
par la banalité des lieux. Tous les ans, c'est une tradition,
Christophe Lambert reçoit les retraités de TDV. En 2014,
l'un d'eux lui a raconté le moment où, après août 1944,
il avait manuellement remis en route la chaudière après
les années de guerre. Impressionné et ému, Christophe
Lambert a décidé de faire éditer un livret recueillant ce
genre de témoignages, qui sera distribué à tous les employés. Il m'en offre un exemplaire[1].

« Une entreprise ne peut plus être un seul homme, mais
le changement doit passer par un seul homme, et il n'est
solide que si toute l'entreprise est impliquée dans le process-
sus », énonce le PDG sur un ton si monocorde que c'est à
peine si je me rends compte que là, peut-être, se situe l'un
des points les plus importants de sa réflexion.

En 1938, le grand-père de Christophe Lambert et ses
associés, Charles et Henri Coisne, avaient trouvé en Laval le
lieu où ils se sentaient en sécurité. Avaient-ils perçu qu'ici
même leur entreprise, fruit d'une association avec la famille
Coisne, se développerait au-delà de leurs espérances ? « Nos
deux familles sont toujours associées », assure Lambert avec

---

1. *Des hommes et des toiles ; chronique de la vie quotidienne des salariés de TDV
Industries des origines aux années 1980*, Mayenne, 2014.

fierté mais aussi un peu de lassitude. La génération à venir – le nombre d'héritiers grandissant avec les années – a été sécurisée par un « *family office*[1] », une structure dont chacun devient membre le jour de ses 14 ans, pour garder sa cohésion. Ni ses enfants ni ceux de ses partenaires ne reprendront l'affaire, il en est convaincu. Pourtant, Lambert lui-même a succédé à son père, qui avait souhaité le retour de son fils en Mayenne pour prendre les rênes de son entreprise.

« Je sais que ça rassure les cent soixante-dix salariés de l'entreprise d'appartenir à une structure incarnée, je sens que les gars sont anxieux par rapport à des tas de choses, en premier lieu le contexte de globalisation ambiant, alors ils sont contents que je sois là[2]… » Comme si, pour ces salariés, même les syndiqués, à en croire Lambert, la structure familiale était une « sécurité ».

Christophe Lambert paraît maîtriser son sujet : « Avoir pendant trente ou quarante ans le même patron, ça de-

---

1. Selon Wikipédia, « le concept d'un office familial (''*family office*'') a fait son apparition aux États-Unis au cours de la deuxième moitié du XIXᵉ siècle. Des familles telles que les Rockefeller établirent pour leur compte des structures *ad hoc* afin de contrôler elles-mêmes certains aspects de la gestion de leur patrimoine. Ainsi naquirent les premiers ''*single family offices*'', structures détenues à 100 % par une famille, principalement dirigées par un ou plusieurs de leurs membres et dédiées à un éventail de tâches pouvant aller de la gestion de la fortune familiale, l'allocation d'actifs, la supervision d'établissements bancaires à l'optimisation juridique et fiscale du patrimoine, sa dévolution successorale, la prise en charge de services de conciergerie, à la politique de philanthropie ou encore à la gestion du parc immobilier de la famille ». Peu de familles remplissent toutefois les conditions pour justifier de la création de leur propre office familial. La holding familiale du groupe Coisne et Lambert, Colam Entreprendre, a commencé dans le textile et s'est diversifiée jusqu'à acquérir, entre autres, la Sonepar, qui représente plus de 20 milliards de CA/an et 43 000 salariés.

2. Christophe Lambert dirige l'entreprise depuis 1993. Il est père de quatre enfants.

vient une gageure, affirme-t-il en un souffle. *A fortiori* s'il reste dans un fonctionnement ancien… La vérité, c'est qu'au bout de dix ans un directeur général est usé… » Moi je transmets à qui le veut, à tous ! Pas à une personne en particulier, car je sais trop à quel point le regard porté sur une personne peut modifier cette personne ! C'est trop lourd à porter ! Je transmettrai avant tout la notion de confiance.

Près de vingt-cinq années à la tête de TDV ont fait mûrir l'ex-jeune homme de bonne famille marié à une des sœurs du sénateur-maire, François Zocchetto, qui réside dans un autre hôtel particulier de la ville. « Une entreprise financière, ça angoisse ; à l'inverse, une entreprise familiale, ça sécurise. Parfois trop », semble-t-il regretter. Christophe Lambert n'a plus l'intention de garder ses ouvriers ou ses cadres jusqu'à la retraite. Cent vingt personnes ont été renouvelées dans les dix dernières années. « Il ne faut plus faire faire, se plaît-il à répéter, mais faire grandir. » Lambert explique le faible taux de chômage en Mayenne par le fait qu'ici la main-d'œuvre est rarement considérée comme une variable d'ajustement.

Son entreprise est la première de cette taille a avoir mis en place le « *lean management* », une technique présente dans l'aéronautique, inspirée du système de production du Japonais Toyota, et censée « lutter contre le gaspillage tout en chassant ce qui produit de la "non-valeur ajoutée"[1] ». Patrick Gruau, adepte du « *lean* » depuis bien longtemps, figure d'ailleurs dans son comité de réflexion stratégique.

---

1. Cf. http://www.lexpress.fr/emploi/gestion-carriere/ce-qu-il-faut-savoir-sur-le-lean-management_1028028.html

Quand, après trente ans de bons et loyaux services, Christophe Lambert a demandé à son directeur général de partir, ça a créé « le choc qu'il fallait ». Pour le remplacer, il a recruté un cadre de Laval. Mais le fantasme de Lambert serait de réussir à faire fonctionner sa structure sans patron ! Sous sa houlette, à TDV Industries, sur vingt cadres, on est parvenu à la parité totale, ce dont il n'est pas peu fier. « Les plus animées, ce sont les femmes, ce sont elles qui ont le plus la flamme ! », il en est convaincu. Sous ses airs de gendre idéal ultraclassique, Christophe Lambert est un révolutionnaire…

Le paternalisme, caractéristique des entreprises familiales mayennaises, très peu pour lui : « Je souhaiterais que mes salariés arrivent à lâcher un peu cette sécurisation que j'incarne à leurs yeux… »

Parfaitement conscient de la tentation de la routine chez ses employés, dont l'emploi chez TDV leur a souvent permis de se marier, de s'endetter, bref d'avancer dans la vie, Christophe Lambert sait qu'ils sont à l'affût des signaux qui rassurent : par exemple, la voiture du patron garée tous les jours à la même place, bien en évidence, devant le bâtiment de la direction. Le jour où, comme tout le monde, il a décidé de se garer en face, au parking visiteurs, cela a provoqué nombre de commentaires inquiets, dont celui de son épouse : « Ils vont croire qu'il n'y a plus de patron ! »…

« Pour vivre heureux, vivons cachés. » Cette maxime, adoptée par nombre de ses congénères dans le département, ne convient pas à Lambert, un fanatique de la communication et de la transparence. Le PDG ne cesse d'informer ses salariés, notamment au cours de ses points minute du matin, pour les impliquer toujours davantage. « J'ai long-temps été convaincu que les gens n'avaient pas à connaître les résultats de l'entreprise, aujourd'hui, je distribue cette information à beaucoup de monde… »

Engagé depuis la fin des années 1990 dans ce que l'on n'appelait pas encore le « développement durable », Christophe Lambert insiste sur l'importance des « agendas 21 » et de la responsabilité sociétale que son entreprise s'impose « pour se donner des challenges supplémentaires ». Il les publie annuellement. Mieux, son entreprise, avant-gardiste dans les fiches techniques détaillant le « calculateur environnemental », livre le bilan environnemental complet pour chaque mètre de tissu produit, mais aussi son calcu-lateur social, afin que chaque client sache, indirectement, à quoi il contribue en termes d'aide à l'insertion, de baisse du chômage, etc. « On fait ça pour être contagieux », lance, un brin facétieux, celui pour qui la responsabilité sociétale des entreprises[1] (RSE) est avant tout une philosophie.

---

1. Cf. http://www.strategie.gouv.fr/publications/responsabilite-sociale-entreprises-competitivite. La responsabilité sociale des entreprises se définit comme la manière dont les entreprises intègrent, sur une base volontaire, des préoccupations sociales, environnementales et éthiques dans leurs activités économiques comme dans leurs interactions avec toutes les parties prenantes, qu'elles soient internes (dirigeants, salariés, actionnaires, etc.) ou externes (fournisseurs, clients, etc.). Ce sujet recueille une audience qui s'étend pro-gressivement à toutes les sphères d'activité. Industriels, responsables associatifs, hommes politiques et experts sont toujours plus nombreux à réclamer une mobilisation collective pour mieux appréhender cette thématique dans ses différentes dimensions. Ils y voient une occasion de repenser le modèle de l'entreprise du XXIe siècle et de susciter de nouvelles dynamiques de crois-sance durable et inclusive. La Commission européenne incite même les États membres à adopter une nouvelle approche résolument « stratégique » de la RSE, avec l'objectif de concilier exigence de compétitivité et responsabilité sociale.

Par l'intermédiaire d'un jeune embauché en alternance BTS, Christophe Lambert s'est essayé à Twitter et aux autres médias sociaux. « Même si cela ne touche que deux personnes prescriptrices que nous ne connaissons pas, c'est positif ! », s'enflamme-t-il. Tous les mois, le patron prend un petit déjeuner avec sept ouvriers et répond à leurs questions.

La vie de patron, c'est traiter en permanence ce qui ne va pas. À cet instant, Christophe Lambert se remémore le récit d'un de ses professeurs de l'école primaire, déporté dans les camps nazis pendant la guerre. L'instituteur racontait y avoir vu un enfant empêtré dans les fils de fer barbelés électriques enserrant le camp. Toutes les cinq secondes, l'enfant recevait une faible décharge qui ne le faisait pas mourir, mais souffrir. « Quand on est chef d'entreprise, on reçoit davantage de petites décharges que de bonnes nouvelles. Ces décharges, sûrement, comme cet enfant, eh bien, on s'y habitue… », analyse-t-il, ému à cette évocation.

Ce questionnement permanent, ces doutes, Lambert a fini par les confier à une psychanalyste dont il a l'honnêteté de dévoiler l'existence. Il l'appelle pudiquement son « coach », et lui rend périodiquement visite à Lyon. « J'aurais dû le faire bien plus tôt ! Même si je suis un privilégié, répète Lambert, même si mon entreprise marche bien, je souffre. Le risque, c'est de se retrouver seul, au sens propre comme au sens figuré… » Le terme même de « souffrance » l'a amené à améliorer les conditions de travail de ses employés. Il a aussi augmenté les salaires, obsédé par les notions de corrélation entre « capitalisme et développement durable », « entreprise et bonheur ». Manquait cependant à cette réflexion celle sur soi-même. De l'avis de Christophe Lambert, un patron ne saura jamais assez dire qu'il souffre. « On ne parle pas de cette souffrance-là, remarque Lambert[1]. Alors que beaucoup de patrons déposent le bilan, font des infarctus, vont jusqu'à se suicider, notamment dans les petites structures ! » En l'écoutant, je repense au cas de Sonia, que Lambert ne connaît pas, qui m'a parlé de la même douleur en des termes quasiment identiques. « La vie d'un patron, insiste-t-il, n'est faite que d'opérations de secours : tu passes ton temps à traiter ce qui ne va pas. Or, les difficultés financières, et surtout, humaines, t'alourdissent. Ça peut peser très lourd… »

Les chefs d'entreprise dont j'ai fait la connaissance chez les Tual ont tous un point commun : ils font partie de l'Association des amis de La Coudre, une abbaye[2] regroupant une cinquantaine de sœurs trappistes cisterciennes. Cette association a contribué au financement de récents travaux de rénovation des bâtiments, en particulier le complexe hôtelier de l'abbaye.

La mère abbesse, qui connaît et apprécie Samuel Tual, Christophe Lambert et Patrick Gruau, pour ne citer qu'eux, respecte et soutient – lors des conseils d'administration de l'association – ces chefs d'entreprise avec qui elle se sent liée par « des valeurs profondes, dont l'ouverture à l'existence de quelqu'un de plus grand au cœur de nos existences ». Même si ce Dieu n'est que peu ou pas nommé par eux, « il oriente leurs engagements ». À ceux-ci, la proximité avec l'abbaye semble donner un socle, une intégrité professionnelle. « Ce sont des gens sérieux, honnêtes, qui tiennent leur parole », ajoute l'abbesse, étonnée du « courant » qu'elle a senti passer,

---

1. Pour aller plus loin sur ce sujet, lire « Le burn-out des petits patrons », par Louise Couvelaire, in *M Le Magazine du Monde*, 16 avril 2016.
2. Établie depuis le 6 juin 1816.

un soir, entre Patrick Gruau et ses chefs de site qu'il avait emmenés visiter l'abbaye après un séminaire : « Leur façon fraternelle de se parler m'a estomaquée. Ils étaient tous détendus et sur la même longueur d'onde. »

La religieuse confirme le succès de la fameuse communauté Saint-Martin venue d'Italie. Même si elle souhaite rester discrète à leur égard, je sens que l'irruption de ces prêtres appelés par les évêques, tant l'Église peine à s'adresser aux jeunes, pose question, voire gêne la communauté de croyants. Leur succès scelle la fin du prêtre vivant seul dans son presbytère. Place désormais à ces communautés dynamiques qui assument leur visibilité et dont le mode de vie et le fonctionnement évoquent celui de la bande. La radicalité d'engagement proposée par la communauté Saint-Martin plaît aux jeunes, d'où l'engouement pour cette vie communautaire, qui pourrait laisser croire à de l'intégrisme.

Tous les mercredis soir, c'est messe à Saint-Vénérand, où, on l'a vu, se rendent parfois les fils Tual, mais aussi le fils de Christophe Lambert, 17 ans, ce qui n'est pas pour déplaire à son père : « Grâce à ce prêtre, don Pierre-Antoine, qui a la flamme de la communauté Saint-Martin, mon fils, après sa crise d'adolescence, a "re-cru" en Dieu, c'est un miracle ! Sa foi est même plus forte que la nôtre à son âge », se félicite-t-il.

Ce dimanche des Rameaux, une centaine de fidèles forment un cercle sur le pourtour de l'église du XIVe siècle, un rameau de buis à la main, avant d'y pénétrer, conduits par le curé Pierre-Antoine en soutane, accompagné de huit enfants de chœur tout de blanc vêtus. Avant de pénétrer dans l'édifice, certains éteignent leur portable, d'autres brassent furieusement l'air de leur rameau. Semblant prendre son élan, le prêtre bénit scrupuleusement l'assemblée d'un geste large. Une puissante odeur d'encens monte par vagues. Au moment où la chorale entonne, en canon, « Mon Dieu, mon Dieu, pourquoi m'as-tu abandonné ? », don Pierre-Antoine a plissé les yeux derrière ses lunettes jusqu'à les fermer. Immobiles, larges, blanches, ses mains sont posées, sur chacun de ses genoux. « Ne soyons pas tristes, affirme-t-il posément en scrutant l'assistance. Dieu est passionné des hommes, cela veut dire qu'il souffre avec les hommes. »

Considérée par certains comme intégriste, la communauté Saint-Martin est assurément traditionaliste, mais elle a surtout contribué au réveil des communautés de jeunes, ce que les catholiques, dans leur ensemble, sont bien en peine de critiquer. « Étant donné que leurs parents et grands-parents ont délaissé le côté religieux, et que les Français ne vont à l'église que pour les grandes occasions, il est inévitable que certains jeunes cathos aillent dans le sens contraire », commente sans s'en étonner une famille musulmane de Laval dont les enfants sont inscrits dans une école privée catholique.

Philippe Paré, le directeur diocésain de l'enseignement catholique en Mayenne, confirme l'engouement de nombre de familles musulmanes pour cet enseignement, notamment courant 2015, après les attentats de *Charlie Hebdo* et du 13 novembre. À Laval, l'institution de l'Immaculée Conception a accueilli des générations d'élèves depuis cent cinquante ans et, ici, l'enseignement catholique n'est pas réservé à une élite[1]. Ces familles re-

---

1. En Vendée et dans le Morbihan, l'enseignement catholique reste majoritaire.

cherchent à l'école un lien explicite à la religion et le sens de valeurs partagées, qu'elles n'ont pas trouvés dans l'enseignement laïc. « Les musulmans ont l'impression que la société se délite. S'ils viennent chez nous, c'est signe que l'école catholique reste ouverte et utile à tous », se félicite-t-il.

En face de « l'Immac » s'élève le collège Puech, établissement public menacé de fermeture. Après y avoir inscrit sa fille aînée, Nathalie Hutter-Lardeau y a mis son fils. Pour rien au monde elle ne les aurait laissés étudier dans le privé.

Une entrepreneuse entreprenante

À 50 ans, cette femme est assurément une « extraterrestre » pour les Mayennais de souche. Boucles d'oreilles de Gitane, cheveux mi-longs frangés au carré de jais, silhouette soigneusement travaillée, souvent vêtue de noir, mais le sourire facile, Nathalie est avant tout une commerciale hors pair.

Jouxtant le théâtre, la maison de Nathalie, avec son grand jardin, a du charme. Pour une spécialiste en nutrition, je m'amuse de constater que le réfrigérateur familial est rempli d'aliments purement industriels – essentiellement des marques pour lesquelles elle travaille. Des exemplaires du magazine branché *Society* traînent à tous les étages. Le matin, après avoir écouté la chronique du Dr Gérald Kierzek sur Europe 1, à 6 h 50, une radio que, par ailleurs, elle n'aime pas, Nathalie, s'affichant de gauche, finit de se réveiller avec France Inter.

La chef d'entreprise est à la tête d'une agence[1] employant treize filles et un stagiaire, en ce moment un garçon. Née en Allemagne de deux parents militaires, ayant grandi à Rennes, elle aime la mer et déteste la campagne, d'où son choix de Laval, à mi-chemin entre Saint-Malo et la capitale où Nathalie se rend comme on irait boire un café au coin de la rue, une fois par semaine, parfois deux. À l'instar d'une majorité de personnes ici, avant de créer son entreprise, Nathalie a été employée huit ans par Lactalis, un groupe qui ne licencie pour ainsi dire pas et offre un treizième, quatorzième et quinzième mois à ses salariés. Pendant ces années-là, Nathalie se targue d'avoir contribué à créer le lait « Éveil de Lactel[2] ». « J'avais même mon nom sur ma porte, se vante-t-elle, et, quand j'ai voulu partir, Emmanuel Besnier m'a prévenue qu'il ne l'enlèverait pas tout de suite, au cas où… » Elle n'est jamais revenue.

À notre arrivée au Cap Horn, un grand café qui fait le coin, entre la rue de la paix et le quai Beatrix de Gavre, Nathalie virevolte de table en table, embrasse la moitié de la salle, reconnaissable entre mille par le cliquetis de ses bracelets et colifichets. Tous les samedis matin, elle y boit café sur café, potassant les magazines de mode de la semaine tout en accueillant à sa table toutes celles et tous ceux voulant bien s'y présenter. « Je veux qu'on aide davantage les femmes à créer leur entreprise. Le Medef, ici comme ailleurs, ne le fait pas assez ! », déclare-t-elle de sa voix très posée, au ton parfois surjoué. Femme chef d'entreprise dans un milieu masculin, Nathalie a appris à

---

1. Atlantic Santé, 10 salariés, 1,5 million de chiffre d'affaires.
2. Lactel a reçu un SIAL d'Or au Salon international de l'alimentation pour ce produit, en 1996.

se contrôler en permanence. Ses clients, des groupes tels Seb, Sodexo, Auchan ou la multinationale Philip Morris, ne sont ni en Mayenne ni à Laval. En 2008, quand elle a failli « tout perdre » à cause de la crise, Samuel [Tual] la coopte pour entrer dans le club APM (Association Progrès du Management[1]), une expérience qui la passionne. On y disserte tout autant de l'« ubérisation de la société », de la « génération Y », que de l'importance de la voix, en compagnie d'une cantatrice. Tous les mois, différentes formations sont assurées par des intervenants spécialisés. Nathalie dit avoir fourni du travail à des demandeurs d'emploi via Actual, mais la réciproque n'a pas été vraie : « Il ne m'a jamais trouvé de clients ! » C'est une remarque que j'entendrai à plusieurs reprises : les femmes chefs d'entreprise attendent aussi de leurs alter ego masculins qu'ils n'hésitent pas à leur « refiler des clients », ce qui prouverait qu'ils les considèrent. En Mayenne comme ailleurs, les hommes « se partagent le gâteau entre eux », analyse la femme d'affaires.

Dans ses bureaux en ville, constitués de deux appartements réunis, règne un joyeux capharnaüm où les murs garnis d'étagères croulent sous les produits (Gerblé, Findus, etc.) élaborés par les « Atlantic Girls », comme Nathalie aime

---

1. Selon le site de l'APM, cette association est fondée sur l'idée du progrès de l'entreprise. Créée en 1987 par la volonté de quelques chefs d'entreprise, dont Pierre Bellon, le président et fondateur de Sodexo, son but est de créer des rencontres où les chefs d'entreprise peuvent partager leurs expériences, rompre l'isolement du dirigeant et débattre de leurs problématiques managériales. L'association est à la fois club de réflexion et atelier de formation. Avec un objectif constant : faire progresser les dirigeants pour faire avancer leurs entreprises. Grâce à l'APM, les adhérents s'ouvrent à d'autres horizons, englobant l'entreprise dans l'approche plus générale de la compréhension des enjeux du monde contemporain.

appeler ses employées. Avec Catherine, la seule à avoir plus de 50 ans (la moyenne d'âge atteint à peine 30 ans), elle se remémore la « boule au ventre » qui les tenaillait chez Lactalis où, au service marketing, l'ambiance était compétitive. « Ici, je ne veux pas de stress », commente-t-elle en réaction à ce souvenir.

Nathalie est à la fois fière d'avoir intégré cette élite dont elle n'est originaire, ni par sa famille, ni par ses racines géographiques, mais n'hésite pas à la brocarder à la première occasion – en s'arrangeant pour ne rien perdre de ses avantages acquis : « Quand ces entrepreneurs se rencontrent, j'ai parfois l'impression qu'ils se jaugent à l'aune du nombre d'employés et du chiffre d'affaires, le plus grand étant le plus fort, bien sûr ! » Un esprit « machiste » particulièrement présent dans une ville de grande tradition industrielle comme Laval, à l'opposé de Rennes, plus socialiste.

À l'agence, la PDG souhaite que ses employées « vivent bien, prennent le TGV en 1re classe et descendent dans de bons hôtels ». Nathalie aime inculquer à « ses » filles l'envie d'être libres : « J'entends encore certaines ingénieures m'avouer qu'elles font les courses pour leur mec. Certaines me demandent comment mon mari me laisse aller à tous ces déjeuners ! » Nathalie Hutter-Lardeau féministe ? « Je leur dis et leur répète : votre liberté, c'est votre boulot, et c'est une chance immense ! » Si elle embauche des femmes, c'est parce qu'elle tient à montrer que réussir sa vie professionnelle et sa vie privée n'est pas incompatible.

À l'émission « Les gonzesses », censée établir un début de contrepoids à ces clubs trop souvent exclusivement masculins, diffusée sur France Bleu Mayenne, l'entrepreneuse a apporté son épais carnet d'adresses. Pierre, son mari, est aussi un ancien de Lactalis où ils se sont rencontrés. Ils ont deux enfants, une fille de 20 ans et un garçon de 14 ans à qui Nathalie ne souhaite pas céder son entreprise : « Ce serait un cadeau empoisonné. » Elle transmettra à ses employées.

Le mardi matin, députés et autres entrepreneurs mayennais se retrouvent à bord du TGV de 8 h 40 à destination de Paris. Après l'arrêt au Mans, ils prennent un café en voiture bar pour discuter, et faire du business, souligne la *serial* communicatrice Nathalie, dont c'est le lieu de lobbying préféré. Le jeudi, tous rentrent par le train de 17 h 40.

Elle m'a conviée au pot de départ de l'une de ses employées qui, après dix années à ses côtés, accomplit le chemin inverse du sien en s'apprêtant à rejoindre les équipes de Lactalis. La fête a lieu dans un bar-lounge où les filles ont apporté de quoi nourrir un régiment. Après l'apéritif, Caroline, l'employée qui s'en va, se lève pour prononcer joyeusement un petit discours : « Il aurait été plus simple pour moi de ne pas apprécier mes collègues, mon travail, ma chef. [Rires.] Mais vous m'avez toutes été… indispensables ! » [Murmures de contentement dans l'assemblée.] S'ensuit un petit mot gentil pour caractériser chacune : « Nathalie : l'audace, Océane : la persévérance, Delphine : la puissante, ou encore Armelle : la rigueur. » La jeune femme poursuit, émue : « Vous allez me manquer, mais je ne suis pas loin ! » Effectivement, Caroline ne change ni de ville, ni même de salaire, deux avantages qu'elle considère comme une vraie chance et qui ne sont possibles que grâce aux circuits courts de cette ville.

L'homme des colis,
loin des réseaux lavallois

Tarik Hamouni, 35 ans, est un chef d'entreprise sans aucun diplôme. Il me reçoit dans son bureau, une pièce modeste d'un hangar de la zone industrielle des Touches, où nous sommes rejoints par une jeune femme blonde, svelte, à l'air sérieux : Céline, sa compagne. Le couple est épanoui et amoureux, et cela se voit.

Tarik, fils d'un ouvrier marocain arrivé de Sidi-Bennor en 1970, sait ce que c'est de porter les mêmes vêtements toute la semaine quand on est enfant. Né en France, il n'a pratiquement pas fréquenté l'école. À 19 ans, un « patron » lui a mis le pied à l'étrier en lui faisant confiance : pendant quatre ans, Tarik a été le « premier livreur arabe-français en Mayenne » et en tire toujours une grande fierté. « Parce que, dans la tête des gens, c'était Arabe = voleur ! », explique-t-il.

C'est l'époque où les centres d'appels délocalisés au Maghreb débaptisent leurs employés – tout comme les employés des restaurants asiatiques affichent un « *name* tag », clair pour des Occidentaux peu réceptifs aux prénoms exotiques. Pour sa part, Tarik se fait appeler « Simon », et quand il décharge lui-même les colis, laisse ses clients croire qu'il est le livreur et non le patron ! À l'évocation de ce souvenir pas si lointain, l'homme aux cheveux gominés sur le haut du crâne et rasés sur les côtés secoue la tête, regarde ses mains, puis sa femme, d'un air gentil. « Patiemment, je leur ai montré qui j'étais, jamais je n'ai répondu à aucune provocation. J'ai bossé, bossé, bossé, c'est tout ! » Comme pour d'autres le foot, le transport est la passion de Tarik. Tarik et son physique de boxeur, Tarik et sa douce voix qui trahit une nature paisible. Tarik, qui a toujours voulu avancer – « t'as toujours voulu réussir ! », précise sa femme. « En 2004, j'étais pas prêt encore, oh ! la la, non ! Quand on est jeune on n'est pas très conscient. » De 2004 à 2007, Tarik confirme ses talents chez un patron originaire de Bourges, qui lui donnait même des cours de comptabilité le dimanche matin. Rien ne lui échappe : il observe les chauffeurs de l'Est pénétrer le marché français et le « casser ». Quand son patron quitte Laval pour ouvrir une société de transport de personnes dans sa région d'origine, lui vient l'idée de se spécialiser dans les derniers kilomètres, les longues distances et les matières dangereuses, tout ce que la concurrence rechigne à proposer.

Tarik a commencé seul, grâce à l'aide de quelques amis – l'un prêtait de l'essence, l'autre un véhicule dans lequel il dormait, descendait se laver dans une station-essence, avant de reprendre le volant pour le Danemark, la Suède ou la Roumanie. Les trois premières années, il est le seul employé de sa petite entreprise. « Je n'ai rien demandé à personne, donc rien reçu ! », se remémore-t-il. Et puisque aucun établissement bancaire ne veut lui prêter de l'argent, qu'à cela ne tienne, il ouvre vingt comptes différents et jongle avec leurs découverts respectifs. Aujourd'hui, Tarik possède vingt-sept camions noirs reconnaissables entre tous avec leur inscription en lettres d'or, et son chiffre d'affaire avoisine le million d'euros.

Les origines familiales de Céline, 35 ans, mère de trois enfants d'une première union, sont purement mayennaises : son père avait revendu l'exploitation agricole de ses propres parents pour devenir chauffeur poids lourd et sa mère, issue d'une famille de petits agriculteurs, était couturière. Si les parents de Céline récupéraient les consignes de bouteilles et peinaient à élever leurs cinq enfants, Céline n'en a jamais rien su tant ils ont réussi à les gâter.

Le couple s'est rencontré il y a près de cinq ans. Triste constat : ni la famille de Tarik ni celle de Céline n'ont accepté cette union. « Des deux côtés, ils ont espéré que ça ne dure pas ! », note Céline en riant. Aujourd'hui, les ponts sont coupés afin de « vivre tranquillement sans subir les tensions familiales ». Tous deux le regrettent, mais ils ont dû s'y résoudre.

« À Laval, on est discrets, on ne se fait jamais voir ! », répond Céline quand je lui pose la question du couple mixte et de ses éventuels désavantages. Pour sortir dîner au restaurant, le couple prend sa voiture et se rend à Rennes ou au Mans. « Ici la mentalité est fermée, le cœur aussi », résume Tarik, en référence au célèbre sketch de Jamel Debbouze « On ne choisit pas entre sa mère et son père ! ». Tarik aussi refuse de choisir : il ne se sent ni exclusivement marocain, ni exclusivement français. Il n'a pas choisi sa culture, mais a été élevé en France, souligne-t-il.

En compagnie de Tarik, Céline ne s'est jamais fait ni arrêter ni contrôler. C'est toujours à lui qu'on demande ses papiers, pas à elle. Le jour des attentats de *Charlie Hebdo*, Tarik est resté collé, bouche bée devant sa télé, et cela a recommencé en novembre : « Les terroristes n'ont rien à voir avec l'islam, c'est ça qu'il faudrait que les gens comprennent. Ces assassins déforment le Coran, et nous, à cause d'eux, on subit une double peine… », regrette-t-il.

Tarik emploie vingt-sept salariés. Il sait ce que cela signifie en termes de responsabilité : les familles à nourrir, les crédits sur les maisons, les voitures, etc. À un sourd-muet venu lui réclamer du travail il a offert un CDD comme « agent de quai ». Maintenant, cet homme est en CDI ! Souvent, des jeunes du quartier des Pommeraies, dont il est issu, viennent lui demander un emploi : à tous, il répète, en connaissance de cause, que la clé est le travail, toujours le travail, et de ne jamais répondre à la moindre provocation, « sinon c'est toi qui as tort ». Ses rapports avec Pôle emploi se résument à ces jeunes envoyés par la structure d'État pour un stage de quelques jours censé les aider à se rendre compte de la réalité du métier de chauffeur : « Évidemment, les adeptes de la funk à fond, lunettes de soleil et coude dehors déchantent très vite…, s'amuse-t-il. Dans mon métier, faut être organisé, tout se passe tôt le matin. Quand je cherche un chauffeur, Pôle emploi m'envoie un boucher… Moi, j'ai besoin de gens compétents, je peux les former moi-même ! », fanfaronne-t-il. Tarik traite bien ses employés, il les note et les augmente tous les six mois, redistribuant une partie de ses bénéfices sous forme de prime d'intéressement, juste avant Noël, d'un montant variant entre 300 à 1 200 euros. Tarik n'humilie pas, Tarik respecte.

Il a même formé deux cadres, payés en conséquence : « Ce qu'on m'a appris, je le leur ai transmis. Il faut savoir déléguer », assure Tarik. Céline opine du chef, sourire aux lèvres : « Oh oui ! » Quelques mois auparavant, leurs vacances en amoureux à l'île Maurice ont été « gâchées » parce que Tarik passait son temps au téléphone. Elle l'a donc incité à déléguer.

Comme tout *self-made-man*, Tarik se méfie de ce qui peut lui apparaître imposé de l'extérieur : la loi El-Khomri en fait partie. À deux reprises il a été assigné aux prud'hommes, sans être condamné. Gérant sa société de moins de cinquante personnes avec humanité, implication, et surtout, le moins d'intermédiaires possible, Tarik ne souhaite ni syndicat, ni délégué du personnel. Il ne croit guère en la politique, et n'est pas dupe devant les tentatives – pathétiques – des acteurs politiques locaux pour se rapprocher de lui : ayant appris qu'il connaissait les jeunes du « quartier » et pouvait, le cas échéant, servir de relais, le sénateur-maire, était venu lui rendre visite pendant sa campagne. Bonne poire, Tarik s'est rendu à l'un de ses meetings. Depuis, il n'en n'a plus entendu parler. « Que des promesses ! »

Depuis 2012, Tarik loue son local à Bruno Lucas, un entrepreneur local influent qui l'a aidé, sans le connaître : « Celui-là, quand il est né, il avait déjà la Maserati au garage ! », résume un peu schématiquement Tarik. Toujours est-il que, sur simple présentation du dossier, Bruno Lucas a accordé au jeune entrepreneur un prix baissé de moitié. Bien lui en a pris. Aujourd'hui, les affaires de Flash-Colis 53 vont tellement bien (une succursale bientôt ouverte dans la Sarthe voisine) que Tarik est sur le point d'acheter un terrain dans la nouvelle zone industrielle.

Le couple vit à Grenoux, un quartier résidentiel où il loue une vaste maison moderne, de plain-pied, avec d'immenses baies vitrées et de l'espace pour garer leurs deux voitures. Leurs voisins sont commissaires-priseurs, pharmaciens ou comptables. Dans la cuisine américaine sobre et fonctionnelle, Céline se met aux fourneaux tandis que je m'approche d'une imposante cage en fer sur pieds qui abrite un gris du Gabon. À l'instant où sa maîtresse disparaît de sa vue, en passant du côté de la salle à manger, Popeye, c'est son nom, gesticule et caquète de façon quasi alarmante. Quand elle réapparaît, le calme revient. Rien n'échappe à l'œil perçant du perroquet.

Nous attendons Tarik qui revient exprès du bureau pour déjeuner, à ma demande. Spontanément, Céline raconte sa difficulté à trouver une secrétaire de direction pour son mari : « Les profils les plus intéressants sont ceux de femmes d'une quarantaine d'années, qui aiment la stabilité et le calme. Je leur fais faire des tests *in situ*, mais je n'ai pas encore trouvé la perle rare…[1] » Céline en a assez de voir son homme rentrer à point d'heure et fourbu de travail. D'un commun accord, ils ont déposé une annonce à Pôle emploi « en anonyme », pour ne pas se retrouver avec « tous ceux du quartier qui croient que bosser c'est facile et qu'il n'y a pas grand-chose à faire », sourit Céline, décidément exigeante en matière de ressources humaines ! Tarik, qui vient d'arriver, saisit la conversation au vol et tempère les propos de « Pépète », comme il surnomme affectueusement son amoureuse : « Bon, moi, je suis toujours en faveur de leur donner une seconde chance, c'est vrai, quoi ! expose-t-il, perroquet sur l'épaule. Mais c'est pas facile d'être employeur, psychologue, assistante sociale, et amical, sans l'être trop. Alors j'me fais aider de Pépète ! »

L'itinéraire de Tarik et ses succès fulgurants ont suscité la jalousie en ville, notamment parce qu'il est labellisé

---

1. Quelques semaines plus tard, elle embauche une jeune fille de 25 ans, pupille de l'État, qui annonce sa grossesse peu après avoir signé son CDI.

« Arabe » du quartier. Mais l'intéressé n'en a cure, répétant que les critiques le stimulent : « Ça m'démoralise pas du tout, au contraire, c'est un booster ! » On le croit aisément, étant donné ce qu'il nous est donné de partager de son univers, fait de persévérance, d'exigence et de passion. S'il a dépassé ses concurrents en peu de temps, Tarik reste vigilant : la concurrence est rude.

Le couple a du mal à croire en l'utilité des fameux « réseaux » en dehors desquels il se sont développés. Tarik a vaguement entendu parler des APM, mais, il se tourne vers Céline, « faut être coopté, et je sais pas trop si c'est vraiment constructif… ». Elle fait la moue. Quant à l'événement local du moment, le « Laval Virtual », aux yeux du couple, il porte bien son nom : « C'est virtuel. Ça va peut-être attirer du monde, mais est-ce que ça va soigner quelqu'un ? Nourrir quelqu'un ? »

Le virtuel tente
de s'imposer au réel

Des tentes ont été dressées rue de la Halle-aux-Toiles, dans le prolongement de la salle polyvalente, cette dernière étant insuffisante depuis quelques éditions. En ce jour d'inauguration, il y a du monde partout. Dans le hall, sur la place de Hercé bordée des plus belles maisons et hôtels particuliers de la ville, c'est la cohue pour recevoir son badge. La réalité virtuelle, longtemps réservée aux industries lourdes et pointues comme l'aéronautique, « génère de l'usage » grâce aux masques de réalité augmentée. Quant au public, lui, il ne cesse d'augmenter.

Mélanie, une femme
dans l'émotion de l'invention

Chaque année, pour célébrer ces miracles du virtuel, le salon rassemble presque deux cents exposants, dont la plupart sont en phase de prototype et ravis d'obtenir un feedback du public. Parmi eux, Mélanie, 38 ans, Lavalloise, est une irréductible du virtuel : au décès de son compagnon, emporté par une leucémie, Mélanie perd pied. Avec lui, elle a tout vécu, les espoirs, les déceptions, jusqu'à la lourdeur et l'indicible douleur d'une vie à l'hôpital devenue le quotidien.

Issue du monde associatif, la jeune femme blonde au sourire communicatif a de l'énergie à revendre, en plus de ses convictions : au départ uniquement mue par sa colère et son désespoir (rien n'avait été fait pour son compagnon quand il aurait eu besoin de cet accompagnement), elle a l'idée de Bliss, une application 3D qui minimise la douleur du geste médical. « J'avais zéro réseau, zéro argent, mais 100 % de détermination », se remémore-t-elle aujourd'hui. J'ajouterais surtout que Mélanie avait pour elle un culot salvateur, monstrueux, et n'avait peur de rien puisqu'elle avait déjà perdu le plus cher.

Via « L'effet Papillon », son entreprise sociale, elle met au point des spectacles pour l'hôpital dans les services de cancérologie. En toquant aux portes des malades et se présentant comme porteuse « de douceur », Mélanie n'est jamais mal reçue. Elle aide concrètement les malades et leurs aidants. Mais son obsession est de parvenir à mettre au point cette application de réseau social 3D, parce que la chambre stérile, telle qu'elle l'a expérimentée, reste « pire qu'un parloir de prison ». Sa réflexion est simple : puisque, selon des enquêtes scientifiques venant des États-Unis, la réalité virtuelle a des effets plus puissants que la morphine, elle se dit qu'Internet et les jeux en réseau peuvent devenir une fenêtre sur le monde sans que le malade sorte physiquement de sa bulle. « Bliss, c'est un peu de la morphine virtuelle… », aime-t-elle à dire.

C'est son sixième « Laval Virtual » et l'acharnement de Mélanie ne fléchit pas. En 2011, elle était venue démontrer son prototype avec lit d'hôpital et blouses d'infirmière à l'appui. Aujourd'hui, Mélanie a recruté des élèves d'une école d'ingénieurs spécialisés. Elle a également testé son idée avec des patients atteints de cancer et « soignés » par la sophrologie. Après avoir tenté de convaincre le corps médical, elle s'est adressée au ministère de la Santé où elle a constaté qu'elle « ne rentrait dans aucune case ». Déjà incomprise et décontenancée par le monde des start-up, Mélanie s'est aussi pris en pleine face l'immobilisme des structures d'État. Un ancien directeur régional de santé lui suggère de s'adresser aux industriels. Mélanie se retrouve face au dilemme de celui qui apporte l'idée novatrice, mais à qui il faut de l'argent pour rémunérer ses développeurs. Comment monter des partenariats quand le produit n'est pas fini ?

Pour s'autofinancer, elle s'adresse à KissKissBankBank, où elle parvient à recueillir 25 537 euros en soixante jours, de trois cent trente-deux personnes venus d'Italie, du Japon, du Canada, des États-Unis, de Belgique et de France. Isolée dans un domaine hermétique pour le grand public, Mélanie possède une vision particulière du réseau économique mayennais : « On n'y croise pratiquement que des hommes, en plus, c'est un milieu clos ! » Mélanie a des valeurs, et tient à ce que ceux à qui elle s'ouvre de son projet les partagent : il s'agit de solidarité, de lien social, de bienveillance, de réciprocité et de loyauté. Valeurs qui ne correspondent pas forcément aux règles du business actuel. Son espoir réside dans les start-up où la mentalité est moins machiste, moins figée et davantage centrée sur le partenariat social.

En jean, chaussures plates, petit blouson de cuir et sacoche décorée d'une tête de mort à paillettes en bandoulière, Mélanie semble fin prête pour aborder ces trois jours de salon : elle veut continuer à faire connaître son projet d'application et décrocher les derniers financements. L'application Bliss est en démonstration sur un stand de développeurs, ce qui la remplit de joie.

Dès le hall, Mélanie cherche « son » stand des yeux. Six étudiants d'une école d'ingénieurs locale[1] ont planché sur son projet ; plus un développeur et deux infographistes[2]. Son *crowdfunding* a permis de recueillir assez d'argent pour mettre au point un premier environnement. Jusqu'en février 2017, grâce à une équipe de médecins héros de son projet, les hôpitaux de Nancy, de Bordeaux, du Mans et d'Angers ont testé son application avec des patients volontaires devant subir une ponction osseuse ou lombaire. Les études qui en découleront permettront de savoir si Bliss

---

1. L'école privée d'ingénieurs du monde numérique (ESIEA) a été fondée en 1958 et possède deux campus à Paris et Laval. Elle forme « des ingénieurs généralistes des sciences et technologies du numérique, adaptables à leur environnement technique et humain, ainsi qu'aux exigences de secteurs d'activité très diversifiés en France et à l'international ».

2. Diplômés de l'École supérieure de création interactive numérique (ESCIN).

contribue à l'atténuation de la douleur du patient, ce qui comblerait la jeune créatrice, modèle de détermination et d'intransigeance.

Mélanie la rêveuse, Mélanie l'entrepreneuse a souffert de ne pas avoir de réseaux. Dans sa recherche de financement, elle s'est retrouvée face à des personnes du Rotary ou de la franc-maçonnerie, qui, l'accusant de vouloir « faire du business sur des patients », lorgnaient en fait sur son projet. L'espace d'un instant, elle avait espéré qu'Élise Lucet[1], la nouvelle pourfendeuse des démunis et victimes en tout genre du système, se pencherait sur l'épineux sujet de la transparence du monde associatif... Avec pour seules armes ses amis, sa témérité, sa persévérance et un soupçon d'inconscience, Mélanie est en train de parvenir à ses fins.

Le maire, le préfet, le président du conseil départemental et d'autres huiles locales sont tous reconnaissables à leur écharpe rouge vif, passée en symbole de soutien à la candidature de Laval au label « French Tech[2] ». À la dernière minute, Samuel Tual s'est joint à eux pour participer à la visite VIP de « Laval Virtual ». Malgré leur présence physique, je doute que ces politiques et entrepreneurs locaux soient particulièrement convaincus de l'importance du sujet. Serait-ce parce qu'ils ne s'y sont pas encore intéressés en profondeur ? Ou parce qu'ils n'en discernent pas les conséquences sur le grand public ? Sont-ils là pour se montrer, pour prétendre être à la page ? Leur présence sert-elle réellement le Salon ?

---

1. Journaliste de l'émission à succès Cash Investigation, sur France ?
2. Label national qui met en avant le savoir-faire des start-up locales.

À Laval, comme ailleurs, les salons sur le virtuel et la réalité augmentée demeurent des « moyens de communication » qui offrent à la ville ou à la région hôte une image moderne et novatrice. Ne prête-t-on pas à François d'Aubert, l'ancien maire, ce souci : trouver à Laval quelque chose à faire « qui n'ait jamais été fait et qui rendrait la ville connue » ?

À MONTLUÇON

Ils sont là, debout, pochettes ou porte-documents sous le bras, dossiers contre la poitrine, en rangs serrés tant ils sont nombreux (presque une centaine).

L'air las, fermé, passant souvent d'un pied sur l'autre pour calmer l'attente, certains tentent d'arborer une mine décontractée, mais l'angoisse est perceptible. Personne ne sourit. En ce jeudi froid et brumeux d'automne, tous ceux qui cherchent un travail à Montluçon et dans les alentours[1] sont venus.

La foule attend l'ouverture du « Forum de l'emploi et de la formation », organisé dans le cadre de la semaine de l'emploi et de la formation au centre Athanor, un imposant bâtiment de béton dont le nom évoque un château fort, coincé sur les rives du Cher entre un centre commercial Leclerc et la discothèque Diam's.

Face à cette foule, on se congratule, on sourit. Chacun arrange son stand affectant l'air empressé mais serein de celui qui n'est menacé par aucune épée de Damoclès. Les demandeurs d'emploi sont arrivés en avance parce qu'ils

---

1. En 2015, le taux de chômage à Montluçon s'élève à 14 %.

savent que les places sont chères. Tous veulent travailler, se battre. Ce « face-à-face » entre les démunis et ceux qui possèdent les solutions qui les intéressent m'attriste. J'ai l'impression qu'à l'heure dite un « coup d'envoi » sera donné, qui contraindra chacun, selon ses atouts, à s'arranger comme il peut pour être choisi. Comme si, en se précipitant vers les stands dûment sélectionnés, les élus seraient subitement dotés d'un avenir. Rentreraient dans la norme en rejoignant cette banalité du quotidien – on oublie le confort d'avoir un emploi quand on n'en a plus. La foule ne cesse de grossir. Quelques femmes viennent se mettre tout devant et guettent le moindre mouvement de ceux placés « de l'autre côté ».

L'heure officielle d'ouverture du Forum est dépassée d'à peine une minute, que, déjà, certains s'enhardissent et s'avancent. Pour être gentiment refoulés. « Pas encore. » Enfin, c'est le signal. Telle une coulée de lave, la foule déferle.

Chaque stand est composé d'une table et de quelques chaises. Je repère « Auchan Domérat », « Cap Emploi », « Patapain », « la Légion étrangère », l'« armée de terre », le « commissariat de police » et différentes sociétés de services à la personne, un domaine qui a le vent en poupe en ces temps de disette. La SAGEM et Dunlop, les deux plus gros employeurs de la région, ne sont pas présents. J'apprendrai plus tard qu'ils ne sont soi-disant pas en « phase de recrutement ». Auchan est pris d'assaut car, sur ce stand, on embauche directement. Mais il faut être parmi les premiers à dégainer le CV idéal, que le recruteur rangera, d'un air satisfait, dans une chemise qui s'épaissit au fil des heures. De nombreuses agences d'intérim ont fait le déplacement.

« Y a de la place pour tout le monde ! », annonce à la cantonade une recruteuse.

– Vous avez de la famille ici ? demande un de ses collègues en scannant des yeux le CV d'une jeune femme aux cheveux impeccablement coiffés, qui porte une veste en cuir.

– Non, mais je suis mobile et j'apprends très vite, tente-t-elle de convaincre.

– Nous on fait du proactif… Si je vous ai rencontrée, je prends votre CV et on va le faire circuler dans notre réseau d'entreprises, explique-t-il. On vous appelle pour vous expliquer la mission. Si ça vous intéresse, on vous positionne.

Tous deux ont à peu près le même âge. Ils ont l'air de se comprendre. L'homme sourit. La jeune femme hoche la tête.

Elle :

– Vous en avez, là, en ce moment, de l'administratif ?

Lui :

– Pour être tout à fait franc, je recherche un comptable, ou une secrétaire-comptable, pour faire de l'enregistrement d'écritures. [Il lève la tête de son CV et plante ses yeux dans les siens.] Non, c'était pas le cœur de votre métier. [Tous deux font la moue.] Bon, je vais valider une nouvelle fois avec vous vos coordonnées…

Devant certains stands (ceux des agences d'intérim et des hypermarchés du coin) une longue file d'attente composée exclusivement de jeunes et de cinquantenaires se forme quasi immédiatement. Sur d'autres, comme celui de la Police ou de la Légion, personne, pour le moment.

Une professeure de français langues étrangères est venue du fin fond de l'Allier pour accompagner au Forum certains de ses élèves portugais, espagnols, bulgares et tchétchènes. Tous ont répété pendant des mois de petits dialogues types pour se mettre en condition.

Deux sont sur des pistes pour un emploi d'éboueur et de boucher. En une journée, la responsable des relations humaines à Auchan Domérat recueille plus de cent CV dont elle ne conservera qu'une dizaine : « Ceux qui correspondent vraiment à ce qu'on cherche et qui ont de l'expérience, confie-t-elle vannée après plus de quatre heures face aux demandeurs. Parfois, certains viennent accompagnés de leurs parents. Franchement c'est pas génial, ça démontre trop de timidité ! Les parents devaient se rendre compte que ça dessert leurs enfants. »

Je poursuis mes pérégrinations au cœur d'Athanor. Dans une autre file d'attente pour une autre agence d'intérim, mon regard s'attarde sur une femme toute de noir vêtue. De derrière sa table, l'employée de l'agence s'adresse à elle en déroulant des phrases toutes faites. La demandeuse d'emploi ne prend même pas la peine de s'asseoir :

– Vous avez un CV ?

En répondant, la voix de la femme est si ténue que je perçois à peine sa réponse.

– Bon, en compta, vous maîtrisez tout ?

– Oui

– Vous n'avez pas de contraintes horaires ?... [Blanc.] Bon, écoutez, pas d'souci, j'vois ça et je vous tiens au courant...

Ce dialogue express où l'échange est artificiel ne me semble présager rien de bon.

Plus loin dans les allées, j'aborde un jeune couple affable. Ils ont tous les deux 28 ans. Ingénieur chimiste, Thibaut recherche un emploi sur toute la France. Stéphanie, elle, est éducatrice spécialisée et aide-soignante, mais son diplôme vient de Belgique. Montluçonnaise, elle est revenue chez sa mère pour chercher du travail. Ces jeunes sont diplômés, et pourtant en galère.

Sur le stand de la Légion, le recruteur est d'origine polonaise. Je suis surprise de voir ce grand corps d'armée présent sur un tel Forum alors que la Légion n'a aucun problème de recrutement (chaque année, victime de son succès, elle refuse de plus en plus de monde). Sans se démonter, le recruteur rétorque :

« Mais, madame, on veut des Gaulois ! »

Deux jeunes hommes de 29 ans, convaincus d'être trop âgés pour tenter leur chance, se pointent devant lui juste à ce moment. « Pas du tout ! Nous on s'en fout du diplôme, on vous forme ! », explique le militaire tout sourire. Les deux garçons partis, il ajoute :

« On s'en fout même qu'ils aient un petit casier. »

C'est donc à la recherche du Graal « gaulois » que la Légion écume les Forums de l'emploi de la France profonde. Voici que Caroline, 26 ans, recalée aux concours de la Police et de la Gendarmerie, pose au Polonais des questions sur l'engagement des femmes à la Légion. Les femmes sont autorisées à servir au sein de la Légion étrangère en tant qu'officiers et sous-officiers, mais pas dans les compagnies ou les escadrons de combat, l'informe-t-il. En clair, elles sont affectées aux unités de soutien (médical, administration, etc.). Caroline a l'air déçue. Après l'obtention d'un BTS MUC (management des unités commerciales), la jeune femme a réalisé qu'elle ne voulait pas devenir vendeuse et s'est inscrite sur un groupe police Facebook où elle a rencontré son petit copain qui, lui aussi, avait échoué au concours de la Police. Petit sac Vuitton à la main, manteau bleu agrémenté d'un col Claudine, cheveux longs, vernis rose foncé, Caroline a soigné son apparence pour le Forum. Elle a l'allure dynamique de celle qui sait qu'elle trouvera.

Sur le stand « Orientation » de Pôle emploi situé à un endroit stratégique, face à l'entrée, une femme menue, qui paraît hautement concentrée, répond patiemment aux questions des uns et des autres, tantôt brièvement, tantôt plus longuement. Autour d'elle, sur les parois du stand, des feuilles A4 plastifiées ont été scotchées, comme autant de pense-bêtes. Ces petits mots clarifient la nature de son aide : « Trouver des pistes de métiers diversifiés », « Confronter ses caractéristiques personnelles aux caractéristiques des métiers », « Prioriser des pistes de métier ». Sidonie Zaher, 50 ans, exerce la profession ardue de psychologue à Pôle emploi.

Peu assurées, deux femmes en foulard s'approchent du stand. Ayant entendu que nous évoquions la SAGEM, une entreprise locale qui emploie plus de mille personnes dans le bassin de région, elles tendent le cou.

— Vous avez entendu parler de la SAGEM ? leur demande Sidonie pour les mettre en confiance.

L'une des deux :

— Non, c'est quoi, des voitures ?

— Pas vraiment, non. C'est de l'armement.

— Ah oui ! Mais bon, la SAGEM, ça a toujours été par connaissance…

– Non pas du tout, par intérim, c'est possible, mais surtout dans les domaines du montage/câblage électronique. Vous savez, l'industrie, c'est mieux payé que l'artisanat !

Les deux femmes hésitent à s'asseoir. Elles voudraient poser d'autres questions, mais haussent les épaules et, finalement, tournent les talons.

– Installez-vous, madame Dubosc-Chrétien !

Rapide et physionomiste, Sidonie a repéré parmi les visiteurs l'une de ses « clientes » de longue date. Elle s'asseoit quelques minutes, le temps de se plaindre que sa formation a été reportée. Ce qui lui a donné l'occasion d'assister à deux conférences : une sur « l'orientation tout au long de la vie » et l'autre sur le numérique, deux thématiques porteuses. À 60 ans, Mme Dubosc-Chrétien enchaîne formation sur formation. Elle « consomme » tout ce qui lui est accessible. Très en verve ce matin, la sexagénaire critique l'absence d'informations sur les entreprises du Forum avant son ouverture. De toute façon, rien ne convient à cette femme, précise Sidonie dès qu'elle a tourné les talons. « Comme la majeure partie de mon public, Mme D.-C. attend tout de l'État. Il ne lui vient pas à l'esprit qu'elle pourrait obtenir quelque chose par elle-même ! Pour ce qui est de sa situation personnelle, il faut dédramatiser, même si elle ne retrouve pas de travail – et elle n'en retrouvera pas –, elle n'est pas à la rue ! »

Sidonie s'autorise ici à partager discrètement ses réflexions avec moi parce que je l'y exhorte, mais, en public, elle déploie des trésors d'ingéniosité pour que chacun soit entendu et considéré. Comme tous les travailleurs sociaux que j'ai rencontrés pour ce livre, la psychologue est hyperprofessionnelle et particulièrement sensible au risque de

« glisser de l'autre côté » qui menace chaque être humain. C'est cette capacité jamais altérée d'appréhender les fragilités potentielles de chacun qui constitue la profonde humanité de Sidonie et de tous ceux qui, comme elle, s'escriment à chercher le meilleur de ceux qui n'ont pas de travail.

Deux autres femmes s'arrêtent devant le stand de Sidonie. Comme souvent, il s'agit d'une personne en recherche d'emploi accompagnée d'une amie pour la soutenir dans ses démarches. C'est une belle femme blonde d'environ 45 ans, vêtue de beige des pieds à la tête et portant, elle aussi, un sac siglé Vuitton. Pendant vingt-quatre ans, elle a pratiqué le même métier d'assistante dentaire, puis elle est entrée dans une « phase de réflexion » qui la remue profondément, confie-t-elle. D'où son passage sur le Forum.

Sa copine :

— C'était un choix de raison, ce boulot…

Sidonie :

— Vous entendez quoi par là ?

La demandeuse d'emploi :

— Il fallait que je gagne ma vie très vite. Vous savez comment c'est, la vie… Jeune, j'ai accepté le premier job venu. Récemment, j'ai travaillé dans un gîte, mais c'est pas super épanouissant. En fait, je ne sais pas vers quel métier me tourner…

— Vous voudriez du relationnel ou du médical ?

— Oh non, non, pas du médical… En fait, je me rends compte que j'ai loupé le coche à un certain moment et je le regretterai toute ma vie…

Sa copine, brusquement :

— Mais non, faut pas dire ça, Nathalie !

Nathalie (à Sidonie, changeant de sujet) :

– Oh ! Vous avez de belles lunettes !

Les deux visages se sont rapprochés par-dessus la table, pour mieux s'entendre, pour mieux se voir, pour mieux se parler.

Nathalie, en riant :

– En voilà un métier canon ! Psychologue ! Nous, on a vraiment besoin de ces contacts humains ! On voudrait vraiment arriver à se comprendre soi-même, hein ?

Auprès de Sidonie, j'entendrai encore longtemps cette litanie – presque exclusivement féminine, comme si les femmes exprimaient avec plus de facilité ce qu'elles ont sur le cœur, alors que les hommes se montrent plus fermés. Des tranches de vies ratées, exposées à la psy par bribes, faute d'avoir pu « trouver sa voie », à cause d'une mauvaise orientation à l'école, de l'impossibilité des parents de financer des études ou d'un mariage scellé trop tôt, avec une personne peu aimée, dont on s'accommode car les enfants sont là. Elles démontrent qu'il est finalement plus facile de subir sa vie que d'en être le réel acteur. Cette volonté de ne plus subir, de s'affirmer enfin, est criante chez toutes ces femmes désireuses de changement. Parmi elles, nombreuses sont celles qui se sont orientées vers les services à la personne, un domaine qui a vraiment de beaux jours devant lui au vu de la pyramide des âges en France et du nombre toujours croissant d'offres pour un public « éloigné de l'emploi », comme on dit pudiquement. Parce qu'on évite de trop clamer la cruelle réalité, à savoir que ces dizaines de milliers de personnes ne parviennent plus à trouver leur place sur le marché de l'emploi car les temps ont changé et qu'elles ne correspondent pas, ou plus, à l'« air du temps ».

C'est le cas de cette femme de 50 ans, le mauvais âge, qui cherchait dans l'industrie, mais a trouvé, justement, dans le secteur de l'aide à la personne. En voiture, elle parcourt parfois cent cinquante kilomètres pour à peine quelques heures de travail. « Une honte, dénonce Sidonie. Ce genre de boulot est parfois rémunéré à la demi-heure ! Les agences d'intérim ne devraient pas le permettre, mais elles se frottent les mains, elles savent que ce créneau va se développer plus vite que les usines ! »

« On est touché par la personne en face de soi, reconnaît Sidonie. Jusqu'au moment où on ne l'est plus autant : tout le monde rebondit toujours, tout le monde continue à vivre de toutes les façons, mal ou bien… Pour ceux-là, Pôle emploi est à la fois l'ultime réceptacle à rancœurs, et le seul refuge. Parvenir à faire se tenir à nouveau debout ceux qu'elle a vus arriver détruits, mutiques, remplit Sidonie de joie.

À 18 heures pile, le Forum est démonté à grand fracas, comme un brutal rappel qu'il faut passer à autre chose. Les ouvriers commencent à œuvrer alors que certaines discussions dans les box ne sont pas encore achevées. Ce court laps de temps entre création et destruction est effarant.

Vivre « éloignée de l'emploi »

Le lendemain, je me rends chez la femme en noir, à la voix étranglée et l'air apeuré, rencontrée au Forum dans une queue pour agence d'intérim.

Christine a accepté que je vienne chez elle, une agréable résidence non loin du centre, où elle est locataire. Quand elle m'ouvre la porte, en jogging noir informe, je reconnais son regard si bleu qui adoucit un visage si las.

Nous nous installons dans la pièce à vivre qui déborde, sur ses trois murs, de maquettes de voiliers récupérées dans des brocantes. La lumière d'un aquarium grésille. Ça sent le renfermé et le tabac froid. À en juger par les deux cendriers sur la longue table à manger plastifiée, la demandeuse d'emploi fume énormément. Elle raconte avoir déposé son CV chez Auchan, à Patapain, et dans diverses boîtes d'intérim. À 40 ans, cette ancienne secrétaire qui a longtemps travaillé dans une boîte locale (jusqu'à ce qu'elle périclite) a l'air fatigué de ceux que la vie a éprouvés. Croit-elle en sa possible reconversion ? Comment se compare-t-elle à la concurrence sur ce marché saturé et déprimé du bassin de vie montluçonnais ? Pourquoi est-elle venue à ce Forum, avec quels espoirs ?

« Hier j'étais pas bien, alors j'ai pas été jusqu'au bout… »

Son aveu me touche. Non, elle n'avait pas l'air bien, la veille, au Forum. Après plus d'une décennie dans une chaudronnerie fabriquant des godets pour pelleteuses, à contrôler les horaires des cinquante employés, elle a été brutalement licenciée.

« Je faisais de la merde, quoi, du classement, de l'archivage », juge-t-elle aujourd'hui, en passant régulièrement ses mains devant ses yeux.

Entrée une fin d'été dans cette entreprise grâce à une boîte d'intérim, Christine y était restée, la société était alors en cours d'informatisation.

Elle se remémore un travail répétitif et dur, mais des rapports humains forts. Pour rien au monde Christine n'aurait manqué le dîner annuel de la boîte.

« Comme par hasard, ce sont les plus vieilles qui ont été éjectées. »

Puis les aléas de sa vie privée s'en sont mêlés : un divorce, deux « TS » (tentatives de suicide).

« Quand j'vois ceux qui postulent pour le même job que moi, j'sais bien que ça marchera pas : soit ils sont plus jeunes, soit ils ont plus de diplômes ! Y a beaucoup de monde au portillon ! Parce qu'il y a très peu de travail dans l'coin. Quand on s'présente, faudrait qu'on soit une midinette… »

Alors ?… Rien. Sa seule façon de s'en sortir, c'est de partir régulièrement travailler au noir chez une vieille dame d'une autre région.

La porte d'entrée s'ouvre. C'est Jean-Mi, le compagnon de Christine, ex-routier, un imposant gaillard soigné, barbu et souriant dans son jogging rouge. Il confirme qu'en se rendant au Forum hier Christine a accompli un énorme effort sur elle-même.

– La vérité, c'est que, dans l'monde d'aujourd'hui, les employés de bureau modèles comme Christine ont été remplacés par des ordinateurs ! Le « bac +2 » a pris la place du « vingt ans d'expérience » ! Pour les jobs d'aide à la personne, Christine est acceptée, personne ne se soucie qu'elle n'ait pas de diplôme, mais dès qu'on parle de travail permanent, soi-disant elle peut pas, parce qu'elle n'a pas de diplôme ! C'est pas du foutage de gueule, ça ? » Désabusé, Jean-Mi hoche la tête en se roulant une cigarette.

Christine :

– Pôle emploi, ils m'ont convoquée une fois et y m'ont dit que c'était pas la peine…

Jean-Mi :

– Tout le monde s'en fout. Faut vendre, vendre à tout prix, l'humain passe après. Nous, dès qu'on a été pacsés, on a perdu tous nos avantages : j'ai une retraite de 1 700 euros, c'est trop ? Plus d'APL, pas de RSA. Mais qui peut se payer une mutuelle à 120 euros par mois ? Y a des gens qui arrêtent leurs traitements parce qu'ils ne sont pas remboursés. Voilà où on en est. Ici, c'est la misère pour trouver un emploi : SAGEM, c'est de l'hyperqualifié, Dunlop se réduit comme peau de chagrin. C'est plus la peine de faire des promesses, un jour, faut dire les choses. Faut dire : y a rien, y a pas de boulot, là, pour vous, et y en aura sûrement pas à l'avenir ! On s'en fout que les politiques affirment qu'en 2018 ou 2017 le chômage il aura baissé !

Christine :

– Oui, c'est vrai, l'emploi on devrait en parler complètement différemment. Moi ce qui m'fait le plus peur, c'est de devenir une « cassos[1] ». De ne plus être motivée du tout. De plus avoir de but. J'en suis pas loin.

Jean-Mi :

– On devrait avoir des hommes politiques qui admettent leur impuissance. Le problème, c'est qu'on est toujours plus ou moins en période préélectorale. Alors, quoi, on va faire comme en Amérique, on va acheter une kalach, on va la poser là et on va attendre ?

Ces mots de rage et d'impuissance sortent de la bouche d'un homme posé, raisonnable, père de deux enfants adultes, qui a trimé toute sa vie, et ne s'est jamais insurgé

---

1. « Cassos » est la contraction de deux mots : cas social. Au départ utilisé pour ne qualifier que ceux qui bénéficient des aides sociales de l'État, par extension, ce mot a pris une connotation méprisante, voire vulgaire. Dans la bouche de Christine, cela veut dire « une pauvresse ».

contre les règles de la vie en société. Vu son âge, Jean-Mi
est satisfait d'avoir échappé à la mauvaise période actuelle
et content d'avoir été au travail quand « c'était pas encore
cette ambiance-là ». Les deux politiques échappant à sa
critique sont Emmanuel Macron et Jean-Luc Mélenchon,
selon lui, les seuls capables de faire face à la vague bleu
marine.

Jean-Mi poursuit :

– Le problème, c'est que plus personne n'écoute !
Soit c'est des monologues, soit ils n'écoutent pas. C'est
flagrant ! Nous ici, en Occident, on a nos fachos, en face y
a les djihadistes ! Plus de sapin de Noël, plus de porc dans
les cantines, menu végétarien, p't-être qu'on ferait mieux
d'revenir comme c'était à l'usine, quand chacun apportait
sa gamelle ! ironise-t-il. Tous les migrants de Calais, s'ils
voulaient rester en France, ça se saurait, bon sang ! On
pourrait quand même leur offrir un accueil temporaire ! »
La situation vis-à-vis des migrants, déjà dans l'impasse à
l'automne 2015, paraît à Jean-Mi une occasion supplémentaire de « taper » sur les politiques « de gauche qui font
des politiques de droite et de droite qui font des politiques
d'extrême droite ».

Malgré la pauvreté, malgré leur fort sentiment d'avoir
été mis de côté, oubliés, voire humiliés, ni Christine ni
Jean-Mi ne voteront Front national.

La situation est différente pour Stéphanie Pradat et
Thibaut Nicolas, ce jeune couple, angoissé de ne pas
trouver de travail malgré leurs diplômes. Nous avons
rendez-vous chez la mère de Stéphanie, comptable, où la

jeune femme réside pendant ses recherches de travail. Le « couple » est en fait un ancien couple resté amis.

Si Stéphanie s'est expatriée en Belgique, c'est qu'elle n'avait pas les moyens de se payer une école de formation d'éducatrice spécialisée en France. En Belgique, dans ce domaine, nul besoin de concours. Stéphanie déniche souvent ses jobs et CDD par le biais d'Internet, scrutant des heures durant les pages Facebook d'éducateurs qui se refilent les bons tuyaux. Sans bénéficier d'aucun droit au chômage, elle s'est inscrite à Pôle emploi pour assister aux ateliers, comme, par exemple, celui de création d'entreprise, qui lui a donné quelques pistes. Vu son âge (moins de 30 ans), Stéphanie reçoit un « soutien renforcé ». La timide jeune femme aux cheveux longs a bien compris que Pôle emploi ne cherchait pas à sa place, mais pouvait pousser sa demande le cas échéant, et cette méthode lui convient.

Thibaut a résidé à Montluçon jusqu'à ses 18 ans. Il est titulaire d'un master de procédés physicochimiques obtenu à Lyon en tant que boursier. Sa mère, une caissière divorcée, a élevé seule ses quatre enfants. À la différence de Stéphanie, le jeune homme au visage encore poupin malgré une belle barbe brune se dit attiré par la « mobilité ». Partir vivre ailleurs ne lui fait pas peur. Il n'a pas oublié la manière abjecte dont son père a été « jeté » de la fonderie d'aluminium Bréa, à la suite d'un arrêt longue maladie. Son père ne retravaillera jamais plus, et Thibaut ne veut pas suivre son exemple. Lui aussi est inscrit à Pôle emploi depuis peu, reçoit une allocation mensuelle et une aide à la mobilité grâce à laquelle, dans quelques jours, il rejoindra Avignon pour un second rendez-vous au Commissariat à l'énergie atomique. Comme de nombreux jeunes, Thibaut n'est pas gêné par l'intérim : le CDI l'attire, mais le rebute en même temps, il aurait presque l'impression de s'« encroûter ». Ce jeune diplômé a envie d'évoluer vers des postes à haute responsabilité, et commence à se faire du souci de ne pas trouver de travail alors qu'on lui avait toujours dit que, dans sa branche, il y avait du boulot[1] ! Pourtant, Thibaut se démène : il a envoyé plus de cent candidatures spontanées par Internet. Assumant sa faiblesse en anglais et pas particulièrement convaincu que les formations de Pôle emploi dans ce domaine combleront ses lacunes, il se débrouille seul : après les fêtes de fin d'année, quand il ne recevra plus d'allocations, Thibaut partira en Irlande où il travaillera comme barman. Contrairement à Stéphanie, le jeune homme s'intéresse à la politique (« c'est un vrai art de répondre à côté de la question tout en répondant quand même », s'amuse-t-il), et il écoute l'avis de ses chefs sur le sujet de la COP21. En revanche, parce qu'il n'a jamais pris le temps de rédiger ses procurations, Thibaut n'a jamais voté. Stéphanie, elle, est allée aux urnes pour la présidentielle de 2012. Choquée par les attentats de *Charlie Hebdo*, elle a paniqué un matin, de retour de discothèque, où elle est tombée sur une tête de porc ensanglantée déposée devant l'entrée d'une mosquée, non loin de son domicile. Tous deux n'avaient que 9 ans le jour du cataclysme du 11 septembre 2001. Quelques années plus tard, ils restent perplexes devant de tels actes. « Je ne comprends pas pourquoi des jeunes de mon âge partent au djihad, déclare Thibaut. Peut-être leur manque-t-il une raison de vivre ! »

---

1. À l'été 2016, Thibaut est fier de m'informer qu'il est quasiment embauché chez Areva en CDI. « Bien que ce soit synonyme de train-train, me dit-il. Si cela vient à aboutir, je pourrai compter sur ma jeunesse et ma motivation pour une évolution précoce au sein de cette entreprise, du moins je l'espère ! »

Une pro de l'intérim
hyperlucide sur son « cas »

À 39 ans, Murielle a deux enfants et un mari (bientôt ex, dont elle est séparée), qu'elle n'aime plus.

En cet après-midi pourtant ensoleillé, dans la bâtisse en bout de rue dont elle loue le premier étage, il fait presque froid. Chauffer chaque pièce coûte trop cher, alors, quand les enfants passent le week-end chez leur père, Murielle en profite pour baisser les radiateurs. Fille d'un routier décédé accidentellement quand elle avait 14 ans, elle s'est retrouvée seule avec sa mère, deux frères et une sœur. Il fallait se débrouiller.

À 21 ans, BTS d'assistante de direction en poche, Murielle se met en quête d'un travail sans bénéficier des Assedic ou du RMI de l'époque, car elle a moins de 25 ans. Volontaire et débrouillarde, elle s'inscrit dans des agences d'intérim et même à Pôle emploi, elle épluche les panneaux d'offres d'emploi devant les agences et s'y rend tous les deux jours. En vain. Où que Murielle postule, la jeune femme n'est jamais retenue, car sans expérience : galère classique de celui qui débute sur le marché du travail. Murielle multiplie les petits boulots d'un mois ou deux en intérim : femme de ménage chez un handicapé, chez un ex-pompier paraplégique, puis au Trésor public.

Sa chance tourne quand, en 1998, elle remplace pour une semaine la secrétaire d'un journal local, *Infos-Magazine*, un gratuit de petites annonces et publicité : le premier publié en France en quadrichromie. Christine y restera quinze ans, d'abord en diverses missions d'intérim pour remplacer la secrétaire titulaire en arrêt maladie longue durée, puis, en CDI. Elle peut alors se radier de Pôle emploi. Mais l'arrivée de sites comme Le Bon Coin et le fulgurant développement d'Internet scellent l'inéluctable déclin d'*Infos-Magazine*, victime de la crise naissante. Grâce à son CDI, Murielle s'empresse d'acquérir tout ce dont elle a rêvé pendant ses années d'intérim : une première voiture (à crédit), une seconde (avec un autre crédit). Elle se surprend même à vouloir devenir propriétaire. Quatre ans après son aînée, un second enfant arrive, mais il n'y aura pas de troisième – « trop cher, alors qu'avec deux on arrive à faire plaisir à chacun », juge-t-elle. Son mari est peintre en bâtiment. À eux deux, ils se payent des sorties au cinéma, à la fête foraine, au parc d'attractions, un toboggan en plastique pour le jardinet, et déménagent dans l'appartement – privé, non social –, où nous dialoguons, qui coûte 413 euros mensuels. Cependant, le rêve d'une vie accomplie, pense Murielle, c'est avoir sa propre maison avec un jardin et trois chambres. Réalisable pour 130 000 euros, se persuade-t-elle, avant d'entraîner son mari dans son projet de construction. Sauf que Murielle est seule à se concentrer sur les simulations de crédit (elle obtiendra 95 000 euros), et seule à partir en quête d'un terrain.

À l'instar de nombreuses femmes à une certaine étape de leur vie, Murielle s'ennuie, son couple bat de l'aile. Elle ne s'est « réalisée » ni dans sa vie privée, ni dans sa vie professionnelle. Seul « World of Warcraft », le jeu sur Internet auquel elle a été initiée par des voisins, la passionne. Ce jeu payant (13 euros mensuels) est addictif, mais qu'à cela ne tienne, jouer lui fait oublier les duretés de la réalité ! Murielle s'abonne, intègre une « guilde » et dialogue sur d'autres applications Internet avec ses camarades virtuels. Déçue et frustrée par la banalité de sa vie réelle, elle s'attache à cette vie rêvée qui la transforme en une autre. De son aveu, le virtuel finit par créer le fameux « lien social » qui lui manque.

Enfermée dans le piège de son désir de propriété, Murielle déniche un terrain dans une localité voisine et demande des devis. Un entrepreneur en maçonnerie lui en fournit un, exigeant 40 % du paiement immédiat, puis de nouveau 40 % un mois plus tard alors que, déjà, ce qui sort de terre ne paraît pas conforme à l'électricien passé après lui. Il faudra casser, car il y a malfaçon et non-façon. L'escroc sera démasqué, mais trop tard ; le juge expert judiciaire coûte cher ; pour payer son expertise, Murielle et son mari se saignent en se disant que l'autorité leur donnera raison. Toutes les entreprises de maçonnerie à qui ils ont demandé des devis de réparation de la maison sont unanimes : mieux vaut la détruire pour la reconstruire. L'expert judiciaire, lui, se contente du devis certifiant que la maison était « réparable » et que point n'est besoin de la détruire. Échec sur toute la ligne. Il va falloir la vendre à très bas prix. Un malheur en entraînant un autre, Murielle perd son travail. Elle attaque son employeur aux prud'hommes.

« C'est là que je me dis qu'un CDI, finalement, c'était rien puisqu'on peut être licenciée en trois semaines ! Un CDD, c'est pareil ! » La mère de famille est de nouveau sur le marché de l'emploi. « Aujourd'hui, résume Murielle, les boîtes sont beaucoup plus exigeantes : il faut connaître précisément tel ou tel domaine. On ne vous laisse plus votre chance pour apprendre sur le tas tel ou tel logiciel. Si vous ne le connaissez pas, d'autres le connaissent à votre place. Il n'est pas rare que je passe trois entretiens pour une mission de quinze jours seulement ! »

L'épopée dramatique de cette jeune femme au sourire désarmant, en pantalon noir, chemisier bleu et gilet assorti, est racontée avec une présence d'esprit et une lucidité étonnantes. Murielle choisit savamment ses mots. C'est seulement grâce à son troisième avocat qu'elle est parvenue à saisir toutes les finesses de l'escroquerie, et donc, de l'impasse dans laquelle elle se trouvait. Elle décide de cesser de payer son crédit : la banque ne pourra pas l'attaquer, avec deux petits salaires, deux enfants en bas âge et son licenciement !

En rencontrant une assistante sociale, Murielle est abasourdie par le conseil de cette dernière : « Ne travaillez pas ! Comme ça, vous ne serez pas solvable pour rembourser ! » Elle n'en croit pas ses oreilles, et se met en tête de constituer un dossier de surendettement. « Faites votre dossier toute seule », lui rétorque la professionnelle censée l'aider. Incapable de se résigner, Murielle repart travailler. Ironie du sort, cette année-là, elle perçoit 8 000 euros des prud'hommes, et cette somme à son crédit l'empêche juridiquement de constituer ce fameux dossier de surendettement !

Pôle emploi lui propose une formation qui l'aidera à changer de voie. Mais il faut d'abord passer par un atelier pour réfléchir à ces « différentes voies ». Murielle s'y rend par curiosité, « pour voir du monde ». Au lieu de l'« atelier dynamique » promis, elle ressort effarée : « Quand j'ai vu les autres femmes du même âge ou un peu plus âgées qui cherchaient du boulot depuis plus longtemps que moi, j'ai été complètement démotivée. On tourne en rond dans ces ateliers. J'avais de la peine pour chacune d'entre elles et, en plus, ça ne me motivait pas du tout ! » On rit de cette triste nouvelle.

Murielle, qui perçoit le RSA-activité (quinze euros par mois, parce qu'elle travaille), finit par se replier sur des CDD d'assistante logistique, d'assistante commerciale, ou d'assistante polyvalente « de tout et de n'importe quoi », qu'elle enchaîne tant qu'elle peut. Sa sœur, une mère célibataire qui n'a jamais travaillé, touche, elle, le RSA-socle (ex-RMI), beaucoup plus élevé.

« Ce que touche ma sœur lui permet de ne pas être dans la misère. Je ne peux pas m'empêcher de comparer avec moi qui ai toutes les peines du monde pour me bouger, mais qui me bouge quand même, c'est vraiment injuste ! »

En termes de pouvoir d'achat, celui de sa sœur est supérieur au sien (Murielle dispose de 1 200 euros mensuels, et doit payer un peu plus de 400 euros de loyer. Sa sœur dispose de 1 300 euros et a trois enfants). Cette dernière bénéficie en plus de l'électricité sociale et de bons alimentaires, ne paie pas de taxe d'habitation et son loyer est payé par l'APL (CAF). « Je vais me retrouver avec 700 euros de retraite en ayant travaillé toute ma vie, réfléchit Murielle à voix haute. Ma sœur s'en sort aussi bien que moi en n'ayant rien fait ! Elle n'aura pas moins d'argent que moi, ou, tout du moins, moi j'en n'aurai pas plus… » Ces comptes d'apothicaire me laissent perplexe. Très au fait des détails de sa situation, Murielle poursuit : « De plus, je ne suis pas comptabilisée dans les statistiques du chômage, vous savez, celles qu'on donne à la télé, puisque je travaille… un peu…, même une heure par mois, donc, non, officiellement, je ne suis pas au chômage ! J'imagine que les chiffres réels doivent être bien plus élevés… »

Malgré ce tableau apocalyptique, la jeune femme qui aura 40 ans dans quelques mois parvient à trouver du positif : elle estime plus facile de trouver du travail aujourd'hui, car elle possède une plus grande expérience dans son domaine, mais aussi dans celui des agences d'intérim dont elle connaît le fonctionnement par cœur. Murielle en tire une conclusion pas si négative :

« Aujourd'hui, je ne vois plus l'intérim comme un problème. Ces boîtes peuvent nous faire signer toutes sortes de contrats, même des CDI, elles prospectent au même titre que Pôle emploi ! Le seul désagrément est qu'on n'est pas accepté dans les programmes de fidélité de certains grands magasins, c'est tout ! Ça t'exclut encore un peu plus de la société, mais bon. » Elle rit de bon cœur.

Murielle qui doit, en plus, gérer sa procédure de divorce, a le don de compenser ses malheurs par un savoir encyclopédique à propos de ceux-ci.

La maison ratée devra être vendue par le biais d'un tribunal. Mais quand Murielle apprend que, dans ce cas, les dettes de son futur ex-mari, (en CDI, qui gagne plus qu'elle, mais a un nouvel enfant à charge) seraient annulées, alors que les siennes ne le seraient pas (pourtant elle est en CDD), elle n'en croit pas ses oreilles.

« J'ai été me réfugier dans ma voiture pour chialer un bon coup », avoue-t-elle. On voudrait plaindre la jeune femme, mais on est emporté par sa force. Elle s'en sortira[1].

---

1. Huit mois plus tard, la situation de Murielle s'est considérablement améliorée : après son CDD qui se terminait fin décembre 2015, elle a enchaîné un autre CDD dans la même entreprise, et signé un CDI pour un

La fin du ferroviaire

Pour rejoindre Montluçon, les accès ne sont pas simples. Je quitte Paris par la gare d'Austerlitz. En lisant attentivement ce qui est inscrit sur mon billet, je réalise que mon train s'arrête à Vierzon. Le reste du voyage se déroulera en autocar.

Quelques semaines plus tôt, la publication du « rapport Duron[1] » sur l'avenir des trains Intercités (les lignes nationales hors TGV de la SNCF, appelées auparavant trains Corail) avait suscité une vague de réactions indignées, dont celle de Daniel Dugléry, le premier édile de Montluçon. Accompagné des maires des autres villes concernées de la ligne, un « train de la colère » avait été organisé jusqu'à la capitale.

« C'est un déni d'aménagement du territoire ! tonne Daniel Dugléry. J'assiste, impuissant, au démantèlement du territoire et à l'organisation du désert français, c'est grave et nous nous battrons jusqu'au bout. » Ces élus ne sont pas convaincus que la SNCF fasse un bon calcul : si les trains régionaux arrivaient à l'heure, s'ils étaient confortables et aussi bien maintenus que les TGV, leur fréquentation serait en hausse, clament-ils. Aujourd'hui c'est « rail peut-être », s'insurge Dugléry qui dénonce l'instauration

---

poste d'assistante commerciale. Pour le divorce, le jugement a été prononcé en juin 2016. Enfin, Murielle a signé un compromis de vente de sa maison pour 21 000 euros. Son dossier de surendettement et de dette concernant la maison a été réglé après sept ans de bataille portée à bout de bras. Fin 2016, ses dettes restantes ont été effacées par le tribunal.

1. Ce rapport, qui date de juin 2015, est consultable sur : http://www. developpement-durable.gouv.fr/Le-rapport-Trains-d-Equilibre-du.html

d'un « cul-de-sac montluçonnais ». Pugnace, l'édile est convaincu qu'au moment du mariage entre la Région Auvergne et celle de Rhône-Alpes la disparition de la ligne Bordeaux-Lyon passant par l'Auvergne est une hérésie.

À mes côtés dans le « carré première », trois trentenaires discutent d'une voix forte, comme seuls au monde. Ce sont visiblement des collègues. Ils évoquent leurs épouses, les soirées chicha du samedi soir, le foot, leurs pizzas préférées, leurs horaires de travail et l'incident qui a conduit l'un d'entre eux à perdre ses clés de voiture un matin avant de se rendre au boulot. L'un des trois ne cesse de faire référence à sa femme et à ses lectures du Coran. Un autre feuillette le quotidien gratuit *Direct matin* qu'on a dû lui fourrer dans les mains à la gare. J'ai le même. Page 25, la photo d'un travesti accroche son regard. « Celui-là, il ira pas au paradis !!! », lance le lecteur du Coran, provoquant des rires gênés chez ses collègues.

Vierzon surgit comme un gigantesque hub ferroviaire, en tout point semblable à celui de Laon, me rappelant le monumentalisme inutile et scellant la fin d'une époque. Pour qui se rend à Montluçon, il faut trouver d'où part le bus. Avant de parvenir à l'ancienne cité ducale du Bourbonnais, nous nous arrêterons à trois reprises : Saint-Florent-sur-Cher, Saint-Amand-Montrond (où ont été imprimés tous mes livres, et une grande partie des ouvrages des grands éditeurs parisiens) et Vallon-en-Sully. À bord de ce bus privé nous ne sommes que six : un couple de Chinois au visage impassible, un retraité, une jeune fille, un jeune homme et moi. Sur l'autoroute, les poids lourds défilent, des éoliennes tournoient au loin.

Postée derrière le chauffeur, j'engage la conversation. L'homme est ouvert et sociable. Philippe disserte sur ses cars, il parle en mètres : le « dix-mètres », le « treize-mètres ». On sent qu'il aime son métier.

« J'aime mon bus. Conduire, c'est agréable, c'est souple, on est en hauteur, on a l'impression de glisser avec facilité sur tout, grâce à ces beaux engins. »

Notre véhicule, comme tous ceux de cette entreprise, m'assure Philippe, est flambant neuf. Derrière les mots simples du chauffeur et ses expressions imagées, je sens poindre une vraie fierté à propos de son épouse, éducatrice spécialisée de Montluçon qui travaille avec des handicapés mentaux et vient de publier un livre de cuisine. Il me plaît d'écouter un homme qui aime sa femme et l'exprime. J'aime cette France de passionnés rencontrés au fil de l'enquête, par hasard.

Philippe Labrange, 47 ans, possède en tout et pour tout un CAP de pâtisserie. Il ne semble pas regretter d'avoir changé de métier après un bilan de compétences qui a mis en avant ses deux passions : cuisiner et faire la route. Son rêve ultime serait un *food truck*.

Passé par Cap Emploi[1] après un licenciement, Philippe découvre la possibilité de passer son permis autocar. S'il a dû « bousculer » Cap Emploi pour faire accélérer son dossier, il est quand même satisfait que l'organisme l'ait aidé à trouver du travail. Il est employé par un couple de chauffeurs qui lui plaît : ses chefs lui envoient des messages de soutien lorsqu'il est sur la route le week-end et ne lui interdisent pas d'em-

---

1. Cap Emploi regroupe des organismes de placement spécialisés assurant une mission de service public, inscrits dans le cadre de la loi Handicap de février 2005 et dédiés à l'insertion professionnelle des personnes handicapées.

mener sa femme avec lui si son itinéraire remonte jusqu'à
Paris. Une humanité que Philippe, sur le point de décrocher
un CDD[1] d'un an à cent trente heures, apprécie. Sauf que,
huit mois plus tard, quand je le rappelle pour « actualiser »
mon chapitre, le chauffeur a déchanté : il vient d'envoyer
une lettre de demande de rupture de contrat à son employeur après s'être rendu compte, en ayant accès à la feuille
de lecture de sa carte (le « mouchard » du bus) qu'il avait
travaillé trop d'heures (amplitude de cent quatre-vingts par
mois alors qu'il n'était payé que pour cent trente !). Si son
employeur refuse de régler le cas à l'amiable, il se tournera
vers les prud'hommes, sachant que la loi est de son côté.

Nous franchissons des ronds-points plus imaginatifs – et
parfois ridicules – les uns que les autres. Ces carrefours gi-
ratoires sont devenus prétextes à l'exposition d'une identité locale pas toujours réussie. Sur cette ligne de campagne
entre Bourges et Montluçon, Philippe a « ses » habitués. Il
confie que parfois, à Saint-Florent, les gendarmes font monter des chiens dans l'habitacle à la recherche de stupéfiants.
Il sourit à cette jeune fille, la seule montée à Saint-Florent,
qui travaille dans un commerce de Montluçon et perdrait
son emploi sans ce bus. Forçant la modification brutale des
habitudes de vie de centaines d'usagers et d'habitants des
régions concernées, la SNCF participe à la mutation des
campagnes françaises vers cette globalisation si décriée.

Le Bourbonnais est une province historique et non géographique. Sous la Révolution, Montluçon, qui apparte-

---

1. Sous la forme d'un CUI, contrat unique d'insertion, qui fait bénéficier
l'employeur d'une aide financière.

nait à la généralité de Moulins, comptait 4 000 habitants.
Mille de plus sont apparus sous la Restauration. À la fin du
XVIIIe siècle, dans la forêt de Tronçais, au nord de la ville,
des forges sont érigées. En 1810, parallèlement au cours du
Cher, un canal est creusé par des milliers d'ouvriers espagnols sur ordre de Napoléon Ier. Appelé à l'origine « canal
du Cher », il devient le canal du Berry – initialement conçu
pour alimenter les forges du Berry en charbon provenant
des mines de Commentry. En échange de cette houille,
les bateaux charrient les matières premières nécessaires à
l'industrie montluçonnaise, tel le précieux minerai de fer.
C'est le XIXe siècle flamboyant, les années d'or de cette région industrielle et industrieuse.

L'exploitation du charbon avait débuté à Commentry,
Saint-Éloy-les-Mines et Noyau vers 1820. En 1837, le canal
avait atteint Montluçon. 1840 marqua le début du développement exponentiel des capacités industrielles de la ville :
sur la rive de la vieille cité, on érigea les hauts-fourneaux
qui feront sa gloire pendant des décennies. Deux ans plus
tard, apparaissaient les usines Saint-Jacques[1], le fer de lance
de la métallurgie française. De ses entrailles brûlantes et
mugissantes sortiraient des tonnes de matériel ferroviaire
(quelle ironie à l'heure des restrictions budgétaires de la
SNCF !), des balcons en fonte moulue, des marchés couverts métalliques, puis, dans les années 1950-1960, les tou-
relles de blindages pour cuirassés, l'axe du paquebot *France*

---

1. En 1868, l'usine produit des boulets en fonte dure pour la marine.
Pendant la guerre de 1870, elle se concentre sur la fabrication des projectiles
de marine et d'obus. Après la guerre, l'usine reprend sa production de rails
qui décline et disparaît totalement en 1877. Il faut trouver une nouvelle activité : ouvrages cuirassés.

et les premiers batiscaphes de Jacques-Yves Cousteau. Ce serait ensuite l'industrie de la verrerie à bouteilles avec les établissements Duchet[1], puis Saint-Gobain[2]. Impatient de travailler, le peuple accourait en masse des campagnes avoisinantes du Berry, de la Creuse, et même de Lorraine. À partir de 1862, le chemin de fer s'était mis à concurrencer le canal dont il épousait le tracé en transportant les mêmes matériaux beaucoup plus rapidement. Son activité commença à décliner vers 1920, après que, vers 1880-1890, on se fut rendu compte qu'il était trop étroit[3] !

À la veille de 1914, la ville est surnommée le « Birmingham français » tant elle est industrielle. Et même si les mines de Commentry commencent à s'essoufler, cette période faste est prolongée par la Grande Guerre, puis par la Seconde Guerre mondiale. On compte alors 30 000 habitants à Montluçon, dont des immigrés polonais, puis italiens, arrivés entre les deux guerres. Des populations qui s'assimilent facilement. L'usine Dunlop s'installe en 1918 à l'initiative du maire socialiste Paul Constans, sur le site d'une usine qui produisait des obus. De 1926 à 1940, Marx

---

1. Construite en 1842, la Verrerie Duchet est la première activité à s'installer au bord du canal du Berry, sur le domaine de Brevelle, appelé aujourd'hui « quartier de la Verrerie ».

2. Saint-Gobain rachète l'usine de la Glacerie en 1868. À la fin de la Grande Guerre, cette usine souffre des mêmes difficultés que la Verrerie Duchet et cesse son activité en 1932. La production des produits chimiques subsistera jusqu'en 1960. En 1965, l'usine est rebaptisée « Rhône-Poulenc » puis « Société des Emballages plastiques d'emballage » avant de fermer en 1982.

L'ensemble de ces précisions est tiré de la « lettre des amis de Montluçon » du 12 février 2016. À consulter absolument. http://www.amis-de-montlucon.com/lettres/201-fevrier-2016.pdf

3. Déclassé en janvier 1955, le canal est comblé à partir de 1960 tout le long de sa traversée de Montluçon.

Dormoy[1] est maire de Montluçon : il embellit la cité, met en place le tout-à-l'égout, mais la Seconde Guerre mondiale stoppera net son élan. La SAGEM s'installe en 1934. Malgré la « saignée » de la Première Guerre mondiale, la population montluçonnaise dépasse 42 000 habitants en 1936.

Avec l'installation du gouvernement de Pétain à Vichy, non loin, le département est coupé en deux. Le 19 juin 1940, la ville subit un atroce bombardement. C'était « un bombardement de pure terreur, dans le seul but de frapper la population par la peur ! », note André Touret[2]. Les Allemands parviennent à Montluçon, mais s'en retirent. La ville restera en zone libre jusqu'à son invasion à partir du 11 novembre 1942.

Dans la nuit du 15 au 16 septembre 1943, les usines Dunlop sont touchées par un bombardement, britannique qui restera dans la mémoire des Montluçonnais, d'autant que de nombreuses femmes travaillaient dans cette usine

---

1. Né en 1888, l'année de l'érection de la tour Eiffel, et mort assassiné le 26 juillet 1941. Son père, Jean Dormoy, avait été le premier maire socialiste de Montluçon, lui-même très influencé par les convocations du socialiste Jules Guesde.
Orphelin à 10 ans, Marx Dormoy passe plusieurs étés à Draveil, en banlieue parisienne, chez Laura Marx (la fille de Karl Marx) et son époux Paul Lafargue, l'un des couples les plus célèbres du socialisme européen (qui se suicidera ensemble à 70 ans). Maire de Montluçon de 1925 à 1940, Marx Dormoy aura d'abord du mal à s'implanter (il est mis en ballottage lors de sa première élection), puis son score augmentera jusqu'à atteindre 70 % en 1935.
2. André Touret est un professeur d'histoire-géographie à la retraite. Il a notamment enseigné à Bourges, Moulins, Chateauroux et Montluçon. Il est l'auteur de *Destins d'Allier : population et économie*, 2005, *Montluçon 1940-1944 : la mémoire retrouvée*, 2001 et *Marx Dormoy : une biographie*, 1998, tous trois parus aux éditions Creer. Je le remercie ici pour le temps qu'il m'a accordé.

produisant pour le IIIe Reich[1]. La libération de Montluçon eut lieu après son siège : les FFI avaient investi la ville sans capituler. Morts civils et combattants FFI furent nombreux et le quartier subit un incendie. Enfin, au début du mois d'août 1944, les Allemands exécutèrent quarante-deux civils dans une carrière, un sinistre événement appelé « le massacre de la carrière des Grises » qu'André Touret, 14 ans à l'époque des faits, n'a pas oublié.

Montluçon a toujours eu la funeste habitude de se définir par rapport à ses deux grandes voisines placées à équidistance : Moulins et Vichy. Si Moulins, la préfecture, est une ville d'administration et d'aristocratie puisqu'elle a abrité les descendants des Bourbons, Vichy, quant à elle, a toujours été la cité des Bains et celle du gouvernement qui a collaboré pendant la Seconde Guerre mondiale, une image dont elle essaie de se libérer. Montluçon est une ville meurtrie qui vit la Libération comme un deuil et non une fête, avant de se lancer dans une furie de reconstruction. On supprime les taudis et tous les autres stigmates de la guerre. Une bataille politique se déploie entre les communistes qui veulent s'emparer de Montluçon comme ils l'avaient fait dans d'autres villes industrielles de la « ceinture rouge » et les socialistes de la SFIO[2].

Des grèves explosent à l'usine Saint-Jacques, mais aussi à Dunlop, une société à capitaux britanniques qui tente de concurrencer Michelin à Clermont-Ferrand. En 1959, le général de Gaulle visite Dunlop, où la CGT domine.

---

1. Ce bombardement dura près d'une heure. Il fit 43 morts et une centaine de blessés.
2. Les communistes ne parviendront au pouvoir que beaucoup plus tard, avec Pierre Goldberg, en 1977, pour une durée de vingt-quatre ans.

À l'époque, les journées sont rythmées par les sirènes des usines et les minibus aux couleurs de l'usine qui sillonnent les quartiers ouvriers. Puis, c'est le déclin : en 1962, les usines Saint-Jacques ferment. Quarante ans plus tard, sur l'ancien emplacement de leurs hauts-fourneaux est bâti un centre commercial en arc de cercle, unique animation de la ville lorsque tout le reste est fermé le week-end.

Deux villes se font face à Montluçon : sur la rive droite du Cher, la partie la plus ancienne, la très chic avenue de la Gare devenue avenue Marx-Dormoy, a toujours fière allure avec sa rangée d'hôtels particuliers et sa large voie plantée d'arbres. Circulaire, le boulevard de Courtais, tourne autour du château des Bourbons, et accueille nombre de commerces. La rotondité de cet étrange boulevard induit d'ailleurs un agréable sentiment de protection. En arrivant depuis la gare, on lève instinctivement les yeux vers la butte où se dresse le château, impérieux et dominant. On aimerait le visiter. Quelques touristes ont fait l'effort de monter jusqu'à l'esplanade entourant le sobre édifice des ducs de Bourbon, vide depuis que le musée des vielles l'a quitté. Déception : le bâtiment ne se visite pas. Sur la rive gauche du Cher, la « Ville Gozet », l'habitat est plus éparpillé et la qualité des services a longtemps été inférieure au reste de la ville. Le père de l'actuel maire y était boulanger. Avant 1940, la plupart des médecins, notaires et avocats s'étaient établis rive droite. Longtemps, les habitants des deux rives se sont méprisés, et les efforts successifs des maires pour relier les deux entités n'ont jamais été couronnés de succès.

Ici, la rivière n'a jamais été un lieu de rencontre, et pas un seul bistrot ne lui fait face. Étrangement, ce fleuve, dont les insuffisants mouvements d'eau provoquent des invasions d'algues vertes, semble plus séparer qu'il ne lie.

Quand des représentants de l'INSEE rendent visite au maire et lui assurent que, dans trente ans, les Montluçonnais ne seront plus que vingt mille, Daniel Dugléry sort de ses gonds. « J'ai envie de les foutre à la porte ! », s'emporte-t-il à cette seule évocation de ce souvenir. Car, répète-t-il, « rien n'est gravé dans le marbre ». En hausse, jusqu'à atteindre 60 000 personnes en 1968, la population de Montluçon n'a cessé de dégringoler depuis, une chute à peine compensée par l'accroissement des communes suburbaines[1]. Le destin d'un territoire, Dugléry n'en démord pas, est lié à la détermination des hommes politiques qui l'administrent, mais aussi à celle de ses habitants. La main-d'œuvre du bassin est généralement peu qualifiée ; ceux qui partent sont davantage diplômés et mieux qualifiés. Montluçon peine à dissimuler sa souffrance de n'être qu'une sous-préfecture : tous les grands services de l'État et du département se trouvent à Moulins. Ancien grand flic de France, ex-directeur central de la Sécurité publique ayant démissionné sous le gouvernement Jospin, le maire Dugléry assure que sans son élection, en 2001[2], « Dunlop partait et on serait à 25 000 habitants ». Celui qui a été réélu pour la troisième fois prend un malin plaisir à se remémorer que, sous son prédécesseur, le communiste Pierre Goldberg, « les pneus brûlaient devant Dunlop », et on menaçait de délocaliser huit cents salariés en Allemagne…

---

1. La population de Montluçon *intra muros* atteint 40 000 personnes, 70 000 dans la communauté de communes et 120 000 pour le bassin de vie.

2. Au scrutin municipal de 2001, Daniel Dugléry est élu au premier tour avec 58 % des voix.

Nicolas Brien, 26 ans, un ambitieux militant socialiste rêvant d'un destin municipal, n'a pour l'édile et ses prédécesseurs que mépris et condescendance (« un prof, un technicien des PTT, un flic », voilà comment il qualifie les trois derniers). Il insiste sur le fait que Montluçon se montre à la fois hostile aux jeunes et aux vieux. Sa formule à propos de Montluçon est cependant amusante : « Montluçon, c'est *Bienvenue chez les Ch'tis* en Auvergne ! »

Richesse et pesanteur du passé industriel

« Ah, si on avait pu le boucher, le Cher ! », lance en guise de boutade le conservateur du musée des Musiques populaires (Mupop) de la ville, 54 ans, alors que nous admirons, en contrebas, les jardins Wilson et, plus loin, le sillon formé par la rivière, puis l'autre rive.

Le manque de sens esthétique de Montluçon agace Éric Bourgougnon, qui compare souvent sa ville à Bourges, où la tradition du « beau » est davantage établie. « À Montluçon, assure-t-il, il a fallu attendre la bourgeoisie amenée par l'industrie pour que des bâtiments esthétiques sortent du sol. » Rare cas de conservateur exerçant dans « sa » ville, Éric Bourgougnon, vêtu d'une simple veste sur un jean, crâne rasé et barbichette, est à l'origine du projet de cet étonnant musée (le Mupop) dont l'architecture ultra-moderne autant que le contenu marquent tout séjour montluçonnais.

« L'ère industrielle est passée, et n'a été remplacée par rien, voilà le drame de Montluçon », argumente le petit-fils de

René Bourgougnon. Lui-même est historien, spécialiste de l'histoire de l'industrie à Montluçon[1]. L'une de ses missions est de redonner une image à cette ville qui n'en possède plus.

Sur l'autoroute, un panneau indique « Montluçon-Commentry, bassin industriel », mais rien à propos de la cité médiévale ou du Mupop, ce qui fait enrager ses habitants qui perçoivent ce manquement comme une volonté de s'enfermer dans un passé révolu… et pesant.

À l'occasion de la rénovation du château des ducs de Bourbon, Bourgougnon est saisi par l'importance numérique des vielles, l'instrument de musique local. (Nous sommes au cœur du pays de cet instrument de musique à cordes et à archet du Moyen Âge, sur les bases duquel s'est construite la collection du Mupop). Après une exposition temporaire sur les guitares électriques naît l'idée d'un musée des musiques populaires : ici comme dans d'autres cités ouvrières, les groupes de rock des années 1960 avaient marqué l'histoire de la ville. À Montluçon, on travaillait dur, mais on s'amusait ferme aussi !

Bourgougnon rêvait d'un musée qui puisse redonner une identité « ville » à la sienne. Le maire l'a laissé faire en lui octroyant dix ans. « Qu'est-ce qui devient et reste populaire ? », s'est demandé Bourgougnon. Ouvert depuis juin 2013, le Mupop, il en est convaincu, marquera les mandats de Dugléry, drainant un public local sur un rayonnement de cinquante kilomètres, régional sur deux cents et national pendant les vacances scolaires.

À en juger par le Livre d'or, le bouche-à-oreille fonctionne merveilleusement et les Montluçonnais, quoi qu'ils

---

1. Cf. René Bourgougnon et Michel Desnoyers, *Montluçon, le siècle de l'industrie : 1850-1950*, éditions Les Marmousets, 1984.

en disent (même pour ceux qui n'y vont pas – ou pas encore), en sont fiers.

« J'ai toujours pensé que les musées se construisaient sur la destruction de quelque chose... Les jeunes ne savent même pas qu'en lieu et place de leurs supermarchés se dressait telle ou telle usine ! », déplore le conservateur.

Autre rêve qui sera sans doute mis en œuvre sous un autre maire tant le projet est lourd et ardu à mettre en place : le CRAIUM (Centre de recherches en archéologie industrielle et urbaine), basé sur une association fondée par le grand-père de Bourgougnon en 1979, qu'il porte à bout de bras et dont il aimerait se décharger. Puisque ni l'État, ni aucune structure n'est capable de sauver le moindre bout de patrimoine, comme si ce lourd passé était honteux, de simples citoyens comme lui s'en sont chargés.

Éric Bourgougnon a rassemblé les énergies et s'est débrouillé pour entreposer ces parcelles de patrimoine inestimable dans le bâtiment où je le rejoins ce matin. L'idée serait, à terme, de transformer le lieu en musée de l'Industrie.

Dans cette vaste caverne d'Ali Baba où reposent vingt années de collecte, on trouve, pêle-mêle, l'axe du paquebot *France* tout comme celui du porte-avions *Foch*. Ces objets, chinés sur les anciens lieux de production, ont échappé aux griffes redoutables des ferrailleurs (officiels et officieux), manouches et autres récupérateurs non autorisés, réputés se précipiter sur n'importe quel site vacant. Généralement, les anciens ouvriers de l'usine en question ne veulent plus voir ces pièces – elles leur rappellent de trop mauvais souvenirs. Quant aux politiques, ils ont tendance à rester ambivalents : tout en rechignant à évoquer ces histoires anciennes et à les valoriser, certains ont financé le déménagement de quelques pièces dans le hangar de Bourgougnon, peut-être pour se donner bonne conscience.

Gentiment, le gérant d'une société de levage a offert son travail pour le transport du tour à canon[1]. Le reste du déménagement a été entièrement pris en charge par la ville sur dix ans. Bourgougnon n'en revient toujours pas que l'ancien maire communiste ait voulu faire table rase de ce passé tout en faisant croire aux électeurs potentiels que la grande industrie reviendrait… si les gens votaient pour lui !

Dans les années 1980, les élus auraient dû oser clamer que tout cela était terminé. Deux générations seulement ont passé et la fierté liée à l'acte de produire a disparu !

« La vérité, c'est que les ancêtres de tous ces gens ont été licenciés, foutus dehors, et qu'il en subsiste un ressentiment latent. On préfère oublier cette histoire qui s'est mal terminée. »

L'histoire, répète le conservateur, se bâtit sur la mort et la disparition physique. C'est la mission des conservateurs que d'accueillir ses reliques dans des musées. Mais, tant que les acteurs de l'histoire en question ne sont pas morts, personne n'est capable de s'entendre sur les appellations. « Dès qu'il y a du vécu, il y a de l'affectif. Laissons d'abord mourir les acteurs de l'histoire. »

Autre souci du conservateur : « Une vielle se restaure encore, une guitare électrique des années 1970, c'est déjà moins sûr, quant au plastique, il s'autodétruit. Parce qu'elle ne fabrique plus durablement ni ne répare plus,

---

1. Tour permettant de tourner les canons pendant la Première Guerre mondiale.

notre civilisation s'autodétruit. Pourtant, maîtriser une technologie, c'est savoir réparer. » Je n'avais jamais ressenti aussi précisément le côté désespéré du travail du conservateur, conscient qu'il ne « sauvera » que 10, 20 ou 30 % peut-être du monde réel.

Alors qu'à Paris la Bibliothèque nationale pose la question de la conservation sur support numérique, on peut se poser celle, quasi philosophique, de la finalité de ces outils hyperperformants, mais non durables. Toute nouvelle technique est totalitaire : elle s'impose. Or, insiste Bourgougnon, « tout ce qu'on avait inventé durablement n'est plus utilisé ».

Seule satisfaction : le musée reste, perdure, nous survit.

Un reconverti heureux

Adossé à l'église Saint-Pierre, le café-restaurant Les Douze Apôtres est sis au coin de la rue des Serruriers et de la rue des Cinq-Piliers.

Bien installée au coin du feu de cheminée, devant le comptoir où trône Olivier Benoît, 40 ans, je parcours *La Semaine de l'Allier*, l'hebdomadaire local, qui publie une pleine page sur Anne-Laure de Bourbon, descendante de la noble famille. Elle vit sur les terres de ses ancêtres au sud-est de Vichy après avoir vendu à un citoyen helvétique le château où sa famille a résidé sept cents ans. Preuve que les Bourbons font encore vendre du papier, cette page s'intitule « Les Bourbons d'hier et d'aujourd'hui ». Dans le quotidien *La Montagne*, je m'attarde sur un énième article à propos des changements provoqués par la loi Notre qui, au 1ᵉʳ janvier 2017, a propulsé Montluçon deuxième ville et agglomération d'Auvergne[1].

Cet automne est dominé par les migrants, et le quotidien local publie un article illustrant le fantasme migratoire : en 2003, rappelle son auteur, les Français estimaient que le pourcentage des immigrés était de 29 %, trois fois plus que sa réalité statistique. C'est à partir des années 1960 que, dans les médias, on a commencé à utiliser le mot « immigration » en y accolant celui de « problème ».

La France n'est pas une terre particulièrement recherchée par les migrants, ce que confirment les statistiques de l'OFPRA qui, en 2014, a vu le nombre de demandeurs d'asile baisser de plus de 2 %. En période de crise, les fantasmes sont avivés.

Dès 14 heures, les derniers clients du déjeuner sont pressés de retourner au travail. Peu après leur départ, c'est une autre clientèle d'habitués, les retraités, qui, comme tous les vendredis, carburent au rosé. On sort les cartes à jouer, chacun paie sa tournée.

Fils d'ouvriers (son père a été licencié de Dunlop lors de la première vague de licenciements, en 1985), Olivier n'a pas voulu poursuivre le chemin tracé par ses parents. Sans bac (il le passera en candidat libre l'année de ses 40 ans, par pur plaisir !), il se lance dans la restauration. D'abord en tant qu'employé : barman, cuisinier, serveur, il a tout

---

1. Cette loi a induit une réforme de la carte des intercommunalités. En parallèle de cette refonte, conséquence de la loi Notre, le législateur a souhaité diminuer de manière drastique le nombre de syndicats intercommunaux. Dans l'Allier, le projet présenté par le préfet le 6 octobre 2016 prévoit de ramener le nombre d'intercommunalités du département de 21 à 8.

fait, mais son rêve est de racheter une affaire. Avant de
le réaliser, il lui faudra trimer neuf ans durant dans l'entreprise Environnement Recycling, une société locale de
broyage de verre cathodique, décriée, comme toutes ses
concurrentes partout en France, parce qu'elle emploie des
personnes à « réinsérer » et des handicapés, et « ferait du fric
sur leur dos », mais surtout parce qu'elle est lucrative.

Devenu employeur, l'ancien ouvrier ose quelques certitudes : moins l'ouvrier est qualifié, plus il faut le valoriser.
Les contrats à durée déterminée en question coûtent peut-
être moins cher à la boîte, mais, *a contrario*, la structure fait
travailler « les plus cassés de la société, ceux dont personne
ne veut », argumente-t-il. Aujourd'hui, Olivier emploie
deux personnes en CDI : sa serveuse et son cuisinier, qui
ont chacun deux ans de chômage au compteur. Quant à
lui, il ne s'autorise pas le luxe d'un salaire, mais profite de
sa nouvelle liberté ! « Ça défonce un organisme de travailler sur poste comme je l'ai longtemps fait... Ici, dans la rue
de mon restau, on est comme au village, j'aime les gens ! »,
clame-t-il à longueur de journée, très à l'aise derrière son
bar en bois. Tous ses anciens patrons, ou presque, sont devenus ses clients.

J'ai voulu en savoir un peu plus sur ces mystérieux
marchés du contrat d'insertion. À Montluçon, l'association Pénélope, qui fonctionne depuis plus de vingt-trois
ans, est considérée comme l'une des plus grosses entreprises d'insertion locale. Subventionnée par le ministère du Travail, Pénélope est sur le même créneau que
Environnement Recycling, et en concurrence directe avec
celle-ci : toutes deux s'adressent à des chômeurs de longue
durée, et se sont rapidement mises à générer des béné-

fices. Pénélope est une association, mais son fonctionnement est celui d'une entreprise privée où militantisme et
amateurisme bon enfant n'ont plus cours tant la structure
a grandi. Installée dans un ancien lycée, Pénélope vise un
« public en difficulté » à qui on donne « des clés pour rega-
gner le monde du travail ».

Ainsi m'expose, en des termes un peu jargonneux, le directeur général de cette association influente, aux côtés de
ses employés qui ont bien voulu rester après leurs heures
de travail. Nous discuterons plus de deux heures avec six
d'entre eux.

Que produit cette structure ? Rien. Les seize employés
de l'encadrement et soixante-deux salariés de l'« Atelier
Chantier Insertion » réparent, accompagnent et réforment
les dons de particuliers qui ont été récupérés, triés, lavés,
soigneusement repassés dans les ateliers qu'on me fait visiter – impressionnants de propreté et d'organisation ! Le
tout est revendu à bas prix dans des magasins et distribué à d'autres structures comme les Restos du Cœur et le
Secours populaire. Ce qui est impossible de remettre en
état part au recyclage. Rien ne prend le chemin de la dé-
chetterie, tout trouve son usage, tel est le credo de cette
structure qui se targue de marier insertion, écologie et travail féminin. Les demandeurs éligibles ont été aiguillés vers
Pénélope par le biais de leur conseiller. Tous signent un
agrément et construisent un « projet professionnel indivi-
dualisé ». Ainsi, leur temps se divise entre l'élaboration du
projet (théorique), et le tri (la pratique).

Samia prend la parole la première : « Quand je suis arrivée
ici, je cherchais moi-même un emploi, alors je sais de quoi
je parle, commence-t-elle en s'adossant à une fenêtre pour

fumer. Dans une autre vie, je travaillais à mon compte, mais ma fille a été victime d'un grave accident et j'ai été obligée de m'arrêter pour m'occuper d'elle. Désespérée, j'aurais accepté n'importe quel emploi. Du coup, je suis arrivée au tri après ce traumatisme. Mon conseiller d'insertion m'a aidée à reposer les pieds sur terre. Retrouver l'estime de soi, le respect des horaires, le souci de se maquiller, de se soigner avant de partir au travail. » On sent qu'elle en a bavé, ses mots sont justes.

« Les filles de Pénélope ne sont pas que des femmes violentées, ce sont aussi des femmes actives et curieuses de tout », assure Martine, une autre employée, qui veut ajouter qu'en fait « le textile n'est pas important. Notre socle, notre priorité, c'est de remettre la personne au travail, pour qu'elle puisse assurer ses besoins primaires ». Martine s'occupe de personnes qui ne savent plus ni se lever tôt, ni respecter une discipline et encore moins trouver du plaisir à travailler. « Mais quand elles repartent, elles savent tout ! », s'enorgueillit-elle, parce qu'elle se sait utile à Pénélope.

Nathalie, la psy, renchérit : « Notre plus-value est d'offrir à tous la possibilité de se former. La toile de Pénélope est comme celle de l'araignée, tentaculaire, on la tisse un peu plus chaque jour. »

Samia allume une nouvelle cigarette : « Oui, on a toujours l'espoir qu'à la sortie ces femmes vont trouver quelque chose… » Mais elle sait que ce n'est pas toujours le cas. Et même, de moins en moins. Tous savent que nombreuses sont celles qui vogueront ensuite de CDD en CDD, sans rien trouver de stable. Trop âgées, pas assez qualifiées, dans ce bassin d'emploi tellement déprimé.

Le directeur soupire et reprend la main de la discussion : « L'insertion, c'est un gros sujet tabou. Ça marche, et ça marche pas en même temps, c'est ça le problème… »

En cette fin d'année 2015, pour donner de la visibilité à son action, Pénélope a organisé une soirée « mode » dont le but affiché est de se faire connaître des employeurs potentiels, mais surtout, de briser la mauvaise image de l'« insertion », qui provoque parfois des attitudes de rejet.

« La connotation de ce mot est négative, y a rien à faire ! renchérit le directeur. On travaille au quotidien sur la valorisation de la personne alors que, paradoxalement, notre structure elle-même n'est pas valorisée ! » Je saisis enfin toutes les difficultés à faire comprendre ce qu'est Pénélope, ou toute structure similaire, aux différents acteurs de la ville de Montluçon, pétris d'idées reçues sur cette question. Avant de prendre les rênes de cette association, voilà un casse-tête auquel le directeur, au final fort sympathique, ne s'attendait pas.

Dehors, une odeur âcre me saisit, ramenée par vagues. C'est « le pourri » caractéristique des rejets chimiques de l'usine Rhône-Poulenc devenue Adisseo[1] à Commentry, un site Seveso.

« Ça amène le froid », relativise-t-on par ici. « Oui, ça pue, mais cette odeur puissante nous fait vivre ! », glissait avec bon sens le père du magistrat Éric de Montgolfier à son fils quand ce dernier avait le malheur de s'en plaindre[2].

---

1. Comme vanté sur son site Internet, Adisseo se veut un « leader mondial dans la production d'additifs et de solutions nutritionnelles pour l'alimentation animale ».

2. Cf. entretien avec Éric de Montgolfier à Bourges, le lundi 26 octobre 2015. M. de Montgolfier père a longtemps dirigé l'usine chimique de Rhône-Poulenc.

En ce samedi matin, les habitués se pressent au marché sur la place de la Poterie. Le fromager, qui doit prendre sa retraite, mais hésite – il continue pour le moment à travailler avec ses deux fils –, offre des petits « sandwichs » pour le plus grand plaisir de ses meilleures clientes, dont ma logeuse, Christine, qui redoute de le voir partir : ce roquefort tartiné sur une épaisse tranche de comté est tout simplement délicieux !

Plus loin, au quartier populaire de Fontbouillant, des femmes africaines vêtues de lumineux boubous aux turbans assortis papotent, assises à même les marches extérieures de l'ancien immeuble de la MJC dont le rose a été rafraîchi. Une grappe d'enfants a essaimé à leurs pieds. C'est ici que Christine a grandi, dans la joie des activités de théâtre et de danse de cette MJC qui a miraculeusement échappé aux impitoyables destructions planifiées par la rénovation urbaine. La Montluçonnaise se rappelle avec nostalgie ces moments où, gamine, elle était parfois moquée : « J'avais pas de seins, j'étais pas belle, confie-t-elle. Mais c'est là, dans ce lieu de culture, que j'ai vaincu mes peurs ! Cet endroit était respecté par les enfants du coin, de toute façon, nous n'en connaissions pas d'autre ! » Plus de trente années plus tard, les souvenirs remontent, sans fard.

Nous restons assises dans la voiture encore quelques instants. Face à nous, au premier étage de la HLM la plus proche, une vieille femme a ouvert sa fenêtre. Derrière ce que l'on devine être le dos d'une armoire, elle glisse un œil encore curieux sur le spectacle de la rue : notre véhicule arrêté, les Africaines, les enfants et ce jeune homme au crâne rasé qui fait vrombir le moteur de sa vieille Citroën. La barre d'immeubles où Christine, sa sœur aînée et son frère ont vécu a été dynamitée et remplacée par de petits pavillons plutôt charmants, dont l'entrée est agrémentée, pour les uns de pots de fleurs, pour d'autres de nains de jardin. Des jeunes gens désœuvrés nous regardent passer, au pas, dans « leur » rue. À l'époque, Auchan s'appelait Mammouth, et, « on s'y rendait comme au musée » se remémore Christine. Une grande enseigne fait toujours place à une autre : ce fut bientôt Saint-Maclou puis Lidl, mais la mémoire populaire continue à se référer à celle qui a le plus marqué.

Une psychologue
qui a tout compris

La maison est située dans une impasse, en bordure de centre-ville, non loin du stade des îlets. Par mail, Sidonie, que j'avais retrouvée à Athanor, pour Forum de l'Emploi, m'avait prévenue : « Mon prénom est Sidonie, mais mon nom de famille est Zaher, je suis mariée à un Arabe ! » Ainsi me signifiait-elle que générosité et sens de l'hospitalité faisaient partie de ses valeurs, ce que j'ai pu vérifier en logeant quelques jours chez elle, dans une petite chambre mansardée face au « cabinet » où, une à deux fois par semaine, la psychologue à Pôle emploi[1], reçoit des patients en consultation privée. Elle me confirme que, dans la tête des Français, un amalgame complexe est apparu sur les termes d'« insertion » et de « réinsertion ». Elle sait qu'on

---

1. En 2009, conséquence de la fusion entre l'ANPE et les Assedic, la plupart des psychologues affiliés à l'AFPA, telle Sidonie, ont été transférés à Pôle emploi.

accuse les structures comme Pénélope de « faire du fric sur la misère », pourtant, « grâce à celles-ci, la misère est non seulement encadrée, mais contenue. Ainsi, la dégringolade totale est évitée. Et, mieux vaut ces structures que rien du tout », insiste-t-elle. D'autre part, Sidonie estime qu'il transparaît moins de violence chez les chômeurs – que l'on n'a jamais vus manifester, par exemple ! – que chez les syndicalistes, qui, du reste, ne soutiennent que ceux qui « sont bien intégrés dans le système », c'est-à-dire, en CDI. En CDD, on n'est jamais défendu. D'autre part, le nombre de ces structures qui emploient la main-d'œuvre la moins chère en lui donnant « le minium du minimum » va augmenter, Sidonie en est certaine et elle parie aussi sur l'aggravation de la crise avec le développement du tout-numérique : « Oh ! la la, les psys vont avoir du boulot ! » Elle ne sait plus s'il faut s'en réjouir ou s'en préoccuper.

« Notre rôle essentiel est de maintenir l'ordre social. En raison de leur santé, de leur âge, ou de leurs difficultés d'apprentissage, 20 % de nos inscrits ne pourront jamais re-travailler, affirme la psychologue. Ces personnes ne sont pas capables d'avoir un emploi, mais elles veulent être entendues. C'est ce que nous faisons. »

Avec passion, patience, et abnégation, Sidonie accueille imperturbablement celles et ceux que les conseillers ont ai-guillés vers elle, soit parce que leur projet n'est pas clair, soit parce qu'ils nécessitent un suivi plus poussé, soit parce qu'ils ont été déclarés inaptes au travail. Avec chacun, Sidonie réfléchit à ce que l'on peut « quand même » enga-ger. Ses rendez-vous sont beaucoup plus longs qu'avec un conseiller classique.

Sidonie soupire en admettant que l'image de Pôle emploi auprès des Français est mauvaise. Tous les jours, elle doit jongler et composer pour tenter de combler les attentes du public, même si elle sait que tous ses efforts resteront disproportionnés par rapport aux moyens réels.

« De temps en temps, oui, ça correspond. » Elle grimace. De moins en moins souvent. Preuve de ces soubresauts : les colères, les états d'âme et les critiques quasi constantes des « usagers » vis-à-vis de l'institution que la jeune femme représente. Parfois, vu l'état psychologique et physique de la personne en face d'elle, Sidonie se permet même de suggérer d'arrêter la recherche d'un emploi : elle sait bien que ce n'est pas vraiment le bon moment pour cette personne, qu'elle n'y parviendra pas, qu'il vaut mieux attendre.

« Nous, les conseillers et les employés de Pôle emploi, nous sommes la personnification de ce que personne ne veut voir. Nous sommes le chômage, donc nous sommes le mal. Ces demandeurs n'ont que nous en face d'eux. Nous sommes les seuls êtres humains à qui ils peuvent exprimer leur malaise ! » Alors, sans s'énerver, sans déprimer, patiemment, Sidonie déroule les mêmes phrases, recueille le récit et la peine de chacun, et tente de trouver des solutions.

Aucun employeur n'étant plus obligé de faire appel à cet organisme, à peine 2 % des offres d'emploi passent par Pôle emploi. Nombreux sont ceux qui n'y ont d'ailleurs jamais recours. Un jeune entrepreneur de Montluçon cherchant à embaucher m'a même avoué : « Oh ! la la, non, j'vais m'prendre quatre cents CV dans la gueule, ça va encore me démoraliser pour une semaine si je passe par Pôle emploi. » Ils préfèrent aller sur Le Bon Coin. Quant aux jeunes, a constaté Sidonie « ils s'inscrivent comme s'ils s'achetaient un smartphone, c'est devenu un réflexe. Ceux qui ont des diplômes ont des réseaux, et Pôle emploi recueille les autres ! »

Sidonie est ulcérée par certains sujets devenus tellement tabous que, même entre collègues, ils sont quasiment tus, tel le handicap « social », concernant celui qui n'a pas de voiture, qui est mal logé ou qui ne peut pas faire garder ses enfants. En cas de « demandeur agressif », la consigne est l'isolement, car personne ne doit être le témoin d'un tel malaise, de telles expressions de désespoir. Dans ces cas extrêmes dont les statistiques montrent qu'ils augmentent, il faut être capable de rester calme, savoir négocier, et accorder une réelle attention à la personne. La considérer. La respecter. La prendre à part.

À Pôle emploi, on est docile, « pas comme à la SNCF », ajoute Sidonie, frondeuse. Que veut-elle dire ? Il n'y a pas de grève à Pôle emploi ! « Déjà qu'on n'est pas aimés du public, on se dit que si on osait faire grève, ce serait perçu comme une indécence ! Nous, les conseillers, on en a un, de job ! Tout ça est très, très dur... »

Malgré tout, Sidonie défend son employeur bec et ongles, y compris la dernière réforme mise en œuvre par l'État. Elle n'est pas de ceux qui pensent que les conseillers n'auraient plus de marge de manœuvre. « C'est faux ! Nous sommes comme le professeur dans sa classe : il suit un programme, mais il fait quand même ce qu'il veut. C'est lui seul qui est en face des élèves ! »

En 2008, les régions (et non plus l'État) se sont mises à financer les organismes de formation (AFPA). Pour un résultat peu satisfaisant : face à une demande exponentielle, de moins en moins de formations sont disponibles. « Il n'est pas rare de n'avoir que cinq places pour cinquante candidats ! », s'insurge Sidonie. Depuis le 1er janvier 2015, le « compte personnel de formation[1] » (CPF) donne droit au salarié jusqu'à vingt heures de formation par an, avec la possibilité de cumuler jusqu'à cent cinquante heures. Comble du paradoxe, les formateurs, souvent des ex-conseillers de Pôle emploi, sont très mal payés et il règne une concurrence féroce entre eux !

Sidonie ne comprend pas pourquoi tous les acteurs de notre société, en premier lieu, les hommes politiques, ne disent pas la vérité : « Ils croient tous que le plein emploi est possible, ou ils le font croire, mais c'est une illusion ! La réalité, c'est que personne ne souhaite être celui qui donne la mauvaise nouvelle ! En Afrique, au Moyen-Orient et dans des pays moins développés que le nôtre, le travailleur est solidaire de l'ensemble de sa famille au sens large, car tous vivent sous son toit. Ici, l'individualisme forcené a mené à des situations de profond désespoir que personne ne veut regarder en face. Être indépendant est devenu une obligation. Mais certains n'en sont pas capables ! Pour ceux-là, c'est honteux de revenir chez leurs parents, ou de ne pas réussir à en partir. Certains de mes interlocuteurs parviennent à me l'avouer, mais pas tout de suite, et, quand ça sort, c'est dur à entendre ! »

Au moment de mon départ, Sidonie, que sa pudeur honore, exprime une certaine émotion : toute la nuit elle a retourné la question que je lui ai posée la veille concernant l'éventualité de faire figurer son nom dans ce livre. Habituée à rapporter fidèlement les propos qui me sont

---

1. A remplacé le droit individuel à la formation, ou DIF.

tenus – en tous lieux et quel que soit le thème, c'est cette recherche de l'authenticité que je souhaite partager –, je modifie les noms pour ne laisser figurer que des prénoms. Pour cette enquête au long cours en France, j'ai été à la fois fière et décontenancée par le fait que la plupart de mes « anonymes », non seulement acceptaient que leur vrai nom soit publié, mais le souhaitaient. C'est le cas de Sidonie la courageuse, qui, pour cette enquête, désire assumer pleinement ses propos, « sinon c'est lâche, explique-t-elle. Mon père se retournerait dans sa tombe si je n'assumais pas ».

« Le jour où y'aura plus de syndicats,
y'aura des meurtres ! »

Chez Dunlop, n'ayant pas été autorisée à dialoguer avec la direction, je me « rabats » chez les syndicalistes, peut-être plus vraiment représentatifs du monde du travail de ce début de XXIᵉ siècle, mais toujours accueillants envers les médias, il faut le souligner.

Le délégué avec qui j'ai rendez-vous apparaît opportunément en voiture pour m'amener au local relégué loin des bâtiments centraux, près de l'ancienne entrée du site. Selon Guillaume David, 40 ans, le responsable CGT, « ici, on vend de moins en moins de pneus, mais on fait de plus en plus de bénéfices ! »

« Qu'on cesse de dire que nos usines en France ne sont pas rentables ! Dans l'usine on sort un pneu à 25 euros et, sur le marché, il est à 180 ! » Les bénéfices seraient en hausse constante grâce à d'incessantes restructurations, comme, par exemple, la totalité de la comptabilité délocalisée en Roumanie. À Montluçon, les batailles pour conserver les 3×8 (organisation en travail posté qui fait appel à des suppléants volontaires pour le week-end) et ne pas passer en 4×8 (organisation en travail posté où l'on change d'horaires de travail tous les deux jours et l'on travaille le week-end) afin de supprimer une équipe, ainsi que les débats autour de la badgeuse, ou pointeuse du XXIe siècle, sont loin d'être terminés.

« On leur a dit qu'on la casserait s'ils la mettaient », avoue-t-il, très sérieusement, furieux à l'idée que les « ressources humaines » reviennent à la charge avec ce projet, alors que les leaders syndicaux étaient habitués à « monter directement à la direction » pour s'exprimer en cas de problème. Ce mépris vis-à-vis du département des ressources humaines considéré comme « tout, sauf humain » n'est pas propre à Dunlop. Je l'ai observé chez tous les syndiqués des entreprises rencontrées.

À l'usine de Montluçon, selon les statistiques de la CGT, après le rachat par Goodyear en 2001 et le plan social qui a laissé 370 personnes sur le carreau, il reste 870 employés dont 660 en CDI. La nouveauté de l'année 2013, le « CDI intérimaire », s'apparente selon lui à un « CDI au rabais ». Dunlop emploie trois personnes dans ce cas via un contrat d'exclusivité conclu avec l'agence d'intérim Adecco[1]. L'ouvrier signe avec Adecco, qui le loue à telle ou telle

---

1. Le groupe suisse Adecco est leader mondial des « solutions en ressources humaines », présent sur les cinq continents et dans plus de soixante pays. Il figure sur la liste des cinq cents plus grandes sociétés mondiales du magazine *Forbes*. À partir de cinquante intérimaires dans la même entreprise, l'agence propose un « implant » dans les murs de celle-ci.

industrie, ce qui n'est envisageable que pour certains profils hypertechniques. Et puisque les CDI refusent les heures supplémentaires, l'effort repose sur les intérimaires, au nombre de 80. « Il s'agit principalement d'hommes âgés de 30 à 40 ans, sans diplôme. Y en a tellement par ici, y n'ont qu'à piocher ! », lance Guillaume David. Selon ses observations, un intérimaire sur quatre finit par être embauché mais, à la moindre baisse d'activité, la direction licencie les plus anciens pour se « récupérer » sur les jeunes, un grand classique. Le salaire de l'opérateur embauché est de 1 400 euros nets. En 3 x 8, il atteint 1 500-1 600 euros nets, avec 10 % de plus pour les volontaires du week-end, et la liste d'attente est longue ! À cause de la fréquence des charges lourdes, les conditions de travail se sont réellement dégradées, et de moins en moins de femmes travaillent chez Dunlop (11 sur 450 opérateurs). À la chaîne, le « luxe », si l'on peut dire, est d'avoir le temps qu'il faut pour accomplir son travail. Aujourd'hui, ce n'est plus le cas, et c'est cela que les ouvriers dénoncent et regrettent. De nombreux ex-ouvriers de fonderies ayant mis la clé sous la porte se précipitent en intérim et se retrouvent chez Dunlop. « Si la direction pouvait n'embaucher personne et nous mettre tous en intérim, elle le ferait ! », grogne Guillaume David.

Notre rencontre se déroule peu après l'affaire de la « chemise arrachée » à Air France, quand le 5 octobre 2015, le directeur des ressources humaines de la compagnie aérienne fut « agressé », malmené et sa chemise arrachée avant d'échapper à la foule en escaladant un grillage[1].

---

1. Le procès dit de « la chemise arrachée » s'est déroulé à l'automne 2016 devant le tribunal correctionnel de Bobigny.

Les fauteurs de troubles avaient été instantanément qualifiés de « voyous » par le Premier ministre, ce qui choqua une partie du monde salarié. Pour Guillaume David, cette « violence » toute relative ne peut être comparée à celle induite par les plans sociaux : « Qu'ils attendent, le jour où il n'y aura plus de syndicats, là, il y aura des meurtres ! », affirme l'homme sèchement.

À propos de cet incident à Air France, je demande son avis à Sidonie, qui rit à gorge déployée avant de répondre : « Tous ces gens licenciés qui se retrouvent sans travail, c'est pas de la violence, ça ? »

La psychologue confirme que, parmi ses « clients », cette histoire gêne tout le monde : à quel employé viendrait l'idée de plaindre un directeur des relations humaines d'une telle entreprise ? Sidonie sait que, tout comme Pôle emploi, les syndicats canalisent les violences plutôt qu'ils ne les provoquent. Ces institutions, reliquats d'un monde ancien, tant décriées et méprisées restent les garde-fous sans lesquels on ne sait ni quel niveau ni quelle fréquence de violence on pourrait atteindre. « Nous, on est là pour faire croire que le taux de chômage va baisser alors qu'en fait je crois qu'on est juste là pour être là. Et je ne pense pas que beaucoup soient dupes, avoue-t-elle, mal à l'aise. Sauf ceux qui n'ont jamais été concernés ni par le chômage ni par les difficultés de la vie quotidienne. »

Le père de Sidonie était métayer, puis ouvrier agricole, ce que, par honte, elle s'est refusée à accepter jusqu'à ses 25 ans. Aujourd'hui, la psychologue en parle librement, mais elle a compris que, toute sa vie, à sa façon, elle tenterait de « réparer » les injustices sociales dont ses parents, qui gagnaient trop peu pour être imposés, avaient été victimes. D'où son sacerdoce à Pôle emploi. Sans les bourses de l'État français, Sidonie n'aurait ni commencé, ni achevé d'études. Lorsqu'elle s'est mise à payer des impôts, elle s'est sentie fière, et l'idée même qu'on puisse en payer moins insupporte la fonctionnaire. Car Sidonie sait que là où l'on ne paie pas d'impôts, ou peu, il n'y a ni école, ni routes, ni Pôle emploi. Aujourd'hui mariée au proviseur d'un lycée de la ville, Sidonie a autrefois collectionné les petits boulots dans la vente, chez le pépiniériste Delbart, le ménage dans des colonies de vacances ou encore serveuse dans l'hôtel où son futur mari était à la plonge. L'histoire de leur couple mixte est celle de l'effort et du mérite récompensés.

À la SAGEM, un discours formaté qui manque de relief

La SAGEM[1] (groupe SAFRAN) a accepté ma demande de rencontre, mandatant même pour ma venue un chargé de communication et la toute fraîchement nommée directrice de la communication.

Pour ses collaborateurs venant de Paris ou d'autres sites et les visiteurs invités, la SAGEM dispose d'un château, à quelques kilomètres au nord de Montluçon, non loin

---

1. Le site de la SAGEM à Montluçon appartient au groupe SAFRAN, résultat de la fusion, au printemps 2005, de la SAGEM et de la SNECMA. Il est rattaché à la société SAGEM DÉFENSE SÉCURITÉ. Cette entreprise, qui fabrique des équipements d'aide à la navigation (technologie de navigation avionique et technologie de la vision optronique), ainsi que des drones associant ces deux technologies, compte 1 134 salariés et 25 personnes en contrats d'apprentissage.

de son usine de la Côte Rouge, abrité par un monticule boisé. Dîners et nuitée précédant la matinée de visite du site y sont organisés. Après avoir dans un premier temps décliné – je suis déjà logée à Montluçon, je change d'avis, me disant que c'est peut-être une opportunité de pénétrer l'univers d'une grande entreprise à la fois désireuse de communiquer et méfiante vis-à-vis des journalistes, comme la plupart des métiers touchant à la sécurité et la défense.

Édifiée au XIXᵉ siècle, l'élégante bâtisse en brique rouge aux pierres d'angle blanches est de style Louis XIII et son architecture s'apparente à celle de Violet-le-Duc. En septembre 1940, quand la Seconde Guerre mondiale faisait rage, le château d'Argentières était devenue la propriété de Marcel Môme, fondateur de l'entreprise. Dès le mois de mai 1940 et le début de l'exode, on y entreposait les archives du siège. À partir de novembre 1943, pendant sept mois, le château et ses clochetons effilés ont été réquisitionnés par la Wehrmacht qui y avait installé un centre de repos pour officiers de retour du front russe. Après la fin de la guerre, et jusqu'en 1962, Argentières se transforma en une maison de repos pour le personnel.

Aujourd'hui, c'est une bâtisse un peu vide, qui doit sembler bien exotique aux managers et autres invités habitués aux hôtels aseptisés des quatre coins du globe. On m'a installée dans une vaste chambre au parquet sonore, dont les volets intérieurs de chêne massifs donnent sur le jardin, mais je ne suis pas sûre que cet aménagement ancien, bien que rénové, reflète l'image que veut se donner cette entreprise ultramoderne.

En donnant un tour officiel à ma visite, ses organisateurs ne se rendaient pas compte qu'à mes yeux ils la rendaient inintéressante. À l'usine, la visite commence par le « musée » qui honore le « patrimoine » souligne-t-on, en aucun cas le « passé ». L'insistance de mes hôtes pour le mot « patrimoine », en remplacement de celui de « musée », me transporte un instant en pensée vers Éric Bourgougnon, le conservateur du Mupop, d'autant que l'employé-guide a commencé par me montrer les pièces mécaniques nécessaires à je ne sais plus quel outillage de précision inertiel, insistant fièrement sur le fait qu'elles seront « encore réparables jusqu'en 2030 » ! Du simple téléphone jusqu'à la mécanique ultracomplexe embarquée sur les Mirage 2000, on veut tout me montrer. Pourtant, j'ai prévenu et insisté : mon intérêt n'est pas pour la SAGEM en tant que telle, même si sa production est sans aucun doute unique en termes de haute technologie, mais plutôt pour son capital humain ; je veux tenter de saisir sa place dans le bassin désindustrialisé de Montluçon.

Après avoir cheminé dans les couloirs à l'ambiance hôpital du site Coriolis dernier cri, nous laissons tomber la blouse dans le bureau du directeur de l'usine, Cyril Bouytaud, qui, la veille, au château, m'a évoqué sa difficulté à gérer un plan social dans sa précédente affectation. Le directeur offre quelques statistiques : son site met un point d'honneur à embaucher une personne pour deux départs (à peu près quinze personnes par an, qu'il rencontre personnellement et à qui il délivre un discours bien rodé sur le « savoir-être » de la boîte). Les quarante-sept intérimaires sont tous ouvriers, la population la moins qualifiée.

« Quand je suis arrivé en 2013, nous n'avions aucun intérimaire ! On est montés à plus de quatre-vingt-dix en un an, à cause de nos activités sur des marchés gros consommateurs de main-d'œuvre. L'intérim est une variable d'ajustement, ce que dénoncent nos partenaires sociaux, mais c'est aussi une formidable chambre de recrutement ! », affirme-t-il. Les embauches d'ingénieurs sont plus complexes et plus rares.

Face à ce qu'il nomme l'« érosion de son produit » – à long terme, l'inéluctable baisse des commandes militaires –, Cyril Bouytaud souhaiterait parvenir à compenser : « J'ai de la surface, j'ai de la main-d'œuvre, il me faut de l'activité ! »

Le site est en train de créer une école en interne afin que techniciens supérieurs et cadres puissent partager leur expérience. C'est une demande interne, insiste-t-il. Sur le ton de l'humour, le directeur évoque ses rapports avec les représentants sociaux (FO est majoritaire sur le site, mais on trouve aussi la CGT et la CGC) à qui il a récemment demandé s'il devait « faire attention à sa chemise » !

Je suis autorisée à échanger quelques mots avec un ancien de Dunlop, passé par Landys et Gyr et Michelin, embauché à la SAGEM après une série de licenciements. Un autre, ancien militaire, se fait l'écho de l'« esprit de corps » qui règne dans la maison. Leur discours est convenu et formaté.

En passant du côté syndicaliste, la parole se libère, mais elle est unilatéralement plaintive. Trois quarantenaires à l'air maussade m'attendent dans le local de la CGT. Ils se dérident au fur et à mesure que Patrick Besson, l'un d'eux, dresse le tableau de leur vision de l'entreprise. Tout comme chez Dunlop, l'employé récuse l'idée de déclin : le carnet de commandes de la SAGEM est plein pour les quatre années à venir, le chiffre d'affaires « explose ».

Pourtant, en 2008, le site a été l'objet d'un plan de restructuration. Tous les trois ont été embauchés après l'intérim. « Ici il n'y a aucun décideur, mais des exécutants qui tournent tous les trois ans. Ils ont des objectifs à remplir, déplorent-ils. Le "maître d'hôtel" [comme ils ont baptisé le nouveau directeur] passe son temps à déshabiller d'autres établissements pour tâcher de rapporter des lambeaux d'activité. » Sauf qu'aujourd'hui, à Montluçon, « on a perdu beaucoup plus que ce qu'on a récupéré ! », lance Besson. Aux velléités de communication et d'ouverture tant vantées par le nouveau patron, le syndiqué oppose l'information unilatérale émanant de la direction : « C'est simple, quand ils informent, c'est déjà tout ficelé. Nous, on n'est que consultés, ils savent bien que notre marge de manœuvre est faible, parce qu'aujourd'hui les salariés…, avec la pression du chômage, sont devenus passifs. »

Pour ces trois hommes, l'excellence des départements de communication de ce grand groupe mondial est paradoxalement comparable à du « syndicalisme à l'envers », et cela les ennuie profondément.

Quand les formateurs (se) posent des questions

Ancien ouvrier chez Dunlop pendant les années 1980, ce délégué syndical CFDT mandaté à ce titre dans différentes instances régionales défend avec ardeur son employeur, l'AFPA[1], tout en se plaignant des récentes réformes.

---

1. L'Association nationale pour la formation professionnelle des adultes (AFPA) a été créée en 1949 pour répondre aux besoins de la France en pleine

« On a tué les métiers de l'industrie et dépouillé les lycées techniques de leur matière. Maintenant, on achève la bête en posant la question de l'utilité du savoir-faire, l'utilité du geste professionnel complet ! On voudrait se contenter de spécialistes d'une tâche en particulier ! On voudrait que la fierté du geste professionnel n'ait plus cours… »

Dégoûté, Jean-François Guérut semble épuisé par une vie de militantisme et de dur labeur. Pour lui, « la technologie a tout aplani », et, plus grave, les fondamentaux d'un métier sont remis en cause. Or, essayer, par la pédagogie, d'insuffler de la fierté à ceux qui choisissent ces formations, c'est son combat quotidien et celui de ses collègues, adeptes de la formation qualifiante. Guérut est catégorique : depuis six ans, il n'observe plus aucun investissement fondamental, mais des « coups » sur des thèmes à la mode. Dans un contexte de course aux diplômes qui ne peut pas satisfaire tout le monde, la formation agit pourtant comme une véritable école parallèle.

« Depuis sa création, l'AFPA a formé plusieurs milliers de Montluçonnais sur les métiers du bâtiment, de l'industrie et du tertiaire, mais les financeurs de 2014 et 2015, pour l'essentiel le conseil régional, privilégient l'insertion avant la qualification, ce qui participe au cercle vicieux suivant : 1) baisse de l'activité 2) recul de l'emploi 3) la qua-

---

reconstruction. L'AFPA est une association loi 1901 dont, depuis 2017, le président est nommé… par l'État ! C'est le premier organisme de formation professionnelle qualifiante, même si, aujourd'hui, il en existe d'autres. L'AFPA accompagne sans discrimination tous les actifs, demandeurs d'emploi et salariés, à toutes les périodes de leur vie professionnelle, vers l'accès, le maintien ou le retour à l'emploi. Cf. http://www.afpa.fr/actualites/l-afpa-au-service-de-l-emploi#sthash. KQPi9xOB. dpuf lification des demandeurs d'emploi devient une moindre priorité 4) le manque de qualification ne permet pas d'envisager une reprise de l'activité 5) retour au point 1.

» Nous voyons toutes les grandes administrations se retirer sur la pointe des pieds », assène-t-il en un triste bilan qui met en exergue le cercle vicieux du système. Finie la concertation tripartite pour chaque secteur entre la chambre des métiers, l'AFPA et les représentants de l'État afin de décider nationalement de la distribution géographique des ressources ! Pour le conseiller de Pôle emploi, la priorité est le retour à l'emploi, et non l'orientation potentielle vers la formation. Le niveau de paperasserie est tel que formateurs et services techniques y dédient 20 % de leur temps. Leurs efforts d'adaptation ne sont jamais suffisants pour les nouveaux appels d'offre.

Depuis que le conseil régional achète des places de formation, tout est devenu plus compliqué – et, surtout, plus aléatoire, puisque dépendant des volontés politiques. Généralement, une formation dure un an, et doit être financée pendant toute sa durée, or, les ressources (le nombre de places en formation) sont en baisse constante depuis 2008. Le conseil régional décide d'acheter (ou pas) telle ou telle formation de l'AFPA ou d'autres organismes (il n'est pas difficile de s'autoproclamer boîte de formation). *De facto*, le nombre de gens formés baisse[1]. Ce système est compliqué par le fait que Pôle emploi achète également des formations à d'autres organismes spécialisés (Centre de formation de la chambre de commerce, AFPI, GRETA

---

1. Selon les chiffres de Jean-François Guérut, à Montluçon, en 2015, mille personnes en moins sur les quatre mille annuelles ont été formées. Sur les trois mille, environ la moitié est en insertion.

Éducation nationale, etc.) qui ont répondu à des appels d'offre. Le CPF (compte personnel de formation) devrait également amplifier la demande. Depuis 2010, « c'est devenu la jungle, admet Jean-François Guérut, il n'y a plus de tour de contrôle globale. L'effet d'aubaine marchera ici ou là parce que tel ou tel élu favorisera ceci ou cela, mais, globalement, l'État a choisi de ne plus avoir les moyens de donner ses directives. Nous sommes en pleine rupture d'une fonction régalienne ».

Ce que Jean-François Guérut récuse le plus, c'est la politisation de la décision. Face à cette grogne, des manifestations ont été organisées en novembre 2012 puis en avril 2015, dans une indifférence médiatique quasi générale. Ardu, le sujet de la formation professionnelle n'est pas vraiment porteur. Guérut et d'autres représentants de l'AFPA ont rencontré à plusieurs reprises François Rebsamen, l'ancien ministre du Travail, du Dialogue social et de la Formation professionnelle, mais ils estiment qu'il n'a « rien compris ». Ou rien voulu comprendre.

Montluçon vue
par le groupe Mickey 3D

Pas facile de trouver en ville un restaurant digne de ce nom pour se nourrir un lundi. Une fois encore, je suis contrainte de me rabattre sur les incontournables commerces chinois ou pseudo-japonais (souvent trustés par les mêmes familles chinoises).

Sur le boulevard de Courtais, la « vitrine » montluçonnaise, pullulent les succursales d'assurances, de banques, de

mutuelles et autres magasins de prothèses auditives, opti-
ciens, enseignes de soin corporel, parfumeries, ou encore
commerces de cigarettes électroniques et de malbouffe.
Derrière les stores baissés, des vitres sales, des sols pous-
siéreux où s'entassent des prospectus publicitaires que
personne ne vient plus relever : des légions de locaux
commerciaux sont à vendre. Cette situation m'évoque la
chanson intitulée *À Montluçon*, du rappeur Mickey 3D,
qui, en 2009, avait fait grand bruit, jusque dans les médias
nationaux :

À Mont-lu-çon, dans ta cité triste à mourir
J'étais venu à reculons / Simplement pour te faire plaisir
À Mont-lu-çon, pendant qu'tu reniflais mes fleurs
Les mains planquées dans mon blouson / Je regardais passer
    les heures

À Mont-lu-çon, le seul truc que j'ai trouvé drôle
C'est quand ton chien m'a pissé dessus / Pour me souhaiter la
    bienvenue [...]
À Mont-lu-çon, j'me sentais comme dans une prison
Et quand ton père m'a tiré dessus / J'ai couru
    jusqu'à Montbrison
Pour revenir à la maison.

À sa sortie, Noir sur Blanc, l'autre groupe musical régional, avait immédiatement répliqué à cette « attaque »
de Mickey.

« On n'a jamais compris pourquoi il avait sorti
cette chanson qui nous a un peu vexés, nous, les
Montluçonnais », se remémore sans plaisir Yannick Ravel,

36 ans, encore perplexe devant la levée de boucliers de l'époque, qui avait démontré un réel attachement à la ville.

« Mickey ne s'est jamais expliqué, alors qu'à Montbrison, où il habite, le public, c'est plutôt des vaches ! », attaque en retour ce métis trentenaire aux tempes rasées, coleader de Noir sur Blanc, deux fois finaliste du Printemps de Bourges.

Yannick m'a invitée à dîner chez lui, une jolie maison neuve de Néris-les-Bains, une localité limitrophe de Montluçon. Nous évoquons la genèse de son groupe, formé avec son compère, ami et collègue Tariq depuis les bacs à sable du quartier de Fontbouillant. Les deux complices sont ouvriers chez Adisseo. Leurs chansons de rap traitent du racisme, du quartier, de leurs potes, de leurs galères.

Après être longtemps resté un groupe régional, en 2004, la signature en label indépendant attise leur notoriété, qui atteint des sommets lorsque la CGT choisit les jeunes gens pour créer l'hymne de son application. Malgré cet engagement – la CGT diffusait sa chanson *Ouvriers de France* dans ses cortèges sans qu'il le sache ! –, le groupe décide de s'éloigner de la politique, se sentant récupéré de toutes parts.

Si Yannick regrette l'intensité de ses engagements passés, la superficialité des relations humaines dans le showbiz à Paris ne lui manque pas. Pour lui et son copain, la musique, c'était avant tout du plaisir. En réalisant que les médias ne faisaient appel à lui que pour le faire parler politique, et non pour sa musique – le reggae –, ou sa façon d'aborder les textes[1], il se rend compte que son militantisme d'antan a fini par l'autolimiter. Finalement, venir de Montluçon et y résider lui ont permis de raison garder.

Sa rencontre avec sa future femme, une fille du coin intelligente et lucide, assistante sociale du conseil départemental (elle traite au quotidien les dossiers de surendettement) ainsi que la naissance de ses deux filles l'auraient-ils amené à s'« embourgeoiser », tout comme l'obtention de son CDI opérateur chimiste chez Adisseo ? Ou serait-ce simplement la vie qui a passé ? Yannick et sa femme aiment Montluçon, mais sont préoccupés par l'avenir de leurs filles. Une ville universitaire les attirerait, mais ils doutent de pouvoir y bénéficier de la même stabilité et qualité de vie qu'ici. Syndiqué CGT du groupe Adisseo passé sous pavillon chinois[2], Yannick ne se plaint pas de son métier, même si ses conditions de travail sont plus rudes depuis le changement de propriétaire : le couple se permet de partir en vacances, alors que la plupart des anciens copains du quartier, ouvriers intérimaires chez Dunlop, n'en ont pas les moyens. Au moment de mon passage, Yannick est en grève (une heure par jour) : il proteste contre l'irruption des intérimaires dans les équipes de 5×8, que lui et ses collègues se retrouvent à former sur le tas car « ils sortent de l'école ». Ils ont fait tourner une pétition en faveur de leur embauche, mais la direction traîne.

---

1. Le dernier album de Yannick s'appelle *La route est longue*, YAN. CK, 2013. Quant à son ami Tarik, il poursuit également son chemin en solo, avec *L'ami Tarik, mentalité d'attaquant*, 2014.

2. Adisseo appartient depuis 2006 au groupe chinois Bluestar.

La futaie Colbert, juste un décor ?

En ce dimanche, Janine Depeige, 86 ans, Montluçonnaise, m'emmène déjeuner Chez Chaumat, une auberge qui fait salle comble à Cérilly, en pleine forêt de Tronçais dont Colbert[1] avait procédé à la délimitation et au réaménagement en 1670, soucieux que la Marine française soit fournie en bois de grande qualité. Hêtres, charmes, houx et pins y abondent et se mélangent aux chênes sessiles[2].

La France change, mais il est des coutumes qui ont du mal à disparaître, comme ces déjeuners dominicaux entre amis ou en famille, des tablées qui s'étirent parfois jusque tard dans l'après-midi.

Alentour, la simple vue du bocage bourbonnais apaise : ses courbes douces agrémentent le regard où qu'il se pose. De grasses vaches charolaises paissent ou se reposent. Partout, des bottes de foin rondes et charnues rappellent la terre paysanne. À Malicorne, le village natal de Janine, un clocher effilé domine les maisons de plain-pied.

Fille de métayers, Janine a travaillé une quinzaine d'années comme employée de maison à mi-temps chez un médecin de Montluçon. Son défunt mari, également fils et petit-fils de métayers, était rentré chez Dunlop après son régiment, se refusant de devoir à son tour trimer au service des autres. À cette époque, les ouvriers agricoles du nord

---

1. D'où l'appellation de la « futaie Colbert », où se situent les peuplements les plus vieux de la forêt : une parcelle de 13 hectares issue d'une régénération datant de la fin du XVIIe siècle.

2. Le chêne sessile est un grand arbre de 20 à plus de 40 mètres de haut, à feuillage caduc, dont la longévité maximale atteint fréquemment plus de 500 ans, parfois jusque 1 000 ans.

du département sont attirés par les idées de gauche, voire communistes. Depuis une dizaine d'années, cette terre de gauche s'est mise à voter FN.

Depuis plus de cinquante ans, Jeanne vit dans l'ancienne maison d'un contremaître de l'usine Saint-Jacques. En feuilleton « sur les journaux », comme on disait à l'époque, puis, sous forme de livre, son grand-père métayer avait lu et relu *La Vie d'un simple* d'Émile Guillaumin, une ode à la vie paysanne par un natif d'Ygrande, une localité avoisinante. Émile Guillaumin était un fermier de l'Allier (trois hectares et trois vaches) qui avait fait partie d'un petit groupe de paysans fondateur du premier syndicat contre les grands propriétaires. Ceux-là même qui avaient contribué au développement du métayage dont les statuts n'ont été modifiés qu'après 1945. À sa parution, en 1904, *La Vie d'un simple* avait obtenu quelques voix au jury Goncourt.

Jouxtant l'église, se dresse l'ex-maison de famille de Georges Delbard, l'ouvrier des forges de Commentry devenu pépiniériste et horticulteur de renommée internationale. Sur le toit de la mairie-école, une imposante sirène. Il y a quelques décennies, ce petit centre grouillait d'artisans et de commerces. Aujourd'hui, c'est un village-dortoir où rien n'a subsisté, hormis un café-tabac.

Tel un décor auquel il manquerait des personnages, le village est vide.

À LONS-LE-SAUNIER

À peine est-on entré à Lons-le-Saunier qu'on en sort déjà.

La région est dite « pilote » en matière d'environnement et de tri des déchets, ce qui procure une certaine fierté à sa municipalité (20 000 habitants au centre, 30 000 avec l'agglomération), gérée avec poigne depuis vingt-cinq ans par l'indétrônable Jacques Pélissard (LR). Ici, les cantines scolaires fonctionnent à plus de 20 % au bio, y compris pour les légumes. L'excellence de la tradition agricole perdure, notamment celle de l'authentique comté, obtenu avec du lait de vache qui a pâturé dans des prairies[1]. L'« eau de Pélissard », comme on nomme ici l'eau municipale, y est pure et non traitée.

On vient s'installer à Lons pour ses vastes prairies toutes proches, ses bois, la proximité des montagnes, en somme, pour bénéficier d'un milieu plus naturel qu'ailleurs, un milieu dont on pourrait croire qu'il procure un sentiment de sécurité.

---

1. Cette appellation doit être protégée, car un autre fromage proche en goût, fabriqué avec ajout de maïs dans les auges des génisses pour accroître leur production de lait et faciliter la tâche des éleveurs, est apparu récemment.

Le dernier des Mohicans,
un rebelle aux cheveux gris

Cinq minutes et sept kilomètres à travers champs suffisent pour passer du centre de Lons aux hauteurs de Villeneuve-sous-Pymont, 288 habitants pour 267 hectares.

Le village est léché, fleuri, ses pelouses tondues, ses arbres taillés, ses prairies verdoyantes. « On est convoités grâce à notre situation géographique exceptionnelle », annonce d'emblée le maire, Claude Bourdy, 70 ans, en poste depuis quinze ans, dont le bureau est situé au niveau de la porte d'entrée principale de la mairie, comme s'il s'agissait de celui d'une secrétaire. M. le maire officie ici même, tous les matins.

Hyperdynamique, les cheveux gris coupés ras, en pull-over beige col en V, des traits réguliers et la démarche souple, Claude Bourdy administre sa mairie comme autrefois ses affaires : avec poigne et passion. M. Bourdy ne jure d'ailleurs que par « le privé », ayant lui-même conduit toute sa carrière comme commercial dans le froid industriel. En activité, l'ampleur de son réseau faisait pâlir d'envie le moindre concurrent : tous les grands patrons de Casino, d'Intermarché ou de l'entreprise laitière Bel se revendiquaient ses amis. « Alors, quand je vois tout ce cinéma de la part de ceux qui se prennent pour Dieu et ne sont rien, ça me fait bien rire ! »

Le maire de Villeneuve-sous-Pymont n'a pas seulement fait parler de lui dans les médias locaux, mais jusque dans les colonnes du *Canard enchaîné*, qui l'aurait traité de « maire

FN », alors que « je ne veux que l'ordre, la discipline et la sécurité pour mes concitoyens ! » « Ici on n'a ni église ni cimetière, mais on a... le Paradis ! », un des quartiers de la commune. Pour pallier l'absence des forces de l'ordre, le maire procède lui-même à sa tournée tous les jours, en voiture, ou à pied. Les vols à répétition le préoccupent, d'autant qu'une série de cambriolages chez le marchand de caravanes en contrebas a donné l'alerte.

Parce qu'ils ne voient plus tourner les gendarmes autant qu'avant − et autant qu'ils le souhaiteraient −, les habitants ont réfléchi à l'idée de veiller en communauté sur leurs biens. Ces administrés, préoccupés, ont proposé au maire le programme « Voisins vigilants », qui a déjà fait ses preuves dans les Alpes-Maritimes. Certains se sont renseignés, d'« irréprochables » référents[1] ont été enregistrés − une enquête de la gendarmerie l'atteste −, des pancartes, commandées puis posées, et le préfet, informé. Pour le moment, on compte seulement deux référents officiels susceptibles de relever la plaque d'immatriculation de tout véhicule paraissant « suspect ». L'efficacité de ce dispositif passerait par son côté dissuasif. D'autres communes, comme Poligny ou Saint-Claude, auraient téléphoné à Villeneuve pour se renseigner sur les détails du programme.

Cette initiative a de nouveau projeté M. le maire à la une de la presse locale, traité par certains de « délateur en chef ». Les représentants des forces de l'ordre ne semblent pas opposés à cette initiative de surveillance collective, tant qu'elle ne s'apparente pas à la création d'une « milice » : « Ça peut redonner de l'unité à un quartier, ça

---

1. Référés auprès de la gendarmerie.

peut le faire revivre là où plus personne ne se connaissait, ou personne ne se préoccupait de son voisin, avance
l'un d'eux. C'est peut-être même ça, la fraternité qu'on
cherche partout… »

Surtout, ce programme ne coûte rien au contri-
buable, un détail qui n'a pas échappé à Claude Bourdy…
« Réinstaller de la tranquillité » sans engager aucun
frais, une vraie prouesse ! « Voisins vigilants » possède
à ses yeux une connotation « citoyenne ». Si la société
se montre, dans son ensemble, contre le fichage des citoyens, paradoxalement, elle a peu à peu admis les caméras de surveillance. « Or, qu'est-ce qu'un "voisin
vigilant" sinon une caméra humaine ? », argumente le
maire, pour qui les caméras – option choisie par Pélissard
à Lons – sont une décision « politiquement correcte »,
l'illustration d'un système hypocrite qui cherche à éviter
la notion de « délation » induite par l'opération « Voisins
vigilants ».

Élevé « à la dure » par un père fromager ancien prisonnier de guerre, le maire est un patriote qui rêve, pour la
commémoration du 11 Novembre, d'arriver à faire chanter
les élèves de sa commune. Las ! Villeneuve ne possède pas
d'école. Tout en n'acceptant pas le « laisser-aller » actuel,
il refuse d'être labellisé FN. « Y en a marre ! On ne peut
plus dire quand nos soupçons se portent sur des gens du
voyage, or c'est bien le cas ! », tempête-t-il.

Ou alors sur des Maghrébins ? « Pas du tout, nous
n'en avons aucun sur la commune, et j'en suis ravi ! »,
répond-il sans hésiter. Enthousiaste et disert pour vanter
les atouts de sa commune, l'édile se fait soudain moins

loquace. Se sent-il en terrain glissant ? « On ne peut plus parler de rien », marmonne-t-il. J'insiste : et si un jeune couple de Maghrébins venait à acheter une maison dans cet habitat pavillonnaire où l'homogénéité sociale saute aux yeux ?

« Oh… ben… », je le sens dubitatif, il ne termine pas sa phrase.

Sans doute que personne ne leur vendrait de terrain. Mais cela, le maire se garde bien de le dire.

« J'réfléchirais avant de voter FN
au second tour de la présidentielle… »

Patrick Truchard, 48 ans, est l'un de ces « Voisins vigilants ».

Il m'accueille chez lui, une maison neuve, très bien entretenue, dont le bois sous l'auvent est coupé et rangé au cordeau, le gravier égalisé, la pelouse fraîchement tondue. Son lotissement a été cambriolé à plusieurs reprises : d'abord chez le médecin, qui habite à trois maisons de là, puis une tentative chez lui, pendant qu'il était sous la douche, et encore chez deux autres voisins. Ces vols ont été perpétrés dans la journée au vu et au su de tout le monde.

Il y a trois ans, après avoir vu un reportage à la télévision, Patrick Truchard a pris l'initiative d'aller rencontrer le maire pour lui parler de « Voisins vigilants ». Aussitôt, une réunion avec les maires des villages alentour et la gendarmerie avait été organisée.

« Les gendarmes sont ravis, ça leur fait du boulot en moins, s'amuse-t-il. Quant aux autres maires, s'ils n'en veulent pas, c'est leur problème ! À Chille[1], je sais que les habitants ne seraient pas contre, mais leur maire pense que c'est de la délation ! Il est libre de ses opinions ! En tout cas, nous, depuis qu'on n'a plus rien ici, c'est arrivé là-bas, de leur côté… »

Patrick est fier d'être le « référent » du quartier « agréé » par la préfecture et la gendarmerie. Il a distribué sa carte à tous les habitants du lotissement, qu'il invite à l'appeler ou lui envoyer un texto avant de partir en vacances ou en week-end. « Je suis un peu curieux de nature, alors, passer devant chaque maison, exprès, tous les jours, ne me dérange pas. » L'homme est également fin observateur, il connaît les marques des voitures des uns et des autres, est capable de dire si tel colis se trouvait là à telle heure ou pas. S'il voit quelqu'un traîner dans les parages à pied ou dans une voiture inconnue, Patrick n'hésitera pas à s'enquérir du motif de sa présence. « Je demande à la personne ce qu'elle cherche et je la préviens que si elle reste là, je vais avertir la gendarmerie. Ou alors, je reste face à son véhicule et j'en relève ostensiblement la plaque d'immatriculation. Souvent, la personne finit par repartir…, raconte-t-il, en homme expérimenté. En revanche, attention, hein, je vais pas regarder aux carreaux, ni dans l'intimité des gens ! »

Salarié depuis trente ans d'une grande surface d'un quartier de Lons, Patrick affirme avoir déjà calmé quelques curieux et des jeunes excités en voiture qui s'amusaient à traverser le lotissement à quatre-vingt-dix kilomètres à l'heure. Il reconnaît que, pour le moment, « ça ne va pas plus loin ».

---

1. Une commune voisine.

Dans son hyper, Patrick, toute la journée, est confronté aux vols « des jeunes pour une canette de bière, des mamans pour un pauvre stylo, des jeunes Arabes qui font leur loi, ou des gens de l'Est qui volent des jeux vidéo ». Alors, il ressent comme un privilège, une sensation de pouvoir, de vrai plaisir, à retourner chaque soir à Villeneuve, dans ce beau lotissement « sécurisé » par ses soins. Lui-même filmé toute la journée par les caméras de surveillance de son employeur, il sait mieux que personne le coût de ce système électronique, alors que Voisins vigilants est gratuit... et efficace !

Patrick estime « juste » que le maire de Villeneuve refuse de louer la salle des fêtes à « n'importe qui ». Lui n'a aucun état d'âme pour répondre à la question de la vente éventuelle d'un terrain à des Maghrébins : « La réponse, c'est qu'on n'en veut pas. (Il rigole.) Ni des Turcs, ni des Marocains, ni des Algériens, ni d'un manouche qui ferait un casse automobile... Ben oui, c'est comme ça. Par contre, on a un Polonais, mais c'est un médecin ! Moi, avant d'acheter, j'avais demandé le terrain au maire pendant un an ! Forcément, il a dû se renseigner sur moi, sans me le dire... »

Patrick ne cache pas être en faveur du rétablissement de la peine de mort et d'une police dotée de davantage de moyens de rétorsion. Il dénigre les artifices du voisinage dans les grandes villes : à Paris, personne ne se côtoie vraiment, mais tout le monde a pleuré ensemble après les attentats de *Charlie* ! « c'est une vraie hypocrisie. Ça sonnait faux tout ça, complètement faux ! », s'exclame-t-il.

Tous les 1er Mai depuis huit ans, un repas de quartier est organisé à la salle des fêtes prêtée par la commune. Pour douze euros par personne, les uns apportent une entrée, les autres un dessert, Patrick s'occupe de la viande. Tout est déposé sur une table commune. Immuablement, le maire passe pour l'apéritif.

Patrick vote FN au premier tour de chaque élection, un parti qu'il consomme « avec modération ». Un de ses amis, propriétaire d'un bureau de tabac, est « plus FN » que lui. « Moi, j'suis employé, mais lui, c'est un propriétaire ! Quand il se fait insulter, attaquer par des gens de l'Est ou des Arabes, il défend son tabac bec et ongles ! Il a dû en venir aux mains plusieurs fois, et il a bien de la chance d'avoir des potes flics qui ferment les yeux... »

Cet ancien apprenti qui a commencé aux fruits et légumes et dirige maintenant son rayon, aura quelques réticences à voter Marine Le Pen au second tour de l'élection présidentielle si le cas se présentait. « J'réfléchirais quand même... car c'que le FN compte faire avec les étrangers... est-ce qu'un jour il le ferait pas avec nous, les Français ? »

Des fenêtres du bureau du maire, je distingue juste en face, à vol d'oiseau, un imposant complexe flambant neuf. Le bâtiment est haut, imposant, mêlant bois et matériaux modernes. Explications du maire : « Sur l'emplacement d'une belle ferme en ruine, j'ai convaincu un promoteur qui a construit une "maison pour les aînés" – appellation à la mode en ce moment, comme si le terme "maison de retraite" faisait peur ! Mille quatre cents euros de loyer par mois, ça vous paraît comment ? » La maison est encore vide, car tout juste terminée, mais les demandes affluent. Au rez-de-chaussée, une crèche, une piscine et un club d'aquagym ont déjà trouvé leurs adeptes, à en juger par le nombre de voitures sur le parking. « Je gère comme du privé, et tant pis pour ceux à qui cela ne plaît pas ! assène le maire abruptement, habitué à la remarque. Parce que, après avoir convaincu un promoteur et fait construire, c'est pas l'tout ! Il faut faire tourner la structure ! Treize ans de palabres pour seize mois de construction ! »

Grâce à l'édification et à la mise en fonctionnement de ce complexe, M. le maire estime avoir contribué au développement du bassin de Lons. Il déborde de fierté d'avoir « tout réalisé » en quatre mandats : ne pas avoir augmenté les taxes locales, enfoui les réseaux téléphoniques et électriques, assaini la voirie, les égouts, créé des trottoirs, asphalté les routes, tout en laissant une dette de 96 000 euros après avoir signé un crédit de 50 000. Mais, surtout, Villeneuve-sous-Pymont se targue d'être une des seules communes rurales à redistribuer 153 600 euros par an aux communes défavorisées.

Lors du dernier scrutin municipal, aucune liste ne s'est présentée contre Bourdy, réélu à 85 % dès le premier tour. L'homme ne s'affiche ni à droite ni à gauche, mais « en avant ». Tout en reconnaissant ses tendances « plus de droite que de gauche » – toute l'extrême droite locale vote pour lui –, « Le dernier des Mohicans » assure respecter les idées de chacun.

Cet après-midi, après notre visite, M. le maire, qui a passé les quarante années de sa vie professionnelle à écumer les foyers jurassiens pour les équiper des premières machines à laver, des premiers congélateurs, doit rencontrer une énième fois Jacques Pélissard, le maire de Lons, afin de débattre du développement économique de « Lons-Nord ».

La discussion s'annonce compliquée. « Dites-moi combien d'emplois ont été créés ici en vingt ans ? Combien d'entreprises sont venues ici ? » Aux yeux de Claude Bourdy, pour réussir dans la politique locale, seules comptent volonté et rigueur. Or, estime-t-il, n'existent que des calculs politiques. « Oui, je peux perdre, finit-il par admettre, mais je ne me mettrai jamais à genoux. » Nous sommes interrompus par la sonnerie du téléphone. Le maire répond comme l'aurait fait la standardiste que la commune de Villeneuve a décidé de ne pas embaucher. Il poursuit. Pour Lons, la tentation « de happer Villeneuve » est ancienne : la seule centrale électrique locale se trouve sur la commune de Villeneuve ! C'est le « pot de fer » contre le « pot de terre », décrit le maire, agacé qu'on lui renvoie sans cesse à la figure la richesse de sa commune. Pour rétorquer, imperturbable : « Villeneuve n'est pas plus riche qu'ailleurs, elle est bien gérée. »

À Lons, la mairie a d'abord été critiquée pour le nombre élevé (113) et les emplacements de ses caméras de surveillance. Aujourd'hui, elles font partie du paysage. En plus des caisses de surveillance des parkings, en dix ans, les caméras ont été disposées à des emplacements clés autour de différentes places du centre. Tout est filmé, certes, mais, défend Daniel Bourgeois, conseiller municipal en charge de la sécurité, seules la police et la justice sont habilitées à visionner les bandes, et seulement en cas de problème. Exactement comme à Nice où les caméras du réseau ont permis de découvrir la réalité des barrages de police au soir de l'attentat du 14 juillet 2016. En temps normal, insiste-t-il, personne n'est installé devant un écran pour regarder en direct ce que filment ces caméras, encore moins « suivre » une personne virtuellement, comme le font quotidiennement les vigiles des supermarchés. Il s'agit donc bien de vidéoprotection et non de vidéosurveillance, fait-il remarquer. Ce système – où tout est enregistré sur des méga-ordinateurs – est financé par une importante subvention de l'État et une dotation de la préfecture.

Pour ce représentant de la municipalité, c'est grâce à ces caméras que la ville est parvenue à stopper les dégradations de certains lieux publics – le montant des dégradations s'élevait à quarante mille euros par an –, ainsi qu'à rassurer la population : à Lons, théoriquement, personne n'a peur de sortir le soir. « Dès que survient une effraction, je porte plainte au nom de la ville, pour qu'on regarde les bandes. Le suspect est convoqué en comparution immédiate à la police – dans les deux jours –, on lui montre la bande. » Grâce aux caméras, des vols et autres délits ont pu être élucidés plus rapidement par la police.

L'ex-militaire devenu conseiller municipal le répète avec fierté : « On a été des précurseurs ; on a commencé en 2004 ! » Puis Saint-Claude a emboîté le pas à Lons, ainsi que Dole et Champagnole.

À Lons, la police municipale – constituée d'un agent et de trois ASVP ou agents de surveillance de la voie publique – n'est pas armée et ne travaille pas la nuit. *De facto*, elle n'a en charge que la surveillance des parcmètres et des parkings[1]. Jacques Pélissard est farouchement contre le port d'arme pour sa police – il faudrait une formation – et ne souhaite pas que celle-ci fasse doublon avec la Police nationale, encore très présente en ville.

---

1. À Dole, ville voisine de 24 000 habitants, la police municipale compte une vingtaine d'agents armés.

Peut-être, mais les vols continuent.

Ce soir, dans une salle en contrebas du casino, sur le boulevard de l'Europe, un combat de boxe pieds-poings a été organisé par le club local Energy Fight Club. Dans le public, on retrouve un membre du parti valoisien, grand amateur de boxe, la conseillère municipale en charge du sport, le responsable sport à la « comcom » (communauté de communes), des élus de la ville et beaucoup de jeunes, qui tirent avec énergie sur leur clope avant de se précipiter dans la salle. Ce soir, des athlètes venus du Portugal font sensation contre les valeurs montantes locales. Alors que son fils est sur le ring, l'entraîneur est soudain contraint de s'absenter un moment : il vient d'apprendre qu'il s'est fait cambrioler. Du coup, les langues se délient et les convives s'accordent à dire que « ça cambriole vachement », même si, dans les statistiques officielles, les chiffres restent bas. À les écouter – chacun y va de son récit, plus ou moins rocambolesque –, personne n'y échapperait, et dans presque chaque rue de Lons des maisons seraient visitées. Dernièrement, dans un café-tabac de Montmorot, les voleurs se sont emparés des cartouches de cigarettes et des bulletins de jeux de hasard.

À travers La Bresse, les « raids » perpétrés selon un axe nord-sud épousant l'A39 sont fréquents. Les malfaiteurs déboulent en Audi RS6 ou en grosse cylindrée BMW, montent vers le Haut-Jura, puis redescendent sur la Suisse après avoir dépouillé un territoire qu'ils savent sous le contrôle de la gendarmerie (à qui on demande d'interpeller les auteurs de crimes et délits alors que leurs véhicules ne leur permettent même pas de suivre ceux des malfrats !). En secteur police, même si la BAC de province abat principalement du travail d'ordre judiciaire à la recherche de la petite délinquance locale, les cambrioleurs ont plus de difficultés, car les patrouilles sont présentes vingt-quatre heures sur vingt-quatre. À Lons, cette police est en uniforme, et non en civil. « Pour filocher, c'est plus dur, grimacent les policiers, mais ici, de toute façon, ils te connaissent, alors tenue ou pas… »

Les nouvelles mesures induites par l'état d'urgence obligent au port du gilet pare-balles, mais dans la pratique, c'est différent. On sait que les policiers s'amusent généralement des séries télévisées tenant en haleine tous les publics : « les films où ça flashe de folie, où ça calibre de tous les côtés ». Dans la réalité, ils se posent plutôt cette question existentielle : « Faut que je tire ou pas ? J'ai le droit ? » Tel l'ami de ce policier lédonien, en poste à Nice et au travail le soir de l'attentat, que la simple vision du camion frigorifique-tueur avant qu'il ne commence à « quiller[1] » avait laissé pantois.

Les flics regorgent de ce genre d'histoires qui font prendre conscience du sentiment d'hyperpuissance des uns, et de la frustration permanente des autres.

Un patron mène l'enquête

Yvon est un dur-à-cuire à la gouaille phénoménale. Un très riche, qui a su raison garder. Un gagnant, qui a toujours la baraka, même au casino de Lons, d'où il ressort prudemment après avoir gagné, à la roulette bien sûr.

« Pour gagner, faut d'l'argent ! », aime répéter cet homme du peuple, du terrain, qui ne rentre dans aucun schéma : Lovato roule en Mercedes, savoure des vacances en famille

---

1. Jargon de la police pour « tuer ».

au Majestic, à Cannes, mais n'émarge ni au Lion's Club
ni à aucun autre club huppé local, et pour rien au monde
il ne quitterait sa maison de Montmorot, sans apparat, la
même depuis quarante-cinq ans.

En parcourant le journal local, j'apprends qu'un nouveau
cambriolage a eu lieu dans son entreprise la nuit précédente. Fou de rage, l'ancien trésorier de la première campagne de Jacques Pélissard en 1989 tonne contre l'absence
de caméras vidéo de la mairie sur son secteur. Une bonne
occasion pour le rencontrer en zone industrielle.

En deux mois, Yvon Lovato a déjà subi trois vols : le
premier en mars, dont son équipe ne s'est rendu compte
qu'une semaine plus tard, puis deux à la suite en avril. « J'ai
été volé par des spécialistes et sur commande », accuse ce
chef d'entreprise qui a déjà demandé à des policiers et un
procureur de ses amis leur avis sur un éventuel dépôt de
plainte. Inutile, lui ont-ils répondu. Alors, il a mené lui-
même l'enquête.

Lovato me glisse sous le nez un cliché noir et blanc
sur lequel on distingue une voiture qui se gare, sans que
zoomer sur sa plaque d'immatriculation ne révèle ses
numéros : elle a sans doute été passée au spray de laque
pour empêcher toute reconnaissance. Le vol a été filmé
par la caméra vidéo d'un voisin qui a enregistré l'heure
exacte du délit. Selon Lovato, les malfaiteurs sont des
Polonais qui travaillent sur ordre. Ils sont entrés dans le
dépôt par effraction et se sont immédiatement dirigés vers
les pièces convoitées, des « entraîneurs », enfermés dans
des cartons, qu'il fallait avoir déjà repérés pour être capable de les retrouver. « Pas de doute, il s'agit de clients
déjà venus pour m'acheter autre chose, tonne-t-il de sa

voix forte. Deux heures plus tard, les malfaisants étaient à la frontière allemande, et, à 5 h 30 du matin, chez eux, en Pologne ! Du coup, après ces vols, j'ai installé une sirène, la plus puissante qui existe. Comme ça, si j'me refais voler, ça va sonner et réveiller tout le quartier de la Marjorie ! », se félicite l'industriel. Chaque soir, des plots de béton sont posés par les employés devant chaque entrée potentielle. Pour être retirés le lendemain matin.

En trois jours, Lovato a bouclé son enquête, recontacté les Chinois à qui il avait acheté ces pièces pour savoir s'ils ont vendu les mêmes à des Polonais, obtenu des réponses, et... trouvé les voleurs ! S'il avait choisi de faire confiance à Interpol, l'enquête aurait traîné entre six mois et un an. « C'est à ceux qui ont donné l'ordre que j'en veux ! Je peux pas accepter que quelqu'un mette ici les pieds chez moi, me tape sur l'épaule et, le lendemain, qu'il me fasse ça ! » Cette fois Yvon ne rigole plus. Il a décidé que deux de ses gars se rendraient en Pologne pour racheter en catimini les engins volés, à titre de preuve. Alors seulement, il leur proposera le remboursement, sinon il déposera plainte.

L'aventure de ce natif de la région lyonnaise débute à la fin des années 1960 dans le Jura. Au retour de son service militaire effectué dans un bataillon disciplinaire en Algérie, l'ancien triple champion de France de boules lyonnaise, âgé de 74 ans, fils d'un ouvrier vernisseur et d'une coiffeuse, travaille pour son père, puis se lance à son compte dans le secteur de la machine à bois. Lovato rachète les locaux d'une ancienne chaudronnerie lédonienne, écume les salles des ventes pour trouver des machines d'occasion qu'il remonte intégralement. C'est comme un jeu. Aujourd'hui, fort de quatre millions d'euros de chiffre d'affaires annuel, avec ses huit employés, dont deux en région lyonnaise, et ses 14 000 mètres carrés de surface à Lons-le-Saunier, le spécialiste de la machine à bois neuve ou d'occasion poursuit sans relâche son expansion. « Avant, nos clients étaient essentiellement des menuisiers. Aujourd'hui, ce sont des marchands de portes au Maroc ou à Djakarta ! Et pratiquement plus personne dans le Jura », observe-t-il.

L'homme ne possède que deux centres d'intérêt : sa famille (deux enfants, un fils qui dirige l'entreprise, une fille, décoratrice d'intérieur à l'étranger) et ses affaires. Mais il aime aussi la politique. Il en a fait, et excelle à défendre ses idées. Dans son entreprise, il ne rechignerait pas à afficher les salaires de tous ses employés, y compris le sien, « comme on affiche les permis de construire. Il faut assumer de gagner de l'argent. Moi j'assume ! Je partage, je participe ! ». À plusieurs reprises et dans la plus grande discrétion, Yvon Lovato a distribué de l'argent à de grandes ONG de sa ville. « Je votais Chirac, eh bien aujourd'hui, alors que tout le monde croit que je suis FN, je vote communiste ! », livre-t-il sans vergogne – en ajoutant avec émotion et fierté que son grand-père italien était encarté au PC transalpin. L'ex-vice-président du Racing Club lédonien de boxe anglaise[1] ne décolère d'ailleurs pas contre la double nationalité : « De père italien et de mère française, je n'aurais jamais pu être français et italien en même temps, et je n'admets pas que notre ex-Premier ministre soit espagnol ! affirme celui qui a milité pendant vingt-cinq ans

---

1. Quatrième club de boxe de France, avec 265 licenciés.

au parti radical valoisien[1] et ne donne jamais sa voix à la "gauche caviar", comme il l'appelle. Lovato avoue quand même avoir beaucoup de mal à voter à chaque deuxième tour. « Mais si Macron y va, alors, peut-être, je voterai… » L'homme avoue verser 500 000 euros par an aux impôts, et se targue d'avoir signé un chèque pour la campagne de Macron. « Le p'tit qui jappe[2] y croit qu'il va être réélu, mais c'est Macron qui fera bouger la France et évitera la révolution ! », réfléchit-il tout haut.

Comme de nombreux chefs d'entreprise, Lovato a dans son collimateur deux « machines à chômage » : Pôle emploi et les prud'hommes. Il était à fond en faveur de la barémisation aux prud'hommes (en fonction de l'ancienneté), prévue dans la première version de la loi El-Khomri, et finalement non retenue. Mais Lovato a une autre idée : « on pourrait tout de suite donner leur argent à ceux qui donnent leur démission, selon le même barème ! » Devant mon étonnement, il surenchérit : « Mais oui ! Y a que les cons qui partent, par les temps qui courent… Donc ça fait de l'écrémage naturel, et, dans ces conditions-là, les gamins sortiront plus dans la rue contre la loi ! »

Face au désarroi d'une certaine jeunesse française, Lovato n'est pas désarmé. « À Marseille, les jeunes se revendent entre eux les quartiers de la drogue ! Non, ce qu'il faudrait, c'est montrer à tous ces jeunes qu'on va leur apprendre un métier. On devrait leur dire : "Vous êtes français et votre

---

1. Selon Wikipédia, le Parti radical dit « Parti radical valoisien » est le plus ancien parti politique français existant actuellement, classé aujourd'hui au centre droit de l'échiquier politique.

2. Cette discussion a lieu avant les primaires de la droite qui se sont tenues à l'automne 2016 et Yvon Lovato fait ici référence à Nicolas Sarkozy.

avenir c'est de développer la France, au lieu d'aller chez
Daech !", [Il prononce Dash, comme la lessive, et s'emporte.] C'est compliqué pour nos jeunes… parce qu'on a
tout fait pour que ça le soit… »

Il souhaiterait que les hommes politiques posent des questions directes à la population, et surtout, qu'ils écoutent ses
réponses. En son temps, Lovato s'était prononcé en faveur
de la proposition de Jean-Marie Le Pen de payer un salaire
aux mères au foyer, et aussi en faveur des 35 heures, contre
les subventions pour les entreprises et contre la baisse des
charges sociales.

Il me ramène au centre-ville au volant de sa trente-
cinquième Mercedes avant de rentrer chez lui boucler ses
valises préparées par sa femme, car, le lendemain, le couple
s'envole pour Cannes. Apprécié au Martinez pour la générosité de ses pourboires, l'entrepreneur lédonien change
d'adresse pour découvrir le Majestic. C'est son petit plaisir.
« Si je n'avais pas eu Jacquotte, mon épouse, jamais j'aurais
réussi comme ça…, ou alors je serais dans le grand banditisme ! Jacquotte est humble, patiente, tolérante, discrète.
La femme idéale, quoi. » Au plus grand désespoir de son
mari, elle ne veut jamais rien acheter ni s'acheter. L'argent
ne l'a pas changée, lui non plus d'ailleurs.

Yvon, dont le débit rapide, la voix qui porte, l'œil vif et
la répartie en agace plus d'un à Lons-le-Saunier, n'accorde
aucune importance à ce que je vais écrire sur lui. Son
seul souci est que ne soit pas dévoilé en détail le fait que,
chaque année, il achète de la nourriture en grande quantité
pour qu'une organisation la distribue gratuitement aux plus
indigents. Je ne dévoilerai donc ni ses intermédiaires, ni ses
récipiendaires.

« Il y a de plus en plus de pauvres, alors je donne de plus en plus ! », conclut-il.

Jusque dans les années 1980, on dénombrait encore cent vingt-sept cafés à Lons, dont la clientèle était assurée par deux casernes encore présentes. C'était l'époque où les bars étaient pleins, alors qu'aujourd'hui, sans l'apport de la restauration, personne ne s'en sort. Les jeunes achètent à boire au litre dans les supermarchés, et délaissent sans regret les vieux bars du centre où un ticket d'Amigo[1] est encore posé sur chaque table, où l'écran télé reste bloqué sur les tirages et non sur les chaînes d'infos en continu.

Au Bar des Sports, dont les murs sont décorés de nombreux T-shirts encadrés de l'équipe de rugby d'Oyonnax, d'anciens numéros de la revue *Rugby* traînent sur un bout de comptoir. Ne manquent que les facteurs de l'ancien centre de tri, qui, à la pause, venaient casser la croûte. Le centre ayant été déplacé, ils ont disparu. Tous les samedi-matin, l'irréductible maire de Villeneuve-sous-Pymont vient ici boire son café, où il lui arrive de croiser l'ogre Lovato. Parfois, ils boivent même leur p'tit noir ensemble.

L'établissement faisait hôtel dans les étages, mais les normes sont passées par là, et l'étroitesse du couloir a mis fin aux rêves de construction d'un ascenseur. Aujourd'hui ne restent que quatre chambres louées au mois. Selon Lili, la propriétaire, « tout fout l'camp », bien sûr, même les journalistes, qui, « comme tout le monde », s'informaient avant tout au bistrot. Aujourd'hui, le préposé aux pages locales

---

1. Jeu de hasard de la Française des Jeux, successeur du Rapido depuis 2013.

du *Progrès*, « fouille-merde », pour les intimes, ne vient plus boire le coup (d'autant que sa rédaction a été déplacée à Lyon), de toute façon, y a plus qu' les vieux, des piliers qui ont vieilli avec le bar. Il téléphone de temps en temps, ou bien c'est Lili qui l'appelle pour lui fournir les infos qu'elle aimerait retrouver dans le journal. Ce matin, d'ailleurs, Lili prévient le localier que l'entraîneur de boxe s'est fait cambrioler. « Allez, menez l'enquête, dépêchez-vous ! s'amuse la tenancière, maquillée et coiffée, en un mot, impeccable. Sinon, y aura rien dans le journal et les gens croiront que Lons est une petite bourgade bien calme. »

Ce qu'elle est, en réalité. Mais « les gens » jouent à se faire peur, sont devenus intolérants, ou moins tolérants. Adeptes du « zéro risque, zéro infraction, total confort » comme dit Lili.

Une solitude ordinaire

À 88 ans, cet ancien professeur de sport féru de spéléologie, dont le dos est cassé par la vieillesse, ce sale coup du sort, vit parmi des chats empaillés. Un matou semble couché en boule sur un fauteuil du salon, un autre se prélasser sur le lit. Les félins ont été travaillés avec tant de soin qu'on croirait qu'ils vont vous bondir au visage.

Assis au volant de sa vieille Mercedes, dans laquelle, calé au fond du fauteuil en cuir, il garde fière allure, le vieil homme se sent mieux quand ses douleurs s'envolent. Souvent, pour ne plus avoir mal, il se met au volant et tourne, de jour comme de nuit, des heures durant, dans les rues de Lons, ce qui lui donne l'occasion de repenser à ses fières années de jeunesse, lorsque sa haute stature le rendait si séduisant, et qu'il se faisait remarquer partout où il passait.

Ancien greffier d'instance au tribunal de Châlons-en-Champagne, l'homme ne s'adoucit que pour évoquer son épouse adorée, morte il y a un an d'avoir été mal soignée, croit-il, de ce fléau méconnu en France qu'est la maladie de Lyme. Six longues années avaient été nécessaires pour formuler un diagnostic.

« L'eau trépigne, elle bout, mais elle ne monte pas, alors que le lait, ben y a qu'à tourner le dos et il est dehors... Pourquoi ? Faut-il être bête pour se poser ces questions-là, hein ? », eh bien, Guy Coulois[1], Lédonien de naissance, se les pose, ce qui le rend bien sympathique, beaucoup plus que quand il prend un air buté et murmure des obscénités sur les Arabes et autres réfugiés. Son fils, la cinquantaine, passe le voir tous les soirs à 20 heures et lui prépare son café filtre du lendemain. Le vieil homme ronchon n'aura plus qu'à appuyer sur le bouton de sa cafetière.

Fidèle à ma règle de ne pas aller à l'hôtel, j'étais arrivée chez lui par une connaissance commune. Contente de résider en ville, dans cette vieille maison qui respire toute une vie passée, je suis aussi agacée par les propos que me tient mon logeur à chaque petit déjeuner.

Toute sa vie, cet homme a prétendu tout savoir faire et ne rien devoir à personne. Excellent bricoleur, capable de floquer une feuille de métal, de la peindre et de la transformer en lampe, sur une lubie, il avait voulu se lancer dans la création de personnages miniatures prisonniers d'un fond de

---

1. J'ai logé dans sa maison pendant une partie de mon séjour lédonien. Qu'il en soit ici remercié.

bouteille. Mais, grâce à la réforme Debré[1], oubliées les velléités d'artisanat, l'homme vend son or, patiemment mis de
côté dès que possible et achète ainsi le greffe de Louhans.

« Hue ! », se lance-t-il à lui-même comme pour faire
avancer un cheval ou une vache. « Hue ! », avant d'enlever toutes les prises électriques le soir, « hue ! », avant de
les remettre le matin, « hue ! », pour se stimuler avant de
donner à manger aux poules, « hue ! », avant de fermer
tous les volets à double tour au crépuscule. Ingénieux,
l'homme a placé sa poubelle-container juste au-dessous de
sa grande fenêtre de cuisine et y fait directement basculer
ses sacs-poubelles.

Le vieillard est convaincu que les rues de Lons sont in-
festées de « canailles » qui empêchent l'homme honnête de
sortir le soir. « Et y a rien dans le journal là-dessus parce que
le maire voudrait qu'on croie qu'il ne se passe rien à Lons !
Même si on est quand même encore protégés ici : restent
des tas de bourgeois et pas trop d'Arabes… », se rassure-
t-il. L'homme est en pleine lecture de *Rebâtir la France*, le
livre en forme de programme politique du général Didier
Tauzin, un militaire à la retraite ultraconservateur.

Pour Guy Coulois, la France n'est pas sortie de la
chienlit et n'en sortira pas, car on a tout laissé faire dans ce
pays… En 1965, il a donné sa voix à Tixier-Vignancourt,
puis à Le Pen père avec la régularité d'un métronome. Le
système électoral français qui ne permet pas au FN, selon lui, d'accéder au pouvoir, le révulse. Et seul un « bon
dictateur » pourrait « la redresser ». Curieusement, il n'est

---

1. Il s'agit des réformes insufflées par Michel Debré des 22, 23 et 24 décembre 1958, qui publièrent au *Journal officiel* les premières ordonnances portant sur la réforme de la Justice.

pas contre l'idée que le leader soit un musulman, comme dans *Soumission*, le roman de Houellebecq qu'il n'a pas lu et dont il ne connaît pas l'existence. Un musulman bien intégré si vous voulez..., affirme-t-il en continuant son monologue. Et cet Obama, il n'est pas musulman d'ailleurs ? » Cette question le force à lever les yeux vers moi. Il attend une réponse. « Pourtant, c'est ce qu'on dit partout... », insiste-t-il, en soulignant l'absurdité de mes dénégations.

Ses affirmations à propos des musulmans et des Arabes sont celles d'un vrai raciste (« quand on va dans les hôpitaux, au palais de justice, dans les centres sociaux, on ne voit que des gens de couleur, qui bouffent tous nos budgets. Tous ceux-là, on les soigne gratuitement alors qu'on n'a même pas été foutu d'avoir soigné et guéri ma femme ! ») qui savait cependant oublier ses « valeurs » pour les affaires. Ainsi, avec l'imam de la mosquée locale qui venait régulièrement lui acheter des moutons pour l'Aïd. Il « ne pinaillait jamais sur le prix ! » se souvient-il. Gentil, le religieux avait même proposé de conduire le Lédonien et son épouse à l'hôpital de Marseille pour qu'elle fût mieux soignée, poussant l'hospitalité jusqu'à loger le couple chez des membres de sa famille dans les quartiers nord. Surpris, le couple avait néanmoins refusé.

Comme beaucoup, l'ex-prof de spéléologie pense que nous sommes entrés dans les affres d'une guerre de religion manipulée par « on ne sait qui », et menée par des « démons capables d'impressionner l'adversaire ». Et de m'égrener sans vergogne la facilité avec laquelle, lui, aurait l'idée de faire mourir le plus grand nombre de ses congénères : en infiltrant du cyanure dans un château d'eau, ou en faisant dérailler deux TGV en sens contraire sous un tunnel, ou encore en faisant sauter des lignes à haute tension. Visiblement, l'imagination du vieil homme marche à plein régime. Et de terminer son délire par un : « J'ai rien contre les Arabes, mais c'est une saloperie de religion ! »

L'homme passe sa journée devant la télévision, non pour apprendre et questionner, mais pour y trouver la confirmation de ses idées reçues.

Les quelques instants pendant lesquels je suis parvenue à lui raconter des bribes de ma vie de reporter l'ont sans doute exaspéré. Pourquoi a-t-il accepté de recevoir quelqu'un chez lui ? Parce qu'un ami le lui avait demandé et que cela ne lui paraissait pas difficile de m'accueillir ? « Est-ce que vous vous intéressez aux autres ? » osai-je m'enquérir un matin. La réponse me stupéfia : « Pourquoi je m'y intéresserais ? »

« On aime son médecin.
On n'aime pas son policier »

Lons possède un commissariat et une police nationale, mais, si sa population baisse encore (18 000 habitants en 2016), elle les perdra pour passer en secteur gendarmerie.

Les cambriolages en zone pavillonnaire ou en zone industrielle, le trafic et l'usage de stupéfiants ou l'alcoolisme et son lot de violences familiales sont le quotidien de la police. À l'hôpital, l'équipage de policiers doit souvent attendre longtemps le médecin de garde (l'individu amené ne bénéficie pas d'un régime de faveur par rapport aux

autres patients venus aux urgences). Parfois, ce « retard »
empêche les forces de l'ordre de faire quoi que ce soit
d'autre dans la soirée, et la lourdeur de la procédure se
ressent d'autant plus fortement que nous sommes dans une
petite commune.

« Le flic, c'est un meuble. On aime son médecin, mais on
n'aime pas son policier ! Nous, on fait partie des meubles,
c'est comme ça. » Ou encore : « Le délinquant, il te parle
comme il parlerait à un copain, pareil ! », m'ont rapporté
certains agents.

Les policiers ont l'impression d'avoir été chargés d'ef-
fectuer les « basses besognes » que personne ne veut plus ni
voir ni faire. Ce sentiment pèse sérieusement sur le moral
des troupes. Depuis des décennies, la paix sociale, disent-ils,
a été achetée à coups de subventions et de salles de sport
dans des quartiers « défavorisés ». Les policiers n'en peuvent
plus de voir que les jeunes « se mettent minable plus tôt et
plus fort qu'avant ». Ils savent que, pour vivre ensemble, il
faudrait un respect mutuel ; que chacun soit considéré de
la même manière.

Dans une petite ville, celui qui est interpellé une fois,
deux fois, trois fois, devient une « relation » ; les policiers
finissent par bien le connaître. C'est humain, c'est inévitable.

« Bon an, mal an, tu fais partie de son entourage. Tu
connais sa spécialité, le vol de voitures ou la conduite sans
permis. Lui sait que tu le connais. C'est le jeu du chat et
de la souris. » C'est infernal et répétitif. Sans renfort, la plus
grande arme du flic reste la parole.

« Faut être fin diplomate et bon physionomiste… Si le
gars te met un coup, c'est trop tard, tu l'as pris ! Ses co-

pains favoriseront sa fuite. Si tu connais son nom, tu l'écris dans ton rapport, et, le lendemain, t'essaieras de retourner le chercher pour lui rendre la pareille… Mais si tu veux vraiment être respecté et crédible, mieux vaut ne pas adopter les mêmes méthodes qu'eux. Faut être propre ! Bon, aujourd'hui, la vérité, c'est qu'ils ont de moins en moins peur de nous. Ils n'ont aucun problème à se montrer violents ! », avoue un policier retraité qui a accepté de me parler. Lui aussi confirme la hausse de la violence sur les représentants des forces de l'ordre.

Avec la police de proximité, le policier se serait presque retrouvé à jouer au foot avec « son » délinquant. Insidieusement, il se muait en protecteur. Mais, souligne-t-il, un flic n'est pas un éducateur. « En France, c'est pas comme en Amérique, on n'a jamais voulu avoir une police digne de ce nom ! »

Toujours le premier sur le terrain, le flic est en permanence confronté à la complexité de l'humain. « Il est le pare-feu. Ensuite, le proc, suit, ou pas. » Tout de jean vêtu, l'homme qui me parle a les manches de chemise retournées, des chevalières aux doigts, quelques tatouages sur les avant-bras et un regard bleu revolver, comme dans la chanson. C'est un ancien grand flic de la région, au CV long comme ses deux bras, qui a connu des « patrons » – alors, on ne disait pas encore « commissaire » – capables de défendre leurs hommes et de prendre de vraies décisions. L'époque n'était pas à la simple « gestion » où la prise de risques ne paie plus. Il méprise les effets d'annonces continuels, quelle que soit la couleur politique du gouvernement et s'insurge contre les nouvelles primes au mérite qui désuniraient les équipes : « Tout le monde dans notre job mérite une prime, par le simple fait qu'il va au taf tous les jours ! »

Comme beaucoup de ses collègues, ce policier se désole que « les médias, la classe politique », traitent, selon lui, en héros Salah Abdeslam[1], arrêté peu avant mon passage à Lons. Bien avant que les médias se posent publiquement la question du dévoilement de l'identité du terroriste, ou débattent de la possibilité de ne pas montrer en boucle des photos ou des vidéos du terroriste souriant[2], les policiers souffraient de ces pratiques. « Si on veut en faire un exemple pour les autres, eh bien c'est réussi ! Voilà même qu'on lui octroie une cellule de onze mètres carrés, fraîchement repeinte, et qu'en fait il en occupe quatre ! » entend-on dans leurs rangs.

Blindés, beaucoup d'entre eux n'ont que faire des « cellules psychologiques » mises en place à leur intention, qu'ils considèrent comme « du pipeau » dont l'unique but est de donner bonne conscience à leur administration.

---

1. Salah Abdeslam, né le 15 septembre 1989 à Bruxelles, est un terroriste français d'origine marocaine résidant et ayant grandi en Belgique, dans la commune de Molenbeek. Affilié à l'État islamique, il est impliqué dans les attentats du 13 novembre 2015 qui ont fait 130 victimes. Il a notamment loué la voiture utilisée par les assaillants de la salle du Bataclan et déposé les trois kamikazes devant le Stade de France où ils se sont fait exploser. Il aurait pour sa part renoncé au dernier moment à en faire autant, abandonnant son véhicule dans le 18e arrondissement parisien, puis sa ceinture explosive à Montrouge. Le 18 mars 2016, après une cavale de 125 jours, il est arrêté lors d'une opération policière. Il est incarcéré et sous vidéosurveillance vingt-quatre heures sur vingt-quatre à la maison d'arrêt de Fleury-Mérogis (Essonne).

2. Je fais ici allusion à Mohammed Merah, le tueur de Toulouse, souriant sur toutes ses photos, notamment celle de son entrée Wikipédia. C'est seulement après l'attentat au camion frigorifique de Nice perpétré le 14 juillet 2016 (84 victimes et plus de 300 blessés), que des articles étaient apparus dans des médias tels que Le Monde pour exprimer des questions à ce sujet.

La vision ultraréaliste que se sont forgés les policiers des maux dont souffre notre société en gêne plus d'un. Et quand ils décident de s'exprimer publiquement, ce qui est rare[1], « tout le monde balise », s'amusent-ils. Après avoir manifesté en octobre 2015 contre « la justice trop angélique, pas objective », les policiers sont à nouveau sortis dans la rue pour dénoncer la « haine antiflics[2] ».

« Pitbull », un policier qui sait manier l'humour

Ludovic appartient aux brigades de nuit de la BAC de Lons, une ville où, comme partout, un sentiment diffus d'insécurité gagne. « Qu'est-ce que tu veux que nous, flics, on aille se faire chier avec des conneries de scooters, pour avoir ensuite la cité entière sur la gueule ? »

La police nationale aujourd'hui, c'est vraiment « de la poudre aux yeux, de l'esbroufe ! Finalement, on ne fait que de la représentation », s'exclame-t-il, attristé. Ludovic ne s'est pas engagé pour se sentir de plus en plus inutile.

En cette soirée printanière, il est 23 h 30 quand la BAC reçoit une dizaine d'appels de riverains se plaignant que des jeunes du quartier de la Marjorie font trop de bruit avec leurs scooters : tous exigent l'intervention des forces

---

1. Selon lefigaro.fr du18 mai 2016, « les manifestations de policiers autres que pour des raisons purement économiques (augmentation de salaires) sont extrêmement rares. On n'en compte que quatre en trente ans, dont deux sous le quinquennat de François Hollande. Les policiers ne peuvent en effet pas faire grève et sont obligés de sortir dans la rue sur leur temps de repos ou de congés. Il faut donc qu'ils soient vraiment excédés pour franchir le pas ».

2. À l'automne 2016, de nombreuses manifestations de policiers se sont succédé. Elles donnent une idée de la profondeur du malaise.

de l'ordre. Au standard, excédé, Ludo finit par lancer au dernier qui l'appelle – estomaqué par son discours –, que non, la police ne viendra pas, car si elle vient, elle risque d'écraser accidentellement le jeune à scooter ou de provoquer un problème supplémentaire qui pourra se retourner contre elle, que, de toute façon, dans ce genre de nuisance, la police n'a aucune efficacité, qu'il faut se résigner à subir cette mauvaise soirée, comme lui-même se souvient, plus jeune, en avoir subi de nombreuses, qu'il faut prendre son mal en patience et, peut-être même rigoler de voir les jeunes s'amuser et tomber à scooter ! « Fais gaffe, t'es enregistré », le prévient son collègue inquiet de cette diatribe, mais Ludo n'en a cure car il sait qu'il ne dit « que » la vérité. « Si vous le souhaitez, mon bon monsieur, écrivez à qui vous voulez, à Beauvau, oui, je vous donne l'adresse tout de suite, d'ailleurs, ça nous arrange , plaignez-vous de ce que la police ne se déplace pas, oui, s'il vous plaît, plaignez-vous, ça les fera peut-être réfléchir là-haut, ceux qui réduisent nos effectifs et changent les lois ! »

Après le drame de Nice du 14 juillet 2016, c'est encore la police qui a trinqué : « On en a entendu de belles sur la police ce soir-là. Mais c'est pas qu'elle veut pas "faire", la police, c'est qu'elle n'était pas là ! Et si elle "n'était pas là", c'est qu'elle n'avait pas les effectifs ! » Ludo n'en démord pas. Il en a assez de se faire constamment vilipender pour rien. « On nous arme, d'accord, mais ces armes, on peut pas s'en servir ! » Ludovic ne supporte plus ces critiques, toujours les mêmes, accusant la police de ne pas aller ici ou là « parce qu'elle aurait peur » ! « On forme les flics à l'arme de guerre, mais seulement ceux qui travaillent

de nuit, alors quoi, les djihadistes vont pas agir de jour ?
On fait tout à moitié ! »

L'homme est un drôle de lascar. Un flic instruit à la petite école « chez les curés » – Ludo reconnaît aisément que
ça lui a donné un cadre qu'il ne regrette pas : « Fallait bien
que quelqu'un puisse me mettre les tartes que mon père
ne m'a jamais données… » ; diplômé des Beaux-Arts de
Mâcon, et adepte de Pierre Rabhi depuis qu'il a un temps
cultivé des vignes en biodynamie.

« J'fais pas c'boulot pour verbaliser les gens. Moi, les gens,
je les aime bien, aller se pointer dans une cité et dire on va
tout nettoyer au karcher, c'est pas mon truc ! Par contre,
si moi, flic, j'ose dire ce que Sarko a dit, on me collera
un procès ! Y en a un qui nous traite de "sans-dents", et
l'autre qui affirme que nos jeunes n'ont pas de cerveau !
Comment on peut encore croire en la classe politique après
ça ? » L'homme qui se pose ces questions vote à droite,
même très à droite. Mais il vit les yeux ouverts, connaît
la nature humaine dans toutes ses profondeurs. Il garde
une dent contre ce président dont l'action s'était limitée
à l'augmentation des radars, qui n'a rien fait pour les cités,
littéralement abandonnées. Les chiffres l'atterrent : « Certes,
il y a 4 000 morts sur la route, mais on ne pose pas à côté
les chiffres des morts du tabac : 70 000, ou bien de l'alcool.
Tous ces morts contre qui personne ne fait rien à cause de
la puissance des lobbies ! »

Tout en rondeurs, l'homme aux yeux lavande s'échauffe
en alimentant son poêle. En ce jour de repos, il m'a accueillie
à son domicile. Et nous voilà l'un en face de l'autre, à deviser comme si on se connaissait depuis toujours. On la

lui fait pas à « Pitbull », comme l'a surnommé un mec en garde à vue – un surnom qui ne lui déplaît pas. « Ça donne une image forte, alors c'est bon ! » sourit-il. Vingt-six ans que Ludo est dans la police, et vingt-six ans que ces statistiques désagréables lui laissent un goût amer. Cette politique du chiffre, dont le seul but semble nourrir le système, le choque. « Le nombre des PV augmente sans cesse, mais celui des morts aussi ! », observe finement celui qui combat « le chiffre pour le chiffre », parce qu'à l'École de police on a appris que « le seul juge en matière de contraventions était le policier ! ».

Ludo, qui s'autoqualifie, avec l'humour qui le caractérise, de « Pinot simple flic », a le don d'imiter ceux qu'il côtoie et qu'il interpelle tous les jours. Le phrasé du jeune de la cité n'a aucun secret pour lui, tant la proximité est grande. Une discussion avec un copain boulanger-pâtissier l'a touché :

« À la télé, on nous dit que les migrants y paient 5 000 euros pour un passeur, c'est des sacrées sommes, ça ! Ce copain boulanger y m'disait, si demain un migrant respecte ce pays, la France, et m'dit qu'il est prêt à travailler, eh ben j'l'embauche ! » Ça l'a impressionné positivement.

Un matin, en touillant leur café noir au comptoir d'un bar local, Ludo et ses collègues apprennent le nombre de « fichés S » dans le Jura : 39. Et 130 dans toute la Franche-Comté ! « Tu y crois, toi ? » Il n'en revient toujours pas. « OK, les RG[1] ils ont toutes les infos sur les mosquées et *tutti quanti*, mais elles restent bloquées, leurs infos ! Y a un

---

1. Renseignements généraux, appelés aujourd'hui Renseignement territorial, ou RT.

aimant là-haut ! Ça redescend pas ! », assène-t-il avec son humour dévastateur qui masque une nature sensible, voire pessimiste.

Ludovic, comme bien d'autres, a la sale impression que les « sachants », comme il les appelle, opposent sciemment catholiques et musulmans. Et que, pour finir, « on va tous s'foutre sur la gueule ! ». Mais aussi que les politiques restent parfaitement indifférents aux doléances du peuple – Lili, sa compagne, avait pris sa plus belle plume pour écrire une lettre à Martine Aubry, l'invitant dans son entreprise à juger sur pièces les conséquences des 35 heures. En guise de réponse, elle n'avait reçu qu'un courrier tapé à l'ordinateur, sans doute une lettre type, dans lequel Mme Aubry la remerciait pour son attention et répétait qu'elle se battrait jusqu'au bout pour ces fameuses 35 heures, l'exact inverse de ce qu'avait écrit Lili. Elle l'a affiché dans son bureau. Descendu il y a peu à Béziers armé – il en a le droit – voir son fils jouer au rugby, le policier s'est demandé comment il réagirait avec son « pistolet à bouchons devant un mec avec une kalach. Ben s'il faut y aller, faut y aller ! ». La « sécurité » le fait bien rigoler. À un concert, pour tester, des collègues ont franchi deux barrages de sécurité munis de leur arme de service sans être repérés ! La honte ! Certes, les policiers ont reçu de nouvelles armes, mais « ça tire à gauche », dénonce-t-il, conscient que, si, « demain, un type me braque, je peux y passer. C'est le risque du métier, je ne me plains pas. Mais, au moins, qu'on soit pas constamment la risée de toutes les polices du monde ! En 2005, quand quinze mille bagnoles avaient cramé, on était déjà la risée... », se souvient-il avec tristesse.

S'il ne voit pas l'utilité des caméras de vidéosurveillance placées en ville, (la plupart de ceux qui se mettent hors la loi enfilent des cagoules ou des capuches et ne sont pas reconnaissables sur les images vidéo), il n'est pas contre, mais assure que le vrai problème, à Lons comme ailleurs en France, c'est qu'il n'y a pas de boulot ! la came rapporte à un gamin assis sur sa chaise au quartier au moins cent euros par jour ! « Plus que ce que je gagne ! » affirme-t-il crûment.

Par ces temps de crise prolongée, Ludo confirme que les flics sont démotivés. « Ils font du papier, du papier, et encore de la paperasse, et plus de terrain, donc ils ne se sentent plus utiles. Du coup, ils pourraient avoir envie de se tirer une balle, c'est normal, non ? » Certaines nouvelles procédures lui paraissent problématiques, et pas qu'un peu : « T'as reconnu le mec, tu l'as filoché, et, devant le juge, il dit simplement, non c'est pas moi ! Le juge le relâche, et comment tu te sens, toi, en tant que flic ? À quoi ça sert de se décarcasser ? C'est foutu. Le juge le croit, lui, et pas nous. Point barre. » Il se rembrunit. Comme cette sombre histoire de policier qui a eu le malheur de mettre un coup de poing à un adolescent : « Moi j'fais cent vingt kilos et j'ai jamais fait ça, mais je le comprends, le collègue. Faut arrêter de nous faire porter le chapeau sur tout ! » Ces nouvelles façons de rendre la justice, ça révolte Ludo, il préférerait ne jamais les avoir connues. Le nouveau proc de Lons lui plaît car « il serre les boulons ». Du moins, il essaie.

Jovial et expressif, l'homme croise souvent les bras sur son torse, non en signe de repli, mais plutôt de réflexion. Ludovic connaît parfaitement les mosquées de sa ville, mais il se méfie des religions, « une grande invention pour pallier la peur de la mort ».

Depuis cinq ans environ, Lons-le-Saunier abrite, dans les quartiers de la Marjorie et des Mouillères, des Comoriens venus de la lointaine Mayotte. D'après ce que m'ont rapporté des représentants de la ville, certains d'entre eux auraient été condamnés pour tricheries diverses aux allocations, des familles souvent monoparentales avec sept ou huit enfants. Dans de nombreuses autres, souvent, le père a démissionné – « il a cessé de taper du poing sur la table. Pourtant, c'est de l'autorité paternelle qu'il faut ! », tonne Ludovic qui n'a pas eu de père.

À regret, certains admettent qu'« on n'aurait jamais dû mettre les immigrés entre eux. Du coup, « les autres populations ne se sentent plus chez elles, constate Ludovic. La justice aurait dû choisir entre être le couperet qui tombe, ou alors éduquer pour de vrai. Au final, elle n'est ni l'un ni l'autre ! ».

Il ne parvient pas à être d'accord avec l'éventuelle légalisation des drogues douces : « Les nouilles, la coke et le chichon en bout de gondole à Casino ! Waouh, ça va être *fun* !… » À en croire son expérience, « le mec qui prend une cuite le samedi soir, il est *clean* le lundi. Pas les drogués ».

Ludovic est plein de bon sens, et voudrait que tout le monde soit comme lui. Il regrette d'ailleurs que ce bon sens ait disparu dans les écoles de police. Seul le terrain l'impose, mais parfois très tard.

Ces policiers ironisent sur le fait que leur corporation a généralement obtenu des avancées sociales quand la gauche était au pouvoir, rarement l'inverse. « Parce qu'il fallait flatter son ennemi ? » Tous ne sont pas contre le social, mais las que, pour trouver des réponses aux problèmes, on n'ait toujours recours qu'au social, et, surtout, que la justice ne cesse de les désavouer.

Ludovic cite souvent Churchill, Pierre Rabhi et Alain Soral. Tous les trois, selon lui, « mettent le doigt là où ça fait mal ». Drôle de trio. Pour « emmerder le monde », Ludo vote FN depuis quelques années, mais il ne se dit ni fasciste ni raciste. Il en veut pour preuve une discussion récente avec des connaissances dont l'un travaillait dans le commerce du diamant et l'avait traité de raciste. Ludo n'avait pas hésité à lui renvoyer le compliment, à lui qui semblait faire impunément du fric sur les « négros » dans les mines d'or du bout du monde, comme il s'en était lui-même vanté en ces termes, sans le moindre respect pour l'humain, alors que lui, le pauvre flic français, tâchait d'apporter sa pierre à l'édifice si fragile qu'on appelait pudiquement le « vivre-ensemble » !

Des crevures, Ludo en rencontre tous les jours. Son vote Front national est avant tout un vote antisystème. Il en faudrait d'ailleurs peu pour qu'il vote autrement. Mais personne ne lui en a donné l'envie.

Cellule de veille « élargie » à la maison de l'Emploi

J'ai été autorisée à assister à la « cellule de veille » municipale hebdomadaire, créée voici dix-sept ans, alors que Saint-Claude et Dole, les deux villes auxquelles Lons se compare en permanence, viennent de s'en doter. Lors de cette réunion, les bailleurs sociaux, la police, les éducateurs, l'adjoint au maire et autres services sociaux se rencontrent et échangent pour régler les cas sociaux les plus compliqués.

La concertation fait gagner du temps, d'autant que de nombreux citoyens ont besoin d'aide alors qu'ils ne la demandent pas et que les problèmes psychiatriques se multiplient. Quand tel ou tel service affirme ne pas avoir vu telle ou telle personne depuis quatre jours, voire huit jours, tout le monde se concerte pour trouver une solution.

Sont présents ce jour : le directeur adjoint du Centre communal d'action sociale (CCAS) de Lons – en charge du suivi des personnes isolées et des bénéficiaires du RSA ; un « agent de proximité » de l'OPH[1] accompagné d'une représentante d'une association médiatrice, un élu de Montmorot, un autre de Perrigny, une professeur adjointe à la ville chargée de la « gestion de proximité », et Daniel Bourgeois, premier adjoint au maire, qui coordonne cette réunion.

De prime abord, les titres des uns et des autres me rebutent et je me perds dans cette jungle de sigles plus pompeux les uns que les autres. C'est en écoutant chacun que je parviens à comprendre leurs missions et actions. Tous reconnaissent l'augmentation des personnes seules, qui n'est pas sans poser des problèmes.

L'adjoint du CCAS :

– Mme X, 45 ans, est en crise. Elle tient des propos suicidaires. On la connaît. Bon, si elle pose problème, il faudra faire appel au 15…

---

1. Office public de l'habitat, acteur majeur du logement social.

Il jette un œil à la policière qui, elle, fouille dans ses dossiers pour vérifier si ses services ont déjà eu affaire à Mme X.

Il poursuit :

– M. Y, 50 ans, est connu pour son comportement paranoïaque. Il faut savoir qu'il est suivi par le Centre médico-psychologique (CMP)... M. Z, 69 ans, ne va plus très bien non plus. Si l'un de vous le retrouve en errance sur la voie publique, il va vous dire que c'est bon, qu'il a de la famille alors que ce n'est pas vrai. Il a aussi des problèmes d'argent, alors on pourrait peut-être l'orienter vers la maison relais[1] ? Mme W, 58 ans, qui était médecin, souffre de gros problèmes psychologiques. Sa maison, dans laquelle elle vit seule, est sale. On y trouve des matelas saturés d'urine. Elle est parano, appelle souvent la police et dépose des plaintes. Parfois, elle accueille des SDF.

Ophélie, la policière :

– Oui, on est au courant. Elle-même est incontinente. À la médiathèque où elle vient passer des heures, elle pisse sur les fauteuils... Le risque d'incendie sur sa maison est fort.

Le responsable de l'UDAF :

– Nous avons trente-sept familles dans des hôtels du Jura, dont un jeune couple roumain qui pose problème : les

---

1. Une « maison relais » est destinée à l'accueil des personnes à faible niveau de ressources, dans une situation d'isolement ou d'exclusion lourde, dont la situation sociale et psychologique, voire psychiatrique, rend impossible leur accès à un logement ordinaire à échéance prévisible. Elle est gérée par une association, l'Union départementale des associations familiales (UDAF).

hôteliers se plaignent parce qu'ils détériorent les chambres. Il y a même une femme de 16 ans avec son bébé…

Nadia Benagria, la prof :

– Ah oui ! C'est eux qu'on voit parfois à pied au bord de la route ?

Lui :

– Oui.. Et il y a un risque de placement de la petite…

Nadia :

– On pourrait pas placer la mère avec son bébé ?

Lui :

– Ça sera dur, en plus son mari parle tout le temps à sa place. Impossible de comprendre quoi que ce soit…

Un éducateur :

– Bon, pour nous ça déborde un peu aux Mouillères avec le frère d'untel. On peut même dire que ça s'alcoolise massivement. Ils sont arrivés de Rouen il y a cinq ans, en vivant dans des squats, en faisant la manche.

Un autre éduc :

– Ils se stabilisent un temps. Puis ça régresse quand ils cessent de travailler. Quand les contrats d'insertion s'arrêtent, ils reviennent à leurs anciens modes de vie. On voit tout de suite l'impact !

L'adjoint du CCAS :

– Par deux fois, la mère est venue nous dire que Monsieur l'avait mise à la porte…

Le directeur de l'UDAF[1] :

– Bon, nous on suit neuf cents personnes, dont deux cents dans des maisons de retraite et sept cents à domi-

---

1. L'UDAF intervient au niveau du département pour le suivi des familles et des personnes faisant l'objet d'une mesure de protection judiciaire et d'accompagnement social, notamment dans le logement.

cile. Et ce chiffre ne cesse d'augmenter. Ce sont des personnes en grande difficulté psychologique, qui souffrent de troubles du comportement, de difficultés de gestion dans leur vie quotidienne. Alors, du coup, on les prend en charge…

La dame de l'OPH :

– On a une information préoccupante sur un couple qui vient de la rue et est maintenant installé dans un logement social. Tout le monde dans le voisinage vit dans la terreur de Monsieur… Qu'est-ce qu'on fait ? On pourrait pas envisager une intervention de la police ?

Tous les regards se tournent vers la policière.

Ophélie :

– Bon, il y a une dette de loyer. On pourrait aller vers une expulsion ? OK. En revanche, je voulais vous dire que les Afghans de Calais, qui sont en formation à l'AFPA, ne posent aucun problème. Il s'agit exclusivement d'hommes, dont cinq ont moins de 25 ans, donc ils n'auront pas droit au RSA. Mais ils vont tous faire des demandes d'asile. Ils vont à la médiathèque toute la journée, ils parlent anglais.

Daniel Bourgeois :

– Bon… et l'affaire des jets de bouteilles aux Mouillères, ça en est où ? C'est toujours le même, le fautif ?

L'éduc :

– Oui, faut qu'j'aille y faire un tour très rapidement.

Pour finir est évoqué le cas d'un père et de son fils, logés en HLM à la Marjorie, dont le tapage nocturne gêne les voisins.

Ophélie :

– Oui, et avant de partir, j'voudrais vous signaler que tous les week-ends, la navette pour la discothèque

Le Newlook, sur la place des Marronniers, pose problème. On a beaucoup d'appels à ce sujet. Il faudrait qu'elle se mette ailleurs, cette navette…

Une double vie bien remplie

Justement, le lendemain, je rends visite à Laure Putin, la propriétaire de la discothèque Le Newlook, située à Nogna, à une vingtaine de kilomètres au sud de Lons. Tous les vendredis et samedis, l'établissement draine environ sept cents jeunes de 16 à 25 ans. Je lui passerai le message.

Une clôture rouillée qui délimite un terrain au milieu duquel se dresse un hangar, voilà à quoi ressemble, en extérieur jour, la discothèque dite Le Newlook, créée par les parents de Laure voilà quarante ans. Nous pénétrons dans le local par une porte de service qui donne sur le bar. Vide, l'immense salle dégage une sensation d'ennui profond. Je peine à l'imaginer vibrante d'énergie, la musique à fond, son public se tenant au coude à coude pour accéder à la piste sous la boule à facettes.

Longiligne, en maillot rayé, doudoune cintrée et jean serré valorisant sa silhouette, Laure, 32 ans, porte un patronyme qui sonne mal, mais elle ne s'en soucie guère. Du reste, c'est un nom de famille fréquent dans le Jura, m'assure-t-on. Tout le monde travaille « par ailleurs » dans cette famille pour qui la discothèque est une occupation supplémentaire. Un père agent EDF, une mère qui aurait voulu devenir juge, les parents de Laure, tous deux passionnés de bals montés, ont décidé d'en organiser eux-mêmes. De fil en aiguille, ces bals se sont transformés en discothèque. À 14 ans (si elle avait rapporté de bonnes notes de l'école), Laure gagnait le droit de tenir la caisse avec sa mère, avec obligation d'aller se coucher à 5 heures du matin, et, surtout, interdiction absolue de pénétrer à l'intérieur ! Aujourd'hui encore, la famille est mise à contribution : tous les week-ends, la mère se transforme en serveuse, le frère piétine devant l'entrée et le père conduit le bus qui amène et ramène la clientèle !

« On a tous des doubles vies, ça fait du bien de changer de monde en fin de semaine », avoue la jeune mère, par ailleurs ouvrière dans une usine de boutons. Parfois elle retrouve certains enfants de ses collègues de travail dans son établissement de nuit.

Quatre caméras de vidéosurveillance sont postées sur les extérieurs et les entrées de l'établissement. Laure raconte qu'elle est obligée de materner la jeune génération qui s'encanaille chez elle :

« Je ne laisse personne sur le carreau. Personne sur le bitume, mais je vais quand même pas aller les border dans leur lit ! »

Pendant que le disc-jockey (son mari) s'affaire à la musique, toute la nuit durant, Laure prête attention à tout : au garçon qui s'engueule avec sa copine à cause d'une autre fille, aux copains qui se tapent dessus pour un mot de travers, à celui qui tient mal l'alcool, et aux armes potentielles. Pour éviter tout débordement, les verres sont en plastique et les canettes en aluminium.

« Aujourd'hui, c'est avant tout de la violence verbale, analyse-t-elle ; les jeunes sont extrêmes en façade, mais se calment finalement assez vite. Mon père me dit que, de son temps, la violence était plus grande. Et quand vous les rencontrez le lendemain, ce qui peut arriver dans nos petites villes, ils sont bien moins courageux… » Depuis toutes ces années, Laure n'a vu qu'une arme à billes et un couteau.

La loi antitabac ayant fait fuir la clientèle des trentenaires, il a fallu conserver les autres : Dès 2002, le père de Laure a proposé d'aller chercher et de ramener les plus jeunes, une initiative tellement réussie qu'elle a été copiée par les établissements concurrents. Il baptise son concept « opération saint-bernard ». Les lois sur l'alcool au volant se durcissant, ce « ramassage scolaire » permet aux établissements de nuit de ne pas perdre leur clientèle, surtout en province, où aucune activité n'est envisageable sans voiture. Au Newlook, la consommation n'est pas offerte, mais, avec le ticket d'entrée à trois euros, elle n'est pas vraiment inaccessible. La nuit, l'alcool coule à flots, d'autant que les jeunes achètent « à la bouteille ».

Après avoir loué ses véhicules de ramassage, l'entreprise a fini par acheter cinq minibus de dix-huit personnes. « C'est pire qu'en maternelle, explique Laure, très sérieuse. Je dois tenir un calepin dans lequel j'ai noté qui est arrivé avec qui, pour qu'ils repartent avec les mêmes ! Sauf que, la nuit, vraiment, ils décrochent leur cerveau ! » Laure, qui n'a que dix ans de plus que sa clientèle, ne permet à aucune jeune fille de sortir seule sur le parking et vérifie toujours avec qui elle repart. Ne redoutant rien tant qu'une agression sur son parking ou, pire, un accident, la jeune directrice ne veut rien laisser au hasard : « Personne ne doit repartir à pied ou être en rade ; je ne veux prendre aucun risque », déclare-t-elle, un verre d'eau gazeuse à la main.

Dès 20 heures, le vendredi, son portable ne cesse de sonner. De plus en plus souvent, les parents lui envoient la carte d'identité de leur enfant directement par texto. Vers 2 h 45, les arrivées étant terminées, la gérante doit déjà préparer les premiers départs, appelant chaque groupe au micro du DJ. « Parfois, on cherche longtemps celui qui manque, et là je les boufferais… » peste-t-elle. Comme les clients ont tendance à perdre leur ticket de vestiaire, Laure a même inventé une planche avec des clous, sur lesquels les tickets nominatifs sont accrochés à l'entrée.

La gérante ne danse ni ne boit jamais. Seule exception, elle craque sur le hit, *Femme*, de Jean-Luc Lahaye, devenu l'hymne de sa discothèque, pour son plus grand plaisir. Avec Laure, tout est carré. Pour éviter les ennuis, elle fait taire ceux qui tiennent un discours trop ouvertement raciste, et oblige les tatoués de croix gammées à les cacher, sinon, ils n'entrent pas. Bref, ses nuits ne sont pas de tout repos, mais encore assez pour plaire à cette ancienne fêtarde, qui ne jure que par le respect. « Et ça, c'est pas gagné… »

« C'est pas que j'aime pas *le* monde ; j'aime *mon* monde, nuance, assène-t-elle de son regard franc. Des fois, quand les gosses sont méchants, quand on n'arrive pas à négocier, quand ils m'épuisent, j'me dis : est-ce qu'ils sont pareils ailleurs ? »

Le vrai flic de la discothèque, c'est bien elle, qui s'astreint à faire souffler chaque conducteur de voiture avant qu'il ne prenne la route, parce qu'elle reste traumatisée par le seul accident survenu en quatorze ans. Quand je lui passe la requête de la police à propos du point de rendez-vous pour le « ramassage », Laure hausse les épaules. Elle semble ne pas être en proie au doute : Le Newlook fait partie de sa vie.

Crispés sur leur machine,
ils s'acharnent pour gagner.

Quand ils ne vont pas en discothèque, les jeunes – et les moins jeunes – de la région se rendent au casino, qui s'étend sur 2 000 mètres carrés au centre de la ville.

Au même titre qu'une grande surface ou un bâtiment de service public, l'établissement de jeux reste l'un des derniers grands lieux de brassage social. On y croise des Turcs, des Arabes, des Asiatiques, des Français, riches ou pauvres, jeunes ou retraités, ouvriers ou chefs d'entreprise, profs ou médecins, chômeurs ou étudiants. Ici, cent vingt-cinq machines à sous permettent des mises qui débutent à un centime seulement.

Pour financer ses études, Jeanne-Marie n'a pas eu le choix : il fallait des petits boulots. Après avoir été serveuse, elle a eu vent que le casino recherchait une caissière.

L'entreprise est gérée par un grand groupe dont le directeur régional réside à Lyon. La première fois que Jeanne-Marie a constaté de ses propres yeux qu'à 10 heures du matin, à l'ouverture, quelques personnes attendaient déjà, comme s'il s'agissait d'un vulgaire supermarché ou de la Poste, elle n'en a pas cru ses yeux. Maintenant, elle est habituée. Grâce à la publicité radio et aux panneaux publicitaires, la clientèle sait quand le casino reçoit une nouvelle machine à sous, et s'empresse de venir l'essayer. Quand les employés en charge de l'entretien des machines lui ont

raconté que, ces matins-là, ils avaient vu des clients courir vers la machine pour être le premier ou la première à
l'essayer, elle en a ri. Maintenant, elle ne trouve plus cela
drôle du tout.

Jeanne-Marie a de plus en plus de mal à comprendre la
clientèle qui fréquente l'établissement où elle travaille. Elle
s'étonne aussi que les sommes jouées restent importantes,
en ces temps de crise où le public n'est pas censé avoir de
l'argent, et se lamente de l'agressivité qui augmente quand
le client perd, n'hésitant pas à passer des insultes aux menaces physiques face à ce personnel qui a reçu la stricte
consigne de rester poli en toutes circonstances. C'est seulement quand la situation revêt un tour incontrôlable que le
directeur de salle peut décider d'appeler la police.

La caissière s'est bien étonnée un temps que le panneau
« tenue correcte exigée » reste affiché sur la porte – il l'est
toujours –, alors que, depuis bien longtemps, claquettes,
shorts au-dessus du genou et débardeurs ne gênent personne à l'intérieur du casino, mais elle a fini par admettre
que l'élégance n'avait plus cours, ni ici, ni ailleurs. Ce
qui compte en revanche, c'est le chiffre, qui a remisé les
exigences au placard.

La clientèle la plus fréquente n'est pas forcément celle
qu'on pourrait croire : il s'agit en majorité de « mamies et
de papis » qui passent leurs journées à jouer pour tromper
leur solitude et leur angoisse. Ils n'hésitent d'ailleurs pas à
le dire : « Au pire, on dépense un peu d'argent, mais au
moins, on ne pense à rien ! » Que dire de ces bandes de
jeunes qui ne dépensent que dix à vingt euros sur les tables
ou sur les machines ? Même les gens en galère sont attirés
par l'appât du gain ! « On a des gens au RSA qui viennent,

je les connais ! », lâche Jeanne-Marie, qui préférerait que « ça reste de la détente, du plaisir, un vrai loisir quoi ! ». Mais non – à l'aune du niveau de stress de notre société – crispés sur leur machine à sous, des individus s'acharnent des heures entières.

Même si, sur le « premier plateau » – comme il est convenu d'appeler la zone au-dessus de Lons –, les attentats de Paris ont semblé « encore plus lointains que ce que les gens voient à la télé », la fréquentation du casino a baissé et ses innombrables écrans plats ne diffusent plus désormais que des matchs de rugby ou de foot (fini les chaînes d'info en continu).

« Plus rien ne compte pour une personne sur une machine à sous. Même un incendie ne la fera pas bouger. Elle est hypnotisée ! » commente Jeanne-Marie qui se souvient de ce client qu'elle avait vu entrer à 10 heures du matin, auquel elle a remis, à 21 h 30, vingt-quatre euros de gains. « Je suis en vacances ! », lui avait-il lancé, gêné, en guise d'explications. « J'ai halluciné ! Il s'était enfermé toute la journée entre quatre murs alors que, dehors, c'était la vie réelle, et il faisait beau ! »

Les chèques n'étant acceptés qu'à partir de cent euros, parfois, les clients reviennent à deux, trois, voire quatre reprises ! « Faudrait peut-être arrêter… C'est le dernier ? se risque parfois à demander la jeune caissière, sourire complice à l'appui. Sinon, revenez à un autre moment ! » Avec tristesse et résignation, Jeanne-Marie ne peut que constater le manque de volonté de ses clients. S'ils en manquent pour s'arrêter à temps au casino, qu'est-ce que ça doit être dans leur vie !

Il suffit qu'il pleuve pour que le monde accoure ! Le casino, ultime refuge pour faire oublier gravité et tristesse du monde extérieur.

Ce béton qui coule
dans nos veines

Hassan, 36 ans, né en France de parents berbères originaires du sud du Maroc, aurait apprécié une telle présence bienveillante quand il jouait beaucoup. « Y a des gens qui vont chez le psy, y en a d'autres qui vont au casino, livre celui, qui s'est fait interdire de jeux en 2012. À l'intérieur, c'est feutré, c'est comme irréel. Y a pas d'horloge, y a pas de fenêtres. T'es concentré sur ta machine et sur rien d'autre. T'as soif ? On t'apporte à boire. T'as faim, tu manges. Tout semble simple. »

Le désir d'être anesthésié, voilà ce qui a poussé Hassan et des milliers comme lui à s'enfermer dans un casino des journées entières. « Tu te vides la tête, t'es dans une bulle. »

En pénétrant dans son appartement situé en plein cœur du quartier de la Marjorie, je me déchausse. Le papier peint est neuf, un gigantesque écran plat et deux divans confortables agrémentent le salon. Son père, entrepreneur à Casablanca, est arrivé en France le premier, convaincu que ce ne serait que temporaire. « Ces blocs de béton, c'est mon ADN. Mon pays, la France, je ne le connais pas. Moi, mon pays, c'est Lons. Ici, au quartier, c'est du béton qui coule dans nos veines », lance avec éloquence le jeune homme longiligne.

Le quartier comme un socle. Même si « y a que ce qui est visible depuis la nationale qu'ils ont refait joli, et que le reste, ils s'en foutent ! Ceux qui décident, ils feraient mieux de se demander franchement ce qui se passe derrière ces murs, au lieu de se contenter de reconstruire plus espacé, soi-disant plus joli… C'qui est derrière, c'est la détresse des gens, voilà c'qu'y a… »

Hassan en est convaincu : cette pudeur à exprimer sa détresse « tue » tout le quartier. « S'ils comptent obtenir ce lien social, en rénovant des immeubles et en créant des pseudo-associations, ils s'mettent le doigt dans l'œil grave… » On ne peut pas trouver du travail à tout le quartier, ça aussi il en est convaincu, et il peste contre les slogans que tout le monde gobe, parce que tout le monde veut croire en quelque chose. « Quand j'entends parler de *fablab* ou de pépinière d'entrepreneurs, moi aussi ça me fait saliver, reconnaît Hassan, mais c'est pas pour tout le monde. Ça, je voudrais bien qu'on le dise ! s'agace le jeune homme vif, tranchant comme une lame, qui s'escrime à cacher sa sensibilité. Faut leur dire ça aux gamins, faut qu'ils sachent que certains d'entre eux vont devoir prendre des risques, parce que quand ils sortiront de l'école, ils seront tout seuls. Y aura personne pour les aider ! »

Hassan est le premier de sa famille à avoir obtenu le bac et à être allé à la fac. Le jeune homme a grandi dans une famille de huit enfants dont quatre nés au Maroc, où ils vivaient à trois par chambre. « J'avais tout : des parents aimants, des frères, des sœurs, je ne me souciais de rien. Mon père ne jurait que par l'école ! Pour lui, c'était la solution à tout. Mon rôle à moi, insistait mon paternel, c'est de vous montrer où est le bien, où est le mal. » Très tôt, Hassan a pris conscience des sacrifices de ses parents pour que la fratrie vive confortablement. « Se réaliser, c'est quoi ? » De l'argent ? Devenir connu ? Non, « c'est travailler, rapporter un salaire à la maison pour que ma femme et mes enfants se sentent bien, comme mon père a fait toute sa vie, voilà ce que c'est ».

La voix de Hassan tremble en évoquant ce père disparu trop tôt, avant qu'il puisse lui prouver qu'il avait raison.

À l'expression « deuxième génération », ou « troisième génération », Hassan préfère : « première génération de ceux qui sont nés là ». Parce que ça change tout. Il ne comprend pas son frère aîné, Youssouf, qui a cru que, « pour s'intégrer, il fallait être comme les Français ». Du coup, il a francisé son prénom. « Maintenant, il s'appelle Yann. » Est-il intégré pour autant ? Hassan hausse les épaules. C'est pas aussi facile que ça en a l'air. Pourtant, Hassan admire ce frère « Géo Trouvetou » qui a « fait sa place » malgré ses neuf ans « de retard » vécus ailleurs. Né ici, Hassan trépigne à l'idée d'aller vivre « là-bas », tout en ne se sentant pas encore « prêt ». Pas assez d'argent de côté, pas de projet viable pour cette nouvelle vie (« J'peux quand même pas partir pour me retrouver superviseur dans un centre d'appels là-bas… »), juste une très forte envie de quitter cette vie-là.

« À l'école publique et laïque, on m'a dit et répété : t'es comme nous. Ados, on nous a canalisés. De la 5ᵉ à la 3ᵉ, une prof de français m'a poussé à faire du grec. Elle était top, elle m'a donné confiance dans mes propres capacités ! Et puis… au bout de tout ça, il y a la vie d'adulte. » Sourires gênés. C'est pas pareil. C'est plus dur, surtout pour un jeune homme exigeant, qui, pour avoir confiance en lui, a besoin de se sentir utile. « Qu'est-ce qui m'a cassé à ce point ? réfléchit-il à haute voix. Mon père ne jurait que par moi. Peut-être un peu trop… » Le sourire a du mal à venir, mais c'est une étincelle quand il surgit.

Hassan a été marqué par le symbole de la marche « black, blanc, beur[1] », mais après le 11 Septembre, selon lui, tout a changé. « On ne devrait pas pouvoir dire qu'on est discriminés. Chez les Rebeus, on parle que des racistes ; chez les racistes, on parle que des Rebeus ! Les deux se regardent en chiens de faïence. Mais comme la population n'est pas associée aux décisions, celles-ci ne sont pas adaptées. Ceux qui prennent les décisions sont une caste à part. »

Hassan a manifestement eu du mal à passer de l'âge d'enfant à celui d'adulte. Comme s'il avait « raté le coche » et qu'il s'en voulait aujourd'hui. Entre 17 et 26 ans, le jeune homme au visage anguleux reconnaît être passé par tous les exutoires, « , par pure connerie : drogue, alcool et tout ce qui s'ensuit ». Mais, contrairement aux autres dans le même cas, il est parvenu à garder son sens critique. Hassan est un autocentré, et cet égoïsme le sauve. Entre 2013 et 2015, il était devenu agoraphobe et ne supportait plus le moindre bruit, pas même celui d'une voiture. Aujourd'hui, il a pris conscience qu'il n'était maître que du présent. « Perds pas

---

1. La « marche de l'égalité et contre le racisme » débuta au quartier des Minguettes à Marseille à la suite d'émeutes et de violences policières et se poursuivit à Paris le 3 décembre 1983. Une délégation de manifestants fut reçue à l'Élysée.

ton temps avec hier, ni avec demain, faut rester dans le présent ! », se répète-t-il tel un mantra.

Pour les élections locales, Hassan aurait voulu monter une liste avec un copain, mais il a vite déchanté. « Lui me disait que j'étais fou, que personne ne voterait jamais pour nous. Pourtant, je suis sûr que celui qui gagnera aujourd'hui ne sera pas dans tel ou tel parti, faut au contraire qu'il soit le parti de rien ! Bon, finalement, on l'a pas fait, parce qu'on n'a pas la culture politique. Et la politique, on s'y intéresse réellement que tous les cinq ans », admet-il.

Pour Hassan, travailler est synonyme de galère permanente. Il ne semble même pas savoir qu'on puisse en tirer du plaisir. « Mon boulot, je le fais parce qu'il faut le faire. J'ai envie de travailler, j'ai envie de faire quelque chose, mais, la vérité, c'est que je sais pas quoi faire… C'est là que c'est dangereux… d'ailleurs, j'ai commencé ma vie d'adulte par une grosse connerie. »

Bon élève, Hassan réussit son bac STG (sciences et technologies de la gestion) avec mention, quand, à 19 ans, une sombre affaire de racket – lui affirme avoir escroqué des dealers – le conduit en garde à vue. Trois gamins, « des petits Blancs, des fils de bonne famille », l'accusent de les avoir obligés à vendre du shit et autres substances. « Ce qu'ils portaient sur eux valait au moins trois fois le salaire de mon père, assure-t-il, encore blessé. Ces idiots jouaient aux mecs de quartier, alors qu'ils ont déjà tout ! Leur comportement m'a énervé, c'est tout ! » Le bachelier écope de dix mois ferme dont quatre avec sursis pour « incitation au trafic de stupéfiants » et « extorsion de fonds ». En formation, il finit par obtenir une semi-liberté.

Hassan est convaincu que la prison ne sert à rien, mais il dit qu'avoir été puni lui a fait du bien. « On te réveille le matin pour aller en atelier. Sinon c'est télé-console, et sport avec les autres détenus. » Les visites de sa mère le blessent. Quant à son père, il ne lui a plus adressé la parole pendant trois ans. Hassan est pessimiste quant au bien-être des vingtenaires, qu'il côtoie dans la cité : « Dès qu'ils allument la télé, ils sont confrontés à tel ou tel politique qui a des comptes en Suisse et qui magouille pour pas se faire choper. La génération montante, elle ne pense qu'à une chose : être riche. » De ses cours d'histoire, il ne se souvient que d'une date : août 1789, l'abolition des privilèges. « Les élites politiques ont changé de nom, mais c'est la même chose ! »

Pour celui qui s'affirme « religieux par période », l'islam n'est qu'un « filtre, et en plus, positif ! Même des flics le disent ! », parce que c'est synonyme de bon comportement. « Mahomet, Paix à son âme [dit-il en arabe], on veut le faire passer pour un terroriste, alors que c'est un Gandhi, non, c'est vrai, quoi ! C'est un des tout premiers à avoir prôné la non-violence ! », assure-t-il avec un sens inné de la formule. « Je connais des mecs qui étaient des merdes finies ; l'islam les a aidés à redevenir quelqu'un. Grâce à l'islam, ils ont réappris le sens de la tolérance, de l'humilité, du partage. Des valeurs qu'on n'apprend pas au quartier ! Moi, si demain j'étais sans épouse, sans mère, sans rien, et que je croisais à ce moment-là la mauvaise personne prête à me monter la tête, eh bien je la suivrais, sans aucun doute ! Voilà, elle est là, la spirale ! », dénonce-t-il.

À sa sortie de prison, Hassan se marie et a deux enfants. Il travaille un temps comme animateur à la MJC où il donne des cours de hip-hop. Quand il écrit une lettre au procureur, pour faire effacer son casier, ça marche, mais il n'est pas embauché pour autant. Ce sera l'ultime blessure.

« Quand ce que l'on voit dans le miroir ne nous plaît pas, le plus facile, c'est de ne pas regarder… On ne pourra rien changer en se murant obstinément derrière le silence. Le dicton dit que le silence est d'or, mais ce n'est pas vrai ! bout le jeune homme. J'aurais pu être tenté par la théorie du complot. J'appartiens à la communauté agressée. »

La rage de Hassan vient du tréfonds de son âme, celle d'un enfant convaincu que tout était possible et qui a dû déchanter. Trop tôt, trop abruptement. « Si moins de personnes touchaient le RSA en France, il y aurait une guerre civile… » Cette phrase cruelle, Hassan n'est pas le seul à l'avoir prononcée dans cette enquête. Il tente de contenir sa colère : « Pourquoi n'a-t-on pas envie de miser sur nous ? Par peur qu'on soit meilleurs que les autres ? Ou plus déterminés ? Je ne sais pas… »

Finalement, Hassan veut souligner qu'il est fier. De quoi ? « Fier de ce que je suis ; en France, je suis un Arabe, là-bas, j'suis un Français. En ville, je suis un mec du quartier, ici, je suis un mec de la ville… » Et quand il évoque la police, son discours surprend : « Des flics, il en faut. Si nous, on veut du respect, faut donner du respect. Parce que, en vrai, on vit dans les mêmes conditions qu'eux. Ils font des boulots ingrats et leur hiérarchie leur demande toujours de fermer leur gueule ! À nous aussi on demande de fermer notre gueule ! »

Ceux de la BAC de nuit sont « cool », ajoute-t-il. « Ils discutent avec nous. » Toujours ce besoin de dialogue.

« Y a-t-il encore assez de travail
pour tout le monde ? »

Dans les rues de Lons-le-Saunier règne l'atmosphère douce et humide d'une menace pluvieuse. Postée dans un bar quasiment en face du 25, rue Lecourbe où se tient la permanence du FN depuis janvier 2016, j'observe. Vers 10 h 25, actionné de l'intérieur, le rideau de fer remonte. Ils ouvrent sans doute juste pour moi, car j'ai rendez-vous avec le représentant de ce parti à 10 h 30. Au fil de la montée du rideau, apparaît une affiche XXL de Marine Le Pen affublée du slogan « La France apaisée ». Puis une autre, de profil, en mouvement, sous laquelle on peut lire : « FN force d'avenir – adhérez ! »

À quelques encablures se trouve la permanence des Républicains, elle aussi obstinément fermée, tandis qu'à deux minutes à pied trône celle du PS, ornée de la rose stylisée habituelle. Vieillotte et également déserte.

Lons est une « ville de vieux », comme on me l'a souvent répété pendant tout mon séjour ; des vieux qui flânent au café le matin, telles ces deux femmes en pleine conversation non loin de moi – nous sommes les seules clientes –, ou qui marchent à petits pas dans la rue en tirant ou en poussant un cabas à roulettes. Ou encore, des vieux comme celui-là, au volant de sa voiture, le torse dépassant à peine du siège du conducteur, maladroit et hésitant quand il s'agit de se garer.

Éric Silvestre n'a pas encore hérité officiellement du fauteuil de secrétaire départemental, mais l'annonce en est imminente.

Petit chef d'entreprise dans la chaudronnerie industrielle, il illustre bien le nouveau profil des cadres régionaux du FN correspondant à l'image que Marine souhaite projeter de son parti. « Ça n'a pas été facile de louer un local. Parfois, on arrivait jusqu'au bail, et quand le propriétaire apprenait que c'était pour le FN, il prétendait que c'était déjà loué ! explique-t-il, encore blessé à cette évocation. Certains ont pu avoir peur d'être mal jugés par le maire, ou de perdre certains contrats... » Sitôt officialisée, la vitrine de la permanence du FN a été entièrement taguée, le parti en est à sa cinquième plainte déposée et il a été victime d'une tentative d'incendie le soir même de son inauguration.

Ce cinquantenaire père de six enfants, officier de réserve et conseiller municipal de sa commune[1], a éliminé la gauche dans son canton lors des dernières élections départementales à Moirans-en-Montagne (36,09 % des voix). « En cinq ans, on a perdu environ six cents emplois dans notre région, les gens veulent du changement, et y a qu'en essayant qu'on verra si le FN a la solution ! » Telle est son explication de la montée de son parti.

La principale motivation des Jurassiens ou des Francomtois à voter FN serait simple, selon Silvestre : la peur de voir leur identité disparaître. S'ensuit le discours habituel sur la ruralité d'un département en proie à des cambriolages à répétition, ce qui ferait monter une spirale de la peur : « J'ai vu la ville changer : il y a plus d'immigrés ! », assène-t-il. Devant ma surprise, il nuance : « Disons qu'il y a davantage de mixité qu'avant... » Tout en hésitant sur le mot à

---

1. Dans l'opposition.

employer, il embraie sur la responsabilité des médias qui, les premiers, présenteraient « tous les musulmans comme des terroristes potentiels ». Ce dont le moustachu Silvestre a l'air sincèrement désolé.

« Y a-t-il encore assez de travail en France pour tout le monde ? », voilà la vraie question, souligne-t-il. Lui-même, qui réalisait 3,5 millions d'euros de chiffre d'affaires il y a dix ans avec ses trente employés, atteint à peine 300 000 euros aujourd'hui, pour seulement deux salariés. « J'aimerais embaucher quelqu'un, mais c'est trop cher. Pourquoi est-ce que ce sont des Belges qui viennent couper le bois chez nous, à Alièze ? La vérité, c'est que le travail, en France, il y en a, mais il coûte moins cher quand il est fait par quelqu'un d'autre… », accuse celui qui ne serait pas *a priori* contre l'Europe – il est polonais par son grand-père, un lignage assez fréquent dans cette région –, mais seulement si « on mettait tout le monde sur un pied d'égalité ! » – sous-entendu, en fermant les frontières.

La caravane aux chats de l'ex-légionnaire du FN

Au téléphone, l'homme m'avait prévenue que je ne pourrais pas rater sa caravane de soixante-dix mètres carrés, une « Val-de-Loire » fabriquée à Saumur, du haut de gamme « *made in France* ».

À la sortie de Courlaoux, au bout d'un chemin, une barrière dans une cour m'oblige à manœuvrer pour me garer.

« Non, surtout pas ! Ne laissez pas votre voiture là ! s'exclame l'homme à la gigantesque carrure qui se précipite à ma rencontre en claudiquant légèrement. « Attendez, j'vous ouvre, entrez donc ! »

Ironie du sort, le voisin immédiat de Jean-Pierre Mouget, qui fut l'homme fort du FN dans le Jura jusqu'en 2015, est un « manouche » dont Mouget prétend qu'il a purgé quelques années de prison pour avoir tué deux gamins sur la route. Libéré, l'homme aurait monté son auto-entreprise « multiservice » à des tarifs très bon marché qui lui permettraient, accuse Mouget, de « repérer ceux qu'il volera ensuite ». Les deux hommes sont à couteaux tirés pour de stupides et banales histoires de voisinage.

En pénétrant dans la Val-de-Loire, une puissante odeur de pisse de chat m'assaille. Constatant mon dégoût, Mouget me rassure : « Vous verrez, on s'habitue. » À l'intérieur, les félins sont partout. J'ai même l'impression, tentant de trouver une place pour m'asseoir et poser mon carnet devant moi, que ce lieu est exclusivement habité par des chats. Stoïque, Mouget tient à me faire visiter les lieux. Par-devant, la salle de bains, dans le lavabo de laquelle se prélassent trois bêtes (dans des tiroirs de placards ouverts, des boules de poils), et la chambre – que je préfère ne pas voir – ; à l'arrière, le salon où les félins s'en donnent à cœur joie, bondissant d'un meuble à l'autre sans la moindre gêne. Je me demande comment Ghislaine Fraisse, sa compagne, de « bonne famille, bien habillée, peu maquillée, élégante », précise Mouget avec fierté, a pu s'adapter à cette vie « avec les bêtes ». Le couple a l'air soudé. Ghislaine militait aussi au FN où elle était chargée de mission avant d'être abruptement destituée, comme elle l'a découvert sur Facebook en juillet 2014.

La trajectoire personnelle de Jean-Pierre Mouget n'est pas commune : né dans le Jura en 1953, l'homme aux yeux bleu azur a fait ses études à Besançon où il se révèle aussi doué pour le sport que pour les arts manuels. Son père est cheminot, (poseur de rails), sa mère fait la cuisine et des ménages au noir. Malgré des aptitudes, Mouget ne poursuit pas de longues études : il obtiendra un CAP de maçonnerie ancienne et un BTS de BTP en alternance, après un rapide passage à la SNCF. En se remémorant cette époque révolue où les bandes de jeunes s'affrontaient lors des fêtes et des bals, l'homme aux cheveux ras trahissant son passé militaire, dont le visage rond est épaissi par un goitre naissant, s'amuse d'avoir carburé au blanc limé[1], une boisson « qui énerve », surtout quand les jeunes Arboisiens, dont il était, tenaient tête aux Poliniens voisins. « On était la terreur des bals montés… qu'on démontait… » Entre nous deux, sur la table, sont affalées deux chattes sur le point de mettre bas. Dans les années 1970 déjà, le rejeton d'une famille où un sou est un sou, croit savoir que « la France fonce dans le mur ». Les salaires étaient « peut-être corrects, mais ça commençait à dégénérer, car les prix montaient et les patrons perdaient petit à petit la maîtrise de leur entreprise ».

Le militant d'extrême droite estime que les débuts du crédit de masse ont conduit chaque Français à envier son voisin, l'ont incité à ne plus vivre selon ses moyens et à se perdre dans des réalités virtuelles. Même si lui-même avoue s'être habitué aux avantages du crédit : « J'ai un embrayage à changer sur ma Dacia. J'ai demandé des devis

---

1. Vin blanc sec auquel on a ajouté de la limonade.

à dix garagistes, et je choisirai celui qui me fera payer en deux fois, avoue l'homme qui possède une carte bleue à débit immédiat, pour rester conscient de ses dépenses. Quand les gens prennent des crédits, c'est le début de la spirale… », constate-t-il en relevant ses larges épaules et en haussant le ton.

La suite de sa carrière se perd dans les années de son engagement militaire en tant que légionnaire, à propos desquelles il est nettement moins loquace (« j'peux pas en parler avant 2022 ! », argue-t-il au sujet des trente années de silence), mais il semble en avoir retiré la conviction que « dans ces pays-là » – au Moyen-Orient et en Afrique –, « il faut des tyrans pour commander ». « On est à côté de nos pompes concernant Daech, parce que ça faisait longtemps qu'on savait qu'ils étaient chez nous, à essayer de recruter les plus faibles mentalement… »

Mouget est convaincu que les attentats terroristes des années 2015 et 2016 étaient « prévisibles », tous ses copains des RG le lui ont confirmé : « Il y a des extrémistes en France capables de commettre ce genre d'acte dans chaque département, mais on n'arrive ni à les localiser, encore moins à les canaliser ! », se lamente-t-il. Le seul endroit du département équipé pour former les forces de l'ordre à leur nouvelle arme de fonction, le fameux HK G36 fabriqué en Allemagne et décrié avant même d'avoir été distribué, est le stand de tir de Mouget où toutes les forces de l'ordre se retrouvent.

Il préside l'« Arbois Tir Sportif », cent vingt membres depuis près de vingt-cinq ans. Juge-arbitre national, Mouget se déplace sans cesse pour les compétitions. Pour les côtoyer en permanence dans son club de tir, Mouget sait que, par les temps qui courent, gendarmes, douaniers et autres policiers se sentent « mal dans leur peau » et « pas du tout soutenus par leurs patrons ». Depuis les menaces contre la France, le club de tir a-t-il vu le nombre de ses adhérents s'envoler ? « Oui, avec l'insécurité, les gens veulent apprendre à tirer, je vais pas mentir… Mais on fait bien attention à qui on accepte… » L'ex-légionnaire avoue d'ailleurs faire de plus en plus traîner l'obtention des licences tant il souhaite être sûr des motivations du candidat.

Retraité en 1992, à 39 ans, Mouget se rengorge d'avoir quitté l'institution militaire, « une armée de femmelettes ». Sa carrière politique peut commencer : deux ans plus tard, il s'engage au FN après que le mari de Sophie Montel, l'actuelle eurodéputée FN du Jura, a suggéré son nom à Jean-Marie Le Pen, alors tout-puissant. Rapidement, Mouget s'impose comme secrétaire départemental. Il avoue d'ailleurs que sa carrière n'aurait jamais été si fulgurante dans un autre parti, car, « au FN de l'époque, celui qui accepte de se montrer et d'assumer est rapidement promu ». Aujourd'hui, admet-il, avec la « dédiabolisation » du FN, ce n'est plus le cas.

En revanche, le parti impose à chaque candidat l'achat du fameux « pack FN » [un kit de campagne] qu'il affirme avoir payé de sa poche [plusieurs milliers d'euros] aux dernières législatives. La plupart des candidats se font prêter cet argent par le FN, qui, *de facto*, les tient ainsi dans la dépendance[1].

---

1. Le remboursement de ces frais agite encore des ex-candidats, cf. « Le FN agité par une fronde interne », Olivier Faye et Jean-Pierre Tenoux, in *Le Monde*, dimanche 29-lundi 30 janvier 2017.

Pour Jean-Pierre Mouget, il existe deux types de vote FN, correspondant à deux types de populations : les déçus du premier tour. Ce sont principalement des ouvriers, des commerçants, des petits chefs d'entreprise qui expriment ainsi leur rejet des politiques. En revanche, ceux qui votent FN au second tour de n'importe quel type de scrutin sont les « purs et durs ».

Cet ancien militant frontiste, admirateur du père de Marine, l'affirme carrément : « Le FN est un parti fasciste, sectaire et autoritaire. Dès que vous n'êtes plus avec Marine, elle vous vire ! Son père disait toujours d'elle qu'elle était une petite-bourgeoise, et je suis d'accord avec lui ! », estime celui qui en a fait les frais parmi les premiers. Même s'il reconnaît que, compte tenu des innombrables provocations verbales, le FN ne serait jamais parvenu au pouvoir avec le père, il persiste à défendre « le vieux » : « À l'époque, pour que les médias parlent de nous, fallait provoquer ! Jean-Marie savait très bien que les camps de la mort avaient existé ! On savait que c'était de la provocation ! »

Il n'en démord pas et lance, catégorique, que si le FN passait lors de la présidentielle de 2017, ce serait « la mort de la France », car ce parti n'a « aucune solution, ce sont des menteurs, des voleurs et des escrocs, incapables de gérer quoi que ce soit. Marine Le Pen joue sur les gros problèmes des gens, qu'elle caresse uniquement dans le sens du poil ! ». Comment pourrait-elle rassembler, alors qu'elle divise jusque dans son propre parti politique, qui croule sous les problèmes de rivalités ? Anticipant la chute de Bruno Gollnisch, l'érudit, et de Marie-Christine Arnautu, tous deux lepénistes des plus belles heures, comme lui, Jean-Pierre Mouget n'est pas près de pardonner à Nanterre (la direction du FN) sa démission forcée. Via ses antennes parisiennes, le vieux briscard avait fini par avoir vent de quelque chose, quand, en 2011, lui et tous les autres secrétaires départementaux avaient été obligés de parrainer Marine ! Il sait que Marine Le Pen rajeunit sans état d'âme l'ensemble de son personnel politique dans chaque région de France. *Exit* les « purs et durs », proches de Jean-Marie, même si, comme Jean-Pierre Mouget, ils ont fait tripler, voire quadrupler, le nombre des adhérents de leur région. « Maintenant, on a les Collard et les Ménard, qui arrivent quand la soupe est servie… » Le « parler-faux » des nouveaux cadres du FN ne convient guère à Jean-Pierre Mouget, adepte de mesures plus radicales et, surtout, plus claires. Ses opinions concernant les Maghrébins et autres « immigrés » sont celles d'un homme d'extrême droite qui considère que, ni les Turcs, ni les Roumains, ni les Maghrébins du Jura ne seront jamais « intégrés » et, qu'en attendant « ils font ce qu'ils veulent, parce qu'on les laisse faire ». Ayant remarqué qu'un de ses collègues, un Marocain arbitre de tir, ne partageait jamais ses repas, Mouget a même interprété son attitude comme une « volonté de se mettre soi-même de côté ». « En France, plus nos musulmans seront visibles, plus il y aura de problèmes ! », prophétisait-il avant les attentats de 2015. Sur le thème des migrants, *idem* : ils ne seraient pas de simples individus échappant à des combats, mais des personnes contribuant à l'« envahissement » de la France et de l'Europe occidentale, des théories classiques de l'extrême droite identitaire dont il est ravi d'avoir trouvé l'écho dans le roman *Soumission* de Michel Houellebecq. Un roman qu'il a lu et relu, considérant son auteur comme un « visionnaire ».

Curieusement, dès qu'il évoque les animaux, Jean-Pierre Mouget est métamorphosé, sa voix s'adoucit, sa silhouette s'arrondit. « J'aime bien les animaux, ils ne sont pas faux comme les humains... »

Mouget possède huit chiens dont sept de combat – enfermés dans un chenil au fond du jardin –, et un impressionnant patou blanc dénommé Goethe, qu'il faut enjamber pour pénétrer dans la « Val-de-Loire ». Et combien de chats ? Mouget réfléchit, compte et recompte mentalement. « Seize plus quinze », donc trente et un, dont quatre qui vont mettre bas. Mouget est d'ailleurs en quête de volontaires pour adopter des chatons. Sa propriété abrite aussi quatre ânes, une chèvre sauvage laissée en liberté et « une vieille poule, qui finira sa vie ici, parce que nous, chère madame, on ne mange pas nos bêtes ! », déclare-t-il, un brin emphatique.

D'un grand coup de patte dans la porte d'entrée en plastique de la Val-de-Loire, Goethe signifie qu'il veut sortir. Ambre, croisée angora et persan, qui se prélassait dans les bras de son maître, s'en échappe mollement quand il se lève, comme à contrecœur. Quelques minutes plus tôt, une certaine Cannelle – il connaît tous leurs prénoms – avait, de l'extérieur, sauté sur le carreau de la fenêtre exprimant ainsi qu'elle voulait rentrer. Nous emboîtons le pas au berger des Pyrénées, car Mouget tient à me montrer son « bureau », accolé à la cage de ses sept molosses.

Depuis qu'il s'est fait agresser chez lui par des gens de Besançon – il en est convaincu –, sans que les gendarmes aient « daigné se déplacer », Mouget organise sa protection avec des chiens de combat, particulièrement rebutants dois-je avouer. Pour faire peur aux « assaillants », ce soir-là, il n'avait pas hésité à monter sur son muret et à tirer deux coups de fusil en l'air, d'une de ses nombreuses armes qu'il possède en toute légalité, et à titre sportif, conservée dans une imposante armoire blindée. L'arsenal est impressionnant : un fusil antiémeute de l'armée brésilienne dont « tous les gendarmes d'ici rêvent ! », un Baïkal IJ-43 *made in Russia* », un Mosin-Nagant, russe également, un vieil USM1 de huit cents mètres de portée, utilisé par les Américains pendant la guerre du Vietnam et la Seconde Guerre mondiale, une carabine Anschütz 22 long rifle, une baïonnette de la Wehrmacht provenant, dit-il, du bunker d'Adolf Hitler – sa croix gammée gravée le prouve, de même que les collectionneurs qui le tannent pour la lui acheter – et un pistolet miniature datant des années 1920.

Le drame de Mouget, dit-on, est de ne jamais avoir reçu la Légion d'honneur. « Vous ne l'aurez pas tant que vous serez au FN », lui aurait glissé le préfet à maintes reprises.

« La vie est une pute que chacun baise à sa manière », parole de légionnaire.

Avec les « éboueurs de la société »

D'après un reportage du quotidien *Libération*[1], le métier de policier serait en plein bouleversement, notamment à cause de la menace terroriste. Sous l'état d'urgence, un arrêté du ministère de l'Intérieur autorise tout fonctionnaire

---

1. Cf. « À Charleville, la police en état d'urgence », par Willy Le Devin, in *Libération*, mercredi 2 mars 2016, p. 14-15.

de police qui le souhaite à conserver son arme en dehors du service[1].

Une fois dans le sas de l'entrée du commissariat de Lons, un bâtiment sans âme qui jouxte celui des services de la mairie, j'ai eu du mal à ressortir, le sas se bloquant facilement.

« Bon, c'est de la mauvaise qualité, hein, et en plus, elle est malmenée, cette porte… », marmonne le planton à qui je viens de déposer ma lettre à l'attention du commissaire divisionnaire, lui demandant l'autorisation de passer une nuit avec la BAC.

Même si, dans une bourgade comme Lons-le-Saunier, on est loin d'être entré dans la réalité du terrorisme, comme à Nice, Paris ou Saint-Étienne-du-Rouvray, l'inquiétude et l'anxiété sont latentes, sans compter la lassitude des forces de l'ordre. Sur fond d'alcool et de désœuvrement ordinaire, celles-ci continuent à traiter les délits routiers dus à l'alcoolémie, les vols à l'arraché, les cambriolages et les outrages. Le Jura est une région au profil peu délinquant, mais dont l'emplacement géographique, au cœur des couloirs sud/nord et est/ouest, voit passer un nombre non négligeable de bandes de malfrats.

Toutes les nuits – qui sont longues à Lons –, les policiers de la BAC partent chasser le flag'[2].

---

1. Il doit toutefois en faire la demande, qui peut lui être refusée.

2. Même si pèse sur eux la possibilité d'une fermeture de la BAC. Et ce dans le cadre du rapprochement police-gendarmerie entamé en 2002 et préconisé dans la restructuration de l'organisation territoriale de sécurité intérieure telle que décrite dans le livre blanc d'Alain Bauer. Cf. Michel Gaudin et Alain Bauer, *Livre blanc sur la sécurité publique*, La Documentation française, 2011, p. 108. D'autres chefs-lieux sont concernés, comme Auch, Cahors, Digne-les-Bains, Guéret, Laon, Tulle et Vesoul, « comptant tous moins de 30 000 habitants et des effectifs réduits ».

Sur le palier, impossible de rater un impressionnant tableau qui représente en gros plan le visage de Lino Ventura, sourcils froncés. C'est l'œuvre d'un policier, artiste à ses heures perdues.

J'ai hâte de rencontrer ceux dont je partagerai la nuit. Sans même faire les présentations, le commissaire s'est éclipsé.

Me voilà assise dans la « cuisine » – salle de repos, où plusieurs gardiens de la paix s'affairent. Le brigadier-chef de l'unité d'intervention m'explique le fonctionnement en binôme. Personne ne porte de gilet pare-balles, alors que l'officier du département de communication du ministère de l'Intérieur m'avait prévenue que cela serait nécessaire, « étant donné les circonstances », me demandant même si cela me gênait ! Dans la salle, tous s'étonnent qu'une reporter de guerre, habituée à des situations autrement plus dangereuses, se penche sur leur quotidien. La brigade de nuit est partagée entre des équipages « dehors » et d'autres fonctionnaires « dedans », dont un chef de poste qui centralise les appels de police secours.

Depuis l'ouverture des frontières, les policiers ont remarqué que la délinquance touchait surtout les villages situés sur le pourtour de l'A83, souvent « tapés » les uns après les autres. Le lendemain, les malfrats sont déjà à Marseille pour revendre. Les premiers joints, m'assurent-ils, c'est à 11 ans, au plus tard, parfois même en CM2. La MDMA, cette molécule qui a donné son nom à l'ecstasy, est également fréquente. Il ne se passe plus une soirée sans ce poison. « On voit la progression : les enfants deviennent des loques beaucoup plus rapidement… »

On monte dans notre véhicule banalisé. Je suis derrière, à côté de trois herses jetables. Il est 21 heures, les radios grésillent. Trois patrouilles tournent, dont deux de police secours. À peine a-t-on roulé trois minutes que, surgissant de derrière un mur, à un passage piéton, un individu visiblement saoul fait le zouave devant nous, canette de bière à la main, invectivant à tout-va, avant de tomber dans les bras du brigadier qui s'est avancé.

— Holà, holà… Ça va ? Comment vous appelez-vous ?

— J'ai pas de nom…

— Ah bon, pas de nom ? C'est sûr, ça ?

— Ouais, puis vous m'laissez tranquille, vous êtes qui, vous ? Des keufs ?

Avec rapidité, les deux policiers menottent l'individu qui s'affaisse lourdement. Au sol, il livre sa date de naissance. Né en 1976 à Besançon, il se dit SDF.

— Vous dormez où, monsieur ? Quelle est la structure qui s'occupe de vous ?

Les réponses ne sont pas claires, mais l'homme serait récemment sorti de prison. La BAC accompagne l'individu aux urgences, où l'on vérifiera son taux d'alcoolémie. Il terminera sa nuit en cellule de dégrisement au commissariat. Ne pas quitter l'individu jusqu'à ce qu'il soit vu par un médecin peut prendre de précieuses heures, les urgences étant engorgées et, parfois, perturbées par d'invraisemblables comportements comme celui de cette jeune mère hystérique qui exigeait une tétine pour son enfant de 3 ans en pleurs. « Elle est venue tout simplement parce qu'elle n'en avait pas chez elle ! » m'explique-t-on à l'hôpital, blasé devant ce type de comportements irresponsables.

Cheveux en bataille, mal rasé, tête baissée, dents gâtées, regard hagard, l'homme, abîmé par la drogue, l'alcool et la rue, fait dix ans de plus que son âge. « Il a eu la tête entre les jambes pendant dix minutes et maintenant c'est un agneau, constate un des deux policiers alors que nous patientons dans le local police des urgences. Ils sont tous pareils. » Jusqu'à ce qu'on lui passe les menottes, il n'avait aucun respect envers la police. Soudain, il se redresse :

– Eh, mais, j'te reconnais, toi… Tu m'as arrêté avec la voiture, quoi… Ouais, l'Alfa Romeo…

– La voiture volée en Italie ? Ah, ben oui, c'était toi le conducteur, non ? Oh ! la, la… C'était il y a quatre ans… (Le policier à son collègue :) Rappelle-toi, on les avait pris en chasse en ville dans cette Alfa, ils avaient refusé le contrôle… (Au SDF :) Ben dis donc, t'es sorti de taule, et voilà l'état dans lequel tu te mets !…

Étonnamment – même si c'est une interpellation –, les deux hommes ont trouvé un épisode passé commun, et, tout de suite, le courant passe mieux. L'humain est revenu. C'est presque un soulagement de part et d'autre.

– Ben ouais… J' suis carrossier. J'trouve pas d'boulot. J'ai 40 ans, j'suis foutu… Voilà, j'suis foutu, merde…

– Ben non, t'es pas foutu, ton problème, enfin votre problème (le policier se reprend sur le vouvoiement), c'est l'alcool, c'est tout, tente-t-il de le rassurer, main à la ceinture, piétinant d'un pied sur l'autre, face à cet homme un peu dégrisé, affalé sur sa chaise, dans cette pièce nue à la lumière crue.

Le flic est atterré par la désinvolture avec laquelle le type a évoqué son passage en prison. Comme s'il n'y avait pas de différence entre vivre en prison et être dehors.

– Bon, mais en fait, qu'est-ce que j'fous là ? Eh ! mais vous avez pas le droit d'm'embarquer, j'étais pas au volant…, lance l'homme, se ressaisissant un instant.

Reprenant son rôle, le policier retrouve son jargon et répète au SDF comment et pourquoi il a procédé ainsi. L'impression de devoir se justifier sans fin lasse les policiers. Elle leur laisse une impression d'inutilité, voire une sensation de gêne.

22 h 50. Je change d'équipage pour retrouver un autre binôme, un homme et une femme.

Elle :

– En France, les gens veulent tout, tout de suite… Nous, les policiers, on n'est pas des magiciens…

Lui :

– Ça fait trente ans que je suis dans la police, dix ans de CRS et vingt ans en urbaine. Maintenant, sur les bagarres, quand vous n'arrivez qu'à deux, ils vous foncent tous dessus ! On s'demande jusqu'où ça va aller, on a presque l'impression qu'ils s'en foutent de nos lois, les délinquants !… Une loi, ça fait plus peur, ne parlons même pas de la prison…

Elle :

– Ouais. On est devenus les éboueurs de la société ! Faudrait qu'on soit à la fois des assistantes sociales, des psys et des éducateurs. C'est un peu trop, non ?

La policière se retourne vers moi, le temps de marquer son écœurement.

Dans la ville, on tourne, on passe et on repasse aux mêmes endroits, à faible allure. Tout en me parlant, tous les deux ont les yeux qui scrutent les environs, qu'ils connaissent par cœur. La deuxième partie de nuit sera très longue, ils m'avaient prévenue…

– Salut, Flo !

Le policier au volant accompagne son salut d'un grand geste adressé à la tenancière du bar en train de ranger ses chaises, faute de clients. À Lons-le-Saunier, le cœur de la nuit est calme.

« Accident du travail au McDo, juste avant la fermeture », égrène la radio de bord.

Les pompiers y vont, il faut s'y rendre.

Direction, le parking de la gare SNCF, où se situe le fast-food. Arrivée sur les lieux, la police constate : une employée s'est pincé le doigt très fortement en fermant une porte. Elle est livide, comme sur le point de défaillir, mais il y a eu plus de peur que de mal. La police est arrivée avant les pompiers, ce qui est souvent le cas dans les petites villes.

On repart. Deux ombres apparaissent sur le trottoir face à nous. Je distingue un homme mince, en costume trois pièces à l'ancienne, surmonté d'un chapeau. Celui qui l'accompagne est râblé, la capuche de son haut de jogging remontée sur son front.

Lui :

– Ah tiens, c'est Nico ! Regarde, il rentre chez lui… Depuis qu'j'ai 20 ans j'ai toujours vu Nico shooté à l'héro. J'me demande bien comment qu'il est encore vivant celui-là !

Elle :

– Ouais.. à c't'heure-là… Ben, comme d'hab', de toute façon il vit la nuit, lui !

Lui :

– Il se prétend « indic » mais on comprend rien à c'qu'il dit. Vu sa façon de parler… Oh, mais il est pas méchant, l'Nico…

Ces policiers connaissent réellement « leur » population. Dans l'intimité de l'habitacle, ils se livrent à de courts commentaires sur ceux que nous croisons. Je suis frappée par leurs avis, souvent compréhensifs – humains –, à propos de la vie familiale et professionnelle de chacun. Uniforme et arme de fonction cacheraient-ils des anges gardiens ?

23 h 50. Je retourne avec le premier équipage, celui du brigadier-chef, qui a reçu un appel radio concernant des véhicules gravement endommagés par un chauffard sur une route à Perrigny, une commune mitoyenne. Trois voitures ont été embouties à l'arrêt devant un restaurant où se déroulait un dîner-débat sur « les bienfaits du bien-être zen ». Pour les flics, le chauffard ne pouvait être dans son état normal. Il faut le retrouver. Manifestement, ceux qui sont ressortis récupérer leurs véhicules n'étaient pas non plus très « zen » quand ils ont appelé la police. Branle-bas de combat. Chaque équipage cherche le conducteur. On fonce pour tenter de le récupérer ; les policiers passent en revue les routes que le fuyard aurait pu prendre avec son 4 x 4 – ou son semi-remorque. Ils hésitent en l'absence de preuve.

Le brigadier-chef :

– Il doit pas être bien loin avec son avant droit tout défoncé, de couleur blanche, vu les marques de peinture… Qui c'est qu'on connaît qui a ce genre de gros 4 x 4 dans le coin ?

Son binôme :

– Bon, ben y a X, et Y, et puis aussi Z, non ? On va
aller voir s'ils sont garés chez eux.

Tout en roulant à vive allure, « le chef » vide son sac :

– Ouais, toutes les valeurs qu'on nous a inculquées en
étant jeunes, eh ben elles ne sont plus là ! Pfft ! Envolées !
Y a plus d'éducation parentale ! Pourtant, nous, on en voit
tous les jours des enfants qui ont besoin de leurs parents…
On s'en prend plein la gueule. À chaque fois, à chaque affaire. C'est comme ça, les gens nous aiment pas…

Son binôme :

– Sauf après les attentats…

Le chef :

– Oui, mais ça c'est du pipeau. La vérité, c'est que personne ne prend en compte notre état psychique. Nous, on
est les méchants. C'est toujours la personne arrêtée qui devient la « victime ».

En passant sur les lieux de l'accrochage, on constate que
la première voiture a été littéralement raccourcie. Le choc
a dû être hyperviolent. Grâce aux débris, des collègues ont
identifié la voiture incriminée, un véhicule tout-terrain
Toyota. Brisant l'épais silence, une église de village sonne
les douze coups de minuit.

Le chef poursuit :

– Moi, c'qui s'passe dans le monde, j'ai pas besoin de
passer des plombes devant ma télé pour le comprendre,
je le vis au quotidien. D'ailleurs, j'ai même pas de télé !
Les hommes restent des hommes, non ? En plus, la manière dont c'est relaté, ça m'agace. La délinquance, c'est
partout pareil, et nulle part on peut croire quelqu'un sur
parole… Bon, c'est qu'il doit être bien grammé le mec

quand même, affirme-t-il en repensant au chauffard en cavale.

Son binôme :

— Et si on passait aux urgences, voir s'il y est ?

Le chef :

— Attends, on va leur demander de téléphoner[1]... Ouais. C'est moche tout ça. Le pire, c'est quand on perd de vue un de nos « clients » d'ici. Quelquefois ils se cassent ailleurs. Et après on les voit revenir. C'est ça qui nous perturbe. On s'demande pourquoi, comment, qu'est-ce qu'ils vont encore nous inventer, comment ça va dans leur vie. D'autant plus qu'avec les événements actuels (il jette un coup d'œil dans le rétro pour s'assurer que je l'écoute)... On a quand même des radicalisés par ici... Faut pas croire, hein, il y a des camps d'entraînement partout !

Minuit trente. Je n'ai pas le temps de réagir que l'équipage est appelé en renfort par un autre véhicule qui a interpellé deux jeunes hommes à vélo, sous la pluie froide, sans phares, non loin d'un lotissement d'où une femme avait appelé police secours.

Les deux garçons, l'un, 17 ans et l'autre à peine 18, arborent des mines renfrognées. Tant bien que mal, ils

---

1. La triviale réalité du lendemain a voulu qu'un homme dont la résidence se trouve à quelques centaines de mètres du restaurant en question vienne se dénoncer au commissariat. Selon sa version, après une dispute avec sa femme, il serait parti, furieux, au volant de son 4×4. L'épouse n'aurait cessé de l'appeler, le téléphone serait tombé du siège avant et le conducteur aurait provoqué cette embardée en voulant le rattraper pour répondre. Officieusement, les policiers pensent plutôt que, le soir de son anniversaire, le conducteur en question avait trop bu et qu'il a attendu de cuver pour venir au poste. « Y a personne de tué, ça le sauve, les assurances paieront », m'affirme un policier, habitué à recueillir les dépositions de lendemains de cuite.

essaient de convaincre les policiers qu'ils sont là « par hasard », « juste pour se promener », sans mauvaise intention aucune.

– Je lui ai foutu la pression, chef, il allait balancer quelque chose, là, dans les herbes, affirme un officier à son supérieur dès qu'il arrive.

– Bon, alors qu'est-ce que vous foutez là dehors ?

– Rien, rien, on fait rien…

Les lampes torches laissent entr'apercevoir des visages poupins apeurés et fermés. Non, ils n'ont rien fait et n'avaient rien l'intention de faire. Oui, ils se promenaient comme ça, parce que c'est « cool ». De quoi les accuse-t-on au juste ? veulent-ils savoir. Le plus âgé semble plus sûr de lui et de ses droits, il est reconnu par l'un des flics comme un délinquant résidant dans un foyer social de Lons. Tous deux montrent leur pièce d'identité.

Le chef, à mon intention :

– Personne n'a compris que la priorité aujourd'hui, c'est d'légiférer sur les mineurs…, bougonne-t-il. Leurs foyers, j'appelle ça des « foyers courants d'air ! » De toute façon, y z'ont pas droit à la coercition, les portes sont grandes ouvertes, donc qu'on ne s'étonne pas d'avoir trois ou quatre mineurs en fugue chaque soir, comme ceux-là…

L'équipage du brigadier-chef se rend au domicile de l'habitante qui a passé le coup de fil à police secours. Sur la chaussée, elle nous fait de grands signes. Derrière elle, tous les volets de son pavillon, ainsi que ceux de ses voisins de quartier, sont fermés, tels des rideaux de fer derrière lesquels on se calfeutrerait.

– Tout à l'heure, j'étais en train de fermer mes volets, quand j'ai vu ces deux jeunes à vélo, raconte-t-elle. Alors je les ai surveillés, sans qu'ils me voient... Ils essayaient d'escalader ce mur-là, voyez ?

Elle montre le mur de ses voisins.

Le chef :

– Ah bon ? Et qu'est-ce qu'ils ont fait après ? Ça a donné quoi ?

La dame :

– Ben j'sais pas. Ils n'y arrivaient pas, j'crois. Ils sont restés là longtemps. Ils ne savaient pas comment aller de ce côté... En ce moment, faut beaucoup surveiller ! Mon mari va se coucher, mais moi, j'préfère faire le guet ! L'autre jour, à 3,4 heures, je me suis levée pour regarder, des fois qu'on aurait un cambriolage...

Surgie de sous une haie, une chatte tricolore vient caresser ses mollets en ronronnant. La femme se baisse pour la prendre dans ses bras.

– Une de mes amies, une personne âgée comme on dit, ben elle a fait la morte, hein, pour pas qu'ils s'attaquent à elle !

Le chef, la coupant :

– Bon, d'accord. Vous savez que le mieux, contre les cambriolages, ça reste encore l'alarme et le chien, c'est bête, non ? Bon, votre fils va bien ?

Il racontera plus tard que cet adolescent a l'habitude de faire le zazou avec des voitures bruyantes dans le quartier, au plus grand dam de ses habitants.

La dame :

– Ça va, ça va, on lui fait des leçons de morale, mais... Vous savez, il vous aime pas trop, hein... Bon, enfin...

On repart, en direction du casino, qui ne doit pas drainer des foules en cette nuit de lundi à mardi.

Le chef :

– C'est vrai qu'il y a une recrudescence de cambriolages partout. Et le PSIG[1] peut pas être sur tout le département ! Alors qu'ici, en ville, pas un pet ne nous échappe ! Ah ! les caméras de surveillance, oui, mais ça me fait doucement rigoler, car elles ont de sacrés délais de réaction ! La vérité, c'est que, pour bien comprendre comment ils réfléchissent, un bon policier doit devenir un bon truand !

Son binôme :

– Ouais, sauf que tout est devenu tellement plus restrictif... y a des collègues qui ont peur de contrôler aujourd'hui. Bon, mais nous, avec notre expérience, on sent les choses...

De loin, le vigile de l'entrée du casino salue notre véhicule. Impossible de passer inaperçus.

Le chef :

– D'accord, il peut y avoir des excès chez les flics. On n'a pas le droit de faire n'importe quoi, et c'est bien normal. Mais quand on est intègre et qu'on veut faire son boulot pour être utile, bon Dieu, qu'on nous laisse faire !

On descend du véhicule pour aller discuter avec les vigiles. Visiblement, tout le monde se connaît et plaisante, notamment à propos de la pancarte « tenue correcte exigée », encore visible, alors que, depuis bien longtemps, les tenues les plus négligées ont fait leur apparition dans les salles.

---

1. Les PSIG ou pelotons de surveillance et d'intervention de la gendarmerie sont des unités de la gendarmerie départementale. Leur territoire est beaucoup plus grand que celui des polices nationales.

Le chef :

— Votre histoire de tenue, c'est comme le dopage, c'est pareil, hein ? On ferme les yeux, du moment qu'il y a de l'argent à dépenser !

Tout le monde s'esclaffe. Trois jeunes d'à peine 25 ans, l'air pressé, présentent leurs cartes d'identité et se précipitent vers... la roulette électronique, ce qui provoque pléthore de commentaires sur leur oisiveté.

Le chef, devant sa tasse de tisane brûlante, offerte par le casino :

— Moi, j'te remettrais tout ça à l'armée, à l'ancienne ! Un coup de pied au cul, ça n'a jamais fait d'mal à personne ! (Là aussi, il fait rire son assemblée.) Mais voilà, c'est ça l'état d'esprit en France : on valorise jamais ceux qui travaillent... Aujourd'hui, c'est plutôt le beau parleur qui va réussir dans la vie !

Nous voilà repartis, et les états d'âme du chef se poursuivent :

— Pour enrayer la délinquance sur la voie publique, on contrôle, on contrôle, on essaie de les mettre à pied. Mais parfois, c'est dément, le délit routier est plus puni que le délit pénal !

L'état d'urgence, il le reconnait, n'a rien changé « pour nous, ici, au quotidien, avoue-t-il. Mais le plus gros souci, ce sont ces histoires de radicalisation... Parce qu'on sait pas, on sait rien, quoi... Des camps d'entraînement, il pourrait y en avoir dans les forêts là-haut, hein ? On a bien trouvé des caches de l'ETA jusque par ici[1]... C'est justement à la

---

1. Début 2011, des randonneurs avaient trouvé, quasi enfouis, en guise d'étuis, des fûts de PVC cachant des armes longues. La police judiciaire était venue enquêter.

campagne qu'on passe le plus inaperçu. Et c'est trop facile de dire qu'ils sont tous fous… C'est à se demander si c'est pas la société française qui produit ces malheureux-là. Vous avez vu cette émission sur le Captagon[1] ? Ouais, ça fait que commencer tout ce bordel. Nous, policiers, c'est ça qui nous préoccupe… ».

3 h 30. Je change une dernière fois de véhicule. Nous sommes appelés pour tapage nocturne dans une HLM de la Marjorie. Les infos ne sont pas claires, mais le « requérant » ouvre sa porte et raconte : tous les soirs depuis six jours, c'est le grand chambardement au-dessus de sa tête. C'est comme si on déménageait. Ça commence à le fatiguer. Dans la cage d'escalier, les quatre policiers ont la main sur leur arme. Ils ne savent pas ce qu'ils vont trouver derrière la porte de l'appartement du dessus, ils se méfient. En dépit du raffut, personne ne répond. La tension monte, jusqu'à ce qu'un homme ouvre, l'air las et aviné.

— Ah ! mais c'est vous, Dédé ! Qu'est-ce qui s'passe ?
— Rien.

Effectivement pas grand-chose, si ce n'est que ce jeune, sans boulot, et pas en très bonne santé ni morale, ni physique, vient de recueillir son père dans son appartement. Et que ce père fait du bruit en déplaçant des meubles. « Bon, ben, faudra p'têt voir à arrêter », conseillent les policiers. Le nom de ce père avait été mentionné lors de la cellule de veille municipale à laquelle j'ai assisté. Je

---

1. Synthétisé pour la première fois en 1961, le Captagon est un stimulant de la famille des amphétamines. Connu pour ses propriétés dopantes, il s'ingère sous forme de pilule mais également par injection intraveineuse. Les auteurs d'attentats terroristes en Irak, Syrie, mais aussi sur le territoire français, en seraient friands.

me souviens de son cas et le signale aux flics. « Bon, très bien, alors les services sociaux vont gérer ça. »

Nous passons dans une grande descente où, deux semaines plus tôt, s'est produit un accident de la route dramatique : un jeune homme de 19 ans s'est tué, alors que tous les policiers de la ville connaissaient sa façon de conduire et l'avaient déjà interpellé, lui reprochant sa vitesse excessive. Cette nuit-là, il a percuté une vache qui traversait la chaussée.

En grandes lettres blanches sur le noir du goudron se détache, sur le macadam, l'inscription « PUTE DE VACHE ».

À 3 h 55, notre véhicule se gare à Montmorot, devant la première boulangerie ouverte où un policier m'offre café et croissants.

Place de la République, sous l'œil sévère de la statue du général Lecourbe, commandant en chef de l'armée du Jura, résonnent trois tambours. Plutôt mollement. En ce début de soirée de semaine, la Nuit debout parisienne bat son plein, mais ici, elle n'attire pas les foules. Sans l'inscription « Révolte populaire légitime », taguée sur un carton, rien ne laisserait entendre qu'il s'agit d'un rassemblement politique. Une dizaine de personnes se déhanche sur le rythme de quelques autres qui battent la mesure. Rompant chaque fois le rythme, les nouveaux venus embrassent les présents. Un SDF a posé son imposant sac à dos à ses pieds et regarde la scène. Deux personnes sont assises à ses côtés, accompagnés d'un chien.

« Nuit debout concerne tout le monde », tentent-ils de convaincre les rares passants. À cette heure indue, les Lédoniens sont déjà calfeutrés chez eux.

En cette matinée où la jeune Océane s'est suicidée en direct sur l'application Périscope, pour la dernière fois, je déjeune au restaurant de la grande surface BioCoop.

À la table jouxtant la mienne, une femme de mon âge a manifestement donné rendez-vous à un homme rencontré sur le Net. Arrivée en avance elle semble s'agacer de son retard. Finalement, le voilà. Si le rendez-vous a été donné ici, où, derrière de charmants paravents, on propose une cuisine fraîche, goûteuse et bio, c'est que tous deux sont soucieux de leur alimentation.

Ils font connaissance bruyamment, ce qui me contraint à entendre leurs échanges. L'homme me paraît un illuminé total, qui ne laisse pas son interlocutrice en placer une et déblatère tout ce qui lui passe par la tête : il mange « macrobio », disserte à n'en plus finir sur « Hitler et les Juifs », la « globalisation » et le marxisme, cet « esclavagisme européen ». Il semble en vouloir à la terre entière, et ses paroles, souvent prononcées sans lever les yeux de son assiette, avec le plus pur accent jurassien, sont émaillées de références fumeuses à des auteurs qu'il dit avoir étudiés. À la place de cette femme, je serais déjà sortie de mes gonds. « Moi, j'ai pas toutes les clés, mais eux y savent... Vous comprenez ? Les gens qui manipulent, ils savent, ils ont créé un gouvernement invisible, que tout le monde ignore, c'est ce gouvernement qui dirige le monde... », poursuit l'homme.

La femme l'écoute patiemment, mais, au rythme un tantinet plus nerveux de son pied qui a quitté le talon de son escarpin par-dessus sa jambe croisée, et, à la façon dont elle laisse un instant sa fourchette en suspens avant de porter rageusement la nourriture bio à sa bouche, je sens qu'elle commence à être passablement agacée.

Drôle d'endroit pour une rencontre. Je n'en connaîtrai jamais l'issue...

À AJACCIO

Durant les journées précédentes, des jeunes de l'Empereur avaient accumulé trois à quatre cents palettes dérobées en prévision du fameux feu de Noël.

Même si cette pratique est officiellement interdite, dans ce quartier d'Ajaccio des Jardins de l'Empereur, comme aux Cannes ou aux Salines, on ne déroge pas à cette ancienne coutume corse païenne : le soir de Noël, on allume « son » feu de joie, « son » brasier de pacotille, en espérant qu'il brûlera haut, très haut, et qu'il sera bien visible.

Ce jour-là, donc, un bûcher était prêt. Palettes et pneus avaient été soigneusement entassés. Les ados attendaient la tombée de la nuit pour l'allumer, quand, dans l'après-midi, pompiers, services de la ville et policiers étaient venus tout détruire en emportant les combustibles, sans négocier.

Par deux fois déjà, les mercredi 23 et jeudi 24 décembre, la police était montée au quartier et les services municipaux avaient procédé à un « enlèvement préventif » de quatre cents palettes de bois, quasiment une tonne de pneumatiques et un engin incendiaire. Le mardi 22, dans la coursive de l'immeuble « Laetitia », le scooter d'un ouvrier portugais avait été brûlé. Quelques semaines plus tôt, début décembre, un imam avait sommé une jeune fille du quartier de « modifier ses codes vestimentaires ». Il était apparu chez ses parents accompagné de quelques jeunes du quartier. Le ton était monté, et des voisins avaient appelé les pompiers, dont certains se souviennent qu'alors, déjà, ils ne s'étaient pas sentis les bienvenus à l'Empereur.

Ce jeudi 24 décembre, après le coup de téléphone d'un riverain, la police constate qu'un arbre a été tronçonné du côté de l'école. Vers 17 heures, des jeunes ont allumé un feu qui sera éteint vers 18 heures par les pompiers qui ont été prévenus par des riverains. Localisé sous un gros chêne, en s'embrasant il a même fait fondre un morceau du rideau de fer de l'école. Les pompiers repartent, mais la tension est vive : en quittant les lieux, ils reçoivent une volée de cailloux.

Le feu du « vivre-ensemble », objet de tous les débats

Ce feu-là, les jeunes avaient laissé les pompiers l'éteindre. Ils disent l'avoir allumé pour empêcher les policiers de mettre la main sur le reste des palettes cachées pour le soir. Ils préféraient les brûler plutôt que de les perdre.

En cette veille de Noël, les jeunes de l'Empereur sont frustrés et exaspérés qu'on ne les laisse pas amasser le « combustible » nécessaire pour « leur » feu. Connaissant leur territoire escarpé sur le bout du doigt, deux d'entre eux ont réussi à sauver la plupart des palettes en les dissimulant derrière un pan de mur difficilement accessible, du côté de l'école.

Vers 1 heure du matin dans la nuit de Noël, un nouveau brasier flambe, au city-stade[1], à quelques dizaines de mètres du premier feu. Allumé sur un morceau de terrain libre, les flammes du brasier s'élèvent quasiment plus haut que le dernier étage du « Joseph ». Ce second feu, les jeunes de l'Empereur ne souhaitent pas que les pompiers l'éteignent, et ils résisteront pour qu'on ne vienne pas le leur « chiper ». À l'Empereur, il y a longtemps que les rapports entre ces jeunes oisifs et les forces de l'ordre se sont mués en une surenchère permanente, un excitant jeu du chat et de la souris toujours à la limite du débordement.

Appelée par des résidents anxieux, la police se fait recevoir, de loin, à coups de cailloux, et rebrousse chemin pour aller chercher du renfort… et les pompiers. Face à une cinquantaine de jeunes, les policiers ne sont pas assez nombreux[2]. Quand les gyrophares du camion rouge apparaissent, et que celui-ci essaie de se frayer un chemin, les deux jeunes qui ont allumé le feu, accompagnés de dizaines d'autres, plus âgés [entre 20 et 30 ans], sont au comble de l'excitation. Enfin, quelque chose d'intéressant ! Ayant aperçu le véhicule de police, ils s'étaient mis dans la tête de le caillasser. Mais celui-ci a rebroussé chemin. Alors ils ont décidé d'attendre.

Dans les virages de la montée, les pompiers sont surpris de voir des jeunes « postés » ici et là, qui détalent tout

---

1. Il s'agit en fait du deuxième city-stade du quartier, le premier ayant été brûlé quelques années auparavant. Le quartier était resté sans city-stade pendant deux ans, depuis, la ville en a construit un nouveau.

2. Personne en Corse n'ayant anticipé l'événement, le jour des faits, les forces de l'ordre s'étaient retrouvées en infériorité numérique, d'autant qu'une des deux compagnies de CRS stationnées sur l'île avait été envoyée en renfort pour contrôler la « jungle » de Calais.

en parlant dans leurs téléphones portables, comme pour en prévenir d'autres. Le véhicule des pompiers parvient à proximité du terre-plein, non loin du brasier. Ça chauffe, au sens propre comme au sens figuré. Le camion est encerclé par une quinzaine de jeunes armés de clubs de golf et de barres de fer. Menacés, les pompiers restent à l'intérieur. C'est parce qu'ils n'ont pas pu atteindre la police que la foule s'en prendra aux pompiers.

Le camion rouge tente difficilement de faire marche arrière, mais il y a trop de personnes autour, dont certains s'agrippent au véhicule. Il finit par y parvenir très lentement. « Avancez, avancez, c'est pas vous qu'on veut, c'est la police ! », crient certains. Des assaillants non cagoulés[1] se mettent à taper sur le véhicule avec des barres de fer et des clubs de golf. Des vitres sont brisées, deux pompiers reçoivent des éclats de verre dans les yeux. Même si, l'espace d'un instant, une voix, vite recouverte par d'autres, a crié : « Ne touchez pas aux pompiers ! », le feu est devenu un « guet-apens ». D'autant que c'est une impasse.

Très vite, la situation dégénère ; les insultes fusent de part et d'autre, ce que personne, aujourd'hui, n'ose reconnaître. « Quoi, quoi ? » lancent les jeunes aux pompiers. Le ton employé des deux côtés augure mal de la suite.

– C'est nous les patrons ici, on est chez nous ici, sales Corses de merde !

– Arabes de merde !

À ceux qui criaient « On est chez nous à l'Empereur ! », les pompiers corses auraient rétorqué « Nous aussi, on

---

1. Contrairement à ce qui a été dit et écrit dès les premières heures dans les médias.

est chez nous ! » (sous-entendant : sur nos terres, ici, en Corse).

Impossible de déterminer qui a commencé. Finalement, les deux parties sont chacune « chez elle », si l'on peut dire.

Personne finalement n'a éteint le feu qui finira par s'épuiser lui-même. C'est parce que les jeunes se sont auto-dispersés que les forces de l'ordre ont pu investir les lieux une heure plus tard, pour en repartir vers 3 heures du matin après avoir récupéré deux clubs de golf, dont l'enquête prouvera qu'ils avaient été volés un an auparavant dans une villa sur les hauteurs du Salario.

Les deux pompiers blessés sont conduits aux urgences de l'hôpital de la Miséricorde où le préfet les aurait rejoints et leur aurait demandé d'affirmer que les agresseurs étaient masqués… « pour ne pas faire de vagues ». Troublé, l'un des pompiers en réfère à son capitaine de brigade qui refuse ce mensonge. Les assaillants portaient-ils cette nuit-là, des masques de *Star Wars* que la directrice de l'association Les Jardins de l'Empereur dit avoir offerts à des gamins du quartier ? Si cela avait été le cas, comment aurait-on pu deviner qu'ils étaient tous maghrébins, comme les pompiers l'ont dit ? Cette malheureuse parole – vraie ou fausse – semble avoir eu pour conséquence de faire monter la pression parmi les soldats du feu, leurs proches et tous leurs sympathisants. Emportés par un certain sentiment de rage vis-à-vis de l'État français, ces Corses se disent : « L'État nous a lâchés, on va monter nous-mêmes ! »

Vendredi 25 décembre, Noël

Le vendredi 25 décembre, jour de Noël, vers 16 heures, six cents personnes se regroupent devant la préfecture. Ceux qui veulent « monter » à l'Empereur ont la ferme intention de retrouver les coupables.

Finalement, trois cent cinquante personnes environ, toutes générations confondues, des hommes et des femmes, parfois accompagnés d'enfants, se rendent à pied sur les hauteurs de la ville. Pour tous, d'abord, il s'agit d'exiger des excuses.

Au fur et à mesure qu'elle approche de l'Empereur, la foule grossit et son aspect se transforme, des drapeaux corses se déploient, et c'est aux cris d'« *Arabi fora*[1] ! » que la masse, tendue, pénètre dans la dernière ligne droite de la montée. L'hymne corse aux racines religieuses « *Dio vi Salvi Regina* » retentit par salves[2]. L'effet de groupe aidant, la foule s'enhardit à s'exprimer plus crûment. En l'absence de réactions – dans le quartier, seuls une poignée de courageux osent mettre le nez à leur fenêtre ou sortir sur leur balcon pour se faire immédiatement invectiver par cette foule hurlante –, des voix masculines s'élèvent vers les immeubles : « Les pompiers, ils étaient quatre, c'était facile ! Descendez maintenant ! »

Bien informés, certains viennent tambouriner jusqu'à la porte du logement d'un des jeunes qui sera plus tard arrêté. Ils sont dans un état de surexcitation extrême. « Il faut

---

1. « Les Arabes dehors ! »
2. Entre 1735 et 1769, le *Dio vi Salvi Regina,* un chant religieux dédié à la Vierge Marie, était l'hymne national de la République corse. Il est toujours traditionnellement chanté lors de nombreuses cérémonies publiques ou familiales.

les tuer », entend-on, sans que la personne ayant prononcé ces mots soit visible. « *Arabi fora !* », « On est chez nous ! », sont scandés en boucle. Pour cette foule, l'acte de « monter à l'Empereur » est avant tout une réaction « antifrançaise », comme cela m'a été précisé par de nombreux participants, histoire de montrer à l'État français qu'on refuse que l'affaire soit étouffée.

Des manifestants pénètrent dans des cages d'immeubles, des voitures et des motos sont prises pour cibles. Un portail est cassé. Une bombe agricole explose dans un hall.

Pour la première fois de leur vie, certains Corses ont craint que ce jour-là, se produise sur leur île, un événement « pire qu'à Paris » [pire que le Bataclan entendent-ils]. Car, ici, les armes ne sont jamais vraiment loin, et les appartements peuvent cacher des bouteilles d'acide facilement transformables en cocktails Molotov. Calfeutrés sur le toit d'un des immeubles, des ados, dont ceux qui ont caillassé les pompiers la nuit précédente, ont d'ailleurs préparé des cocktails Molotov, et ce n'est pas l'envie qui leur manque de les balancer sur la foule. Ces jeunes se sentent humiliés, ils ont l'impression que c'est le début de la guerre chez eux. Des « grands frères », plus âgés, leur feront entendre raison, les obligeant à ne pas réagir.

Dans les regroupements hétéroclites de cette première journée se sont mêlés des xénophobes purs et durs, des sympathisants de groupuscules identitaires tel le collectif Vigilenza Naziunale Corsa[1], des politiciens comme Denis

---

1. Le mardi 12 janvier 2016, cette structure, qui était née le 28 octobre 2015 sur fond de crise des migrants, s'est autodissoute.

Luciani, président de l'association des parents d'élèves corses, des forces de l'ordre drapées dans leur devoir de réserve, mais aussi beaucoup d'anonymes, choqués qu'on ait pu s'en prendre à des pompiers.

Discrètement, certains CRS ont laissé entendre à des manifestants qu'ils n'avaient pas tout à fait tort, ce qui a pu leur donner des ailes. « Je m'en bats les couilles, t'es un Arabe, tu fermes ta gueule ! » entend-on quelqu'un répondre distinctement à une habitante de l'Empereur qui, depuis son balcon, a osé dire qu'elle n'y était pour rien. « Il y a des enfants ici, attention, il y a des enfants ! », clame une autre femme à sa fenêtre. Mais d'autres habitants, postés à d'autres balcons, applaudissent la foule qui monte, pour bien leur signifier où ils se situent.

« Ils viennent éteindre le feu, et ils se font massacrer, ça veut dire quoi, ça ? » hurle un Ajaccien face aux caméras de France 3. Une manifestante pérore devant d'autres journalistes : « On n'a pas confiance en l'État français, mais alors, pas du tout ! Qu'est-ce qu'on attend ici ? Eh bien, qu'ils sortent ! On va rester là. »

Dans la soirée, des échauffourées succèdent à des périodes de calme. Une autre femme exulte : « On est là pour pousser les forces de l'ordre à faire régner un peu l'état de droit ici… », comme si elle était convaincue qu'il ne régnait pas… « Les policiers ne montent jamais », renchérit une autre, « sauf quand on y est ! », ajoute un Corse, que l'on devine ravi de son bon mot, même si on ne le voit pas à l'image[1]. On comprend ainsi que la rage de ces

---

1. Ces témoignages sont tous tirés des images d'archives des journaux locaux durant les événements, visionnées par l'auteur.

Ajacciens n'est pas seulement tournée vers les habitants du quartier des Jardins de l'Empereur, mais aussi contre l'État français accusé de rester les bras ballants, un argument pas forcément mis en avant par les médias nationaux.

Durant ce même après-midi, les manifestants se scindent et un groupe minoritaire (une trentaine de personnes) prend la direction de la salle de prière musulmane du Vittulo, où les habitants du quartier de l'Empereur ont l'habitude d'aller. Le lieu est saccagé, son rideau de fer fracturé et sa porte d'entrée brisée. Des corans commencent à être brûlés, mais le feu ne prend pas.

Vers 19 heures, le préfet Christophe Mirmand, qui a interrompu ses vacances, se montre parmi la foule sur les hauteurs de l'Empereur, bientôt encerclé par des manifestants. Une caméra de télévision s'approche et projette de la lumière pour filmer son dialogue avec des Corses. « Demandez-les, ces moyens, prenez vos responsabilités, demandez au ministère de l'Intérieur qu'il vous donne les moyens d'agir ! Ah, quand c'est pour des Corses… », exige un manifestant passablement énervé. On n'entend pas le reste de la phrase, sans doute coupée au montage. Face à lui, le visage inquiet, le préfet répond : « Calmez-vous, calmez-vous ! » « Quand il s'agit des nationalistes corses, les moyens sont différents ! », s'élève une autre voix…

« Jour de colère ». C'est le titre du quotidien *Corse-Matin*, ce samedi 26 décembre. *La Provence* affiche : « Ajaccio toujours sous tension ». « On ne peut pas se faire justice soi-même » répète quant à lui sur toutes les chaînes le président de l'Observatoire contre l'islamophobie.

Dans tous les médias nationaux, les images du camion de pompiers caillassé tournent en boucle. « La révolte viendra-t-elle des Corses ? », se demandent des internautes proches de l'extrême droite. Des expressions du style : « Le continent est avec vous, les gars ! » surgissent et se multiplient sur Twitter. Certaines voix du quartier, interviewées par les chaînes de télévision, évoquent un groupe de dix à quinze jeunes, toujours les mêmes, « qui embêtent la population ». Laurent Marcangeli[1], le jeune et énergique maire (LR) d'Ajaccio, paraît inquiet que « certains veuillent en découdre et aller au carton ». Son souci est que le quartier ne soit pas considéré comme une zone de non-droit. Gilles Siméoni, lui aussi fraîchement élu président du conseil exécutif de l'Assemblée territoriale de Corse, affirme et répète sur toutes les chaînes d'info – une version à laquelle il se tiendra tout au long des événements – que « le guet-apens contre les pompiers et le saccage des lieux de culte sont contraires aux valeurs du peuple corse ».

À 15 heures, quelque trois cents personnes prennent à nouveau le chemin de l'Empereur. Des barricades mobiles empêchent la foule d'accéder au quartier, mais pas de tambouriner sur leur structure métallique en scandant des slogans. Vers 16 h 30, une foule moins importante que la veille se déverse dans les quartiers avoisinants où elle est parfois applaudie. En direct de Bastia, dont il est maire, Gilles Siméoni affirme qu'il se rendra « dès lundi auprès du centre de secours des pompiers, puis dans les quartiers qui ont été l'objet d'un certain nombre de conflits et de tensions » – ce qu'il ne fera pas, au grand dam des habitants de

---

1. Un avocat de métier, élu en janvier 2015.

l'Empereur qui estiment avoir été oubliés. Siméoni ajoute : « Ma porte restera ouverte, il est important que les fils du dialogue se renouent. »

Un habitant du quartier est interpellé, en lien avec le premier feu – celui de l'après-midi du 24, à l'école. Une seconde personne se rend. Tous deux sont connus des services de police pour des faits de petite délinquance. En revanche, toujours rien concernant le saccage de la salle de prière, dont l'enquête s'annonce plus ardue[1]. Alors qu'en fin d'après-midi la préfecture annonce l'arrivée de renforts de police, une délégation de manifestants est reçue par le préfet.

Au journal de France 3, un manifestant anonyme (son visage n'est pas filmé) reconnaît que certains crient « *Arabi fora !* » parce que « la colère et d'autres choses étouffent les gens depuis des années ». Il a du mal à s'exprimer clairement, et semble gêné par ses propres paroles.

Devant les caméras de télévision, chacun se coule dans son rôle : Jean-Guy Talamoni, président indépendantiste de l'Assemblée corse, admet que « ces questions difficiles ont été abandonnées depuis des dizaines d'années », et insiste sur le fait que « les groupuscules racistes qui s'agitent en Corse n'ont rien à voir avec les valeurs corses ». De son côté, le préfet exige l'arrêt de la violence « pour que la police fasse son travail » et annonce avoir pris un arrêté pour

---

1. Le 24 mai 2016, cinq personnes ont été interpellées en liaison avec l'enquête sur le saccage de la salle de prière en marge des incidents des Jardins de l'Empereur du vendredi 25 décembre 2015. Trois ont été mises en examen le lendemain, remises en liberté et placées sous contrôle judiciaire. Elles devront répondre de « dégradation en réunion d'un édifice affecté à un culte ». Depuis cette date, il n'y a plus aucune information dans les médias à propos de l'enquête en cours. Ces cinq personnes ont toutes été libérées.

interdire rassemblements et manifestations dans le périmètre des Jardins de l'Empereur. Il s'en explique : « Pour le faire respecter, j'ai mobilisé des policiers et des gardes mobiles, cet arrêt est donc respecté. Le quartier des Jardins de l'Empereur n'est pas un territoire de non-droit, la police nationale y intervient », alors que des voix s'élèvent déjà pour critiquer la tenue de manifestations pendant l'état d'urgence. Le représentant de l'État ajoute que « pour 2015, vingt-sept opérations de contrôle ont été menées [à l'Empereur] sous l'égide du procureur de la République ». Le préfet semble offrir ce chiffre en pâture pour se défendre, justement, des attaques de ceux arguant que, sur l'île, la police ne se déplace « jamais ».

Dimanche 27 décembre

Ce jour-là, l'île de Beauté reste dans « l'œil du cyclone », estime *Corse-Matin*. Les deux gardés à vue sont déférés au parquet, un troisième homme serait en fuite. Les pompiers revendiquent pouvoir intervenir dans tous les quartiers et en toutes circonstances « sans forces de l'ordre » pour les accompagner.

Pour le troisième jour consécutif, la mobilisation populaire ne faiblit pas et paraît unie dans cette claque qu'elle semble vouloir asséner aux habitants du quartier, collectivement punis pour les faits de la nuit de Noël. Dans l'après-midi, ils sont encore près de trois cents à scander « On est chez nous ! », « *Tutti inseme*[1] *!* » ou encore « *A terra corsa à u populu corsu*[2] ». Seule différence avec les jours

---

1. « Tous ensemble ! »
2. « La terre corse appartient au peuple corse. »

précédents : plus personne ne pénètre dans le quartier, puisqu'un mur antiémeute a été installé par les forces de l'ordre dans la montée du collège Laetitia. « Nous sommes là pour montrer notre mécontentement par rapport à cette insécurité qui s'est installée, et nous continuerons tant qu'il le faudra », explique une certaine Murielle[1] à *Corse-Matin*.

Lundi 28 décembre

Ce matin-là, Ajaccio est encore considérée « sous haute tension » par son journal local. Dès potron-minet, les trois élus, Gilles Siméoni, Jean-Guy Talamoni et Laurent Marcangeli, se rendent à la caserne des pompiers où ils rejoignent des représentants de la communauté musulmane ajaccienne. [D'autres musulmans ajacciens n'apprécieront pas ce geste, cf. *infra*.]

En revanche, le trio ne monte pas au quartier, officiellement parce que des opérations de police y sont encore en cours [les jeunes du quartier n'apprécieront pas cette frilosité, cf. *infra*]. Puis les élus reçoivent les responsables du Conseil régional du culte musulman et diverses autres associations dans les locaux de l'Assemblée corse, qu'ils remercient d'avoir eu le « courage » de s'être rendus à la caserne – ce que certains jeunes musulmans assimileront plutôt à de la « lâcheté »…

Pratiquement aucun jeune de l'Empereur ne s'exprime dans les médias corses ou nationaux, hormis un certain Kamel, sur France 3. « Le problème du racisme a toujours

---

1. Citée *in* « Les manifestants déterminés à maintenir la pression », par Laure Filippi-Leonetti, *Corse-Matin*, 28 décembre 2015.

été là, avec *Arabi fora* sur les murs, mais pas comme ça, en direct comme maintenant ! », affirme-t-il.

Mes sources à l'Empereur ont refusé de s'entretenir avec les chaînes de télévision d'informations en continu qui font le pied de grue sur la butte, même avec celles qui avaient « envoyé des reporters arabes pour nous faire parler ! », une « stratégie » qui fait plutôt rire au quartier, mais en dit long sur la décrédibilisation des médias auprès du public.

Mercredi 30 décembre

Le ministre de l'Intérieur Bernard Cazeneuve vient passer la matinée à Ajaccio, « alors que le calme est revenu », affirme la correspondante de France 3. Laurent Marcangeli, le député-maire est présent à ses côtés dès le début de la visite ; Gilles Siméoni et Jean-Guy Talamoni, les deux présidents de l'Assemblée territoriale, ne rejoindront le cortège ministériel qu'en toute fin de visite. Auraient-ils ainsi décidé d'exprimer leur réprobation par rapport aux propos du Premier ministre Manuel Valls, publiés le même jour dans le quotidien *Le Parisien/Aujourd'hui en France*, où il affirme ne pas connaître de nation corse[1] ?

Au pas de charge, Bernard Cazeneuve se rend à la caserne de pompiers, puis à l'association Les Jardins de l'Empereur, enfin dans la salle de prière qui a été saccagée. Au commissariat, il remercie les policiers pour leur travail. À la préfecture, il reçoit une délégation de représentants de la

---

1. « La nation corse, je ne sais pas ce que ça veut dire. Il n'y a qu'une seule nation, la nation française », a dit Manuel Valls, in *Le Parisien/Aujourd'hui en France,* 30 décembre 2015.

communauté musulmane de l'île et s'entretient brièvement avec les deux élus. Lors d'une conférence de presse, le ministre de l'Intérieur annonce la signature d'une convention entre la gendarmerie, les pompiers et la sécurité publique, ainsi que la future création d'un comité de lutte contre le racisme et l'antisémitisme[1]. « Il n'y a en Corse de place ni pour la violence, ni pour le racisme », conclut-il.

Gilles Siméoni et Jean-Guy Talamoni sont tous deux rapidement interviewés par France 3 juste après leur rencontre avec le ministre. Si Siméoni semble penser qu'« à long terme, cette position très ferme, même fermée », n'est pas tenable, Talamoni, quant à lui, « excuse » quasiment le ministre, expliquant que ce dernier, pour s'exprimer, ne dispose pas de la « même marge de manœuvre que nous avons ici ».

Graves, les mines des deux plus hauts représentants de l'exécutif corse en disent long sur le véritable problème : Jardins de l'Empereur ou pas, racisme ou pas, une fois encore, les relations entre la Corse et la France, via notamment les épineux dossiers de la co-officialité de la langue corse, du statut de résident ou le rapprochement des prisonniers sont en jeu.

Six jours après les incidents de la nuit de Noël, huit enquêtes ont été ouvertes, et des noms ont été rendus publics : interpellés le 25 décembre, Nabil Khallouk, 23 ans, et Abdelkarim el-Youssfi, 27 ans, ont été mis en examen le 29 décembre pour avoir scié un arbre et participé à des dégradations de matériel dans l'école du quartier où ils s'étaient introduits pour allumer un feu. Nordine Doudouche, 26 ans, est accusé de « complicité de violences aggravées »

---

1. Dont personne n'a plus entendu parler depuis.

et placé sous contrôle judiciaire. Christian Richard, 23 ans – le cousin germain de Nordine Doudouche –, sans emploi est mis en examen le mardi 19 janvier pour « violences aggravées » sur les quatre secouristes et sur le policier le soir du guet-apens. Le jeune homme aurait été reconnu sur des bandes de vidéosurveillance en train de charger palettes et pneus utilisés pour allumer le feu. Il est placé en détention. Enfin, un certain Abdellah Oujebar, 23 ans, est mis en examen et incarcéré pour le même chef d'accusation.

Une réunion au quartier avec le maire

Comme il l'avait promis, le samedi 31 janvier, le maire d'Ajaccio monte à l'Empereur pour une réunion de quartier. Son but est de rassurer ses habitants. Il est accompagné du président de la communauté d'agglomération du pays ajaccien (CAPA), d'un conseiller municipal, et même de Simon Renucci, ancien député-maire (2001-2014) qui a pourtant abandonné la politique. Quelques copropriétaires, pour la plupart âgés, se sont déplacés, mais peu de Maghrébins sont présents, et quasiment aucun jeune. L'incongrue suggestion de changer le nom du quartier est abandonnée. Un de mes contacts prend la parole, vite remarqué par le maire qui lui suggère de s'impliquer dans le futur conseil citoyen. Pourquoi ? lui répond-il, « alors que personne ne nous respecte, que personne n'exprime la moindre curiosité à notre égard et qu'aucun dialogue n'a eu lieu… ? ». Le jeune homme n'en revient pas que personne n'ait évoqué les « vrais problèmes » : « Chacun veut que ça soit nickel juste en bas de chez soi, dans sa cage, mais ça va pas plus loin ! », regrette-t-il. La somme « miri-fique » de 45 000 euros est évoquée pour rénover l'étanchéité d'une salle qu'on raccorderait à Internet. « Encore un truc qui va servir à rien », commentent les jeunes.

En ville, ce soir-là, c'est fête. Des pompiers débarquent dans une brasserie de la place du Diamant où ils déploient des drapeaux corses. Après les incidents de l'Empereur, un Arabe a été expulsé par le propriétaire d'un bar du centre, comme au temps pas si lointain où leur présence était ouvertement malvenue.

Début janvier 2016, les médias nationaux ont déserté le quartier. Localement, les décisions tardent. Attisant jalousie et concurrence entre les intervenants au quartier de nouveaux financements sont promis. De vieilles idées resurgissent : installer des jeux pour enfants sur le terrain de l'ancien stade, ou désenclaver le quartier par une nouvelle route.

Lors de la cérémonie des vœux du préfet, à propos des « blessures fraîches de l'Empereur », le haut fonctionnaire a rappelé qu'il était nécessaire de « faire vivre les valeurs de la République par le dialogue et des actes de tolérance au quotidien ». Que ces paroles semblent creuses ! Ni Jean-Guy Talamoni ni Gilles Siméoni n'y assistaient.

Lors de la diffusion du premier *Cunfruntu* de l'année, le magazine hebdomadaire de France 3-ViaStella, Laurent Marcangeli, le maire d'Ajaccio, affirme que la tradition d'allumer des feux n'a plus cours ! ». Il dénonce surtout « un problème de tensions raciales aujourd'hui en France[1] ».

---

1. Magazine *Cunfruntu*, magazine de la rédaction de France 3-Corse diffusé en direct le mercredi 6 janvier 2016.

Claudine Tomasi, directrice de l'association Les Jardins de l'Empereur, habitante du quartier depuis plus de quarante ans, avoue quant à elle avoir ressenti des tensions « depuis les événements de Paris », quand des jeunes avaient « lancé des bouteilles avec de l'acide et de l'eau oxygénée », ce qui l'avait amenée à prévenir le maire. La retraitée a envie de s'exprimer sur les incidents, tout en ne sachant pas vraiment quoi en dire. « J'ai quand même l'impression qu'on n'a servi à rien. J'avais fait un arbre de Noël, les mamans sont venues... Elles avaient fait des gâteaux. Enfin, elles n'étaient que huit... », raconte-t-elle. « En fait, ce sont les fils de 14 ans qui gèrent leurs mères ! » affirme Ludovic Marel, sociologue à l'université de Corte, soulignant que la violence de la réaction des Corses exprime leur refus de devenir « comme sur le continent ». Le représentant du syndicat de policiers Alliance insiste quant à lui sur les « stages » en prison effectués par la quinzaine de jeunes, toujours les mêmes, qui posent problème à l'Empereur. « Il faut leur inculquer du civisme. Est-ce qu'ils sont perdus ? », questionne-t-il. Claudine Tomasi fait savoir qu'elle les a « tous eus » à l'association, où ils ont pu « faire de la voile, aller visiter le commissariat, le palais de justice, etc. ». Désemparée, la directrice reconnaît que « parler avec eux, maintenant, c'est difficile, ils refusent tout ce qu'on leur donne. En fait, je ne sais pas ce qu'ils veulent... ».

De son côté, le maire expose la lente dégradation du quartier et annonce une première réunion sur place dans les jours à venir. Il souligne aussi la nécessité d'un accompagnement social en concertation avec les habitants, alors que, depuis longtemps, les éducateurs ont été priés d'aller travailler ailleurs.

À flanc de montagne, des tours qui accrochent le regard

En longeant les immeubles du bas du quartier, je passe par l'arrière du « Iéna II » pour rejoindre l'école maternelle devant laquelle un groupe de jeunes femmes, dont l'une tient un garçonnet de 2 ans par la main, se congratulent et devisent en arabe. Toutes sont voilées. Aucune ne me jette un regard. Des poubelles repoussantes débordent devant la grille de l'établissement scolaire. Dans le raffut des mouettes qui volent bas et tournoient, j'aperçois un énorme rat.

C'est un quartier visiblement dégradé où les deals de drogue sont affichés aux murs : les prix des différentes substances illicites sont tagués avec des fautes d'orthographe[1] ! En 2014, de source policière, on comptait trente-six faits de délinquance à l'Empereur, contre trois cents sur toute la Corse. Mais, les services de police le savent bien, le gros du trafic de drogue ne se passe pas à l'Empereur, mais dans les discrets bars du port du centre-ville, de Saint-Jean et des Cannes.

Début 2015, un drapeau français qui flottait au fronton de l'école maternelle avait été brûlé et momentanément remplacé par celui du Maroc[2].

---

1. Par exemple : « shite 50 euros, coke 100 euros, steuf 100 euros. » Par « steuf », on entend coke.
2. Le 19 janvier 2015, sans doute dans le sillage des attentats terroristes à Paris, le drapeau tricolore avait été retrouvé en partie brûlé au sol de l'école maternelle du quartier des Jardins de l'Empereur. Les deux autres drapeaux entre lesquels il se trouvait, l'européen et le corse à la tête de Maure, n'avaient pas été touchés.

Vissée à son portable, une jeune Corse dévale les marches d'un étroit chemin qui serpente entre les immeubles. Sur le terre-plein entre le city-stade et le bâtiment associatif, les stigmates du feu de Noël sont encore visibles. La terre est carbonisée. Ronronnant à l'arrêt de son terminus, le minibus de la ligne 11 patiente devant le « stade Empereur ». Assise, son sac sur les genoux, une vieille Arabe attend le départ. Après qu'un gamin de 8 ans eut lancé quelques canettes vides en direction du bus de la ligne 7 qui traverse l'Empereur, la plupart des chauffeurs − sauf les plus courageux − avaient boycotté la boucle. Le 7 monte donc à l'Empereur, mais n'y pénètre plus. Seul le 9 « ose » s'enfoncer au-delà du city-stade.

Parfois coincée par la myriade d'antennes paraboliques, toutes tournées dans la même direction, de la lessive pend sur des fils tirés d'une fenêtre à l'autre. Devant un appartement du rez-de-chaussée du Laetitia, un matelas et d'autres meubles usagés s'entassent sur un coin d'herbe. Malgré ces visions de délabrement, ici, c'est comme si l'on se reposait de la pollution d'en bas. La vue sur la baie est imprenable, assurément une des plus belles de la ville.

En atterrissant au coucher du soleil, la terre m'était apparue rose et rocailleuse. À l'impression d'un hérissement griffu, projeté par l'ombre des montagnes, se mêlait une étrange douceur. Sitôt dehors, un entêtant parfum m'avait saisie − celui de *a murza*, l'immortelle, dont les fleurs jaunes recouvrent le caillou méditerrannéen tout l'été. À elle seule, cette odeur portait le message que chaque nouvelle aube satisferait tous les possibles.

L'histoire de la Corse est forgée d'agressions à répétition. L'île a été saignée, et sa culture funèbre exprime ce drame.

Ici, où, le dimanche matin, des cloches sonnent encore l'heure de la messe à toute volée, ou, plus graves, le glas, les hommes ont été habitués à se défendre. Pas facile, pour ce pays maintes fois envahi par les Romains, les Huns, les Vikings, les Espagnols de modifier sa tendance au repli.

Face à l'aéroport, tapies à fleur d'eau, magnétiques, les îles Sanguinaires évoquaient la *dolce vita* et le souvenir d'anciennes stars, tel Tino Rossi. À flanc de montagne, des tours avaient accroché mon regard. De toute leur hauteur, elles toisaient la baie d'un des plus beaux golfes du monde. C'étaient celles des Jardins de l'Empereur.

Un « Empereur » qui n'appartenait ni à la ville basse ni à la langueur de ses cafés, ni à son port brûlant, ni non plus à son marché pimpant, ni enfin à ses trottoirs si lisses qu'on s'imaginerait bien les emprunter pieds nus.

Plus qu'un quartier, l'Empereur, c'est un territoire, qui abrite exactement six cent neuf logements pour 3 931 habitants[1], dont un tiers est âgé de moins de 30 ans. « Un village au cœur de la ville », tel que le vantait, au début des années 1960[2], pour le promouvoir, le slogan publicitaire de la société civile immobilière « Les Jardins de l'Empereur ».

Pas vraiment rutilants, mais pas non plus délabrés, ses dix-huit immeubles arboraient les noms des membres de la famille de Napoléon, ainsi que ceux de ses plus fameuses batailles[3]. Au début des années 1960, l'Empereur était

---

1. Source INSEE 2010.
2. Cf. « Itinéraire d'un quartier déchu », dossier consacré aux Jardins de l'Empereur, in *Inpiazza Magazine*, n° 172, le *Canard enchaîné* local, vendredi 29 janvier 2016. http://www.inpiazza.fr/wp-content/uploads/2015/07/in-piazza_172.pdf
3. Alors qu'Ajaccio est la ville où Napoléon a le moins résidé.

considéré comme un quartier de grand standing. Quand les immigrés en provenance de la vieille ville et de la citadelle s'y sont installés, il a été dévalué.

Surplombant tous les autres, le « Jérôme » est entouré d'immeubles portant les noms des membres de la fratrie : l'« Élisa », le « Pauline », le « Caroline », l'« Arcole », ont été bâtis en bordure des rares maisons privées qui dégringolent côté Salario. Autour de l'école, longtemps constituée de préfabriqués, se dresse l'imposant « Joseph ». Juste au-dessus, le « Lucien », encadré par le « Louis », borde le city-stade. Beaucoup plus bas, en bordure de l'avenue de la Grande-Armée, le « Charles-Marie » et le « Laetitia » semblent protéger la seule tour, massive et carrée, le « Napoléon », où un chirurgien, se souvient-on, avait acheté tous les appartements du dernier étage. De l'autre côté d'une placette, le « Iéna I » et le « Iéna II » sont considérés comme le centre des problèmes. En contrebas, le « Eylau ». Enfin, peu impliqués dans le reste du groupe, en aval de l'avenue, la grappe constituée par le « Roi de Rome », l'« Austerlitz » et le « Wagram ».

Entre 1980 et 2000, l'Empereur a abrité une population active. Mais, à partir des années 2000, ses douaniers, instituteurs et fonctionnaires ont laissé place à des Berbères marocains du Rif et à des Tunisiens sans emploi. Les vieilles familles ajacciennes parties, l'Empereur s'est transformé en une résidence pour immigrés où 35 % des habitants avaient moins de 35 ans, et où la participation féminine aux multiples activités sportives ou de loisirs se raréfiait[1].

---

1. Cf. note préfectorale de la DDCS (Direction départementale de la cohésion sociale et de la protection des populations) intitulée « Politique de la

Les Marocains étaient essentiellement employés à Gédimat, une grande surface de la zone industrielle de Baléone spécialisée dans les matériaux de construction et de bricolage. En général, leurs épouses restaient à la maison. Rares étaient les jeunes qui travaillaient, et ceux qui avaient trouvé un emploi se hâtaient de quitter le quartier. Il n'y avait même pas de bureau de vote à l'Empereur : pour accomplir leur devoir civique, les habitants devaient sortir du quartier. De tous les commerces ne subsistaient que la supérette et une boulangerie, vendant toutes deux du halal.

Selon une enquête réalisée en 2006[1], 31 % des installations dans le quartier des Jardins de l'Empereur répondaient à une demande non satisfaite de logement social et, 27 % des sondés se disaient attirés par le prix attractif de la location. Plus de la moitié de la population du quartier s'y était installée à cause de la faiblesse de ses ressources, et dès qu'une place en HLM était obtenue, les familles partaient s'installer ailleurs. À l'instar de nombreux autres « quartiers » en Corse et sur le continent, l'Empereur était devenu un lieu de passage.

Très jeunes, les garçons de l'Empereur étaient livrés à eux-mêmes, et les filles restaient confinées dans les appartements. Selon les habitants, ces adolescents se permettaient « de plus en plus de choses » et descendaient de moins en moins en centre-ville. Un noyau clairement identifié s'en-

Ville : Ajaccio, situation exceptionnelle du quartier "Jardins de l'Empereur" » datée du 30 décembre 2015, c'est-à-dire six jours après les événements.

1. Cf. « Diagnostic social relatif au quartier "Les Jardins de l'Empereur", rapport du 29/05/2006 édité par la SARL IDEETIC pour la Ville.

nuyait ferme, évoluait en vase clos et menaçait d'exploser à chaque instant. Dans les « cages » du « Iéna », le trafic de drogues était permanent. Il était difficile de reprocher à la population de l'Empereur de ne pas se mélanger avec le reste de la population si, en même temps, cela arrangeait tout le monde qu'elle soit « parquée » là-haut ! D'en bas, on venait juste se fournir en came.

Ces jeunes ne disposaient d'aucun local. L'ancien maire avait ouvert une maison de quartier, mais elle était fermée depuis 2011, parce que le personnel « manquait ». Tout en récusant le « fantasme du ghetto », des éducateurs ayant travaillé à l'Empereur affirmaient que « ce laisser-aller était voulu », afin que l'Empereur, où vivaient aussi des familles corses, « devienne un lieu de provocation, avec la complicité des pouvoirs publics ».

« Ça, c'était quand il y avait encore du travail, et que le 11 Septembre n'était pas passé par là », se remémore, un brin nostalgique, Félix Bonardi, éducateur à l'Empereur dans les années 1990.

Félix est un éducateur « à l'ancienne », à la fois proche de la population qu'il est censé « éduquer » tout en restant campé dans ses certitudes et ses valeurs d'insulaire. Il situe les « belles années » du quartier entre 1995 et 2002, quand l'Empereur était sous contrat de la ville. « On organisait des tournois de foot, on proposait des vacances gratuites. Des commerces ouvraient. Même par le biais de la bagarre, chacun s'exprimait, et c'était plus sain que de ne rien dire. Depuis, c'est du rafistolage. Avec la gestion socialiste de la ville, on a eu droit à la quantité, mais pas à la qualité », déplore-t-il. À partir du 11 septembre 2001, tout s'est transformé : des femmes ont commencé à se voiler, la « politique de la ville » s'est fait moins présente et la mixité sociale s'est amenuisée. De plus en plus, les familles « primoarrivantes » se sont installées dans des logements suroccupés, dégradés et insalubres. « La radicalité a des vertus, c'est le plus fort qui gagne. Les voiles, les barbes, ça ne me dérange que si c'est pour s'auto-exclure de la société… Sinon, aucun problème, ironise Félix. C'est parce que la ville s'est peu à peu désintéressée de l'Empereur qu'elle a laissé la place à d'autres forces, qui ont attiré les jeunes de là-haut comme des aimants. »

Quand la Ville s'est rendu compte du désastre, il n'y avait déjà plus aucun éducateur pour « baliser » le quartier, un processus nullement propre à la Corse.

Les subventions avaient augmenté, mais les animateurs diplômés et professionnels, comme Félix, avaient été remplacés par des sous-traitants moins qualifiés qui, peu à peu, s'étaient désintéressés du sujet. On organisa des thés dansants avec des gens extérieurs au quartier. Quel intérêt pour les jeunes ?

À l'école élémentaire du quartier, la directrice, qui ne s'était pas résolue à faire enlever le voile aux jeunes filles, a été confrontée à quelques problèmes. Dans un établissement où la majorité sont des élèves de familles musulmanes, la situation n'est pas aisée. Plus bas, en ville, certains appréciaient de moins en moins la vision de ces femmes voilées faisant leurs courses, le téléphone portable coincé entre l'oreille et le voile, parlant arabe entre elles.

« La première génération avait faim, la seconde a bénéficié de l'ascenseur social. Quant aux troisième et quatrième générations, elles ne savent plus à qui elles veulent ressembler. Des filles revêtent le voile, des garçons se tournent vers la religion. Trouver sa place, c'est asseoir sa liberté », affirme un éducateur qui a côtoyé le quartier.

« En Corse, l'apparence compte énormément. Pour être élégante, la femme doit se parer d'atours de marque. Certaines petites Maghrébines qui ne pouvaient pas "suivre" se sont mises à porter le voile pour échapper à cette surenchère analyse une institutrice remplaçante à l'Empereur. Ces « Belphégors du XXIe siècle » affirmaient là leur identité « alors que nous, Corses, on a peur de perdre la nôtre ! La religion peut offrir un cadre rassurant par rapport à ce qui est perçu comme une déliquescence générale, c'est un refuge », constate-t-elle.

En période de crise, les uns se jettent dans la religion, les autres dans le racisme. D'où cette impression d'agression permanente.

Les Jardins de l'Empereur sont l'illustration parfaite de la schizophrénie ajaccienne. En « montant » au quartier, les manifestants avaient dévoilé leurs angoisses et leurs peurs les plus profondes. Les rumeurs les plus folles avaient toujours couru sur l'Empereur, d'autant plus alarmantes qu'elles arrivaient aux oreilles de ceux qui le connaissaient le moins. L'état du quartier résultait d'une politique d'aménagement du territoire pensée à la va-vite il y a fort longtemps, et, surtout, jamais vraiment réfléchie.

Signé le 5 novembre 2015, donc peu de temps avant les incidents, le nouveau contrat de ville englobait à nouveau l'Empereur. Une note préfectorale de la Direction départementale de la cohésion sociale et de la protection des populations, datée du 30 décembre 2015 (c'est-à-dire seulement six jours après les événements) constatait que « le tissu associatif sur le quartier [...] n'était pas professionna-

lisé », et que « les rares acteurs socioéducatifs » y interve-
naient de « manière juxtaposée, sans être à aucun moment
coordonnés ».

Tardive, cette note constitue néanmoins une critique
claire et motivée des structures sociales existant à l'Empereur.

Mais réfléchir à l'Empereur et à ses mutations serait se
montrer capable de porter en toute sérénité un regard sur
soi-même et sur son rapport aux autres, ce dont, ni les
Corses, ni les « continentaux » n'étaient capables.

Une « terre de seigneurs »

En Corse, Ajaccio est une ville à part, où l'on vit dehors, où on lit encore la presse au café, où l'on apprécie
encore la *macagna*[1], cette forme d'autodérision si particulière. Une ville où chacun reste fidèle à « son » bar, « sa »
plage. Où l'affectif est toujours tapi en embuscade. Où
les sentiments sont exacerbés, excessifs[2]. Où, la force de
l'amour est compensée par celle de la haine. C'est une
terre de seigneurs[3] avec son réseau de vassaux, où l'amitié
s'exerce par effraction : on entourera encore plus celui qui
souffre, il ne sera jamais seul. Une terre où la « schizophrénie » règne.

---

1. Prononcer « magagne ». « C'est un sport et un passe-temps. une manière très particulière de chambrer et de vanner, dirait-on en français, une
technique de mise en boîte aussi vacharde que personnalisée » dont l'autodérision est le maître mot. Cf. « La "macagna" électorale, du coiffeur à Twitter »,
par Ariane Chemin, in *Le Monde* du 3 novembre 2015.
2. Cf. les romans de l'excellent Jérôme Ferrari, Prix Goncourt 2012, dont,
notamment, le magique *Balco Atlantico*, Actes Sud, 2008.
3. Cf. Gabriel-Xavier Culioli, *La Terre des Seigneurs, un siècle de la vie d'une
famille corse*, DCL, 1997.

Sur le continent, la Corse a mauvaise réputation. Sur l'île, on assassine encore, même si c'est moins fréquent qu'il y a quelque temps. En revanche, personne ne volera un sac à main oublié sur la chaise d'un bar. Excès et excentricité sont accentués par la saisonnalité : la « baléarisation » fait peur. Depuis la disparition du FNLC (Front national de libération de la Corse), qui a déposé les armes en juin 2014 – récupérée par d'autres partis politiques, la violence clandestine n'était plus vraiment justifiée –, les contre-pouvoirs à l'État corrompu et aux voyous se sont envolés. Embourgeoisés, ceux-ci continuent à diriger, ou à vouloir diriger, ce qui revient au même. Dans cette île où, depuis longtemps, la criminalité organisée a supplanté la petite délinquance – source de honte –, ce que l'on pourrait appeler la « mafiosisation » s'exerce avant tout pour le plaisir du pouvoir, et non purement pour de l'argent. Le pouvoir, c'est du paraître : ça aide à exister.

Cependant, malgré les apparences, la pauvreté gagne. D'après les statistiques officielles, sur les 322 120 habitants de Corse, 67 000 vivraient sous le seuil de pauvreté (977 euros mensuels en 2015), soit 20,4 % de la population insulaire, dont plus de la moitié avec moins de 760 euros[1] et 30 % de familles monoparentales. Sur l'île de Beauté, un habitant sur cinq est touché par la pauvreté, et le taux de chômage a grimpé de 9,8 % à 10,6 % entre 2014 et 2015[2], atteignant,

---

1. Cf. « Corsica Panorama », in *Settimana*, n° 851, semaine du 4 au 10 décembre 2015. 7 573 personnes sont bénéficiaires du revenu de solidarité active (RSA) et 6 092 perçoivent l'allocation adultes handicapés (AAH).

2. Cf. « La Corse est riche, mais peu en profitent », par Julia Hamlaoui, in *L'Humanité*, 26 mai 2015.

22 556 demandeurs d'emploi[1] fin décembre 2015. Les gamines peuvent faire croire qu'elles vivent bien, alors qu'elles ont acheté leur paire de chaussures en dix échéances, ou grâce à la retraite de leur grand-mère.

Cette pauvreté a paradoxalement rapproché les Corses des Maghrébins. Selon des éducateurs, les adolescents seraient devenus de « grands dadais bons à rien », et les « petits », livrés à eux-mêmes, seraient en mal de grands frères. Les familles du quartier sont-elles responsables d'avoir laissé traîner leurs enfants dans la rue, faute de mieux ? Les différents gestionnaires de la ville ont insufflé de l'argent sans exiger de bilan, sans établir de diagnostic, par paresse, parce qu'il est plus facile de tout laisser ronronner et de ne rien remettre en question. En plus, cela donne bonne conscience ! Des Ajacciens ont fermé les yeux jusqu'à l'explosion. Aujourd'hui, si rien n'est réglé au quartier, certaines réactions arrivent tard, très tard. Défaire des habitudes ancrées exige du temps.

À Ajaccio, les habitants ont tendance à se replier sur eux-mêmes, explique une jeune élue à la mairie LR : « Ce golfe, cette large anse à la rotondité presque parfaite, c'est presque une incitation à rester enfermés ! » La ville est considérée moins ouverte que Bastia, ou même Calvi.

« Inquiète pour l'avenir des enfants », cette jeune femme s'est impliquée en politique, ou comment l'inquiétude mène à la peur de l'autre. Ce que l'élue confirme en avouant son ressenti quand elle s'est rendue à Paris, porte

---

1. Cf. « 22 556 demandeurs d'emploi en Corse », par I. Luccioni, in *Corse-Matin*, 28 janvier 2016, p. 9.

de Clignancourt, où la population maghrébine est « plus visible » qu'ailleurs. « Ces gens-là, lance-t-elle en évoquant les Arabes sans les nommer, on ne leur a tout simplement pas défini ce qu'était la France. Il aurait fallu mettre des limites… » Cette attitude est fréquente en Corse : les insulaires veulent « des limites », leur hantise est que le « laxisme » continental trouve un certain écho en Corse. Ces propos m'ont été tenus six mois avant les incidents de l'Empereur par une électrice Les Républicains, et non du Front national.

En Corse, où dans les années 1980, le vote FN était plutôt antinationaliste, le vote populaire contestataire s'est toujours porté sur les nationalistes. En exprimant cette volonté de « domination » vis-à-vis des Arabes − maladroitement et de façon peu politiquement correcte − (mais, de cela, les Corses n'en ont cure depuis longtemps) les électeurs corses pensent montrer leur « supériorité » vis-à-vis des Français du continent. Ainsi peut-on expliquer les commentaires du genre : « Nous, on les *drive* », « ils sont sous notre contrôle », « on est les plus forts », ou encore : « on est le dernier rempart contre eux ». « Voilà comment on est, alors que les Français, eux, n'arrivent même pas à dire : voilà qui nous sommes ! Dit comme ça, ça choque. C'est sûr, on nous envie notre île, notre style de vie, notre forte identité ! », tente de m'expliquer un policier à la retraite qui a beaucoup travaillé sur le continent.

Après les incidents de l'Empereur, les Corses ont regretté qu'une fois encore leur île fasse la une des médias nationaux, d'autant que ces médias ont eu la fâcheuse

idée de lier la victoire des nationalistes aux incidents de
l'Empereur.

La question de l'identité est essentielle et taraude chacun de nous. Cette question est mouvante et peut devenir
un piège. Pourtant, se questionner sur l'identité, c'est tester son degré d'ouverture, c'est montrer qu'on résiste à la
tentation de la fermeture. En abordant l'identité corse, on
s'approche du fantasme. La Corse vit sous pression, surtout
l'été. Dès que la saison s'étiole, ne restent que fantasmes
et rumeurs. Les Corses finissant par fantasmer sur… eux-
mêmes. En cela, la Corse apparaît très jacobine, peut-être
même plus que sur le continent. Oserais-je dire que cela la
rend profondément française ?

À la charnière entre Orient et Occident, coincée entre
le nord et le sud, fièrement campée dans la *Mare Nostrum*,
la Corse, première terre libérée par les forces françaises et
italiennes le 9 septembre 1943, est le fruit de mélanges qui
l'ont saccagée et enrichie.

Sur l'île, l'enfermement se vit au quotidien – il peut
étouffer. C'est pourquoi, poussée par un vent mauvais hors
de son île, toute une génération issue de la Seconde Guerre
mondiale s'est exilée. Pour l'armée, pour les colonies, pour
les îles, pour le Maghreb. Dans la décennie entre 1950 et
1960, tout le monde partait pour l'arsenal de Toulon ou
pour les réseaux ferrés à Lyon.

Jusque dans les années 1970, l'identité corse est restée
calquée sur celle du village, de la famille et de la religion
catholique. Puis l'urbanisation galopante a provoqué la
fuite des villages, peu à peu, délaissés. Le Corse retourne
dans son village, mais il n'y vit plus. Le lien se détend. La

langue corse est en quasi-déshérence, elle doit être réapprise, reconquise ; les valeurs corses sont affadies.

Malgré l'absence de statistiques ethniques et religieuses en France, on estime le nombre de musulmans sur l'île à 45 000[1] personnes, pour la plupart d'origine marocaine. La grande mosquée de Corse est à Baléone, sur la route de Bastia, mais, la communauté musulmane ayant grossi au fil des générations, des salles de prière ont fait leur apparition. Comme sur le continent, en sortant de ses caves, l'islam de Corse est devenu visible.

Certains jeunes des quartiers sont « rentrés dans le droit chemin » dès qu'ils se sont mis à aller à la mosquée. Ils prient cinq fois par jour, se sont mariés, sont fidèles à leur femme, ne fument plus et ne boivent plus. D'autres, au contraire, ont trouvé dans la religion une certaine « excitation », passionnelle et pourraient se radicaliser, attisés par des haines et des frustrations.

Certains ont été tentés d'établir une corrélation entre le dépôt des armes par le FNLC et la propension « des Arabes », comme ils disent, à « se lâcher ». Comme si, jusque-là, ils avaient respecté des limites inconsciemment tracées par le groupe armé. « À l'époque, personne ne pouvait faire les cons, parce que les natios avaient les calibres ! », confirme un ex-éducateur. Depuis, il semblerait que les uns et les autres aient acquis une certaine assurance.

La question de la « nationalité » recoupe celle de « résident » : si on définit qui est citoyen, *de facto*, on définit qui ne l'est pas.

---

1. Cf. l'émission « Inchiesta », sur France 3-ViaStella, du 27 janvier 2016.

Jusque dans le milieu des années 1980, Jean-Marie Le Pen n'avait pu tenir aucun meeting en Corse – il était systématiquement empêché de sortir de l'aéroport. Aujourd'hui, les temps ont changé : les incidents des Jardins de l'Empereur auraient même contribué, soulignent certains, à ce que Marine Le Pen choisisse Ajaccio pour un séminaire du FN en février 2016[1].

La victoire des indépendantistes au scrutin régional d'octobre 2015 a redessiné le paysage politique corse en le faisant éclater, ce qui ne s'est jamais produit sur le continent où « cela n'éclate pas ». Du coup, sur le continent, les électeurs du FN sont de plus en plus frustrés.

Plus de six mois avant l'embrasement de l'Empereur, pour la kermesse de fin d'année à Prunelli-di-Fium'Orbu, dans la plaine orientale, les institutrices avaient voulu faire chanter aux élèves d'une école élémentaire la chanson de John Lennon, *Imagine*, en plusieurs langues, dont l'arabe. Certains parents d'élèves s'y sont vigoureusement opposés, jusqu'à menacer le déroulement de la fête. Face au tollé, tout a été annulé[2].

Partout en France, les maires semblent conscients de la nécessité de « sortir l'islam des caves et des garages », mais tous se heurtent au cadre juridique de la loi de 1905. D'un côté, l'État ne peut faire bénéficier certaines associations de moyens publics, de l'autre, une commune peut mettre

---

1. La tenue de ce séminaire a provoqué la réaction des associations antiracistes de Corse, notamment Avà Basta.

2. Le recteur d'académie, également professeur de philosophie, a vu dans ces actes « une vague d'intolérance symptomatique de l'ère des temps dans notre pays, la France », cité *in* « La pression ne retombe pas autour de l'école de Prunelli », par Isabelle Volpajola, *Corse-Matin*, 18 juin 2015.

à disposition une salle, ce qu'elle fait parfois. Dans ses cantines, le maire de Bonifacio refuse le moindre repas halal et
souhaite un « débat » avant de s'engager dans la construction d'un lieu de culte pour les musulmans. Obtenir des
carrés musulmans dans les cimetières reste une tâche ardue[1].

Dans un reportage tourné par France 3 après les incidents
de l'Empereur, une jeune musulmane voilée, dont le visage avait été flouté, affirmait au journaliste qu'elle pouvait
envisager de se marier avec un Corse, « à condition qu'il se
convertisse… ». Lors de conversations privées, nombreux
sont les Corses ayant reconnu partager des valeurs avec les
Maghrébins, notamment des valeurs familiales conserva-
trices – la tentation de laisser sa femme à la maison –, et
l'obsession du paraître. Mais personne n'est prêt à le reconnaître en public ! Depuis les « événements », certains sites
Internet marocains conseillent aux musulmans résidant en
Corse de fuir ! Pendant ce temps, d'autres internautes féli-
citent les Corses. Comme si, d'un côté, il y avait les « sales
Corses » et, de l'autre, les « sales Arabes » !

Seule Avà Basta, l'organisation non gouvernementale, à
l'avant-garde du combat contre le racisme depuis des décennies sur l'île, ose dénoncer le racisme des deux côtés.
Voire des trois : racisme anti-arabe, racisme anticorse, et
racisme antifrançais. Les accusations mutuelles de racisme
sont devenues un lieu commun qui a perdu toute sa pertinence.

---

1. Il en existe un, de dimensions limitées, à Porto-Vecchio. Début 2016,
le conseil municipal d'Ajaccio a entériné un carré confessionnel au cimetière
Saint-Antoine.

Un méchoui à l'Empereur

Cet Empereur, il faut avoir la curiosité d'y monter.

En voiture, pour ceux qui en ont une, en bus, qu'on attend généralement une demi-heure, tant ses passages sont fantasques. Mais on peut aussi gravir la pente à pied. Ou se poster en évidence dans le raidillon du collège Laetitia et attendre que quelqu'un du quartier vous embarque.

Ensuite, il faut se dégager de la route principale et s'enfoncer entre les immeubles de la copropriété. Situé derrière le « Joseph » et le « Lucien », le local de l'association Les Jardins de l'Empereur, la seule du quartier, n'est pas difficile à trouver : il surplombe l'école et le nouveau city-stade. Ses locaux sont attenants à l'ancien stade Jean-Benedetti, bâti en 1996 et tombé en déshérence.

L'association est le domaine de Claudine Tomasi, 68 ans, résidente-propriétaire au quartier depuis qu'il existe. Originaire de Reims, autodidacte au sein de l'association, Claudine a d'abord beaucoup épaulé son mari corse, participant à ses ateliers photos. Dans le souvenir des ex- « enfants de l'Empereur » devenus grands, c'est d'ailleurs « Monsieur Tomasi » dont on parle.

Une fois veuve, Claudine Tomasi reprend le flambeau de l'association dont la création avait été suggérée par la mairie bonapartiste de l'époque[1]. Pour trois euros par mois jusqu'à deux enfants (après, c'est gratuit), tout gamin âgé de 6 à 14 ans reçoit le droit de venir au local tous les

---

1. Marc Marcangeli, membre du Comité central bonapartiste (CCB), fut maire de 1994 à 2001. Il succède à son oncle Charles Ornano, et sera battu par la gauche en 2001.

jours après l'école, y compris le mercredi, et de participer à toutes les activités, notamment l'aide aux devoirs assurée par une éducatrice spécialisée du conseil départemental.

« Je tiens à cette somme, même symbolique, sinon, les gamins sont trop habitués au tout-gratuit », explique la vieille femme aux lunettes à monture en plastique. Affable et joviale, Claudine Tomasi a parfois du mal à maîtriser des accès de colère, bien connus du quartier.

« Je les ai tous, les enfants du quartier… fanfaronne-t-elle, sauf les petits Corses… » Pourquoi ? « Les autres les rejettent ! C'est terrible ! » La majorité des usagers de l'association provenant de la minorité arabe immigrée et issue de l'immigration, la structure a vite été labellisée « arabe » – du coup, les enfants corses n'y vont pas. Elle baisse le ton et la voix, en signe de honte et d'impuissance. À l'Empereur, comme sur le continent, la mixité « ethnique » et sociale existe en maternelle où petits Arabes, petits Portugais et petits Corses se côtoient et se mélangent – pendant la classe –, elle se poursuit en primaire, puis les enfants se séparent d'eux-mêmes, et des murs invisibles et infranchissables sont érigés.

Au-delà de 15 ans, les « adolescents[1] » sont censés être pris en main par la maison de quartier de Saint-Jean, en contrebas. Rares sont ceux qui y descendent. Du coup, la plupart restent oisifs, dans la rue. Claudine s'étonne naïvement que les enfants, quand ils la croisent ailleurs en ville aux côtés de leurs parents, par exemple au supermarché, ne lui disent pas bonjour ! C'est la cruelle preuve qu'elle connaît peu la vie réelle des enfants du quartier.

---

1. À l'Empereur, 33 % des habitants ont moins de 30 ans.

Plus que jamais, après l'incident du 25 décembre, la présidente de l'association s'est imposée comme l'interlocutrice privilégiée de l'État, avant tout parce que personne, ni à la mairie, ni au conseil départemental, ni ailleurs, n'avait vraiment envie de se plonger dans les affres de la complexité du quartier, qui renvoit en pleine figure les échecs et les hypocrisies des différentes « politiques » de la ville.

Ce 13 juin 2015, la présidente organise un méchoui pour célébrer les vingt ans d'existence de l'association Les Jardins de l'Empereur.

Durant le week-end précédent, un nouveau tag « *Arabi fora !* » a fait son apparition sur un pan de mur de la cour intérieure du local. Il rejoint « *Islam fora !* » et « FN », qui ne laissent aucune ambiguïté sur la couleur politique de celui qui les a écrits. Personne n'est choqué, tellement c'est fréquent. Selon Claudine, l'auteur est quelqu'un du quartier qui s'amuse à provoquer.

Depuis que le local associatif a été utilisé pour une prière « sauvage », le conseil général a fait poser des grilles de chaque côté de l'entrée afin d'en limiter l'accès. Ce matin, en prévision du méchoui et à la demande de la directrice, quatre jeunes, dont un portant un T-shirt « Benzéma », s'escriment à les retirer. Des bénévoles collent aux murs des panneaux-photos où l'on peut admirer les bouilles souriantes de jeunes de l'assoc', et ce qu'ils sont devenus plus tard. Prises par le mari de Claudine, ces photos ont été archivées, puis ressorties en cette belle occasion. « Tenez, regardez, celui-là est parti faire des études de médecine à

Marseille. Et celui-là, il travaille à la mairie ! », proclame la présidente avec fierté.

La subvention annuelle de l'association avoisine les 30 000 euros, financés à part égale par la ville et l'État. Au printemps 2015, bien avant les événements de fin décembre, l'Empereur n'est plus considéré ni comme une ZUS, ni comme une ZEP : « On n'est plus rien, on est nous tout seuls, quoi ! Alors, il faut se débrouiller ! », se désole Mme Tomasi tout en espérant que le nouveau maire sera présent au méchoui du samedi.

Nous sommes interrompues par de grands cris de victoire côté cour. Les jeunes ont réussi à déboulonner les grilles.

Vers midi, les invités commencent à affluer. D'abord, par grappes, des jeunes du quartier, mais aussi des femmes voilées – sans leurs maris –, qui se tiennent par le bras. Les représentants de la mairie et d'autres structures associatives de la ville arrivent un peu plus tard. Finalement, le maire ne viendra pas, mais son responsable Jeunesse et nouvelles technologies, ainsi qu'une conseillère départementale, présente au conseil municipal, ont été mandatés.

Un jeune homme prend un plaisir manifeste à admirer des photos de lui entre 6 et 10 ans. À 26 ans, il est commercial dans un garage, et vient de dénicher un appartement à louer hors du quartier. Sur ces photos, on le voit souvent hilare aux côtés d'un autre gamin, Mohammed, qui, à l'époque, tenait quasiment toujours un livre à la main. « Aujourd'hui, ce jeune homme est au frais » – en prison s'entend, pour la plus grande désolation de Claudine Tomasi, qui se remémore avec orgueil cet élément « intelligent, vif, qui tordait le cou aux préjugés ». Son itinéraire était si original qu'il avait fait l'objet d'un article dans le quotidien local[1].

Bien installée à l'une des tablées, l'ancienne couturière du quartier fait face à l'ex-bibliothécaire – qui a cessé de venir travailler dès que Claudine Tomasi lui a signifié qu'elle ne pouvait plus la payer. Toutes se remémorent le « bon temps » où, à l'Empereur, on pouvait se faire coiffer, acheter des vêtements, faire ses courses à la supérette, aller chez le boucher, le buraliste, le primeur, le pharmacien et l'épicier. Sans oublier le laitier et le poissonnier qui passaient toutes les semaines.

À quelques mètres, les femmes maghrébines rient, pouffent, se font des blagues et ont l'air de passer un très bon moment. Pourtant, aucune de ces tables ne se mélange. Certaines d'entre elles tentent de reconnaître les jeunes garçons sur les photos. Leurs filles, – les petites sœurs de ces garçons –, aux voiles plus colorés que ceux de leurs mères, sont venues aussi, téléphone portable en main. « Tiens, là c'est mon frère ! Oh ! la la, je ne l'ai pas reconnu tout de suite ! Heureusement que son nom est marqué ! », s'amuse l'une d'elles. Du coup, elle prend la photo en photo et l'envoie par sms à son grand frère qui se trouve à Marseille.

« Fitou la saucisse », un éducateur sportif qui a œuvré à l'Empereur, fait le kakou en compagnie de quelques jeunes hommes du quartier, debout sur le seuil. Ils ont entre 16 et 25 ans, et sont tous passés par l'association. Quand je lui demande d'où il vient, Nizar, 27 ans, se présente comme

---

1. Cf. « Ces bénévoles qui tordent le cou aux préjugés », in *Corse-Matin*, 9 juillet 2010.

« Corse ». « Mon grand-père était berger, ajoute-t-il, il faisait des fromages. Et moi je suis né ici. »

Étudiant en médecine, Nizar a l'intention de revenir s'établir comme médecin à Ajaccio, car il aime « sa » Corse, dont la qualité de vie lui manque sur le continent.

Nizar est reconnaissant au mari de Mme Tomasi sans les ateliers duquel, dit-il, il n'aurait jamais décelé en lui-même ce goût pour les sciences qui l'a mené jusqu'à médecine. Mais, insiste-t-il, « quand on habite ce genre de quartier et qu'on est maghrébin, la frontière entre réussite et désastre est ténue : c'est difficile de résister aux grosses sommes d'argent proposées pour transporter de la drogue. Faut vraiment avoir une volonté de fer pour ne pas céder ! ».

À l'association, Nizar était en charge de *JDE Magazine*, le petit journal illustré des Jeunes du Quartier des Jardins de l'Empereur. Hélas, après la mort de M. Tomasi, ces activités ont périclité et les projets associatifs « de moyen et de long terme, qui montraient qu'en partant de rien, on pouvait arriver à quelque chose », se sont faits rares, explique le jeune homme, attristé que l'association « soude moins » qu'avant.

L'animation musicale du méchoui est sous la responsabilité d'un jeune couple extérieur au quartier. Une certaine gêne s'est installée : leur apparence vestimentaire est très éloignée des « normes » ici en vigueur. La jeune chanteuse est court vêtue, en minishort et débardeur décolleté sans manches. D'abord timidement, le public des tout-petits finit par entourer le couple et fredonner des airs. En revanche, les adolescents et jeunes adultes ne leur jettent même pas un œil, en signe de désapprobation, me livre l'un d'eux. « Venir chanter à l'Empereur dans cette tenue, c'est d'la provocation ! Ça se fait pas chez nous, ça, commente-t-il discrètement. C'est pour ça que nos femmes ici présentes, en majorité voilées, ne les regardent pas et applaudissent à peine. Moi non plus, je ne veux pas regarder ! »

Effectivement, la plupart des femmes maghrébines encore à table tournent carrément le dos aux chanteurs. « Si une de nos mères nous voyait, ce serait carrément la honte ! », ajoute le jeune homme, répétant que « ça ne se fait pas »… Sur un ton encore plus bas : « Elle fait ça pour se faire remarquer de nous autres, les réputés mauvais garçons de l'Empereur ! » Le jeune homme qui s'exprime n'est pas un salafiste rigoriste, mais un Français de moins de 25 ans, issu d'une famille maghrébine, intelligent, pas particulièrement pratiquant, et qui travaille en dehors du quartier.

En cet après-midi de « fête », Arabes et Corses ne se mêlent pas. Les seuls à « faire la navette » entre les deux types de population sont les enfants. Certes, par politesse, quelques mères de membres de l'association sont venues, mais sans leurs maris. « Ce serait trop la honte », répète mon interlocuteur. La honte de quoi ? Ce que recouvre ce mot peut être difficile à comprendre pour les non-Arabes et les non-musulmans, mais il est important d'essayer de le faire. « Même si l'un d'eux avait souhaité venir, précise mon interlocuteur, il ne serait pas venu, car les autres pères ne viennent pas. » À bien y regarder, les seuls hommes présents sont préposés à la cuisine, et restent entre eux, opportunément séparés du reste de l'assemblée par un pan de mur. Aucun d'eux ne jettera un regard de notre côté.

Toute à sa fête, Claudine Tomasi n'a pas l'air de se rendre compte de tout cela, et je ne crois pas que cela la préoccupe. C'est pourtant l'une des clés pour commencer à modifier les relations entre les communautés, si tant est que la mixité soit le but à atteindre. Le lendemain, *Corse-Matin* publie un article titré « L'association Les Jardins de l'Empereur fête ses 20 ans », illustré par quelques photos : la foule d'enfants, d'éducateurs arborant fièrement les plats confectionnés, deux cuisiniers, ainsi qu'une bénévole, mais pas la population réelle du quartier[1].

Un travailleur social présent au méchoui semble particulièrement populaire auprès des enfants de l'Empereur. Letizia, 36 ans, en connaît un rayon sur le quartier et l'association. Au fil des ans, de son poste d'observatrice privilégiée, elle a vu les familles grandir, les Portugais partir, les Corses vieillir, le radicalisme croître, et les heurts entre voisins se multiplier. « C'est pas un quartier, c'est un aquarium ! lance la jeune femme devant une bière dans un café du bas de la ville. En France, être arabe est une chance, car tu peux toujours porter plainte pour racisme, et tu obtiendras gain de cause. Mais moi, pour racisme anticorse, je peux toujours courir ! » Cette fille à la gouaille impressionnante, connue de tous pour son franc-parler, éructe en corse comme en français. Sa conviction est que si la Corse tient, c'est grâce, justement aux « natios », qui ont permis que le littoral ne soit pas totalement bétonné, ce sont eux aussi qui maintiennent sur l'île des valeurs « dévoyées » sur le continent. « Les natios mettent de l'ordre, c'est pour ça qu'on les aime », avoue-t-elle avec satisfaction.

---

1. Cf. « L'association Les Jardins de l'Empereur fête ses 20 ans », par Stéfanie Pisano, in *Corse-Matin*, 14 juin 2015, p. 13.

À bord de sa voiture, la jeune femme me fait visiter les quartiers avoisinant l'Empereur, montrant du doigt telle épicerie plastiquée, telle cave murée, telle salle de prière officieuse ou telle entrée d'immeuble « où il se passe des choses ». Ses anecdotes sont innombrables.

Dans sa bouche, je retrouve une ritournelle maintes fois entendue à Laon, Évreux, Montluçon ou ailleurs, qui émane de « Français moyens » craignant qu'« il n'y en ait pas assez pour tout le monde ». Si le discours de Letizia peut passer pour « rude », il reflète parfaitement l'état d'esprit d'une majorité d'insulaires, et personne n'oserait taxer cette jeune femme de racisme, elle qui, au quotidien, dédie sa vie à aider les autres, notamment les Maghrébins de l'Empereur.

« L'hypocrisie existe des deux côtés »

« Saupoudrage ». Il est le premier à avoir prononcé ce mot qui résume tous les problèmes du quartier. D'autant qu'on ne peut pas en dire autant du quartier voisin des Salines, au pied de l'Empereur, où, même si des bombes ont explosé devant des commerces maghrébins, la construction d'une maison de quartier flambant neuve a été achevée en 2015 et où le « vivre-ensemble » n'est pas une illusion.

Même s'il a été le premier choqué par le dessin du Prophète en turban en forme de bombe, Mohamed El-Majouti, surnommé Krimau, un Marocain originaire d'Algérie aujourd'hui citoyen français, se revendique « Charlie hier, Charlie aujourd'hui et Charlie demain »,

selon les mots qu'il avait affichés sur sa banderole au lendemain des attentats de janvier 2015.

L'ex-éducateur territorial, conseiller technique à la ligue
corse d'athlétisme depuis 1993, et chargé de l'athlétisme
auprès du ministère de la Jeunesse et des Sports, est une
personnalité ajaccienne incontournable. Krimau se targue
de travailler pour « Pierre, Paul et Mohamed ». « Ami de
tous », il tient particulièrement à conserver son image de
personnalité « neutre ».

À la fin des années 1990, quand Krimau travaille en tant
qu'éducateur à l'Empereur, les gamins souhaitant pratiquer
un sport n'avaient pas le choix, il leur fallait traverser toute
la ville en direction de l'aéroport tant les infrastructures
manquaient. Du coup, les « pauvres » de l'Empereur étaient
pratiquement exclus des activités offertes par la ville. Grâce
aux efforts de Krimau pour favoriser le développement du
sport dans les quartiers, le premier city-stade fut construit
au quartier.

« C'est plus un quartier, c'est une communauté », lâche
Krimau, mâchoires serrées. L'homme aux traits fins, plutôt
grande gueule – une qualité nécessaire pour se faire respecter – croit profondément en la liberté d'expression. Après
avoir vu un jeune salafiste porter une bannière « Je suis la
France » en solidarité avec les victimes de *Charlie Hebdo*,
alors qu'il n'en pensait pas un mot, Krimau a décidé d'aller
parlementer avec des fidèles à la mosquée. L'ex-éducateur
dit avoir alors prévenu les autorités, discuté avec l'ancien
maire, l'avoir même exhorté à se montrer là-haut. En vain.
« Latente, l'hypocrisie existe des deux côtés, assure-t-il, et
ce poison n'est pas nouveau. »

Autre poison, le clientélisme, une plaie béante de l'île, où l'électorat maghrébin est très convoité[1]. Lors d'une campagne électorale, dans une arrière-salle de bar des Cannes, plastiquée deux fois, Krimau avait rencontré des cagoulés du FNLC qui tenaient à le questionner sur les relations troubles entres jeunes Corses et jeunes Maghrébins sur l'île.

Krimau connaît mieux que personne les ravages des « recruteurs » sous couvert de religion. À Marseille, la fille adolescente d'un de ses proches amis a été « fichée S » après de mauvaises fréquentations. Aujourd'hui, elle pointe trois fois par jour au commissariat, alors que son rêve est juste « de vivre mieux dans le vrai islam ! ».

Premier habilité à encadrer des formateurs en déradicalisation en Corse, il avoue que la tâche n'est pas aisée. « Au lieu de mettre classiquement en avant le discours d'un repenti, il vaudrait mieux trouver quelqu'un de *borderline*, quelqu'un qui résiste pour ne pas tomber de l'autre côté, et qui le raconte ! Ça aurait nettement plus de poids ! », assène celui qui croit dur comme fer en la laïcité comme « permis de fonctionner ensemble », mais qui n'a pas de mots assez durs pour les « laïcards ».

Se décréter « pour » ou « contre » tel ou tel style d'habillement (on parle de « tenue islamique ») ne fonctionnera jamais, car, selon lui, le vêtement est avant tout lié à la perception de soi, à son propre individualisme. « Pour ne pas tomber dans ces excès, il faudrait que les jeunes deviennent acteurs de la société. Il faudrait qu'ils se sentent utiles, et non inutiles, comme, par exemple, la fille de mon ami à Marseille ! »

---

1. À l'Empereur, des voix affirment que la somme de 300 euros par voix aurait été offerte pendant la campagne des municipales qui ont vu la victoire de Laurent Marcangeli.

Krimau va même plus loin : il souhaiterait que l'on cesse d'incriminer le racisme à la moindre occasion, alors que les problèmes à régler sont avant tout ceux du quotidien.

Pour avoir lui-même été fréquemment traité d'« *Arabacci* » (le terme péjoratif corse pour « Arabe »), Krimau connaît ce « racisme » dont on accuse les insulaires. Il y a bien longtemps, excédé de recevoir cette injure, sa réaction avait été de donner un coup de tête au policier qui l'avait prononcée ; l'incident s'était réglé au poste. Il était alors beaucoup plus « sanguin », s'excuse-t-il.

Pour Krimau, le pire reste l'indifférence vis-à-vis de ce qui se passe dans les quartiers. « Qu'ils s'entretuent ! », a-t-il même souvent entendu de la part de collègues.

Pas facile, l'antiracisme…

Quand mère et fille se font face, ce sont les mêmes profils altiers, imposants, alourdis par des chevelures denses, blanche pour l'une, jais pour l'autre. « Concernant le racisme, la parole s'est libérée, du coup, il y a moins d'assassinats…, mais le pire, c'est la banalisation du racisme. Il nous a fallu de très nombreuses années pour que nos interlocuteurs respectent notre combat », souligne Noëlle Vincensini, 89 ans, rescapée du camp nazi de Ravensbrück, qui a fondé l'ONG Avà Basta et a participé à certaines délégations de « *paceri* » (les faiseurs de paix), même si cette époque est révolue[1].

---

1. C'est grâce à eux que la spirale des vendettas a été stoppée. Cf. « Corse, terre de non-violence ? », in *Revue Alternatives non violentes*, n° 169, 4ᵉ trimestre 2013.

En 1989, une poussée de racisme avait balayé la plaine orientale. En 2004, le coup de couteau d'un Marocain à une lycéenne avait provoqué l'hystérie. « C'était hyperdur de faire de l'antiracisme. J'étais insultée et menacée quotidiennement, se remémore-t-elle. Si je n'avais pas eu ce passé de déportée, je ne sais pas si mes épaules auraient été assez larges. » Fondée en 1985, Avà Basta reçoit des subventions européennes, mais rien des collectivités locales[1]. Selon sa fille, Mireille Chabrol, « c'est la preuve qu'en Corse l'antiracisme est politiquement incorrect ».

Avà Basta n'en a cure et continue à se soucier d'intégration et d'accès aux droits des étrangers. L'association mène aussi de nombreux procès contre la corsophobie, car le racisme anticorse existe et se manifeste parfois par des refus de payer un chèque libellé en langue corse. Onze fois l'organisation s'est constituée partie civile pour régler de sombres histoires de biens, et combien de fois a-t-elle été accusée de défendre des « Arabes » pour des conneries faites par des « Corses » !

Quand, trois semaines après les incidents de l'Empereur, je retrouve Mireille Chabrol[2], elle est encore sous le choc des trois manifestations racistes qui se sont déroulées dans sa ville. Tout en n'adhérant pas à leurs thèses, l'Ajaccienne est sensible aux arguments des nationalistes : « Ici, le racisme est social et non culturel. On est une société très

---

1. En 2014, pour la première fois en quarante ans, Avà Basta a reçu une somme substantielle de la collectivité territoriale corse. Ce qui a immédiatement été dénoncé par le FN, qui prétend que « les Arabes » sont privilégiés par rapport aux « Corses ».
2. Le père de Mireille Chabrol, qui a été le mari de Noëlle Vincensini, est l'écrivain et scénariste cévenol Jean-Pierre Chabrol.

pauvre où subsiste une économie coloniale. C'est comme un troupeau de chèvres où chacun se retrouverait à la fois victime et bourreau ! », philosophe-t-elle. Mireille rechigne à admettre qu'il existe, en Corse, des personnes capables de prononcer en public des slogans ouvertement racistes. Elle semble aussi avoir du mal à admettre la réalité des vidéos de cette foule hostile qui entoure le préfet. Le lendemain de la visite du ministre de l'Intérieur, cette même foule s'était encore retrouvée dans les bas de Saint-Jean pour insulter les immigrés aux fenêtres et déambuler de manière menaçante dans les rues, alors que la France était en état d'urgence ! La militante est stupéfaite que le préfet ait osé recevoir à la préfecture certains de ces incitateurs, notamment les représentants du groupuscule Vigilenza Naziunale Corsa, autodissous depuis, dont les nationalistes mettent un point d'honneur à se démarquer. Pis, le préfet aurait même négocié avec eux, ce qui n'est pas passé inaperçu auprès des Corses, toujours prompts à dénoncer l'attitude de l'État français. « Au lieu de les arrêter et de les jeter en prison, s'échauffe Mireille Chabrol, il leur a parlé comme à des gens convenables et les a simplement prévenus que des enquêtes étaient en cours ! »

Elle est sidérée d'avoir senti que le plus haut représentant de l'État français sur l'île n'osait pas s'attaquer de front aux racistes, voire les ménageait. À juste titre, Mireille est choquée de voir que certains Arabes français de l'Empereur sont tout autant racistes que certains Corses ou que leurs concitoyens sur le continent. Surtout quand, par conviction ou simple provocation, ils revendiquent leur identité arabe avant la française.

Dans ce paradis brûlant où la précarité est la première des violences, Mireille sait que l'économie parallèle fonctionne sur le dos des pauvres. L'île offre une image de luxe grâce à sa beauté flamboyante et éternelle, mais les pauvres se terrent pour ne pas ternir la carte postale, et sont tout aussi pauvres qu'ailleurs.

Baisser la voix pour évoquer l'Empereur

Attablée dans un restaurant de la vieille ville avec une consœur de la presse nationale, c'est une drôle de sensation que de devoir baisser la voix pour évoquer les événements de l'Empereur, le racisme en Corse, ou encore les Arabes. Je me refuse à trancher qui, des Corses, des continentaux ou des Maghrébins seraient les plus racistes.

En France, l'intégration ressemble à un échec parce qu'on est encore dans le déni sur ce sujet. L'identité française tend à se fondre dans un espace européen à faible identité, d'où cette sensation de dilution propre à générer des angoisses existentielles, que renforce l'absence d'une politique étrangère commune. En Corse, les jeunes d'origine étrangère semblent mieux intégrés qu'ailleurs dans l'Hexagone, car la Corse est une île à identité forte, où tout le monde se connaît, mais ces jeunes ne sont pas pour autant mieux considérés.

L'attitude adoptée par certains habitants de l'île face à une population, certes proche dans les valeurs partagées, mais qui reste non corse, et, qui plus est, pratique une autre religion, reste celle du dominant. D'autant que montrer ses velléités de domination est un moyen supplémentaire d'afficher sa différence face aux continentaux. Entre Corses et Arabes s'installe parfois un véritable « combat de coqs » qui s'échauffe dangereusement au fil des provocations[1]. À travers ces heurts, une certaine Corse exprime sa fierté d'oser dire tout haut ce que tout le monde sur le continent pense tout bas. L'absence de radicalisé ou d'individu parti pour le djihad depuis la Corse est une autre source de fierté.

Dans l'arrière-boutique d'un atelier de carrosserie

Un commerçant, un fonctionnaire et un artisan qui habitent l'Empereur secouent la tête. Le quatrième homme est l'employé corse de l'atelier. Ces quarantenaires musulmans ne comprennent pas comment la police a pu laisser monter une telle foule hargneuse à l'Empereur. Tout en soulignant que c'est ici, en Corse, qu'ils ont construit leur stabilité, leur tranquillité et qu'ils se préoccupent de l'avenir de leurs enfants, ils se surprennent à envisager la possibilité de partir « quelque part », hors de ces ghettos « fabriqués ».

Ils sont choqués parce qu'ils ont grandi avec certains de ces Corses montés en rage à l'Empereur, ils ont tissé des liens avec eux, ils se sont rendus des services mutuels. Finalement, ils en viendraient presque à penser qu'une

---

1. À l'été 2016, la « surchauffe » se poursuit avec, le 13 août, une rixe sur une plage du côté de Sisco dont les protagonistes sont les membres d'une famille d'origine marocaine et des Corses du village voisin qui se disputent avec violence pour un bout de plage. http://www.lemonde.fr/corse/article/2016/08/17/corse-cinq-personnes-en-garde-a-vue-apres-la-rixe-a-sisco-pres-de-bastia_4984090_1616678.html

« guerre civile » pourrait « relancer l'économie » et « remettre chacun à sa place »…

Leur hantise est qu'un jeune radicalisé fasse son apparition sur l'île. « Qu'est-ce qui nous prouve qu'un fou ne va pas se faire sauter ici ? » « Les armes sont enterrées, leurs crosses dépassent, t'as juste à cueillir », ironise l'un d'eux.

Contrer le flot d'amalgames déversés quotidiennement sur Internet et dans les médias à propos de l'islam et des Arabes les préoccupe. Ils aimeraient que des imams charismatiques, respectés pour la profondeur de leur foi et leur style de vie exemplaire, postent des vidéos sur Internet contre le terrorisme. Or, se lamentent-ils, en France il n'y a pas d'imam alliant science et charisme, qui apparaîtrait crédible et légitime face à ces jeunes égarés. « Il doit bien y en avoir, voudrait croire l'un d'eux, mais on ne veut pas les laisser parler… »

Contris, ils reconnaissent que, via l'indifférence qui a prédominé tant d'années, tous les musulmans – y compris eux – ont une part de responsabilité.

Ne plus courber l'échine

Kamel est un bel homme de 41 ans, très affairé derrière le comptoir de son kebab, du côté du port, où il confectionne lui-même des sandwichs frais sur commande. Lui et sa famille résident aux Jardins de l'Empereur depuis toujours.

L'homme barbu, aux cheveux rasés, à la stature massive, qui porte une chaîne autour du cou, vient d'enfiler des gants en plastique pour passer en cuisine. Il reproche à la mairie « soi-disant de gauche » (le prédécesseur du maire actuel, était resté treize ans) de n'être « montée à l'Empereur » que quand elle y a trouvé un intérêt particulier : juste avant une élection, par souci électoral, pour glaner des voix.

« Demain, ils veulent des voix, on les leur donnera, mais seulement s'ils font quelque chose de bien pour nous ! », tempête-t-il. Kamel n'a rien contre le « donnant-donnant », sauf qu'« ils » ne font rien. L'homme est considéré comme « un écorché vif » dont les propositions, selon ses critiques, ne vont jamais dans le sens de plus de mixité, mais, au contraire, vers plus d'enfermement. Pour son snack, il aurait même un temps pensé à une séparation entre le halal et le reste, une idée finalement abandonnée.

Personne mieux que Kamel ne connaît les locaux vides de « là-haut », et enrage qu'ils ne soient pas utilisés. La promesse, jamais concrétisée, d'ouvrir dans le quartier une salle et de la transformer en club de boxe, l'avait fait rêver. Le commerçant avait même caressé l'idée d'ouvrir son snack à l'Empereur. Obtenir un « espace jeunes » était déjà tellement difficile, alors, un local commercial… Pour ce concerne les éducateurs, Kamel a du mal à accepter que l'État donne la préférence à des professionnels de l'extérieur et refuse ceux du quartier : « Comme si on leur faisait peur ! Après ils s'étonnent que ça aille mal dans les quartiers, mais bon sang, qu'ils nous fassent confiance ! Qu'ils embauchent des jeunes d'ici ! Non, ils ne veulent pas en entendre parler… »

En 2013, Kamel et quelques amis avaient rédigé les statuts d'une association en vue d'ouvrir cette fameuse salle de boxe. Très vite, leur initiative a été freinée par des habitants qui redoutaient que le local soit utilisé pour autre chose qu'un entraînement sportif [ils craignaient une salle de prière]. Même les animateurs de la ville rechignaient à laisser cette équipe seule aux manettes. Du coup, le local en question est resté fermé, alors que le fils d'une dirigeante d'association possède les clés de la salle de la mairie annexe ! Ainsi vont les commérages, jalousies et rancœurs aux Jardins de l'Empereur, comme dans tous les quartiers de France.

Kamel est né à l'Empereur. Il a plus tard passé vingt ans à Aix, puis à Marseille, où il a rencontré sa femme, avant de revenir vivre en Corse. Accueillant, généreux, l'homme n'hésite pas à accepter dans son foyer celui qui a un besoin de logement, tel ce garçon de 18 ans en sport-études, le fils d'un ami du continent. Selon le sportif, l'Empereur serait une grande famille où l'on respecte encore ses aînés. « Si t'es arabe, c'est très difficile de sortir avec une fille corse », avoue sans rougir ce jeune homme athlétique aux traits d'ange et à la peau cuivrée.

Kamel sourit de ces remarques. Il n'a pas été vraiment étonné de retrouver dans son snack certains de ceux qui avaient crié « sale Arabe » en montant à l'Empereur. « Ça n'a pas l'air de les déranger… » En revanche, il en veut aux représentants des forces de l'ordre qui sont restés passifs. Le saccage de la salle de prière l'a mis en rage, mais il est capable de nuancer à sa façon : « C'est un mal pour un bien car, si cela n'avait pas eu lieu, les médias ne s'en seraient pas saisis, et l'affaire aurait sûrement été étouffée ! »

Résultat : lui aussi est prêt à partir, d'ailleurs, il a mis son kebab en vente. Où exactement ? Il ne le sait pas vraiment.

Il a déjà vécu plus d'une dizaine d'années « sur le continent », et sait que le retour au « bled », dans un pays qui n'est plus vraiment le sien, ne serait pas facile. « Tous les Français partent pour leur retraite au Maghreb, alors pourquoi pas nous ? », tente-t-il de se modérer. Visiblement, Kamel se pose des questions. Il se sentirait sans doute moins « stressé » là où sa communauté ne serait pas en minorité.

Politiquement, il aimerait que droite et gauche s'unissent pour empêcher l'arrivée au pouvoir du FN. Il rêverait que les politiques, quel que soit leur bord, assument la situation. Des politiques, « devenus tellement lointains qu'on n'a même plus envie de voter pour eux ». Et de me dresser l'éloge du président américain Barack Obama : « Tu le kiffes quand il tape le ballon en survêt, là t'as direct envie de voter pour lui ! », sous-entendu : ce n'est pas ici en France qu'un politique se montrerait aussi naturel devant les caméras.

Comme beaucoup de mes interlocuteurs pour cette enquête, Kamel est sujet à des tentations extrêmes et paradoxales : « J'aurais bien voulu que le FN passe, même si cela signifie qu'il faudrait prendre le bateau et se casser ! », fanfaronne-t-il.

Nous sommes interrompus par des clients souhaitant passer commande. Les gestes du restaurateur sont rapides et précis. Kamel est fier de cette jeune enseignante d'anglais de Noisy-le-Sec qui, la veille de notre rencontre, sur le plateau de l'émission « Des paroles et des actes[1] », avait osé tenir tête au philosophe Alain Finkielkraut. D'une voix douce et polie, avec un sourire désarmant, la jeune femme

---

1. Jeudi 21 janvier 2016, sur France 2.

avait reproché à l'écrivain ses différentes déclarations sur l'islam et les musulmans et conclut par un percutant : « Pour le bien de la France, taisez-vous, monsieur Finkielkraut ! », une formule qui avait ravi beaucoup d'internautes.

Pour faire cesser le terrorisme, Kamel ne serait pas contre un pouvoir accru de l'État : il a du mal à comprendre que, dans ce contexte dramatique, les autorités ne parviennent pas à exercer une quelconque influence, ou contre-influence, vis-à-vis des jeunes concernés.

Pourtant, Kamel est le premier à avoir été « déçu » par sa propre communauté : « La grande différence entre nous et nos parents, tente-t-il d'expliquer, c'est que nous ne sommes pas arrivés ici pour nous adapter. Nous, nous sommes nés ici, et nous voulons vivre et manger, comme tout le monde ! » De nouveau affleure l'ombre du complexe d'infériorité, sitôt balayée par cette nouvelle génération qui ne veut pas en entendre parler. Elle s'insurge contre les Arabes traditionnels, plus âgés, qui ne veulent jamais provoquer la moindre vague, se sont mariés entre eux et ont toujours accepté sans rechigner la place qu'on voulait bien leur donner. Leur génération revendique la possibilité de se marier en dehors de la communauté, d'obtenir de meilleurs emplois et un statut social plus élevé.

Ainsi, la visite de courtoisie rendue par les représentants de l'association cultuelle gérant la salle de prière de Mezzavia aux pompiers d'Ajaccio dans les jours qui ont suivi les incidents, boîte de chocolats à la main, n'a pas plu à toute la communauté musulmane de Corse. Selon plusieurs témoignages, le dialogue aurait été tendu – on aurait pu s'y attendre –, et Kamel ne pense pas que ce geste ait été une bonne idée. « Personne ne nous a défen-

dus quand la foule est montée le 25 et les jours suivants !
Heureusement qu'aucun d'entre nous n'a mis le nez dehors et que nous avons tous fait les morts, sinon c'était la
bataille rangée ! »

Accompagnée de deux charmants enfants, une jeune
femme au teint de porcelaine et au port de reine arrête
sa voiture juste devant l'entrée du snack. Tous les trois
courent enlacer père et mari. Ayant saisi que nous parlions
de la situation à l'Empereur, l'épouse ne fera qu'une remarque, à propos de l'association : « Heureusement qu'elle
existe, pour les tout-petits quand même… Au moins, ils ne
traînent pas dans le quartier… »

— Eh, ma fille, je t'ai dit déjà de ne pas boire la canette
à la bouche comme ça…

La grande gueule vindicative offre une paille à sa fillette.

« Moi, j'ai peur de Dieu,
et heureusement ! »

Corses ou maghrébins, comme toute leur génération, les
jeunes de l'Empereur vivent dans l'affect et la surréaction.
Un événement les saisit, les obsède pendant quelques jours
ou quelques semaines, puis ils l'oublient complètement.

Rachid, jeune homme de 27 ans, svelte, à la crinière
rasta, au nez aquilin et à la barbe en pointe, me rejoint
derrière l'un des immeubles du fond du quartier. Nous
nous asseyons par terre pour deviser.

« Je suis un homme calme, tranquille et j'essaie d'avoir un
comportement exemplaire. Oui, je suis un barbu, comme
on dit. Mais ça ne me dérange pas. J'assume ! » Rachid ne

craint pas de faire savoir qu'il est « dans la religion », ce qui ne l'empêche pas de vivre avec son temps.

Rachid est formel : *il n'est pas Charlie*, car, comme tout musulman, il lui paraît impossible de cautionner la moindre caricature du Prophète. Mais il ne cautionne pas pour autant le terrorisme.

Notre conversation se tient quelques semaines après la tragédie du Bataclan. Pour Rachid, les terroristes français ont une « mauvaise compréhension et, surtout, une pratique erronée de l'islam ». « On n'est pas des terroristes ! Le Prophète avait des voisins juifs, il ne les a pas maltraités pour autant ! » tient-il à affirmer dès le début de notre conversation. Plus jeune, lui aussi a eu envie de « faire des bêtises ». Seule sa crainte de Dieu l'a retenu :

« Moi j'ai peur de Dieu ! Et heureusement d'ailleurs ! C'est cette peur qui m'empêche de faire des conneries… Et c'est comme ça chez tous les vrais croyants ! » avoue-t-il avec une rivalité désarmante. « Je voulais me rebeller, mais l'exemple du Prophète m'en a empêché : j'ai pensé à Lui quand Il s'est fait chasser de La Mecque. Le Prophète a pris sur Lui, Il n'a rien fait de mal. C'est cet exemple qu'il faut suivre ! »

De la religion comme un sparadrap protecteur… Qu'on ne fasse pas croire à Rachid que l'islam est à l'origine d'actes de terreur commis par des « égarés » ! Il va même plus loin : d'après son interprétation personnelle des textes du Coran, aucun individu n'a le droit de se retourner contre le gouverneur (le raïs). En Irak, une guerre fratricide oppose sunnites et chiites, attisant les haines d'al-Qaida, puis de l'organisation de l'État islamique envers leurs propres frères musulmans. Rachid, pourtant sunnite, n'accepte pas ces affrontements. Selon lui, en France, personne ne doit mettre en cause l'État.

Il n'a rien à redire à l'attitude de salafistes qui auraient choisi « la voie des compagnons du Prophète » qu'il nomme « les pieux prédécesseurs ». À ses attitudes respectueuses en évoquant ce chapitre précis de la vie du Prophète, je comprends que c'est la voie qu'il a personnellement choisie.

En ce crépuscule de fin janvier 2016, l'air est vif et nous nous déplaçons finalement vers l'habitacle de sa voiture où le chauffage fonctionne à fond. Rachid répète : « Non, vraiment, on ne peut pas se retourner contre le gouverneur. » Le gouverneur, c'est qui ? « L'État français, bien sûr. Au risque de vous décevoir, nous on voudrait vraiment que ça reste stable, la France ! »

À son tour d'évoquer le laxisme « continental », cette désagréable impression que « la France ne surveille pas les individus avec des antécédents ». « Si toi t'appelles les autorités en disant : lui là, le barbu – il se montre du doigt –, il prépare quelque chose, eh ben je serai arrêté tout de suite ! » Il rigole dévoilant des dents impeccablement blanches et un sourire charmeur. La perspective de séjourner à la prison de Borgo ne lui semble même pas rédhibitoire. « Tu parles, là-bas, c'est portes ouvertes, baby-foot toute la journée, blanchi, nourri, logé ! »

Le soir des « incidents », Rachid affirme avoir fait la leçon aux plus jeunes, forcément les plus excités pendant l'incendie, qui étaient été tentés de caillasser la police quand elle est revenue sur les lieux. Ce dont il les a dissuadé. Le vendredi 25, il avait prévenu la police de la possibilité que des manifestants viennent passer leurs nerfs sur la salle de

prière. « On nous a conseillé de bien fermer le local et de
quitter les lieux, c'est ce qu'on a fait ». Le jeune homme
n'a donc pas apprécié – c'est peu de le dire – que les forces
de l'ordre ne soient pas intervenues pas pour faire cesser
le saccage. La diffusion en boucle d'images du coran brûlé
amènera « des tas de jeunes à avoir envie de s'engager avec
Daech, c'est sûr ! Ou alors ils auront envie de descendre en
Corse faire un carnage ! », prévient-il. Quant aux raisons
du malaise entre les forces de l'ordre et les jeunes à l'Empereur, il avance une explication : « Les CRS, ce sont des
mecs du continent. Quand ils nous voient, c'est comme
s'ils voyaient des Arabes du continent, ils ne font pas la
différence, et donc ils peuvent être très violents ! Ils y vont
fort quand ils nous alignent pour vérifier nos papiers ! C'est
écœurant, c'est même humiliant ! Les petits, ils voient ça,
ça leur plaît pas, et, en retour, ils ont envie de les caillasser ! » Rachid n'a rien à se reprocher, mais, il avoue ne pas
savoir comment il se comporterait face à un policier adop-
tant une telle attitude.

Rachid a longtemps travaillé comme éboueur à la CAPA,
où, accuse-t-il, « les meilleures places seraient réservées aux
Corses. Ici, on aime les Arabes qui restent à leur place,
c'est-à-dire la plus basse de toute la société corse. Un bon
Arabe, c'est un Arabe qui se tait ».

Pourtant, né en Corse, il affirme comprendre ceux qui
ont une attitude raciste. Il aime cette terre. C'est la sienne,
il n'en connaît pas d'autre. Jamais le jeune homme en doudoune cintrée noire et pantalon de jogging Adidas assorti ne
pourrait vivre « sans la Corse », dont il parle presque comme
d'une femme aimée. Rachid préfère oublier complètement

l'échec de la salle de sport. Il est également déçu que Gilles Siméoni, qui jouissait à ses yeux d'une bonne image lors de son élection, ne soit pas immédiatement monté à l'Empereur pour « marquer le coup ». Si le binôme à la tête de la Corse a été efficace en termes de com', ce n'est pas vraiment le cas « concrètement », estime-t-il comme si, à leur tour, ils étaient touchés par une contagieuse impuissance.

Une question de politesse et non de racisme

Marie et Mathilde habitent le quartier de l'Empereur depuis la fin des années 1960. Au gré des disparitions familiales, elles se sont retrouvées toutes les deux seules dans ce lumineux F4 du « Joseph », avec vue traversante côté baie et côté city-stade. Pendant les incendies des 24 et 25 décembre, les deux sœurs étaient aux premières loges.

Sur la table à manger du salon qu'illumine une toile cirée jaune et verte, une cafetière fume et embaume. À mon arrivée, toutes deux sont en train de donner un coup de main à une voisine voilée, qu'elles aident à remplir des documents administratifs.

Les deux vieilles filles sont les seules Corses de toute leur « cage ». Avec ses cheveux courts et gris, son col roulé et son gilet sans manches, Mathilde cultive une allure énergique. Même menue, elle se targue d'être plus courageuse que le mari de leur seule voisine non maghrébine, un couple qui a déménagé il y a peu : quand ça tambourinait sur les boîtes aux lettres, que les poubelles étaient volontairement déposées non pas dans le local prévu, mais juste devant voire, parfois, renversées devant leur porte d'entrée, ou encore que les deux sœurs devaient enjamber des mares de vomi et des monceaux de canettes abandonnées par des jeunes qui, toute la nuit, s'étaient réunis sur leur palier, c'est bien Mathilde qui prenait son courage à deux mains pour aller sonner chez les voisins soupçonnés et les sommer de s'expliquer. « Qu'on ne me parle pas de racisme ! Si c'étaient des Corses, je ferais la même chose ! C'est une question de politesse et de vivre-ensemble ! », explose la retraitée.

Demander aux deux sœurs pourquoi elles ne déménagent pas a le don d'exaspérer Mathilde. Il est vrai que la question peut paraître incongrue. Connues comme le loup blanc dans le quartier, les deux sœurs disent s'être déjà fait traiter de « sorcières », de « putes » ou encore d'« enculées », mais n'ont en revanche, jamais, au grand jamais, eu droit à « sales Corses ! », l'insulte suprême qui a été lancée aux pompiers le soir de Noël. Toutes deux côtoient les familles qui posent problème à l'Empereur depuis des années. Elles en connaissent les parents, les oncles, les tantes, les fils, les cousines, les histoires de famille, toutes les jalousies et toutes les mesquineries.

« Ces jeunes, il aurait fallu les encadrer psychologiquement… », soupire Mathilde, comme si elle avait eu la prescience que la « cocotte-Minute exploserait » un jour ou l'autre. À aucun moment leurs plaintes n'ont été écoutées, ni par la police, ni par les politiques, ni par quiconque à la mairie d'Ajaccio. « On est trop vieilles, donc pas crédibles ! », pouffent-elles.

La triste maison des services publics

En surplomb de la seule place du quartier le long de la coursive du rez-de-chaussée du « Laetitia », on découvre un endroit glauque et mal indiqué, dont des pans de mur ont été tagués et incendiés, qui sent l'urine : c'est la Maison des services publics[1].

Ici, aucune permanence d'aucun opérateur national. Ni Poste, ni Pôle emploi, ni la CAF ne sont présents. En constatant que seuls cinquante mètres carrés de cet espace qui en compte deux cent cinquante sont utilisés, je comprends que les jeunes auraient préféré qu'on transforme l'espace en salle de boxe, voire en médiathèque !

Après avoir organisé des thés dansants auxquels participaient des Ajacciens des quartiers environnants, un gala de danse, un combat de boxe et des « journées propreté », le dynamisme de ses animateurs semble s'être émoussé. D'autant qu'à chaque velléité d'action l'association Les Jardins de l'Empereur, qui s'est toujours targuée d'être la seule du quartier, leur mettait des bâtons dans les roues. Du coup, la « Maison » s'est repliée sur du pur administratif : les photocopies, les demandes de CMU, celles de HLM ou les radiations des impôts.

Personne – ou si peu – ne vient jamais rendre visite aux employés de cette « Maison ». Les bureaux sont isolés et comme désertés. Sans les incriminer personnellement, je ne perçois d'ailleurs aucun entrain chez ceux qui se voient

---

1. Créée en 2004 par la ville avec l'éphémère maison de quartier (2004-2008).

comme les « assistantes sociales » du quartier. « En France, on est dans un laxisme terrible parce que nos politiques se battent pour ces six millions de voix de musulmans. Pourtant, ici… comment dire, ben… ils ne se plient pas à nos normes », lance, gênée, une personne rencontrée sur place, sitôt suivie par une autre : « Les Maghrébins ne sont pas devenus corses, faut pas croire, ils sont devenus musulmans ! C'est justement ça le problème ! » renchérit-elle. Les incidents de la nuit de Noël n'ont pas amélioré les relations entre les habitants du quartier et cette « Maison », illustration parfaite d'un organisme inutile qui donne bonne conscience aux autorités.

Arabes et Corses :
je t'aime, moi non plus

« Les Arabes nous ressemblent tellement que notre rapport avec eux est schizophrénique ! Tel est le cri du cœur d'un vieil Ajaccien avec qui je déjeune. Pour lui, les Arabes sont le reflet à peine déformé de ce que pourraient devenir les Corses.

Mes pérégrinations à travers des zones géographiques du monde, où les identités des peuples sont fortes ou menacées, m'avaient déjà révélé cette peur vis-à-vis de celui qui est le plus proche, craint parce qu'on ne le connaît pas vraiment. Quand, par exemple, venue du Kirghizistan, je pénétrais au Tadjikistan, en Asie centrale, et que j'avais le malheur d'évoquer des similitudes « entre voisins », je commettais de graves impairs[1].

---

1. Cf. Anne Nivat, *Par les monts et les plaines d'Asie centrale*, Fayard, 2006.

L'affirmation du vieil Ajaccien est enrichie par le discours d'un Arabe de 23 ans, né en Corse et parti faire ses études sur le continent, où il avoue s'être senti « encore plus corse ». Là-bas, loin de son île, il s'était mis à défendre les insulaires parce qu'on ne cessait de l'attaquer sur son identité. « Ce n'est qu'à partir du moment où j'ai su que certains de mes ancêtres marocains avaient participé à la Seconde Guerre mondiale que les commémorations m'ont ému… Je n'ai pas honte de l'avouer ! » Pour lui, les deux communautés respectent les mêmes valeurs familiales, accordent la même importance à la solidarité, sont impliquées dans les mêmes « trafics », sans oser se le dire. Elles s'aiment et se détestent à la fois.

Depuis les événements de *Charlie Hebdo*, le jeune homme, qui s'exprime mieux en français qu'en arabe, et dont les parents se disent « intégrés », a l'impression qu'on voudrait lui faire oublier ses racines. Et ce racisme ambiant le blesse : « Ces trottoirs sur lesquels on marche, c'est sûrement mon père et ses potes qui les ont posés… Alors, les tags *Arabi fora*, ça m'écœure ! » Retourner tous les ans dans le Rif et à Casablanca enrichit, selon lui, son identité française. « Rien n'est enlevé, tout s'additionne » et de cette « addition », il retire un cadre. « Ça ferait du bien à beaucoup de mes potes de savoir vraiment qui ils sont. Moi, cette double identité, j'en suis fier. »

En France, l'INSEE ne recense pas les flux, mais il semblerait qu'en 2016 le nombre d'immigrés marocains, tunisiens et algériens arrivés en Corse soit en baisse par rapport aux années précédentes, même si, parmi le lot des saisonniers, certains demeurent dans la clandestinité. Notons que, si ces travailleurs viennent et restent, c'est qu'ils trouvent du travail. Des patrons (corses) les embauchent. Quant aux Arabes installés dont le rêve est de quitter l'île, leur frustration les marginalise, les « communautarise », jusqu'à, éventuellement, les rendre violents.

Certains d'entre eux ont « fait leur trou » dans des milieux affairistes insulaires en participant à des « coups », d'autres en épousant le militantisme indépendantiste, mais aussi via l'apprentissage et la maîtrise de la langue corse : Rachid Razhouani dit « le Corse » est un Arabe de la troisième génération qui a grandi à Porto-Vecchio. Compromis dans le banditisme insulaire, et défendu par l'avocat pénaliste parisien Pascal Garbarini, il parle parfaitement le corse.

« Il faut se pencher sur ce qui a rendu possible l'Empereur »

La rencontre-débat intitulée « Après les Jardins de l'Empereur, *"campa inseme"*, comment vivre ensemble ? », organisée le 12 février 2016 à l'invitation de conseillers municipaux d'Ajaccio, a réuni sur une estrade, face à une salle bondée, Jérôme Ferrari, le romancier Prix Goncourt, et des représentants de la mairie. Au fond de la salle, des habitants de l'Empereur arrivés en retard n'avaient pu que rester debout.

Déroulant ses thèses sur la réalité du racisme en corse, la chercheuse Marie Peretti-Ndiaye avait argumenté qu'il n'était pas « spécifique » à la Corse, une réalité qu'elle semblait peiner à faire passer dans les médias nationaux. D'après elle, le « racisme d'aujourd'hui [était] porté par un

contexte international avec une politisation très forte de la
question migratoire, une politisation assez forte de la question religieuse depuis les attentats du 11 Septembre, et une
montée en puissance du néolibéralisme qui oppos[ait] les
populations les fragiles entre elles[1] ». Le fait que la question
migratoire ne soit posée qu'en termes de « problème » lui
paraissait capital.

Jérôme Ferrari, quant à lui, avait affirmé haut et fort que
« ce qui s'était passé aux Jardins sentait indubitablement
mauvais ». Ce qui l'avait décidé à écrire « quelque chose »,
un beau texte intitulé « Au-delà de la haine, rien[2] », dans
lequel il avait exposé le piège de cette « injonction venue
du continent qui nous somme de réagir ».

L'écrivain, d'habitude plutôt sur la réserve, a été horrifié
par la constitution de groupuscules sur les réseaux sociaux où
la parole est hyperlibérée. Les vidéos montrant des individus
qui scandaient « Il faut les tuer, il faut les tuer » l'ont choqué.
« Depuis les attentats de novembre, il semble difficile d'avancer l'idée que chercher les causes est justifié. Ce n'est même
pas vu par notre Premier ministre qui a condamné l'utilisation des sciences sociales, sous les applaudissements généraux,
comme si nous étions uniquement mus par l'émotion générale ! Il faut se pencher sur ce qui a rendu cela possible. Et
cela, je ne le sais pas », avoua-t-il publiquement.

Marcu Biancarelli, poète et professeur de langue corse,
répète que rien n'est « né » aux Jardins de l'Empereur.
« Depuis que j'ai grandi ici, je sais qu'on a un problème

1. Cf. « Marie Peretti-Ndiaye déconstruit le mythe du racisme en Corse »,
art. cité.

2. Cf. Jérôme Ferrari, « Au-delà de la haine, rien », in *Settimana*, n° 855,
31 décembre 2015.

avec le racisme. Cette xénophobie vient de notre violence, il n'y a rien de neuf. On est confrontés à cette problématique en permanence, cette thématique de l'opposition à l'autre est constante. On cherche tous comment vivre ensemble et ça relève du vœu pieux. On ne fait plus corps, on ne fait plus société… on aime bien agiter des mythes, des valeurs qui ne seraient que les nôtres, et on oublie au passage que ce sont les valeurs humaines de tous ! », croit-il bon de rappeler, ajoutant que « le système clanique ne nous a pas appris la conciliation, c'est une forme de servage, mental, moral, individuel, d'une catégorie d'individus sur une autre catégorie d'individus ».

En sortant de leur distance habituelle vis-à-vis de l'actualité pour donner leur point de vue et tenter de déshystériser le débat, ces intellectuels corses ont fait honneur à leur île.

Il connaissait l'hymne de Daech par cœur

La gloire que tire l'île de ne pas abriter – du moins le croit-elle – de djihadiste ou de migrant est à la hauteur du déni qui règne en Corse dans toutes les couches de la population.

Selon des données officielles, il existe une quinzaine de « fichés S » sur l'île. Une cinquantaine de situations particulières auraient fait l'objet d'un signalement et quinze perquisitions administratives ont été menées en 2015, sans qu'aucune débouche sur du concret.

Sauf le récit de la situation qui va suivre, qui témoigne de la fragilité des acquis, de la profondeur du malaise de la jeunesse corse, et des dénégations des structures de l'État.

À la suite des événements de l'Empereur, une question a taraudé tous ceux qui ont été affectés par les incidents : le risque de radicalisation islamiste.

Au printemps 2016, un jeune Corse avait avoué à sa mère avoir été radicalisé par un imam autoproclamé d'Ajaccio et connu des services de police pour être leur… informateur ! Sérieuse, l'affaire avait provoqué des remous jusque dans les hautes sphères de l'île, qui avaient cherché à la minimiser. Mais c'est dans les rangs des indépendantistes, les premiers à avoir été mis au courant du danger potentiel, que le bât a blessé : la famille corse touchée par ce drame en était issue.

Pendant une bonne partie de l'été, rien n'avait filtré dans les médias, jusqu'à ce communiqué du FNLC-22 octobre, transmis à *Corse-Matin* le 29 juillet et repris par tous les médias nationaux quasi *in extenso* malgré la trêve estivale.

Depuis fin mai, des sources insulaires m'avaient tenue au courant de la situation : dyslexique, déscolarisé depuis 2015, soupçonné par sa famille de fumer des joints, un adolescent corse de 16 ans s'était confié à son oncle. Il avait évoqué un « ami marocain », mais, surtout, s'était permis d'exprimer des positions pro-islamistes. D'une manière générale, le gamin s'était mis à « trop parler d'islam », jusqu'à tenir des propos étranges à propos de sa mère, des femmes en général, et refusait de se découvrir les bras. Effarés, parents et famille l'avaient aussitôt emmené « au village », qu'il avait reçu ordre de ne plus quitter. Le garçon avait fini par avouer être sous l'emprise d'un imam, celui-là même qui avait refusé de serrer les mains des institutrices lors d'une réunion à l'école maternelle de l'Empereur, en février[1].

Âgé de 40 ans, le supposé « recruteur » serait un ex-habitant de l'Empereur résidant aujourd'hui dans la vieille ville. Particulièrement actif dans une association cultuelle locale, il appelait le jeune Corse au téléphone tous les mercredis, très tard le soir, une heure durant. L'adolescent, connaissait l'hymne de Daech par cœur et son ordinateur était rempli de vidéos macabres de martyrs se faisant sauter.

D'après le récit du jeune homme, le soir du 13 novembre, « son » imam, (qu'il appelle « Abdou »), se serait félicité des attentats à Paris. Puis, il n'aurait cessé de lui demander de « venger la salle de prière » de l'Empereur. Il lui aurait aussi enjoint d'aller « s'entraîner au tir », lui faisant miroiter le don d'une arme.

« Abdou » préparait-il « un gros coup » perpétré par un « petit Blanc », qui « monterait au ciel pour sa bonne action » ? Des « cibles » avaient même été évoquées, comme la discothèque Via Notte, à Porto-Vecchio, à l'occasion de son ouverture estivale, ou le Blue Moon, à Porticcio. L'imam aurait aussi suggéré à l'adolescent de « tuer au hasard, dans un bus, le matin ». Ou alors, au collège Laetitia, « où tu as été humilié ! Tu rentres, et tu vas les finir ! », aurait-il asséné. Livrant le détail de ces horreurs à sa propre mère, le jeune homme avoua qu'il aurait pu « tuer » pour cet homme, le « seul être humain », selon lui, à l'avoir « écouté et aidé ».

---

1. Cette réunion avait justement pour but de « clarifier » l'attitude de certains garçons vis-à-vis des filles, par l'intermédiaire justement de ce personnage. Cf. *infra* pour le détail.

Info ou intox ? Difficile de trancher. Honteux et terrorisés, les parents du jeune homme sont restés longtemps prostrés sans savoir à qui s'adresser. Fin mai, dans les locaux de l'assemblée territoriale, ils ont rencontré Jean-Guy Talamoni, Gilles Siméoni et quelques autres nationalistes à qui, avec difficulté, ils ont déballé toute l'histoire. Terrorisés, les parents restaient dans le déni et la peur du qu'en-dira-t-on, m'a rapporté l'un des participants. Abasourdis, les deux nouveaux dirigeants de la Corse ont finalement partagé ce récit avec le préfet fraîchement intronisé[1].

Samedi 28 mai, Gilles Siméoni a donc téléphoné au préfet qui a reçu la famille (le père, la mère et le frère de la mère) en fin d'après-midi. Le nouveau préfet a également convié son préfet de police. Il prend le récit et la situation de cette famille très au sérieux. Une enquête est lancée, le téléphone portable de l'adolescent est mis sur écoute et la famille « sécurisée ». Les hauts fonctionnaires de l'État remettent leurs numéros de portable aux membres de la famille, les assurant de leur soutien.

De source policière, il apparaît que l'imam en question est un indic, qui, *de facto*, aurait déjà « islamisé » d'autres gamins des Jardins de l'Empereur, dont ceux incarcérés pour les incidents de la nuit du 25 décembre. « En informant les représentants de l'État, qui ne sont pourtant pas très sympas avec nous, on a quand même été réglos, nous, les nationalistes, il faut le reconnaître, alors qu'on aurait pu agir autrement ! », relate un des participants à cette réunion. « La

---

1. Le nouveau préfet de Haute-Corse a pris ses fonctions le 17 mai 2016.

DGSI, qui savait tout, voire avait tout gardé pour elle, n'a rien fait du tout ! », s'insurge-t-il.

Choquée, la mouvance nationaliste se surprend même à s'agacer de la « passivité » des deux élus à la tête de la région, dont ils auraient plutôt attendu qu'ils mettent au point une « cellule de crise ». Prudents, les politiques avancent qu'il est impossible et impensable de punir une intention seule.

Plus virulents, les nationalistes n'acceptent pas même l'idée de la naissance de l'intention. À ceux avançant que le gamin pourrait avoir tout inventé, ils rétorquent : « Ce serait mieux, effectivement, si c'était un mythomane. » Pour ajouter aussitôt : « Nous ne voulons pas qu'on dise avoir évité telle ou telle tentative… On ne veut même pas de tentative ! »

Ces nationalistes qui ont abandonné la lutte armée en 2014 prônent une ligne nettement plus « dure » que le tandem Talamoni-Siméoni : « La vérité, c'est que personne n'a le courage de commencer un travail de fond. Les élus font semblant de ne pas voir. Ils minimisent, parce qu'ils ont abandonné les quartiers ! » N'y tenant plus, le 29 juillet 2016, les partisans de cette ligne ont publié ce long communiqué adressé « aux musulmans de Corse, aux islamistes radicaux et à l'État français[1] ». Aux premiers, qu'ils qualifient de « premières et principales victimes de la barbarie du djihadisme », ils ont demandé de « prendre position » en dénonçant l'islam radical, c'est-à-dire en signalant les « dérives chez des jeunes désœuvrés, tentés par la radicalisation ».

Aux « islamistes radicaux de Corse, ceux qui cherchent à enrôler la jeunesse vers l'abîme du fanatisme », ils ont af-

---

1. Cf. http://www.corsematin.com/article/derniere-minute/flnc-lintegralite-du-communique

firmé avoir déjoué « un attentat sur [notre] territoire dans un lieu fréquenté par le public ».

Leur conclusion prenait la forme d'une menace : « Sachez que toute attaque contre notre peuple connaîtrait de notre part une réponse déterminée sans aucun état d'âme », un état d'esprit rappelant celui des « plus durs » montés à l'Empereur, quand il s'agissait de montrer qu'ils n'avaient pas l'intention de se laisser faire.

Les auteurs du communiqué révèlent avoir rencontré des responsables du culte musulman en 2014, à Ajaccio, qui leur avaient confié nourrir quelques craintes à propos d'une radicalisation croissante tout en prétendant maîtriser la situation.

En diffusant ce communiqué, les indépendantistes ont voulu apporter la preuve que la situation n'était plus maîtrisée. D'après leur analyse, les événements du 24-25 décembre 2015 ne sont pas un « incident occasionnel », mais scellent le début d'une « stratégie de déstabilisation » pour « tester la réaction du peuple corse ». Enfin, ils s'adressent à l'État français pour l'enjoindre de cesser de « vouloir donner des leçons de démocratie à la terre entière s'il veut éviter que les conflits semés à travers le monde ne reviennent comme un boomerang sur son sol ».

Par la même occasion, les indépendantistes révèlent aussi le nombre de salafistes « connus de l'État français » et identifiés comme tels – ils seraient huit en Corse –, dont un imam, « indicateur de police », celui-là même à l'origine de la radicalisation du jeune Ajaccien.

Durant l'année 2016, la situation aux Jardins de l'Empereur est restée calme, mais elle a laissé transparaître d'autres problèmes.

La première réunion d'information concernant le Conseil citoyen[1] s'est tenue le 30 janvier 2016 en présence du député-maire Laurent Marcangeli et du président de la CAPA.

Mais un incident notable s'est produit en février, à l'école maternelle publique, quand des institutrices se sont aperçu qu'un petit garçon refusait de donner la main aux filles. Celui-ci répétait que c'était « ce qu'on lui avait dit », et d'autres garçonnets s'étaient mis à l'imiter. Alertées, elles avaient prévenu la directrice qui en avait informé l'académie. Une réunion fut organisée, grâce à la médiation de la préfecture qui avait mandaté un « représentant du culte[2] ».

De l'avis de tous, la réunion s'est très bien passée, quand, au moment de se dire au revoir, l'imam a refusé de serrer la main d'une institutrice. « Je ne touche pas la main des femmes, parce que moi, les femmes, je les respecte ! », aurait assuré cet homme connu de la préfecture et indicateur de la police !

Tel est le nœud de l'incompréhension notoire entre les deux « camps » : les uns, outrés, considèrent cette attitude comme la preuve d'un assujettissement et d'un manque de liberté. Les autres sont convaincus que c'est un signe de respect. Comment s'entendre ? Un court article publié dans *Corse-Matin* a relaté l'incident, précisant que le rectorat semblait « minimiser » les faits. En revanche, les commentaires

---

1. Cette instance a été créée sur la base des 1 001 habitants et acteurs du quartier des Jardins de l'Empereur.

Selon un document officiel, les « trois grandes missions confiées au Conseil citoyen sont de favoriser l'expression des habitants et usagers, permettre la co-construction des contrats de ville, faire émerger et soutenir les initiatives citoyennes ».

2. Cf. « Un imam jette le trouble au quartier de l'Empereur », par Kael Serreri, in *Corse-Matin,* 14 mars 2016.

postés sur le site Internet du quotidien témoignaient d'une rare agressivité. Après cet incident, l'imam aurait été vu en ville en compagnie d'un homme, se tenant systématiquement derrière lui, comme s'il voulait le protéger. Garde du corps ou ami venu des quartiers Nord de Marseille, comme il le présentait à tous ceux qui l'interrogeaient ?

La seconde réunion de préparation du Conseil citoyen[1] s'est tenue le 15 avril 2016. Le 18 mai, les habitants ont élu leurs dix représentants du collège « habitants » ainsi que les dix « acteurs locaux » dudit collège. Une fonctionnaire du conseil départemental a été chargée d'un état des lieux. Un coordinateur cadre A devait être recruté.

Le 30 avril, à Mezzavia, un autre quartier de la ville, une autre salle de prière a été incendiée[2]. Dès que la nouvelle fut connue, les réactions dans l'Hexagone ne se sont pas fait attendre. Il semblerait qu'il s'agisse d'un acte criminel dû à une dispute entre fidèles pour obtenir la cagnotte des dons. Le « garde du corps de l'imam », dont la présence avait provoqué de nombreuses questions, a disparu après l'incendie de cette mosquée.

En mai, quatre personnes ont été gardées à vue dans le cadre de l'enquête sur le saccage de la salle de prière qui a suivi les incidents des Jardins de l'Empereur. Elles ont été rapidement relâchées. Personne n'a été incarcéré.

En me rendant à pied dans un bistro du cours Napoléon, je manque de glisser sur les trottoirs lavés à grandes eaux

---

1. http://www.ca-ajaccien.fr/wp-content/uploads/2016/03/Depliant-148x210web.pdf?49ea3e

2. Cf. « Incendie et vol à la salle de prière de Mezzavia », par Jacques Colonna, in *Corse-Matin*, 3 mai 2016.

par les commerçants. Dès le matin, il fait chaud et lourd, comme à Naples. « Cette île est une île de fous, et nous sommes ses esclaves, m'assène le gérant d'un bar, honteux de ce que la Corse, à ses yeux, est devenue. Je suis fier d'être Corse, qu'ils disent ! OK, mais pourquoi alors tu vends du fromage de brebis trafiqué ? » Bougon, la tête enfoncée entre les épaules, il repart dans son arrière-boutique. « En majorité, l'artisanat corse, c'est du *made in China*, et tout le monde accepte ce mensonge… », accuse-t-il pendant notre discussion.

Cette société du mensonge n'est pas propre à la Corse, même si ce phénomène est sûrement amplifié par l'insularité.

Dans les bars du port, au crépuscule, les habitués se placent côté route. Côté mer, c'est la place des touristes.

Visible au regard, mais inconsciente dans les esprits, la frontière de la route est abrupte.

Il en a toujours été ainsi.

Pour celui qui se plonge dans l'ébullition d'une ville, se perd dans les méandres de ses cartes, géographique, sociale et humaine – virtuelles ou réelles –, les défis sont multiples. Que ce soit dans un pays en guerre ou pas, l'immersion est nécessaire : se nourrir de la complexe réalité humaine dans le but de la partager, se contenter de n'être qu'un intermédiaire, se couler dans le quotidien de l'autre, saisir la résonance de ce qui a été dit ou de ce que l'on croit avoir perçu, et se faire oublier.

Mes interlocuteurs m'ont beaucoup parlé. Peut-être parce qu'ici comme là-bas ils me savaient de passage. Je ne prends pas parti, je suis perméable à toutes leurs rancoeurs, leurs envies, leurs joies, leurs peines, leurs frustrations, leurs contradictions, et parfois même leur autodénigrement.

Écouter, c'est aussi se mettre à égalité, ne pas juger, être capable de relancer au bon moment et, bien sûr, se taire. J'aime me couler dans d'autres vies que la mienne, je m'en nourris. Ces trajectoires différentes m'aident à vivre, à accepter le vide, à dénicher les illusions, elles sont ma façon de croire en quelque chose sans rien prétendre. J'ai donc pris un immense plaisir à recueillir ces « histoires vraies » de « vrais gens » dans la « vraie France ». En tirant le fil, je me suis rendu compte qu'il était sans fin.

Ce fut pour moi un vrai dépaysement qu'être immergée dans cette France où la perte d'exemplarité des hommes politiques avait grandement contribué au sentiment de désillusion de la population. « Les politiques nous oublient, et c'est réciproque », avait affirmé dans *Libération*[1] un habitant des quartiers nord de Marseille. Bien vu !

Lors d'un dialogue avec Alain Minc, Marcel Gauchet avançait que le discours du personnel politique était devenu « inaudible pour la grande masse de la population. C'est le creusement de cet écart qui désigne un peuple par défaut, si divers et divisé qu'il soit : le peuple de ceux qui se sentent ignorés[2] ».

Tant de Français ont peur car ils ne voient pas vraiment de quoi leur futur sera fait. En famille, nous nous étions amusés à chercher des possibilités de titres pour ce livre, ils étaient tous plus « noirs » les uns que les autres : « La France inverse », « La France côté verso », « La France à rebours », « Passionnante France ordinaire », « La France en guerre, vraiment ? », « État d'urgence, états d'urgences », « Au coeur de la France », « La France que nous ignorons », « Cette France que vous ignorez », « La France qui gêne ». Aucun d'eux ne nous satisfaisait vraiment. Et, finalement, nous avions ri de ce « Connaissez-vous la France ? » pas si mal, lancé par mon fils de neuf ans, car lui aussi voulait participer au jeu.

---

1. le 27 février 2012.

2. « Quel malheur français ? », Alain Minc et Marcel Gauchet, in *Le Débat*, n° 190, mai-août 2016, p. 183

En aucun cas, je ne voulais grossir la vague d'ouvrages – pour la plupart pourtant des best-sellers – pessimistes et grincheux, qui mettaient en avant le « déclin » français. En aucun cas, je ne voulais d'un livre misérabiliste. Parmi tous ces Français rencontrés chez eux, dans leur ville, dans leur quotidien et leur intimité, beaucoup, de prime abord, n'avaient pas compris pourquoi je m'intéressais à eux. Après mes explications, ils s'étaient montrés surpris et heureux, comme mes « gens de guerre ».

Notre capacité d'aveuglement et de surdité, cette propension à vivre les uns à côté des autres sans vouloir vraiment se connaître me paraissaient immenses. Si, partout, affleurait la résignation, subsistait aussi cette excitation inouïe vis-à-vis de l'élection présidentielle, comprise comme un duel, l'ultime affrontement. En France, où le système présidentiel est binaire, celui qui va gagner et celui qui va perdre divisent le peuple, d'où l'extrême dramatisation du moment. En sillonnant le pays, j'ai pu constater que la politique passionnait encore.

En écrivant ce livre, je ne prétends pas avoir résolu quoi que ce soit, ni convaincu qui que ce soit, mais bien montré (et non démontré) où étaient les problèmes, afin que nous les entendions. J'avais retranscrit la voix des plus concernés le plus honnêtement possible. Il était temps de ne plus faire la sourde oreille à propos de certains sujets. « L'identité devient d'autant plus pressante que l'on descend dans l'échelle sociale. De nombreux jeunes issus de l'immigration ne se sentent pas français. Ils ne sont d'ailleurs ni d'ici, ni de là-bas. Des *no man's land* identitaires se sont constitués qui sont autant de terrains de prédilection pour le djihadisme.

L'identité est consubstantielle à l'être humain. Savoir qui l'on est permet d'accueillir l'autre[1] », affirme Pierre-Jean Luizard, historien, spécialiste du Moyen-Orient, dont l'expression publique rare est d'autant plus précieuse.

Sur le terrain français, où cette identité a justement le don de s'embraser, les fanatismes semblent ponctuels et pas uniquement religieux. Des terroristes nous ont traumatisés, mais ce n'est pas une raison pour affirmer qu'expliquer revient à « excuser[2] », comme le Premier ministre a voulu nous le faire croire, à deux reprises, depuis les attentats de 2015.

Expliquer n'a jamais été ma prétention, en revanche, je souhaitais apporter dans cet ouvrage des informations qui contribueraient à l'éclairage de ce que nous ne voulions pas voir. Pourquoi les hommes politiques ressassaient-ils en boucle les mots d'« unité nationale » – expression creuse, « politiquement correcte » et qui ne faisait plus rêver –, comme si elle était encore possible ? Voilà justement le genre de chimères qui agace les Français, lassés de toujours subir la même parole politique, artificielle et si éloignée de la réalité.

À l'été 2016, les propos du Premier ministre d'alors, Manuel Valls, concernant l' « asservissement » de la femme

---

1. Cf. *Le Débat*, « L'État islamique à la conquête du monde », par Pierre-Jean Luizard, *op. cit.* p. 151.

2. « J'en ai assez de ceux qui cherchent en permanence des excuses ou des explications culturelles ou sociologiques à ce qui s'est passé », avait déclaré le Premier ministre au Sénat, deux semaines après les attaques de novembre 2015. Et de réaffirmer, le 9 janvier 2016, lors d'un hommage aux victimes de l'attaque de l'Hypercacher : « Il ne peut y avoir aucune explication qui vaille. Car expliquer, c'est déjà vouloir un peu excuser. » En savoir plus sur http://www.lemonde.fr/societe/article/2016/03/03/terrorisme-la-cinglante-reponse-des-sciences-sociales-a-manuel-valls_4875959_3224.html#G7ylqeIx7FvCoKM1.99

portant un « burkini[1] » avaient fait sourire, et notamment aux États-Unis, où un édito du quotidien *New York Times* ne s'était pas privé de souligner l'hypocrisie du débat en France : « Au cœur de la dispute, on trouvait quelque chose de beaucoup plus noir : les affirmations paternalistes des hommes politiques français à propos du devoir de la République de sauver les femmes musulmanes de l'asservissement – en leur dictant ce qu'elles pouvaient et ce qu'elles ne pouvaient pas porter. Le vacarme autour du burkini était devenu un moyen de détourner l'attention des problèmes que les leaders français avaient été incapables de résoudre : un chômage très élevé, une croissance économique terne et une menace terroriste encore très réelle[2]. » Comment Manuel Valls avait-il pu asséner de telles affirmations ? Comment pouvait-il se permettre de telles généralisations ? Qu'en savait-il ?

Il était également sain de reconnaître que la France n'était pas, ou plus tout à fait, dans l'histoire, ou, en tout cas, moins qu'avant, ainsi que l'avaient souligné, parmi d'autres, Emmanuel Todd[3] et Hubert Védrine[4]. Exprimer cela ne signifiait pas ne plus croire en la force de la France, mais admettre que tout changeait et qu'il fallait en avoir conscience. De la même façon, donner la parole à des personnes expliquant pourquoi elles étaient tentées par le FN

---

1. Selon Manuel Valls, le burkini « est la traduction d'un projet politique, de contre-société, fondé notamment sur l'asservissement de la femme ». Propos recueillis par *La Provence*, 16 août 2016.

2. Cf. « *France's Burkini Bigotry* », éditorial du *New York Times* du 22 août 2016, p. 8. Traduction de l'auteur.

3. « La France n'est plus dans l'histoire », interview d'Emmanuel Todd par Aude Lancelin, in *L'Obs*, 24 mars 2016.

4. Cf. « Retour au réel », par Hubert Védrine, in *Le Débat*, *op. cit.*

ne signifiait pas les défendre, encore moins faire siennes les thèses de ce parti.

Comme de nombreux Français, j'étais lasse des débats théoriques sans fin sur la laïcité française, fatiguée de ces réflexions en forme de joutes incessantes, déguisées en des proclamations idéologico-médiatiques qui ne servaient pas à grand-chose sinon à maintenir le débat dans l'hystérie et finir par ne donner la parole qu'à l'élite.

J'ai voulu dans ce livre mettre en exergue une parole différente, m'intéresser à l'autre, tâcher de mieux le connaître, dans un contexte où il me semblait que nous n'étions plus si nombreux, dans notre beau pays, à avoir envie de ce « vivre-ensemble », à l'inverse de ce qu'affirmait le philosophe Pierre Manent, pour qui la France n'était pas une société aussi déchirée que ce que l'on disait.

Partout, on se croisait sans se voir. S'agissait-il davantage d'ignorance mutuelle que de réelles disputes, ce que tendait à démontrer la passionnante enquête de Géraldine Smith dans son livre *Rue Jean-Pierre Timbaud*[1] ? Serions-nous résignés à vivre séparés et irrités ? Pour l'heure, il semblait plus raisonnable et réaliste d'accepter l'idée que notre société, par essence « multiculturelle », soit *de facto* « une société "sous tension" », ainsi que l'analysait avec pertinence Christophe Guilluy dans tous ses ouvrages.

Les Occidentaux, c'est bien connu, sont toujours prompts à célébrer la différence, mais, ils ne s'intéressent pas beaucoup à ce qui n'est pas eux. Ce triste constat s'était

---

1. Cf. Géraldine Smith, *Rue Jean-Pierre Timbaud, une vie de famille entre barbus et bobos*, Stock, 2016.

imposé à moi au fil de mes lointains reportages. Face au monde islamique, notre attitude se réduisait, au pire, au rejet, au mieux, à une indifférence globale mâtinée de peurs ponctuelles. En rentrant du terrain, cette morsure me rappelait que ce qui constituait ma vie, ce que j'essayais de dire et de décrire, semblait ne servir à rien. En travaillant sur la France, j'obtins confirmation de ce constat.

Au tout début de son éclairant et monumental ouvrage de terrain à Cadenet, dans le Luberon, où le sociologue Jean-Pierre Le Goff est revenu pendant trente ans pour en explorer les mutations et bouleversements, voici ce qu'il écrit : « Notre pays dispose de réserves d'humanité et de forces vives pour sortir de l'impasse. Il n'a pas dit son dernier mot[1]. »

Dans le reste de la France, comme à Cadenet, j'ai aussi pu observer que le « plaisir de la conversation », comme il écrit, était encore important : « On oublie les soucis et l'on revit en se rencontrant et en se parlant[2]. »

Je crois en ces ressources inépuisables d'humanité.
À hauteur d'homme.

---

1. Cf. Jean-Pierre Le Goff, *La Fin du village*, Gallimard, 2014.
2. *Ibid.*, p. 27.

JE REMERCIE

Sophie de Closets, pour sa relecture détaillée, attentive et dynamique.

Hélène Guillaume, qui s'est habilement saisie du texte dans la droite ligne de notre aimé et défunt éditeur Claude Durand.

David Strepenne, Pauline Faure et Marie-Felicia Mayonove, qui se sont plongés dans le travail d'accompagnement avec plaisir et efficacité.

Plus généralement, je veux ici souligner la gentillesse et le professionnalisme de tout Fayard, *ma* maison d'édition, à laquelle, malgré les années, malgré les aléas, malgré les départs, je reste fidèle.

Toute l'équipe de Nord Compo à Villeneuve-d'Ascq.

Tom Galtat-Couturiaux, qui, le premier, a commencé à plancher sur le projet, se documentant avec enthousiasme et passion. Jean-Pierre Tenoux lui a emboîté le pas à Lons-le-Saunier, Jean-Joseph Batardière à Laval, Céline Trossat à Montmorot.

Je suis reconnaissante à tous celles et ceux – ils se reconnaîtront – qui m'ont accueillie chez eux. À Ajaccio, montée Saint-Jean ; à Laon, sur le plateau ; à Lons et à Montmorot ; à Évreux, en bordure de la Madeleine ; à Montluçon, dans la vieille ville ; ou encore à Laval, dans ce vieil hôtel particulier, accueillant et généreux, comme ses propriétaires.

Merci à Chloé de m'avoir aiguillée vers sa mère, à Manon vers la sienne, à Claude Azéma, point de départ d'une longue chaîne de contacts à Lons, ainsi qu'aux amis corses qu'il m'est impossible de tous nommer ici.

Merci à Isa, poissonnière et amie en Cévennes, qui m'a divinement nourrie pendant ces longs mois de solitude (et de plaisir).

Merci à Franck, exigeant professeur de Pilates, discipline dont je ne peux plus me passer.

Sans eux, je ne suis pas sûre que j'aurais tenu !

Merci à celles et ceux qui m'ont parlé d'eux, de leur ville, de leurs soucis, de leurs joies, avec qui j'ai ri, bu et mangé, parfois quelques minutes, mais le plus souvent des heures entières. Pour différentes raisons, vous n'êtes pas tous cités ici, mais, dans mon coeur, je n'oublie personne.

Chacun d'entre vous a contribué à me faire comprendre *dans quelle France on vit*.

BIBLIOGRAPHIE

- Scott Atran, *L'État islamique est une révolution*, Les Liens qui Libèrent, 2016.
- Florence Aubenas, *En France*, Éditions de l'Olivier, 2014.
- Jean Christophe Bailly, *Le Dépaysement. Voyages en France*, Le Seuil, 2011.
- Francis Balle, *Le Choc des incultures*, l'Archipel, 2016.
- Cris Beauchemin, Christelle Hamel, Patrick Simon, sous la direction de, *Trajectoires et Origines. Enquête sur la diversité des populations en France*, INED éditions, 2016.
- Thierry Beinstingel, *Retour aux mots sauvages*, Fayard, 2010.
- David Bénichou, Farhad Khosrokhavar, Philippe Migaux, *Le Jihadisme, le comprendre pour mieux le combattre*, Plon, 2015.
- sous la direction de Céline Braconnier et Nonna Mayer, *Les Inaudibles*, Les presses de Sciences-Po, 2015.
- Gérald Bronner, *La Pensée extrême, comment des hommes ordinaires deviennent des fanatiques*, Puf, 2015.
- Adrien Candiard, *Comprendre l'islam, ou plutôt : pourquoi on n'y comprend rien*, Flammarion, 2016.
- Cyrille Chevrillon, *Les 100 000 familles*, Grasset, 2015,
- Patrick Cockburn, *Le Retour des djihadistes. Aux racines de l'État islamique*, Des Équateurs, 2014.
- Daniel Cohen, *Le monde est clos et le désir infini*, Albin Michel, 2015.

– Michel COLLON, *Je suis ou je ne suis pas Charlie ?*, Investig'Action, 2015.
– Fanny COLONNA, *La Vie ailleurs. Des « Arabes » en Corse à la fin du XIXᵉ siècle*, Actes Sud, 2015
– Gabriel-Xavier CULIOLI, *La Terre des Seigneurs, un siècle de la vie d'une famille corse*, DCL, 1997.
– Didier DAENINCKX, *Retour à Béziers*, Fayard, 2014.
– Sophie DIVRY, *Quand le diable sortit de la salle de bain*, Noir sur Blanc, coll. « Notabilia », 2015.
– Vincent DUCLERT (présenté par) *Lettres à la France, de Jeanne d'Arc à Abd Al Malik*, Le Livre de Poche, 2016.
– Christian DUPLAN, *Mon village à l'heure de Le Pen*, Le Seuil, 2003.
– Frédéric ENCEL, Yves LACOSTE, *Géopolitique de la nation France*, Puf, 2016.
– Anna ERELLE, *Dans la peau d'une djihadiste*, Robert Laffont, 2015.
– Didier ÉRIBON, *Retour à Reims*, Fayard, 2009.
– Jérôme FERRARI, *Balco Atlantico*, Actes Sud, 2008.
– Jérôme FERRARI, *Le Sermon sur la chute de Rome*, prix Goncourt 2012, Actes Sud, 2012.
– Jérôme FOURQUET, Sylvain CREPON, *Karim vote à gauche et son voisin vote FN*, éditions de L'Aube, 2015.
– GAUZ, *Debout-payé*, Le nouvel Attila, 2014.
– Nicolas GIUDICI, *Le Crépuscule des Corses : clientélisme, identité et vendetta*, Grasset, 1997.
– Éric GIUILY, Olivier RÉGIS, *Pour en finir (vraiment) avec le millefeuille territorial*, l'Archipel, 2015.
– Raphaël GLUCKSMANN, *Notre France. Dire et aimer ce que nous sommes*, Allary Éditions, 2016.
– Thomas GUÉNOLÉ : *Les jeunes de banlieue mangent-ils les enfants ?*, Le Bord de l'eau, 2015.
– Christophe GUILLUY, *Fractures françaises*, Flammarion, 2013.
– Christophe GUILLUY, *La France périphérique*, Flammarion, 2014.

– Christophe Guilluy, *Le Crépuscule de la France d'en haut*, Flammarion, 2015.
– Gaël Guiselin, *Confessions d'une taupe à Pôle Emploi*, Calmann-Lévy, 2010.
– Latifa Ibn Ziaten, *Dis-nous Latifa, c'est quoi la tolérance ?*, éditions de l'Atelier, 2016.
– Henry James, *Voyage en France*, Robert Laffont, 1996.
– Axel Kahn, *Être humain, pleinement*, Stock, 2016.
– Ryszard Kapuscinski, *Cet autre*, Plon Archambault, 2011, et Pocket, 2014.
– Gilles Kepel, *Banlieue de la République : société politique et religion à Clichy-sous-Bois et Montfermeil*, Gallimard, 2012.
– Gilles Kepel, *Quatre-vingt-treize*, Gallimard, 2012.
– Gilles Kepel, *Terreur dans l'Hexagone : genèse du djihad français*, Gallimard, 2015.
– Gilles Kepel, *Terreur et martyre*, Flammarion, 2008.
– Farhad Khosrokhavar, *Radicalisation*, Maison des Sciences de l'Homme, 2014.
– Sous la direction d'Emmanuel Laurentin, *Histoire d'une République fragile*, Fayard, 2015.
– Hervé Le Bras, Emmanuel Todd, *Le Mystère français*, Le Seuil, 2013.
– Hervé Le Bras, *Le Nouvel Ordre électoral, tripartisme contre démocratie,* Le Seuil, 2016.
– Jean-Pierre Le Goff, *La Fin du village. Une histoire française*, Gallimard, 2012.
– Jean-Pierre Le Goff, *Malaise dans la démocratie*, Stock, 2016.
– Raphaël Liogier, *La guerre des civilisations n'aura pas lieu*, CNRS éditions, 2015.
– Raphaël Liogier, *Le Complexe de Suez, le vrai déclin français (et du continent européen)*, Le Bord de l'eau, 2015.
– François-Guillaume Lorrain, *Ces lieux qui ont fait la France*, Fayard, 2015.
– Mohamed Loueslati, *L'Islam en prison*, Bayard, 2015.
– Pierre Manent, *Situation de la France*, Desclée de Brouwer, 2015.

- *Moi, Anthony, ouvrier d'aujourd'hui*, coll. « Raconter la vie », Le Seuil, , 2014.
- Edgar MORIN, Tariq RAMADAN, *Au péril des idées*, Presses du Châtelet, 2014.
- Tarek OUBROU, *Profession imâm*, Albin Michel, 2015.
- Thierry de PERETTI, film *Les Apaches*, 2013.
- Marie PERETTI-NDIAYE, *Le Racisme en Corse, quotidienneté, spécificité, exemplarité,* Albiana, 2014.
- Virginie RIVA, *Converties*, Le Seuil, 2015.
- Pierre ROSANVALLON, *Le Parlement des invisibles*, 80 pages, Le Seuil, coll. « Raconter la vie », 2014.
- Thomas SAUVADET, *Le Capital guerrier, concurrence et solidarité entre jeunes de cité*, Armand Colin, 2006.
- Géraldine SMITH, *Rue Jean-Pierre Timbaud, une vie de famille entre barbus et bobos*, Stock, 2016.
- Malika SOREL-SUTTER, *Décomposition française*, Fayard, 2015, Pluriel 2017.
- Bernard SPITZ, *On achève bien les jeunes*, Grasset, 2015.
- Benjamin STORA avec Alexis JENNI, *Les Mémoires dangereuses*, Albin Michel, 2015.
- Marie SUSINI, *La Renfermée, la Corse*, Le Seuil, 1981.
- Liza TERRAZZONI, *Étrangers, Maghrébins et Corses : vers une ethnicisation des rapports sociaux ?*, thèse de doctorat de sociologie soutenue publiquement en 2010 à l'université de Paris-Ouest Nanterre-La Défense.
- Emmanuel TODD, *Qui est Charlie ?, sociologie d'une crise religieuse*, Le Seuil, 2015.
- Michèle TRIBALAT, *Assimilation, la fin du modèle français*, éditions du Toucan, 2013.
- Joachim VÉLIOCAS, *Ces maires qui courtisent l'islamisme*, 318 pages, Tatamis Éditions, 2015.
- Jean VIARD, *C'est quoi la campagne ?*, éditions de l'Aube, 2016.
- Jean VIARD, *Éloge de la mobilité ; essai sur le capital temps libre et la valeur travail*, éditions de l'Aube, 2014.
- Jean VIARD, *La Société d'archipel*, éditions de L'Aube, 1994.

- Jean VIARD, *Le moment est venu de penser à l'avenir*, éditions de l'Aube, 2016.
- Jean VIARD, *Nouveau portrait de la France ; la société des modes de vie*, éditions de l'Aube, 2012.
- Théodore ZELDIN, *Les Français*, Fayard, 1983.

TABLE DES MATIÈRES

COLLECTION PLURIEL

Actuel

ADLER Alexandre
Le monde est un enfant qui joue
J'ai vu finir le monde ancien
L'Odyssée américaine
Rendez-vous avec l'Islam
Sociétés secrètes
Le jour où l'histoire a
recommencé
ADLER Laure
Françoise
ALGALARRONDO Hervé,
COHN-BENDIT Daniel
Et si on arrêtait les conneries
ASKENAZY Philippe,
COHEN Daniel
27 questions d'économie
contemporaine
16 nouvelles questions
d'économie contemporaine
ATTALI Jacques
Demain, qui gouvernera le
monde ?
Urgences françaises
Devenir soi
C'était François Mitterrand
Peut-on prévoir l'avenir ?
Vivement après-demain !
ATTIAS Jean-Christophe,
BENBASSA Esther
Les Juifs ont-ils un avenir ?

BACHMANN Christian,
LE GUENNEC Nicole
Violences urbaines
BAECQUE (de) Antoine
Les Duels politiques
BALLADUR Édouard
Conversations avec François
Mitterrand
BARBER Benjamin R.
L'Empire de la peur
BARLOW Maude,
CLARKE Tony
L'Or bleu
BAVEREZ Nicolas
Réveillez-vous !
Danser sur un volcan
BEBIN Xavier
Quand la justice crée
l'insécurité
BEN-AMI Shlomo
Quel avenir pour Israël ?
BENAMOU Georges-Marc
Comédie française
BENBASSA Esther
La Souffrance comme
identité
BERGOUGNIOUX Alain,
GRUNBERG Gérard
Les Socialistes français et le
pouvoir (1905-2007)

BEURET Michel,
MICHEL Serge,
WOODS Paolo
La Chinafrique
BHUTTO Benazir
Autobiographie
BIASSETTE Gilles,
BAUDU Lysiane J.
*Travailler plus pour gagner
moins*
BIRNBAUM Pierre
Genèse du populisme
BORIS Jean-Pierre
*Le Roman noir des matières
premières*
BRENNER Emmanuel (dir.)
*Les Territoires perdus de la
République*
BRETON Stéphane
Télévision
BROWN Lester
Le Plan B
BRZEZINSKI Zbigniew
Le Grand Échiquier
CARON Aymeric
Envoyé spécial
CARRERE D'ENCAUSSE
Hélène
La Russie entre deux mondes
CHALIAND Gérard
Guérillas
CHALIAND Gérard,
BLIN Arnaud,
Histoire du terrorisme
CHARRIN Ève
L'Inde à l'assaut du monde
CHEBEL Malek
*Manifeste pour un islam des
Lumières*

CHEMIN Ariane,
SCHNEIDER Vanessa
*Le Mauvais Génie de Nicolas
Sarkozy*
CHEVÈNEMENT Jean-Pierre
L'Europe sortie de l'Histoire ?
CLERC Denis
*La France des travailleurs
pauvres*
COHEN Daniel
La Mondialisation et ses ennemis
COHEN-TANUGI Laurent
Guerre ou paix
COHN-BENDIT Daniel
Que faire ?
COHN-BENDIT Daniel,
ALGALARRONDO, Hervé
Et si on arrêtait les conneries ?
COTTA Michèle
*La Troisième Révolution
française*
Mitterrand carnets de route
DAVIDENKOFF Emmanuel
Peut-on encore changer l'école ?
DELPECH Thérèse
L'Ensauvagement
DOSTALER Gilles
MARIS Bernard
Capitalisme et pulsion de mort
DUFRESNE David
Maintien de l'ordre
Tarnac, magasin général
ÉTIENNE Bruno,
LIOGIER Raphaël
*Être bouddhiste en France
aujourd'hui*
FAUROUX Roger,
SPITZ Bernard
Notre État

FILIU Jean-Pierre
La Véritable Histoire d'Al-Qaida
FINCHELSTEIN Gilles
La dictature de l'urgence
FRÉGOSI Franck
L'islam dans la laïcité
GLASER Antoine
AfricaFrance
GIESBERT Franz-Olivier
L'animal est une personne
GLUCKSMANN André
Ouest contre Ouest
Le Discours de la haine
GODARD Bernard,
TAUSSIG Sylvie
Les Musulmans en France
GORE Al
Urgence planète Terre
GREENSPAN Alan
Le Temps des turbulences
GRESH Alain
L'Islam, la République et le monde
Israël-Palestine
GRESH Alain,
VIDAL Dominique
Les 100 Clés du Proche-Orient
GUÉNIF-SOUILAMAS Nacira
Des beurettes
GUÉNOLÉ Thomas
Petit Guide du mensonge en politique
HESSEL Stéphane
Citoyen sans frontières
HIRSCH Martin
Pour en finir avec les conflits d'intérêt
IZRAELEWICZ Erik
L'arrogance chinoise
JADHAV Narendra
Intouchable

JEANNENEY Jean-Noël (dir.)
L'Écho du siècle
JORION Paul
COLMANT Bruno
LAMBRECHTS Marc
Penser l'économie autrement
JORION Paul
Le dernier qui s'en va éteint la lumière
L'Argent, mode d'emploi
KERVASDOUÉ (de) Jean
Les Prêcheurs de l'apocalypse
KNIBIEHLER Yvonne
Mémoires d'une féministe iconoclaste
LATOUCHE Serge
Le pari de la décroissance
LAURENS Henry
L'Orient arabe à l'heure américaine
LAVILLE Jean-Louis
L'Économie solidaire
LE MAIRE Bruno
Des hommes d'État
LE GOFF Jean-Pierre
Malaise dans la démocratie
LEHOUX Valérie
Barbara, portrait en clair-obscur
LENGLET François
Qui va payer la crise ?
La Fin de la mondialisation
Tant pis, nos enfants paieront
LENOIR Frédéric
Les Métamorphoses de Dieu
Le Temps de la responsabilité
LEYMARIE Philippe,
PERRET Thierry
Les 100 Clés de l'Afrique
MALET Jean-Baptiste
En Amazonie

MARIS Bernard
Et si on aimait la France
Souriez, vous êtes français !
MARTINOT Bertrand
Pour en finir avec le chômage
MÉLENCHON Jean-Luc
L'Ère du peuple
De la vertu
MOREAU Jacques
Les Socialistes français et le
mythe révolutionnaire
MORIN Edgar
La Voie
Mon Paris, ma mémoire
NICOLINO Fabrice,
Biocarburants, la fausse
solution
NICOLINO Fabrice,
VEILLERETTE François
Pesticides
NIVAT Anne
Dans quelle France on vit
NOUZILLE Vincent
Les dossiers de la CIA sur la
France 1958-1981
Les dossiers de la CIA sur la
France 1981-2010
PÉAN Pierre
Noires fureurs, blancs
menteurs
Pape François
Se mettre au service des autres,
voilà le vrai pouvoir
PIGASSE Matthieu
FINCHELSTEIN Gilles
Le Monde d'après
PISANI-FERRY Jean
La crise de l'euro et comment
nous en sortir
POSTMAN Neil
Se distraire à en mourir

RAFFY Serge
Le Président, François Hollande,
itinéraire secret
RAMBACH Anne,
RAMBACH Marine
Les Intellos précaires
RENAUT Alain
La Libération des enfants
REYNIÉ Dominique
Les nouveaux populismes
ROCARD Michel
Oui à la Turquie
ROY Olivier
Généalogie de l'islamisme
La Laïcité face à l'islam
ROY Olivier,
ABOU ZAHAD Mariam
Réseaux islamiques
SALAS Denis
La Volonté de punir
SALMON Christian
La cérémonie cannibale
SAPORTA Isabelle
Le Livre noir de l'agriculture
SARAH Robert,
DIAT Nicolas
Dieu ou rien
La Force du silence
SAVIDAN Patrick
Repenser l'égalité des
chances
SELIGMANN Françoise
Liberté, quand tu nous tiens…
SENNETT Richard
La Culture du nouveau
capitalisme
SMITH Stephen
Négrologie
SMITH Stephen,
FAES Géraldine
Noir et Français

SMITH Stephen,
GLASER Antoine
Comment la France a perdu
l'Afrique
SOREL Malika
Décomposition française
SOROS George
Mes solutions à la crise
STORA Benjamin
La Dernière génération
d'octobre
TAUBIRA Christiane
Murmures à la jeunesse
TERNISIEN Xavier
Les Frères musulmans
TINCQ Henri
Les Catholiques
TISSERON Serge
L'Intimité surexposée

TRAORÉ Aminata
L'Afrique humiliée
Le Viol de l'imaginaire
VÉDRINE Hubert (dir.)
Un partenariat pour
l'avenir
VÉDRINE Hubert
La France au défi
Le Monde au défi
VERMEREN Pierre
Maghreb : les origines de la
révolution démocratique
VICTOR Paul-Émile,
VICTOR Jean-Christophe
Adieu l'Antarctique
VIROLE Benoît
L'Enchantement Harry Potter
WARSCHAWSKI Michel
Sur la frontière

Sciences

BARROW John
Une brève histoire de l'infini
Les Origines de l'Univers
CAZENAVE Michel (dir.)
Aux frontières de la science
CHANGEUX Jean-Pierre
L'Homme neuronal
DAFFOS Fernand
La Vie avant la vie
DAWKINS Richard
Il était une fois nos ancêtres
Qu'est-ce que l'Évolution ?
Le Plus Grand spectacle du
monde
FERRIES Timothy
Histoire du Cosmos de
l'Antiquité au Big Bang
FISCHER Helen
Histoire naturelle de l'amour

GLASHOW Sheldon
Le Charme de la physique
KANDEL Robert
L'Incertitude des climats
LAMBRICHS Louise L.
La Vérité médicale
LASZLO Pierre
Chemins et savoirs du sel
Qu'est-ce que l'alchimie ?
LEAKEY Richard
L'Origine de l'humanité
SEIFE Charles
Zéro
SINGH Simon
Le Dernier Théorème de
Fermat
Le Roman du Big Bang
STEWART John
La Nature et les nombres

VIDAL-MADJAR Alfred
Il pleut des planètes
WAAL Frans (de)
Le singe en nous

XUAN THUAN Trinh
Face à l'Univers

Philosophie

ARON Raymond
Essai sur les libertés
L'Opium des intellectuels
Croire en la démocratie
**ATTALI Jacques,
BONVICINI Stéphanie**
Consolations
BADIOU Alain
Deleuze
La République de Platon
BESNIER Jean-Michel
*Demain les posthumains, le futur
a-t-il encore besoin de nous ?*
**BLAIS Marie-Claude,
GAUCHET Marcel,
OTTAVI Dominique**
*Pour une philosophie politique
de l'éducation*
Conditions de l'éducation
Transmettre, apprendre
BOUVERESSE Jacques
Le Philosophe et le réel
CANTO-SPERBER Monique
Le Libéralisme et la gauche
CHÂTELET François
Histoire de la philosophie
*t. 1 : La Philosophie païenne
(du VIe siècle av. J.-C. au IIIe
siècle après J.-C.)*
*t. 2 : La Philosophie médiévale
(du Ier au XVe siècle)*
*t. 3 : La Philosophie du monde
nouveau (XVIe et XVIIe siècles)*

t. 4 : Les Lumières (XVIIIe siècle)
*t. 5 : La Philosophie et l'histoire
(de 1780 à 1880)*
*t. 6 : La Philosophie du monde
scientifique et industriel
(de 1860 à 1940)*
*t. 7 : La Philosophie des sciences
sociales (de 1860 à nos jours)*
t. 8 : Le XXe siècle
DESANTI Jean-Toussaint
Le Philosophe et les pouvoirs
Un destin philosophique
**DESCHAVANNE Éric,
TAVOILLOT Pierre-Henri**
Philosophie des âges de la vie
FLEURY Cynthia
Pretium doloris
GIRARD René
Celui par qui le scandale arrive
Les Origines de la culture
La Violence et le sacré
GLUCKSMANN André
Une rage d'enfant
GRUZINSKI Serge
La pensée métisse
HABERMAS Jürgen
Après l'État-nation
Après Marx
L'intégration républicaine
HABIB Claude
Le Consentement amoureux
JANICAUD Dominique
Heidegger en France (2 vol.)

Psychanalyse, psychologie

BETTELHEIM Bruno
Le Poids d'une vie
BETTELHEIM Bruno,
ROSENFELD Alvin
Dans les chaussures d'un autre
BONNAFÉ Marie
Les livres, c'est bon pour les bébés
BRUNSCHWIG Hélène
N'ayons pas peur de la
psychothérapie
CLERGET Stéphane
Adolescents, la crise nécessaire
CRAMER Bertrand
Profession bébé
CYRULNIK Boris
Mémoire de singe et paroles
d'homme
La Naissance du sens
Sous le signe du lien
CYRULINK Boris,
MATIGNON Karine Lou,
FOUGEA Frédéric
La Fabuleuse Aventure des
hommes et des animaux
DANON-BOILEAU Henri
De la vieillesse à la mort
DUMAS Didier
La Sexualité masculine
Sans père et sans parole
GAY Christian
Vivre avec un maniaco-dépressif
GREEN André
Un psychanalyste engagé
GRIMBERT Philippe
Psychanalyse de la chanson
Pas de fumée sans Freud

HADDAD Gérard
Manger le livre
HEFEZ Serge
Quand la famille s'emmêle
Dans le cœur des hommes
Scènes de la vie conjugale
HEFEZ Serge,
LAUFER Danièle
La Danse du couple
HOFFMANN Christian
Introduction à Freud
JEAMMET Philippe
Anorexie Boulimie
KORFF-SAUSS Simone
Dialogue avec mon
psychanalyste
Le Miroir brisé
LESSANA Marie-Magdeleine
Entre mère et fille : un ravage
MILGRAM Stanley
Soumission à l'autorité
RIBAS Denys
L'Énigme des enfants
autistes
SIÉTY Anne
Mathématiques, ma
chère terreur
SINGLY (de) François
Les Adonaissants
TISSERON Serge
Comment Hitchcock
m'a guéri
Psychanalyse de l'image
VIGOUROUX François
L'Âme des maisons
Le Secret de famille

Sociologie, anthropologie

AMSELLE Jean-Loup
L'Occident décroché
AUGÉ Marc
Un ethnologue dans le métro
BADIE Bertrand,
BIRNBAUM Pierre
Sociologie de l'État
BAUMAN Zygmunt
*Le Coût humain de la
mondialisation*
La Société assiégée
L'Amour liquide
*La Vie en miettes. Expérience
moderne et moralité*
La Vie liquide
BEAUD Stéphane,
PIALOUX Michel
*Violences urbaines, violence
sociale*
BOUDON Raymond
L'Inégalité des chances
La Logique du social
BROMBERGER Christian
Passions ordinaires
CALVET Louis-Jean
Histoire de l'écriture
CASTEL Robert,
HAROCHE Claudine
*Propriété privée, propriété
sociale, propriété de soi*
DIGARD Jean-Pierre
Les Français et leurs animaux
EHRENBERG Alain
Le Culte de la performance
L'Individu incertain
ELIAS Norbert
Norbert Elias par lui-même
Du temps

ELLUL Jacques
Le Bluff technologique
FOURASTIÉ Jean
Les Trente Glorieuses
GARAPON Antoine,
PERDRIOLLE Sylvie
Quelle autorité ?
GINESTE Thierry
Victor de l'Aveyron
GUÉRIN Serge
L'Invention des seniors
HIRSCHMAN Albert O.
*Bonheur privé, action
publique*
KAUFMANN Jean-Claude
L'Invention de soi
Casseroles, amour et crises
Quand Je est un autre
*L'étrange histoire de l'amour
heureux*
LAHIRE Bernard
L'Homme pluriel
LAMBERT Yves
La Naissance des religions
LAVILLE Jean-Louis,
SAINSAULIEU Renaud
*L'Association. Sociologie et
économie*
LE BRAS Hervé
Marianne et les lapins
MONOD Jean
Les Barjots
MORIN Edgar
*Commune en France. La
métamorphose de Plozévet*
MUXEL Anne
*Individu et mémoire
familiale*

Histoire

BECHTEL Guy
La Chair, le diable et le confesseur
BECKER Annette
Oubliés de la Grande Guerre
BENNASSAR Bartolomé
L'Inquisition espagnole,
XVᵉ-XIXᵉ siècles
BENNASSAR Bartolomé,
MARIN Richard
Histoire du Brésil
BENNASSAR Bartolomé,
VINCENT Bernard
Le Temps de l'Espagne,
XVIᵉ-XVIIᵉ siècles
BERCÉ Yves-Marie
Fête et révolte
BIRNBAUM Pierre
Le Moment antisémite
BLUCHE François
Louis XIV
Les Français au temps
de Louis XVI
BOLOGNE Jean Claude
Histoire de la pudeur
Histoire du célibat
BOTTÉRO Jean
Babylone et la Bible, Entretiens
avec Hélène Monsacré
Au commencement étaient les dieux
BOTTÉRO Jean,
HERRENSCHMIDT Clarisse,
VERNANT Jean-Pierre
L'Orient ancien et nous
BOUCHENOT-DECHIN
Patricia
André Le Nôtre
BOUCHERON Patrick (dir.)
Histoire du monde au XVᵉ siècle
t.1 : Territoires et écritures du
monde
t. 2 : Temps et devenirs du monde

BREDIN Jean-Denis
Un tribunal au garde-à-vous
BROSZAT Martin
L'État hitlérien
BROWNING Christopher R.
À l'intérieur d'un camp de travail
nazi
BRULÉ Pierre
Les Femmes grecques
CAHEN Claude
L'Islam, des origines au début de
l'Empire ottoman
CARCOPINO Jérôme
Rome à l'apogée de l'Empire
CARRÈRE D'ENCAUSSE
Hélène
Lénine
Nicolas II
Catherine II
Les Romanov
CHARLIER Philippe
Médecin des morts
CHAUNU Pierre
Le Temps des réformes
CHEBEL Malek
L'Esclavage en Terre d'Islam
CHÉLINI Jean
Histoire religieuse de l'Occident
médiéval
CHOURAQUI André
Les Hommes de la Bible
CLAVAL Paul
Brève histoire de l'urbanisme
CLOULAS Ivan
Les Châteaux de la Loire au
temps de la Renaissance
Les Borgia
COLLECTIF
Le Japon
Les Francs-Maçons
Les Collabos

MURRAY KENDALL Paul
Louis XI
KNIBIEHLER Yvonne
Histoire des infirmières en France au xxe siècle
LACARRIÈRE Jacques
En cheminant avec Hérodote
LACORNE Denis
L'Invention de la République américaine
LAURIOUX Bruno
Manger au Moyen Âge
LE GOFF Jacques
La Bourse et la vie
Un long Moyen Âge
LE GOFF Jacques, SCHMITT Jean-Claude
Dictionnaire raisonné de l'Occident médiéval
LE NAOUR Jean-Yves
Le Soldat inconnu vivant
LENTZ Thierry
Le Grand Consulat
LE ROY LADURIE Emmanuel
L'État royal (1460-1610)
L'Ancien Régime (1610-1770)
t. 1 : L'Absolutisme en vraie grandeur (1610-1715)
t. 2 : L'Absolutisme bien tempéré (1715-1770)
Trente-trois questions sur l'histoire du climat
LEUWERS Hervé
Robespierre
LEVER Maurice et Évelyne
Le Chevalier d'Éon
LEVER Évelyne
Louis XVIII
C'était Marie-Antoinette
L'affaire du collier
Louis XVI

LÉVI Jean (traduction et commentaires)
Les Sept Traités de la guerre
LIAUZU Claude
Histoire de l'anticolonialisme
MALET-ISAAC
Histoire
t. 1 : Rome et le Moyen Âge (735 av. J.-C.-1492)
t. 2 : L'âge classique (1492-1789)
t. 3 : Les Révolutions (1789-1848)
t. 4 : La Naissance du monde moderne (1848-1914)
MALYE François, STORA Benjamin
François Mitterrand et la guerre d'Algérie
MANTRAN Robert
Istanbul au siècle de Soliman le Magnifique
MARGOLIN Jean-Louis
Violences et crimes du Japon en guerre (1937-1945)
MARTIN-FUGIER Anne
La Bourgeoise
MORIN Edgar
Ce que fut le communisme
MAUSS-COPEAUX Claire
Appelés en Algérie
MILZA Pierre
Les derniers jours de Mussolini
Histoire de l'Italie
Garibaldi
MIQUEL Pierre
La Grande Guerre au jour le jour
MORICEAU Jean-Marc
L'Homme contre le loup
Histoire du méchant loup
Les Grands Fermiers

MORIN Edgar
Ce que fut le communisme
MOSSE George L.
De la Grande Guerre au
totalitarisme
NOIRIEL Gérard
Réfugiés et sans-papiers
Immigration, antisémitisme et
racisme en France
(XIXe-XXe siècles)
Chocolat, la véritable histoire
d'un homme sans nom
PÉAN Pierre
Une jeunesse française, François
Mitterrand, 1934-1947
Vies et morts de Jean Moulin
PÉREZ Joseph
L'Espagne de Philippe II
Thérèse d'Avila
PERNOUD Régine,
CLIN Marie-Véronique
Jeanne d'Arc
PETITFILS Jean-Christian
Les Communautés utopistes au
XIXe siècle
Le Régent
PÉTRÉ-GRENOUILLEAU
Olivier
Nantes au temps de la traite des
Noirs
PORTIER-KALTENBACH
Clémentine
Histoires d'os et autres illustres
abattis
POURCHER Yves
Les Jours de guerre
PRÉPOSIET Jean
Histoire de l'anarchisme
RANCIÈRE Jacques
La Nuit des prolétaires

RAUCH André
Histoire du premier sexe
RAUSCHNING Hermann
Hitler m'a dit
RÉGENT Frédéric
La France et ses esclaves
RÉMOND René
La République souveraine
REVEL Jacques
Fernand Braudel
et l'histoire
RICHARD Jean
Histoire des croisades
RICHÉ Pierre
Les Carolingiens
RICHÉ Pierre,
VERGER Jacques,
Maître et élèves au Moyen
Âge
RIOUX Jean-Pierre,
SIRINELLI Jean-François
La France d'un siècle à l'autre
(2 vol.)
La Culture de masse en
France
STERNHELL Zeev
Maurice Barrès et le
nationalisme français
RIVET Daniel
Le Maghreb à l'épreuve de la
colonisation
ROCHE Daniel
Les Circulations dans l'Europe
moderne
ROTH François
La Guerre de 1870
ROUCHE Michel
Clovis
ROUSSEL Éric
Pierre Brossolette

ROUSSET David
Les Jours de notre mort
L'Univers concentrationnaire
ROUSSO Henry
Un château en Allemagne
ROUX Jean-Paul
Les Explorateurs au Moyen Âge
SEGEV Tom
1967
SIRINELLI Jean-François
Les Vingt Décisives
SIRINELLI Jean-François
Les Vingt décisives
SOUTOU Georges-Henri
La Guerre froide
SPEER Albert
Au cœur du Troisième Reich
SPORTES Morgan
Ils ont tué Pierre Overney
STORA Benjamin
Messali Hadj
Les Trois Exils. Juifs d'Algérie
De Gaulle et la guerre d'Algérie
Mitterrand et la guerre d'Algérie
Les guerres sans fin
STORA Benjamin,
HARBI Mohammed
La Guerre d'Algérie
THIBAUDET Albert
La République des Professeurs
suivi de Les Princes lorrains
TRAVERSO Enzo
La Guerre civile européenne
(1914-1945)
TULARD Jean
Napoléon

Les Français sous Napoléon
Napoléon. Les grands moments
d'un destin
VALLAUD Pierre
L'Étau
VERDES-LEROUX Jeannine
Les Français d'Algérie de 1830 à
aujourd'hui
VERNANT Jean-Pierre
La Mort dans les yeux
VEYNE Paul
Le Quotidien et l'intéressant
VIDAL-NAQUET Pierre
L'Histoire est mon combat,
Entretiens avec Dominique
Bourel et Hélène Monsacré
VILLIERS Patrick
La France sur mer de Louis XIII
et Napoléon Ier
VINCENT Bernard
Ainsi nous parle Abraham
Lincoln
WEBER Eugen
La fin des terroirs
WEIL Georges
Histoire de l'idée laïque en
France au XIXe siècle
WERNER Karl Ferdinand
Naissance de la noblesse
WIEVIORKA Annette
Déportation et génocide
L'Ère du témoin
Auschwitz
WINOCK Michel
Madame de Staël

Lettres et arts

Fayard s'engage pour l'environnement en réduisant l'empreinte carbone de ses livres. Celle de cet exemplaire est de :
1,100 kg éq. CO₂
Rendez-vous sur www.fayard-durable.fr

PAPIER À BASE DE FIBRES CERTIFIÉES

Imprimé en septembre 2017 par
CPI
84-9730-8/01